ISBN 978-0-265-48826-3
PIBN 10704176

FB &c Ltd, Dalton House, 60 Windsor Avenue, London, SW19 2RR.
Company number 08720141. Registered in England and Wales.

For support please visit www.forgottenbooks.com

FÜHRER
DURCH DEN CONCERTSAAL

VON

HERMANN KRETZSCHMAR.

I. ABTHEILUNG:
SINFONIE UND SUITE.

I. BAND.

DRITTE AUFLAGE.

SIEBENTES TAUSEND.

LEIPZIG
VERLAG VON BREITKOPF & HÄRTEL
1898.

VORWORT
zur ersten Auflage.

Der vorliegende „Führer durch den Concertsaal“ ging aus einzelnen Aufsätzen hervor, welche ich im Laufe der Jahre für die von mir geleiteten Concerte geschrieben habe, um die Zuhörer auf die Aufführungen unbekannter oder schwierig zu verstehender Compositionen vorzubereiten.

Für die Buchform sind diese Artikel umgearbeitet und dahin vervollständigt worden, dass die erläuterten Werke in geschichtlicher Folge erscheinen. Da Historie und Kritik unzertrennlich sind, wird man entschuldigen, dass die Compositionen und die Componisten auch beurtheilt werden. Ich hoffe jedoch mich in dieser Beziehung durchschnittlich in den gebotnen Grenzen gehalten zu haben. Den ersten Gesichtspunkt für Aufnahme oder Weglassung, kürzere oder ausführlichere Behandlung der Werke und Künstler bildete ihre Stellung im heutigen Repertoir, den zweiten ihre kunstgeschichtliche Bedeutung. Aus ersterem Grunde mussten unter anderen einige

Compositionen aus der jüngsten Gegenwart zur Zeit noch unberücksichtigt bleiben.

Rostock, 26. September 1886.

Dr. Hermann Kretzschmar,
Academischer Lehrer der Musik an der Landesuniversität, Grossherzogl. u. städt. Musikdirector zu Rostock.

Zur zweiten Auflage.

Das Erscheinen einer zweiten Auflage bietet mir willkommene Gelegenheit für die freundliche Aufnahme, die mein „Führer" gefunden hat, herzlich zu danken.

Im Wesentlichen ist das Buch geblieben, wie es war. Ich konnte mich darauf beschränken, einzelne Irrthümer zu berichtigen und da und dort das geschichtliche Bild zu ergänzen.

Leipzig, September 1890.

Dr. Hermann Kretzschmar,
Ausserordentlicher Professor an der Universität Leipzig und Universitätsmusikdirector.

Zur dritten Auflage.

Wegen Ueberbürdung und Krankheit des Verfassers hat diese Abtheilung des „Führers" seit Jahren im Handel fehlen müssen. Jetzt erscheint sie beträchtlich verändert. Die Händel'schen Concerti grossi, S. Bach's Brandenburger Concerte, die sinfonischen Dichtungen Liszt's und seiner Nachfolger sind weggelassen und für den in Vorbereitung begriffnen Schlusstheil des Werks (Concerte, Ouvertüren u. s. w.) zurückgestellt worden. Trotzdem ist die neue Auflage doppelt so stark wie die vorhergehende und der besseren Handlichkeit wegen in zwei Bände zerlegt worden. Die Vermehrung kommt eines Theils auf die ältre Geschichte von Suite und Sinfonie; zum andren waren eine grosse Anzahl von Werken aus jüngster Zeit ganz neu aufzunehmen. Wenn die meisten von diesen sehr ausführlich behandelt worden sind, so zwangen dazu äussre, praktische Gründe. Grundsätzlich bin ich nach wie vor der Meinung: dass der Erklärer sich vor Allem der Kürze befleissigen und bei Denen, welche sich mit Sinfonien beschäftigen, einige Kenntniss in der musikalischen Formenlehre, mindestens die Fähigkeit, Thüren und Fenster zu unterscheiden, voraussetzen soll. Ich habe es deshalb trotz gütiger Aufforderungen abermals vermieden immer wieder zu sagen, aus wieviel Takten die und die Melodien bestehen, in welchen Tonarten sie beginnen und schliessen, und mich darauf beschränkt den Leser mit Dingen des äussren Mechanismus nur soweit zu behelligen, als sie besondre Wichtigkeit haben. Mein Bestreben ging dahin: anzuregen, ins Innre und Intime der Werke und der Künstlerseele zu führen und womöglich den Zusammenhang mit der Zeit, mit ihren besondren musikalischen Verhältnissen, mit ihren geistigen Strömungen aufzudecken.

Dass mein „Führer" auch Andere zu gleichen Versuchen veranlasst hat, ist mir sehr schmeichelhaft; dass er zuweilen ohne Weitres benutzt wird, noch mehr. Doch erlaube ich mir darauf aufmerksam machen, dass in Fällen wörtlicher Entlehnung schweigende Dankbarkeit oder verlegne Gänsefüsschen nicht genügen, sondern dass dann der literarische Anstand vollständige Quellenangabe verlangt.

Dem Publikum und meinen Kritikern bin ich für die freundliche Aufnahme auch der zweiten Auflage verbunden.

Zum Schlusse spreche ich den Vorständen von Bibliotheken und Archiven, sowie den Herren Verlegern — insbesondre den Herren Breitkopf & Härtel — die auch die Arbeit an dieser Auflage bereitwilligst durch Ueberlassung von Materialien unterstützt haben, herzlichsten Dank aus.

Leipzig, October 1898.

Dr. Hermann Kretzschmar,
Ausserordentlicher Professor an der Universität Leipzig.

INHALT.

I. Band.

	Seite
Von Gabrieli bis Bach. Blüthezeit der Orchestersonate und der Suite, Entwickelung der Sinfonie . .	1—50
J. Haydn, Mozart, Beethoven	51—187
Nebenmänner und Gefolge der Classiker. Vorläufer und Hauptvertreter der Romantik	188—264

II. Band.

Die Programmmusik und die nationale Richtung in der Sinfonie	265—554
Die moderne Suite und die neueste Entwickelung der classischen Sinfonie	555—697

I.

Von Gabrieli bis Bach.

Blüthezeit der Orchestersonate und der Suite, Entwickelung der Sinfonie.

Wenn wir nach den Anfängen unsrer heutigen Concertmusik für Orchester suchen, so müssen wir eine beträchtliche Strecke zurückwandern. Nachdem die besseren Elemente unter den Spielleuten durch eigene Verbände, wie die Wiener Nicolaibrüderschaft, die Brüderschaft der Pfeifer im Elsasss sich aus der Masse des fahrenden Volkes gelöst hatten, kamen ihnen auch Höfe und Städte zu Hülfe. Die Fürsten gründeten zunächst für Kriegs- und Repräsentationszwecke im 15. Jahrhundert die vornehmen „Trompeterzünfte“, deren Mitglieder Offiziersrang hatten.[1]) Noch weiter reichen in den grossen deutschen Städten die Versuche zurück, das Musikgewerbe ehrbar und zunftmässig zu machen. Bestimmte Nachrichten aus Wismar[2]), Basel[3]), Lübeck[4]) und anderen bedeutenden Handelsplätzen[5]) zeigen die Anfänge der spätern „Stadtpfeifereien“ bereits im 14. Jahrhundert.

[1]) J. S. Altenburg, Versuch einer Anleitung zur heroisch-musikalischen Trompeter- und Paukenkunst. 1795.

[2]) W. Crull, Mecklenburgisches Urkundenbuch. 1879.

3) A. Reissmann, Allgemeine Geschichte der Musik.

4) Carl Stiehl, Musikgeschichte der Stadt Lübeck. 1891.

5) Wilh. Bäumcker, Zur Geschichte der Tonkunst in Deutschland. 1881.

Das öffentliche Leben bot mannigfache Verwendung für die Künste der Spielleute: Bewachung und Begrüssung der Stadt vom Thurm herab, feierliche Feste mit Aufzügen und Reden; Hochzeiten, Taufen und Ehrentage im Kreise wohlhabender Familien; Tanz und Reigen auf grünem Hag, im Saal und auf der Tenne. Des Sonntags und bei vielen andern guten Gelegenheiten, war das „collegium musicum" von Rathswegen zu einer passenden Tagesstunde auf den Markt oder auf den Plan vor der Stadt entboten, um allem Volk, das zu hören begehrte, aufzuspielen was schön und angebracht war.

Die Besetzung dieser Spielbanden war — nach alten Bildern zu schliessen — noch im 15. Jahrhundert sehr verschieden. Sie ging von dem einfachen Tabourin, der wie noch heute die herumziehenden Italiäner in einer Person die Rollen des Pfeifers und Trommlers vereinigte, bis zu acht- und mehrköpfigen Chören.[1]) Mit Trompeten, Jagdhörnern und Flöten klangen Harfen und Lauteninstrumente, auch wohl Dudelsäcke zusammen. Gegen Ende des 16. Jahrhunderts dringen dann ziemlich gleichzeitig Violine und Spinett ein und legen der Orchestermusik zuerst den Gedanken an den Umzug aus dem Freien in den geschlossenen Raum, in den spätren Concertsaal nahe.

An tanz- und liederartiger Musik fehlte es den Spielleuten jener Zeit nicht. Wir wissen schon aus der Limburger Chronik, wie solche Stücke entstanden und sich ungeschrieben von Ort zu Ort, von einem Geschlechte zum andern verpflanzten. Dagegen mag im Repertoir jener mittelalterlichen Orchester die Festmusik einen schwachen Theil gebildet haben. Sie nahm wahrscheinlich ihren Ausgang von einfachen Fanfaren, welche erst im Laufe der Zeit harmonisirt und zu kurzen Toccaten ähnlicher Art ausgebildet wurden, wie noch Monteverdi eine seiner Oper Orfeo im Jahre 1607 als Ouvertüre vorausschickte. Den Hauptspielstoff für ernste und feierliche

[1]) A. Jacquot, La Musique en Lorraine. Paris 1886.

Zwecke bildeten übertragene Chorstücke. Motetten und ähnliche Kirchensätze wurden gegen Ende des 16. Jahrhunderts sehr häufig mit dem Titelvermerk gedruckt: „per cantar o per sonar“, d. h. zum Singen oder zum Spielen. Im Jahre 1586, wo die selbstständige Orgelcomposition schon ungefähr hundert Jahre zählte, begegnen wir endlich auch Compositionen, die nur zum Spielen für Orchesterinstrumente bestimmt sind: den fünfstimmigen Sonaten des Andrea Gabrieli, der an San Marco in Venedig Organist war. Mit ihm beginnt die goldene Zeit einer eigenthümlich feierlichen, erhabenen und edlen Orchestermusik, der wir aus unserer neueren Litteratur nichts an die Seite zu setzen haben. Sie wurzelt in dem Geiste, in welchem während des 16. und 17. Jahrrhunderts Kirchen, Staaten, Städte und Corporationen grosse Feste begingen. Sie hat insbesondere das Gepräge Venetianischer Kunst: der Glanz und die Pracht, der Ernst und die Hoheit, die uns in den Meisterwerken des Montagna, des Paolo Veronose und des Tizian ergreifen und erheben, die uns musikalisch in den Madrigalen des L. Marenzio so tief berühren, sie kennzeichnen auch die Canzonen und Sonaten dieser frühesten Orchestermeister. Ihr Hauptvertreter ist Giovanni Gabrieli, der Neffe des Andrea: seine Hauptarbeiten sind die in den „Sinfoniae sacrae“ von 1597 (2. Auflage 1615) enthaltenen Stücke: nämlich vierzehn Canzonen und zwei Sonaten.

Andrea Gabrieli.

Giovanni Gabrieli.

Aus dieser Sammlung, die durch 45 Chormotetten vervollständigt wird, hat u. a. Joseph von Wasielewski[1]) einige Nummern veröffentlicht, von denen namentlich die eine, die Sonate mit dem Titel „Pian e forte“ neuerdings in geistlichen und in historischen Concerten häufiger verwendet wird. Auch in dieser Isoliertheit und in der fremden Umgebung scheint die Composition überall mächtig gewirkt zu haben. Nicht unpassend zieht ein Bericht-

[1]) Instrumentalsätze vom Ende des 16. bis zum Ende des 17. Jahrhunderts (als Musikbeilagen zu „Die Violine im 17. Jahrhundert“). Bonn 1874.

erstatter[1]) Wagner's „Parsifal" heran, um den Eindruck der Sonate zu beschreiben.

Alle diese Gabrielischen Orchestersätze haben einen verhältnissmässig bescheidenen Umfang: durchschnittlich 70 bis 80 Doppeltakte. Weil aber ihr Aufbau sehr scharf gegliedert ist, wirken sie breit und imposant. Es ist das eine ähnliche Erscheinung, wie bei den Händelschen Chören, wie bei der Architektur der Antike und der Renaissance. Das Geheimniss liegt wohl in dem glücklichen Verhältniss einer an und für sich bedeutendes Erfindung zu einer ebenso bedeutenden, klaren, bestimmten, in jedem Gliede abschliessenden und vollen Ausführung. Es ist eine Musik, die ein Goethe bewundert haben würde.

Die meisten dieser Gabrielischen Orchestercompositionen sind auf zwei Instrumentenchöre vertheilt. Der erste Chor beginnt in der Regel mit einem längeren Thema feierlicher, zuweilen auch elegischer oder freudiger Natur. Das wiederholt der zweite Chor wörtlich. Dann treten beide zu einem freien Abschluss im majestätischen Klang zusammen. Im weiteren Verlauf wird der Charakter der Musik erregter; die Chöre ziehen in engen Nachahmungen dahin, in belebten, zuweilen verwickelten Rhythmen das Eingangsthema umspielend. Oder auch: es folgt ein zweiter Satz, der sich in Charakter und Form vom ersten scharf abhebt, dem geraden einen ungeraden Takt gegenüberstellt. Entschiedenen und häufigen Taktwechsel liebt ja die ältere an Impulsen reiche Zeit auch in der Vokalmusik. Oft lässt es Gabrieli bei diesen zwei Sätzen eines Stücks bewenden und schliesst mit einem freien Anhang, in dem die Oberstimmen beider Chöre mit virtuosen Wendungen hervortreten, um nach altem, klugem Branch den Schluss hervorzuheben, auszuzeichnen, eindringlich und packend zu gestalten. Manche der Gabrieli'schen Compositionen gehen aber über dieses zweisätzige Schema weit hinaus und stellen motettenartig nach dem ersten Tutti oder dem zweiten Thema noch eine lange Reihe

[1]) Leipziger Nachrichten, 3. November 1892.

grosser und kleiner Gedanken auf, als gälte es einen geheimen Text zu erschöpfen. Zu dieser zweiten Klasse gehört die Sonate „pian e forte".

Sie vertritt ihre Familie und die ganze Gabrieli'sche Instrumentalmusik äusserst vortheilhaft, weil sie sehr übersichtlich und regelmässig aufgebaut ist und weil sie zweitens den Klangbesitz des damaligen Orchesters in seiner Eigenthümlichkeit und in seinem Reichthum vorführt. Aus den piano gehaltenen Abschnitten, in denen der zweite Chor den ersten ablöst, klingt es wie Charfreitag; aus den mit leichten Uebergängen erreichten Stellen im forte, bei denen die Chöre zusammentreten, wie Ostern. Namentlich der elegischen Eingangsstimmung giebt der reiche Harmonieapparat der Zeit der alten Tonarten einen seltsam beweglichen Ausdruck. Die Besetzung des Orchesters, die nicht bei allen Stücken angegeben ist, besteht in dieser Sonate aus einem Quartett von Cornetten (Zinken) und drei hohen Posaunen für den ersten Chor, für den zweiten aus Bratsche und drei tiefen Posaunen. In einzelnen protestantischen Orten besteht heute noch die Sitte, dass an hohen Festen, bei vornehmen Trauungen und anderen ausserordentlichen Gelegenheiten ein Posaunenquartett den Choralgesang begleitet. Dieser Brauch ist ein ehrwürdiger Nachklang der Musik früherer Zeiten. Dem ausgehenden 16. und dem ganzen 17. Jahrhundert war die Posaune das Normalinstrument aller Feierlichkeit. So wie hier stehen wir auch noch in den Instrumentalsätzen, die z. B. Monteverdi und Schütz in ihren Vokalcompositionen einlegen, vor vollständigen Posaunenorchestern. Die neuere Zeit kennzeichnet der Violinenklang; sie giebt in den Gabrieli'schen Sonaten ein erstes Lebenszeichen mit der Oberstimme des zweiten Chors. Noch aber sind es nicht die hohen Violinen, sondern die Bratschen. Der Sinn für Klangfarben und die Gabe, mit ihnen auf Empfindung und Phantasie zu wirken, war der Zeit Gabrieli's im hohen Grade eigen. Wie fein bedacht ist in der Sonate „pian e forte" das Verhältniss der beiden Chöre! Der zweite setzt immer eine Quinte, Sexte, meistens eine Octav tiefer ein als der erste. Dadurch klingen seine Wiederholungen immer viel ernster, dunkler, geheimnissvoller. Um so mehr, als die beiden Chöre im Freien weit von einander, in der Kirche auf verschiedenen Emporen aufgestellt waren. Den grossen Raum setzen auch die Tuttis voraus; in unsere heutigen Concertsäle passen darum diese Kirchen- und Festsinfonien nicht gut. Sie haben noch, eine grosse Anzahl wenigstens, eine andere Schwierigkeit für den modernen Hörer: Sie entwickeln nicht, wie die neuere Instrumentalmusik vorzugsweise thut, ihre Perioden und Sätze mit Wiederholungen und Verwandlungen eines Themas oder eines Motivs, sondern die Musik strömt daher in der Form „unendlicher Melodie", um einen Wagner'schen Ausdruck zu gebrauchen. Auch in den einchörigen Compositionen dieser Gattung mochte man auf den Reiz des Chorwechsels nicht ganz verzichten. Man ersetzte und deutete ihn hier gern durch ein sogenanntes „Echo" an. Eine kleine Gruppe von Spielern in einem Nebenraum, jedenfalls entfernt und möglichst verdeckt aufgestellt, wiederholt sparsam oder reichlicher kleinere und grössere Abschnitte der Musik des Hauptchors. Unter den Zeitgenossen Gabrieli's macht Biancheri unter den Nachfolgern Bassani viel Gebrauch vom Echo im Orchester. Eine viel grössere Bedeutung hat es aber in der mehrstimmigen Gesangmusik des 16. Jahrhunderts. Viele Wiederholungen in den Chören jener Zeit, die uns befremden, sind sofort verständlich und schön, wenn man sie dem Echo giebt. Ein naheliegendes Beispiel bietet das weltbekannte „Ecce quomodo" von Jacob Handl (Gallus) mit der Refrainstelle: „Et crit in pace".

Biancheri. Bassani.

Die einchörigen Orchestercompositionen des G. Gabrieli haben offenbar eine andere Bestimmung als seine doppelchörigen; sie setzen andere Räume und andere Stimmung voraus. Die Violinen kommen jetzt mehr zur Geltung, die Musik klingt zur Hälfte gut weltlich. Man kann an Vermählungsfeiern und andere Familienfeste in hohen Patrizierhäusern denken. Ein Glanzstück dieser Art ist die als Nr. VIII in der Wasielewski'schen Sammlung mitgetheilte 6 stimmige Canzone für zwei Violinen, zwei Cornetten und zwei Posaunen, eine Composition, interessant durch den Wechsel fröhlicher und frommer Stimmung. Ein heiteres, munter bewegtes Thema:

setzt ein und läuft durch die Stimmen; ein breiter, ernster Gesang des vollen Orchesters, durch den Rhytmus allein schon scharf geschieden: (Violinen und volles Orchester.) tritt ihm entgegen. Dieser Wechsel wiederholt sich fünfmal und so, dass die Gruppen immer breiter, und namentlich die Abschnitte im Tripel Takt immer majestätischer werden. Dann krönt ein freier Schluss, die Freudigkeit des Stücks zur Ausgelassenheit steigernd — im Kleinen ein Vorläufer Beethoven'scher Finalausgänge, — das Ganze. Will Jemand — und unsere Musikschulen müssten das wollen — die Gegenwart wieder mit G. Gabrieli's Orchestercompositionen bekannt machen, so eignen sich die beiden näher geschilderten Stücke ganz besonders dazu. Auch wohl deshalb noch, weil ihre Besetzung mit den modernen Mitteln, sonst so häufig ein Stein des Anstosses für die Wiederbelebung alter Tonkunst, keine Schwierigkeiten macht. Vergleicht man Compositionen, wie diese Canzone, mit gleichartigen seiner italienischen Mitarbeiter, Mascheras in Brescia z. B., so überragt Gabrieli die anderen unverkennbar an innerer Lebendigkeit und feinem Geschmack. Der letztere zeigt sich namentlich in seiner Behandlung der contrapunktischen Formen. Die Nachahmungen werden, auch wenn sie sich mit Leichtigkeit viel weiter führen liessen, immer bei Zeiten abgebrochen. Andere thun es in gleicher Lage nicht unter einer regelrecht durchgeführten Fuge.

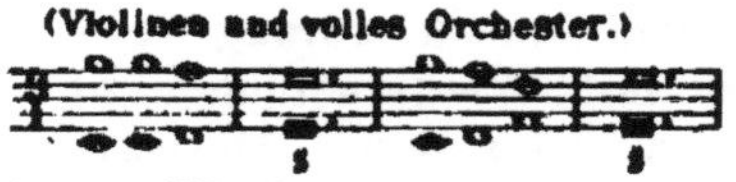

Maschera.

Die Orchestermusik G. Gabrieli's hat auf einen weiten Umkreis in der ferneren Geschichte der instrumentalen Composition nachgewirkt. In ihrer Form lag schon der

Keim zu dem neueren Schema der Sonate und seiner Nachkommenschaft. Den Ton und Geist der Gabrielischen Sonate finden wir noch lange in den kurzen einsätzigen Instrumentalsinfonien, die in den geistlichen Vocalconcerten und Cantaten des 17. Jahrhunderts vorkommen, u. a. auch in den Compositionen Kaiser Leopolds I.[1]) Sie kamen durch Monteverdi und seinen „Orfeo" auch eine Zeitlang in die Oper hinein. Sie bildeten endlich den direkten Anfang einer ganz besonderen Gattung einsätziger Festsonaten für Bläserorchester, die in den Musikschränken aller Instrumentalcapellen ausreichend vertreten war. Den ganzen Umfang dieses Kunstgebietes festzustellen, bedarf es noch besonderer Untersuchung. Gepflegt wurde es von hervorragenden und von unbekannten Componisten; denn es war in der Sitte der Zeit begründet. Wir können es auch heute nicht ganz entbehren, obwohl unser öffentliches Leben auf musikalischen Schmuck und musikalische Weihe bis zu einem bedenklichen Grade verzichtet hat. Fast will es scheinen, als sollte die Tonkunst ins Concert gesperrt und da strangulirt werden! Thatsache ist, dass die heutigen Componisten für Feierlichkeiten, wie sie sich bei Einweihungsakten, bei solennen Empfängen und Begrüssungen vollziehen, wenig componiren und wenn sie es thun, treffen sie nur selten den richtigen Stil. Beethoven's Ouvertüre „Zur Weihe des Hauses" in allen Ehren, aber man hört sie jetzt an Stellen und bei Gelegenheiten, wo sie keinesfalls hinpasst! So empfehlen wir denn den Dirigenten, die um ein feierliches Stück in Verlegenheit sind, einen Griff in die alte Zeit der einsätzigen Gabrieli'schen Sonate. Unter dreierlei Titeln bergen die Archive die Reste dieser Tonfamilie: als Sonaten, Sinfonien und als geistliche Concerte (Sacri concerti). Bei dieser dritten Gruppe tritt zuweilen zu den Orchesterinstrumenten noch Begleitung der Orgel oder eines anderen Harmonieinstruments. Sie lassen sich daher in der Regel nur in

Kaiser Leopold I.

---

[1]) Musikalische Werke der Kaiser Ferdinand III., Leopold I. und Joseph I. Herausgegeben von Guido Adler. Bd. I.

Kirchen oder grossen Sälen verwenden. Die Mehrzahl aller hierhergehörigen Compositionen ist, ganz ähnlich wie bei der älteren Suite, für Bläserchöre bestimmt und alle sind nur in Stimmdrucken vorhanden; zu einer neuen Ausgabe in Partitur haben es bisher nur die von Wasielewski mitgetheilten Stücke gebracht. So finden sich z. B. aus unserer Klasse in der königlichen Bibliothek zu Berlin folgende Nummern: D. Castelli: Sonate concertante (Venedig 1621); F. S. Ertelius, Symphoniae sacrae (München 1611); Gabr. Fattorini, Sacri concerti (Venedig 1615); Fr. Giuliani, Sacri concerti (Venedig 1619); G. Picchi, Canzoni da sonare (Venedig 1625).

Gottfried Reiche.

In Deutschland finden wir den letzten Vertreter dieser Gabrieli'schen Orchestersonate in Gottfried Reiche, jenem Leipziger Stadtmusikus, für den Seb. Bach seine gefürchteten Trompetenpartien geschrieben hat. Aus seinem Hauptwerk: „24 neue Quatrocinia" (Leipzig 1696) empfehlen wir zur Einführung namentlich das B durstück über

das Thema (Pomposo.) Damit beginnt in markiger Harmonie der erste Theil. Ein mittlerer wendet die Melodie in geraden Takt:  etc.

und führt sie in Fugenform durch die Instrumente, hier, wie überall ein Bläserquartett von Cornett und drei Posaunen. Jedermann kann nur über die formelle Tüchtigkeit und die wirklich hohen Gedanken in dieser und in ähnlichen Arbeiten des schlichten Mannes erfreut sein. Sie zeigen, wie sich auch bescheidene Kräfte auf einen Kunstzweig verstanden, der uns heute wieder ganz fehlt. Er verschwand im 18. Jahrhundert unter der Herrschaft der Neapolitanischen Schule, der der feierlich gehaltene Ton fast ganz fremd war; selbst in der eigentlichen Kirchenmusik gelang es ihr ihn völlig zu verlernen. Wie schnell aber die alte Orchestersonate in jener überproductiven Zeit vergessen wurde, das kann man daraus ersehen, dass Gerber in seinem so vortrefflichen Lexikon die grossen Gabrieli's gar nicht erwähnt.

Der Gabrieli'schen Sonate folgte bald eine zweite Gattung selbständiger Orchestercomposition: die Suite. Unter diesem Namen, der sich im 18. Jahrhundert mehr und mehr verbreitete, verstehen wir heute eine Folge von mehreren in sich abgeschlossenen Stücken, in deren Inhalt und Form die Tanz- und Liedmusik überwiegt. Die Sonate war eine freie und neue Schöpfung der höchsten und gebildetsten Künstlerkreise; die Heimath der Suite ist die Volksmusik. Wahrscheinlich ist sie so alt, wie das Instrumentenspiel überhaupt. Denn wenn Spielleute zwei im Charakter verschiedene Stücke — einen Choral und gleich darauf einen Tanz z. B., wie wir das in Deutschland bei Umzügen und Morgenständchen noch tagtäglich hören können — unmittelbar, ohne längere Pause, hintereinander spielen, so ist die Suite fertig. Geschrieben und gedruckt zeigt sie sich zuerst in der Lautenlitteratur des 16. Jahrhunderts.[1]) Dann kommt sie bei den Engländern als Ensemblemusik für mehrere Instrumente.[2]) In Deutschland bürgert sich die Orchestersuite nach 1600 rasch ein und durchläuft in vier, chronologisch nicht streng geschiedenen Stufen ihre erste bedeutende Entwickelung. Nürnberg ist, sowie für das deutsche Chorlied des 16., so auch für diese alte deutsche Orchestersuite des 17. Jahrhunderts der Hauptdruckort.

Auf der ersten jener vier Stufen begegnen wir Suiten als Sammlungen von Tänzen ein und derselben Sorte,
V. Hausmann. wie z. B. in Valentin Hausmanns 24 „Neuen Intraden" von 1604 oder in Benedict Widman's „Neuer musikalischer Kurzweil" von 1608. Wie bei diesem letztgenannten Autor, so finden sich auf dieser ersten Stufe überhaupt häufig den

[1]) Wolf Heckels Lautenbuch 1562, Matthias Reymann's: „Noctes musicae" 1598 z. B.

[2]) Th. Morley's Consort lessons, made by divers exquisite authors for sex different instruments to play together, vizi: the treble lute, pandora, citterns, base violi, flute and treble violi. Londres 1599; zweite Auflage 1611.

Melodien Texte beigegeben. Hier lebt also noch entschieden die Zeit, in der beim Tanzen auch gesungen wurde; in der späteren Suite macht sie sich durch Verwendung alter Liedmelodien noch bemerklich.

Dann kommen Hefte mit zweierlei Tänzen; in der Regel erst eine Anzahl gravitätischer Paduanen, dann genau oder annähernd ebensoviele neckische, muntere Galliarden. Beispiel: L. Hassler's „Neuer Lustgarten“ von 1601. L. Hassler.

Auf der dritten Stufe gesellen sich zu den Paduanen und Galliarden noch Intraden. Das sind marschartige Stücke, die den Paduanen nahe stehen. Beispiel: Melchior Frank's Pavanen, Galliarden und Intraden. Coburgk 1603. M. Frank.

Den Abschluss jener ersten Entwickelung der deutschen Orchestersuite bilden Werke in vier Sätzen. Die Wahl und Folge der Sätze ist bei dieser Stufe verschieden; doch haben die meisten zu ihr gehörigen Suiten Paduanen und Galliarden behalten. Valentin Hausmann z. B. ordnet so an: Intraden, Passamezzen, Paduanen, Gaillarden. 160[1]), Paul Bäwerl (Peurl) bringt Paduanen, Intraden, Dantz und Galliarden (1611) hintereinander. P. Peurl.

Erst hier an dieser vierten Stufe, stehen wir vor der Suite im modernen Sinn. Dort, an den vorhergehenden Stufen, schüttet der Componist gewissermassen jede Sorte massenweiss vor uns hin, zur beliebigen Auswahl. Hier überreicht er uns fertige Sträusschen. Die Wahl und Zusammenstellung der Blumen ist das Werk des Geistes und des Geschmacks eines bestimmten Künstlers und es kann nicht fehlen, dass sich das Walten einer höheren Kunst in dieser neuen Suite noch in weiteren Merkmalen äussert. Am meisten in's Auge fällt unter ihnen der Gebrauch der Variationenform. Sie findet sich bereits bei Hausmann. Der Passamezzo wird als Thema aufgestellt und dann noch in fünf bis sechs namentlich rhythmisch bedeutend und sinnvoll erfundenen Verwandlungen vor-

[1]) Gaillarde' siehe S. 15.

geführt. Mit der Variation gewann die Suite breite Formen und die Möglichkeit, einen bedeutenden Gedanken näher auszulegen. Sie hat aber davon immer nur bescheidenen Gebrauch gemacht; in der Regel nur für einen Satz. Man überliess solche Kunst der Orgelcomposition und blieb mit der Suite in den Grenzen der Volksmusik und in erster Linie immer darauf bedacht, kleine aber sinnfällige Tonbilder zu erfinden.

Ziemlich häufig bilden auch die einzelnen Stücke der Suite zu einander Variationen. Die Musik des einen kehrt im nächsten ganz oder theilweise wieder; natürlich nicht wörtlich, sondern rhythmisch und metrisch umgebildet und mit neuen Melismen behangen. Der Vorgang ist ein ähnlicher, wie in der Vocalmesse des 16. Jahrhunderts, durch deren Sätze sich bekanntlich leitende Themen ziehen. Die Paduane ist nur selten in diese thematische Verwandtschaft der Suitensätze einbegriffen; oft beschränkt sie sich auf die beiden Mittelstücke. Bei Peurl, dem Hauptvertreter dieser zweiten Variirungsart finden wir die thematische Einheit der vier Stücke verhältnissmässig am häufigsten, zuweilen allerdings nur in sehr zarten Andeutungen erkennbar. Die zweite seiner Suiten beginnt

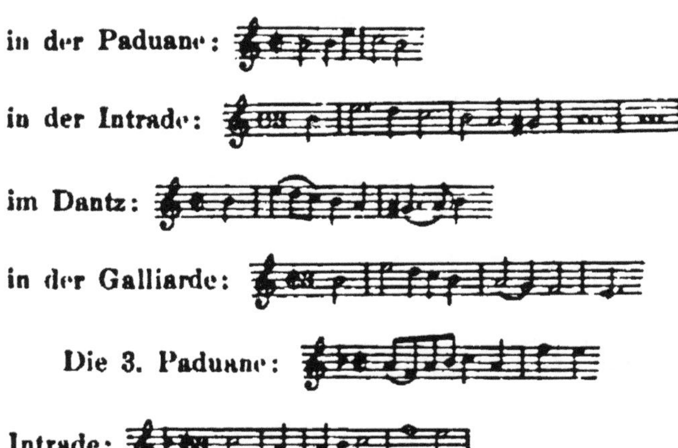

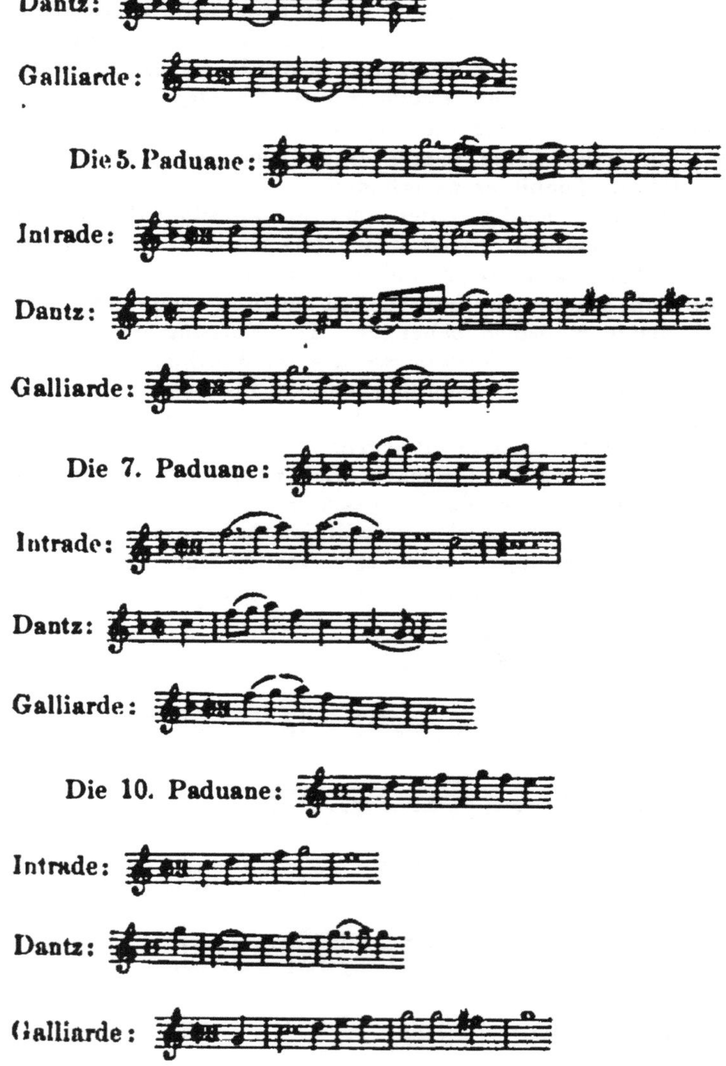
Dantz:
Galliarde:
Die 5. Paduane:
Intrade:
Dantz:
Galliarde:
Die 7. Paduane:
Intrade:
Dantz:
Galliarde:
Die 10. Paduane:
Intrade:
Dantz:
Galliarde:

Die Einheit der Suite als Ganzes, die Zusammengehörigkeit der vier Theile ist von den Künstlern der vierten Stufe stärker betont, schärfer zum Ausdruck gebracht worden. Es waren aber Ziele, denen man von jeher zugestrebt hatte; allerdings mit einem viel bescheideneren Mittel: Man hielt die Sätze in derselben Tonart und bei dieser Gleichheit der Tonart ist die Suite bekanntlich immer geblieben. Das ist nach modernen Anschauungen fast ein Fehler. Denn wir können in der Kunst von Abwechselung, Gegensätzlichkeit, Steigerung und dramatisch anregenden Elementen aller Art kaum genug haben. Das geht in unserer Tanzmusik bisweilen bis an die Carricatur. Ganz anders die ältere Zeit. Die suchte, wenn es sich nicht gerade um Heiligen- und Märtyrerbilder handelte, in der Kunst ruhige Sammlung und Erhebung, reihte gern Verwandtes aneinander und verweilte, den Standpunkt immer nur schrittweise verschiebend, gerne lang in Betrachtung desselben Themas. Diesem Zuge ruhigen Eindringens kam die Fuge besonders entgegen; er kommt aber auch in dem Tonartenverhältniss der Suitensätze zum Ausdruck. Die Tonart bleibt immer dieselbe; sie weist gewissermassen dem Zuhörer die Stellung an, die er dieser Kunst gegenüber einnehmen soll: wie vor der laterna magica leidenschaftslos geniessend, erfreut, erwärmt, aber nie hingerissen und im seelischen Gleichgewicht gestört.

Noch in einem anderen Punkte stand die Orchestersuite, vom ersten Auftreten an, künstlerisch bis zur Musterhaftigkeit fertig da. Das ist die sogenannte Stimmführung. Ob man die Suite für 4, 5, 6 oder 7 Instrumentalstimmen schrieb, diese Stimmen waren alle als lebendige Individuen gedacht, an den Motiven, Themen, Melodien der Musikstücke ziemlich gleichmässig betheiligt, die Hauptgedanken in freien, leichten Nachahmungen aufnehmend oder mit eignen, zierlichen, anfeuernden Erfindungen umspielend. Von den Klangeffecten ihres Orchestersatzes verwendet auch die alte Suite mit ebensoviel Vorliebe als Geschick das Echo, ohne das ja — es sei nochmals bemerkt — weder die Gesang-

noch die Instrumentalcomposition des 17. Jahrhunderts zu denken ist. Ihm am nächsten kommt der Wechsel von Solo und Chor. Mit diesem Mittel geht sie unvergleichlich weit über das in der mehrstimmigen Gesangcomposition der früheren Zeit übliche Maass hinaus und giebt dem geistlichen Vocalconcert ihres Jahrhunderts unverkennbar Anregungen und Vorbilder. Diese innere Einrichtung, dieses innere Leben innerhalb der Stimmen ist eine der bedeutendsten Züge der alten Orchestersuite: er setzt die Phantasie des Hörers fortwährend in Bewegung, stellt sie vor Secucn, als wenn die Menge dem voranschreitenden Helden zustürmte, in seinen Ruf einstimmte.

Die oben aus Peurl beigebrachten Citate vermögen vielleicht einen kleinen Begriff vom Geist und vom Charakter der Orchestersuite in ihrer ersten Periode zu geben. Es ist eine Kunst nach dem Motto: fromm und fröhlich. Der Fröhlichkeit dienen die drei letzten Stücke mit sich steigerndem Eifer. Aber auch die Galliarde geht nie bis zur Ausgelassenheit; sinnige Anmuth bleibt das Gebiet, auf dem die einzelnen Sätze einander zu überbieten suchen, So, wie wir es aus diesen Tönen hören, so fühlten und so gaben sich die deutschen Bürgerkreise am Anfang des 17. Jahrhunderts in ihren frohen Stunden: sittig und liebenswürdig. Als das eigenthümlichste Stück dieser alten Orchestersuite darf man die Paduane bezeichnen. Auch sie ist dem Humor nicht unzugänglich; ihren Hauptzug bildet aber der Ernst und die feierliche Sonntagsstimmung. Sie hat, wie die Gabrieli'sche Orchestersonate von Haus aus kirchlichen Geist. Einzelne Tonsetzer, wie der süddeutsch-gemüthliche Peurl, setzen sich über ihn hinweg, ja, es giebt sogar „lustige Paduanen“; aber bei der Mehrzahl der Suitencomponisten unserer Periode bleibt doch der gehobene Feiertagston das wesentlichste Merkmal der Paduane. Ihr äusserer Aufbau vollzieht sich in drei scharf und klar geschiedenen Theilen. (Die Dreitheilung bildete auch bei den übrigen Sätzen der Suite die Regel, Zwei- und Viertheilung sind Ausnahmen.) Der Umfang des ersten Theils wechselt von 8 oder 9 bis zu 20 Takten, der zweite ist häufig sehr kurz (4 Takte), der dritte wieder ausgedehnter. Die Paduane setzt immer ruhig, breit und gehalten ein, in einem Ton, der im Anfang von Wagners Meistersinger-Vorspiel merkwürdig getreu auflebt. Dann regt es sich in Figuren, Sequenzen bescheiden aber planvoll und fest, zuweilen in einer etwas steifen Anmuth. Der zweite Theil schliesst entweder an den Anfang an oder stellt sich mit Motiven der Energie und Kraft in Gegensatz zu ihm. Der letzte, der dritte Theil, bringt neue überraschende Einfälle in schnellen Noten, die aus allen Ecken wiederklingen. Mit diesem Ende reicht die Paduane der Weltlust und der Fröhlichkeit die Hand. Die ursprüngliche und alleinige Vertreterin dieser Empfindungselemente in der Suite ist die Galliarda (Gagliarda italienisch, Gaillarde französisch). Sie steht immer im ungeradem Takt und hat in der Regel drei gleich grosse Theile, deren Umfang von 4 bis zu 16 Takten steigt. Der äusseren Form nach ist die Galliarda der modernste unter den Sätzen der alten viersätzigen Suite. Sie liebt die Symetrie wie die Wiederholung im Satzbau und sie zeichnet zweitens die Oberstimme vor den andern durch reichere Beweglichkeit aus. Zwei reizende Beispiele für diesen ersten Zug finden sich bei M. Frank:

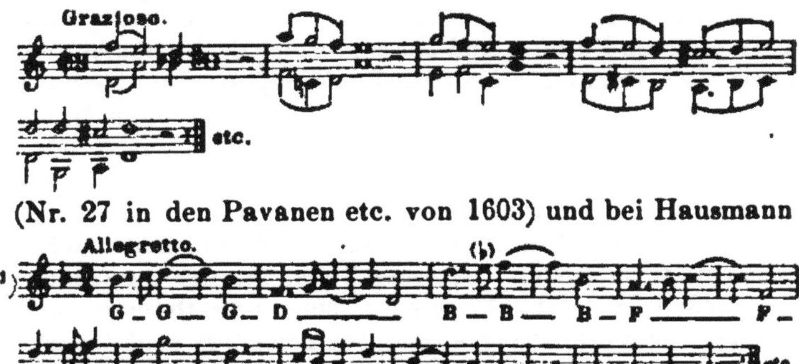

(Nr. 27 in den Pavanen etc. von 1603) und bei Hausmann

1) Der Takt ist hier in moderner Form übersetzt.

Zugleich auch geben diese beiden Bruchstücke ein Bild von dem Durchschnittscharakter der Galliarde. Ihn beherrschen sichtlich noch dieselben mittelalterlichen Anschauungen über die Grenzen weltlicher Kunst, denen sich auch Dichtung und Malerei lange genug zu beugen hatten. Der Ausdruck aller Empfindungen, auch der der Freude, stand unter dem Gesetz der gesellschaftlichen Ehrbarkeit. Im Madrigal noch schüchtern, entschiedener in der Oper ging die Musik eben erst daran, diese Fesseln der Sitte zu durchbrechen und sich in der naturtreuen Darstellung mächtiger Leidenschaften zu versuchen. Die Instrumentalmusik, die bei dieser Aufgabe bald die wichtigsten Dienste leistete, blieb in der Suite durchaus noch zurückhaltend. Es sind nur einzelne Stellen in den alten Orchestergalliarden, bei denen der Ton einer neuen Zeit sich vernehmlich macht, hauptsächlich in der Form erregter Rhythmen, die, als sie neu waren, ausserordentlich übermüthig und komisch gewirkt haben müssen. So fährt z. B. die Frank'sche Galliarde, deren erster Theil eben angegeben wurde, folgendermassen fort: 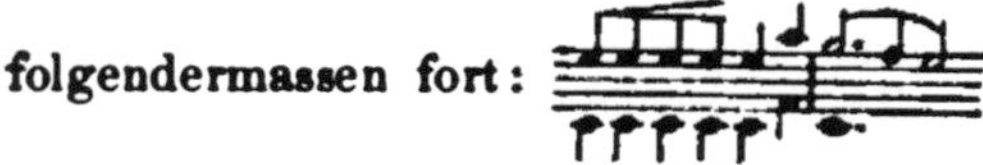

Der Galliardengeist lebt auch in der späteren Suite unter anderen Formen und Namen, unter denen namentlich Gigue und Menuett hervorzuheben sind, fort und noch die neueste Instrumentalmusik sucht ihn festzuhalten, z. B. die Brahms'sche Sinfonie in ihren, das Scherzo ersetzenden Allegrettis. Aber am mächtigsten wirkt er doch da, wo er zu Hause ist, nämlich in der Orchestersuite aus dem Anfang des 17. Jahrhunderts. Sie verkörpert altdeutsches Leben und Empfinden von einer Seite, mit der die Gegenwart jeden Augenblick wieder eine unmittelbare und segensreiche Verbindung anknüpfen kann. Es sind deshalb nicht blos kulturgeschichtliche, sondern auch künstlerisch menschliche Gründe, die die Wiederbelebung und Wiederbenutzung dieser alten Orchestersuite empfehlen. Mindestens ebenso schnell, wie die alten Armeemärsche es gethan haben, würde sie sich heute wieder einbürgern und wenn sie in unseren Volksconcerten der vielfach köstlichen aber ebenso vielfach überreifen Walzer- und Operettenmusik von Joh. Strauss und seiner Schule den Platz etwas streitig machte, so würden tiefer blickende Kunstfreunde damit nur zufrieden sein dürfen. Bisher ist von dem ungeheuren Vorrath von Stimmendrucken alter Orchestersuiten noch nichts in Partitur vorgelegt worden. Da bietet sich also dem deutschen Musikerverlag eine Aufgabe.

Unter den übrigen Stücken, die in der viersätzigen Suite zwischen Paduane und Galliarde entweder vermitteln oder den zwischen diesen beiden Hauptstücken bestehenden Gegensatz, bald abgeschwächt, bald gesteigert, wiederholen, kommt die Intrade am häufigsten vor; man kann sagen, sie bildet die Regel. Das ist deswegen auffällig, weil sie der Paduane so sehr gleicht, dass man sie fast für einen Concurrenten von anderer geographischer Herkunft halten kann. Auch sie hat von Haus aus einen feierlichen Ouvertürencharakter. Deshalb wird sie von vielen Componisten und zwar bis ans Ende des 17. Jahrhunderts an die Spitze der Suiten gestellt. Doch hat sie sich im Laufe der Zeit als ganz besonders verwandlungsfähig und für kurzgefasste, eindeutige Definitionen, wie sie nach dem Vorbilde Matthesons noch heute in musikalischen Wörterbüchern beliebt sind, schlecht geeignet erwiesen. Wir haben ebensoviel Intraden im geraden, wie im ungeraden Takt; ja es kommt häufig bei den in Allabreve geschriebenen vor, dass der dritte Theil in $^3/_2$ umsetzt. Die Freiheit und Mannigfaltigkeit des Charakters, in der sie auftritt, hängt sicherlich damit zusammen, dass die Componisten an die Gelegenheit und den Zweck dachten, für den sie diese Eröffnungsmusiken schrieben. So sind die Intraden von M. Franck alle ganz besonders lebhaft und glänzend: sie waren für die Hochzeit des Landgrafen Moritz von Hessen bestimmt.

Nach dem Jahre 1620 ungefähr tritt die Orchestersuite eine neue Entwickelung an. Sie wird fünfsätzig und sechssätzig, es bilden sich neue Gruppierungen, die alten

Paduanen und Galliarden schwinden, dafür treten Ballets, Correnten, Sarabanden, Giguen in den Vordergrund. Der dreissigjährige Krieg hat die reichen Vorräthe an Charaktertänzen, über welche die europäischen Culturvölker am Ausgang des Mittelalters verfügten, tüchtig durcheinander geschüttelt. Die Suite bekommt scheinbar ein internationales Aussehen, hinter dem sich aber doch der Anfang einer französischen Vorherrschaft verbirgt.

Der letzte namhafte Vertreter der deutschen Orchestersuite in dieser, mit dem Jahrhundert endenden Periode ist Joh. Petzel, ein Tonsetzer, dessen Leben sehr bewegt verlaufen zu sein scheint. Er war in Prag Augustinermönch, ehe er als Stadtpfeifer erst in Bautzen, dann in Leipzig zur Musik kam. Seine Suiten waren neben denen von Peurl und dem Hamburger A. Schop bis ins 18. Jahrhundert hinein die beliebtesten und verbreitetsten. Wenigstens für die deutsche Schweiz ist das jüngst durch Nef nachgewiesen worden.[1]) Es sind frische und anmuthige Compositionen, die sich besonders durch Schlichtheit des Ausdrucks empfehlen; sie halten am Variiren der alten viersätzigen Suite noch soweit fest, dass sie gern je zwei benachbarte Sätze verbinden. z. B. J. Petzel.

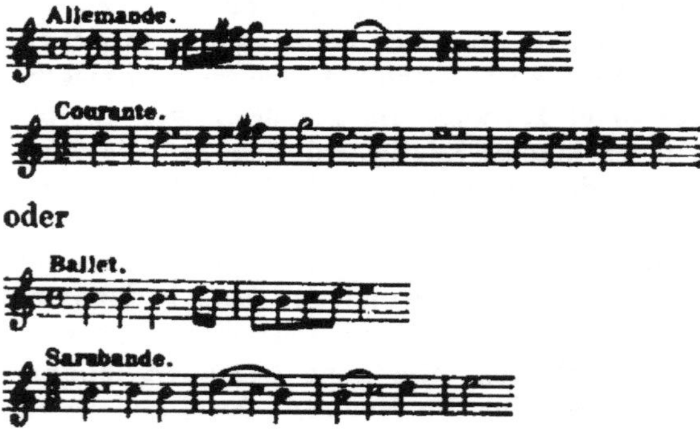

[1]) Carl Nef, Die Collegia musica in der reformirten deutschen Schweiz . . . St. Gallen 1897.

Ebensoviel Interesse wie die Musik verdienen die Titel von Petzold's Hauptwerken: „Leipziger Abendmusik" (1669) und „Fünfstimmige blasende Musik" (1686). Denn sie zeigen uns den gesellschaftlichen Boden, auf den die Suite zur Blüthe kam und zugleich das musikalische Kleid, in dem sie am liebsten einherging. Die ältere Zeit verbrauchte viel mehr Musik unter freiem Himmel, als unsere Gegenwart, die sich nervenmörderischen Maschinen- und Wagenlärm ruhig gefallen lässt, aber jede Art von Musik, von Kunst überhaupt, prinzipiell in die Häuser sperrt. Wo es in früheren Jahrhunderten in der Gemeinde oder in der Familie etwas zu feiern gab, den Einzug, den Aufenthalt von Standespersonen, bei Umzügen, Volksfesten, Kindtaufen, Hochzeiten, Geburtstagen, Jubiläen, da schickte man nach den Stadtmusikanten, den Pfeifern, nach dem „Hansmann" und seinen Leuten, die von den „Aufwartungen" auf Plätzen, Strassen und Gärten, bei Festen und Schmäusen ihre Haupteinnahmen hatten und liess Suiten spielen. Die Orchestersuite war in erster Linie Platz- und Strassenmusik, erst in zweiter, wie Riemann will [1]), Kammermusik. Darum blieb sie im Gegensatz zur Claviersuite bei den volksthümlichen Satzformen, deshalb setzte man sie auch vorzugsweise für Blasinstrumente, am liebsten Cornetten und Posaunen. Peurl, Haussmann und andere Vertreter der viersätzigen Suite bemerken allerdings auf den Titeln gern „sonderlich auf Violen zu gebrauchen". Aber diese Bemerkung ist wohl meistens nur eine captatio benevolentiae, ein frommer Wunsch, vom Ehrgeiz eingegeben. Denn die Streichmusik war am Anfang des 17. Jahrhunderts das Neueste und galt für etwas Besonderes. Der Stil, in dem sie ihre Stimmen schrieben, zeigt nur selten eine ausgesprochene Violinennatur.

Die ersten Orchestersuiten, die wir ganz ohne Zweifel

---

[1]) Hugo Riemann, Die Variationenform in der alten deutschen Tanzsuite (Musikalisches Wochenblatt 1895). Derselbe: Die deutsche Kammermusik zu Anfang des 17. Jahrhunderts (Sängerhain 1895).

als Kammer- und Violinenmusik zu betrachten haben, sind die von Georg Muffat. Sie füllen zwei Sammlungen, von denen die erste als „Florilegium primum“ in Augsburg 1695, die zweite als „Florilegium secundum“ in Passau, wo der Componist am bischöflichen Hofe als Kapellmeister und Pagenhofmeister angestellt war, 1698 erschien. Der erste Band enthält 7, der zweite 8 Suiten oder wie sich Muffat, als Sohn seiner Zeit auch hier poetisch ausdrückt: Fasciculi, d. i. Bündel. Der Name, den die deutschen Musiker am liebsten für die Orchestersuite brauchten war: Parthey oder Partie. Die 15 Suiten umfassen 112 Sätze, in der Regel bilden 7 einen Fascikel. Die Besetzung ist für alle fünfstimmiges Streichorchester: Violine, Viola, Bass, dazu Violetta und Quinta Parte, jenes eine kleinere, dieses eine grössere Sorte Bratsche als die heute gebräuchliche. Zu diesen Streichinstrumenten kommt noch der bezifferte Basso continuo, d. h. also die Begleitung des Cembalo. Es ist bis auf eine oder zwei Stellen thatsächlich entbehrlich, da die Streichinstrumente allein immer vollständige Harmonien ergeben; aber es sagt deutlich, dass die Suite jetzt ernstlich zu den Kennern und in die höhere Kunst übersiedeln will. Das zeigt sich auch noch in dem neuen vornehmen Kopfputz, in dem sie bei Muffat auftritt. Mit Ausnahme von zweien steht an der Spitze aller dieser Fasciculi eine regelmässige französische Quvertüre, dreisätzig, wie sie Lully eingeführt hatte: Anfang und Ende langsam, in der Mitte eine bewegte Fuge. Einmal ist dieser Typus der französischen Ouvertüre durch einen Rivalen, eine italienische Sinfonie ersetzt. In den Tänzen selbst zeigt die Muffat'sche gegen die alte deutsche Orchestersuite der ersten Periode einen künstlerischen Rückgang: Von thematischer Verbindung sich folgender Sätze, vom Variiren ist keine Rede mehr; nicht um Einheit handelt es sich, sondern um eine Vielheit scharf gesonderter Gestalten. Mit einigem Rechte darf man die Suite Georg Muffat's Renaissancesuite nennen. Eines der Hauptziele aller Renaissance, die Steigerung des individuellen Gehalts im Kunstwerk,

Georg Muffat.

erscheint als ihr Hauptziel. Deshalb liegt es Muffat fern, wie seine Vorgänger eine beschränkte Anzahl von Tanzarten immer zu wiederholen: Er hat die gebräuchliebsten Arten seiner Zeit, Gaillarde, Courante, Sarabande, Gavotte, Passacaille, Bourée, Menuett, Gigue — die zweite Suite des zweiten Florilegium bringt sie in der angegebenen Reihenfolge zusammen —; es treten zu ihnen noch Allemande, Canaries, Chaconne, Contredanse, Rigaudon, Rondeau, Traquouard, Entrée, Ballet, Air. Aber in der Mehrzahl von Muffats Suitensätzen wird auf jedes bekannte Schema verzichtet, der Componist geht neuen, oft verwegenen Aufgaben nach und sucht sie mit den besten Mitteln zu lösen. Besonders das zweite Florilegium entrollt ein äusserst buntes Stück Programmmusik, einen Ausschnitt aus den Flegeljahren dieser Richtung, der alles überbietet, was sonst aus Froberger's und Couperin's Zeit bekannt ist. Spanier, Holländer, Engländer, Italiener, Franzosen, Cavaliere, Bauern, Dichter, Tänzer, Fechtmeister, Gendarmen, Köche, Schornsteinfeger, Genien und Gespenster. — Alles will diese Musik malen können, auch körperliche Gebrechen, die dem Ton und dem Rhythmus ersichtlich keinen Anknüpfungspunkt bieten: Einen Lahmen kann der Componist andeuten, aber einen Bucklichten?

An solchen Missgriffen hat die Renaissance weniger Schuld, als die französische Oper. Durch die Bedeutung, die in ihr die Ballets hatten, kam die choreographische Kunst auf den geschichtlichen Gipfel ihrer Leistungsfähigkeit und ihres Selbstvertrauens und muthete folgerecht auch ihrer Gehilfin, der Musik, gelegentlich unmögliche Dienste zu. Den Zusammenhang mit Ballet und Tanz bekennt Muffat in den — in lateinischer, deutscher, italienischer und französischer Sprache geschriebenen — Vorreden seines Florilegiums. Die Fasciculi seien, sagt er, bei den Festen des Passauer Hofs, beim Concert („Instrumenten-Zusammenstimmung“ übersetzt er das), beim glänzenden Empfang hoher Gäste, vornemlich aber auch bei den Tanzübungen der adligen Jugend aufgeführt worden. Die Stücke des zweiten Florilegiums nennt er geradezu

Ballets und man sieht ihnen in der Mehrzahl die Herkunft vom Theater, von der Pantomime nicht blos an einem Punkte an. Hier verräths die Ueberschrift der ganzen Suite, sie ist der Titel eines Schauspiels oder eines Ballets dort wird an einer Stelle gesungen, dort gar mit Pistolen geschossen.

Wir haben es also bei diesen Suitenwerk Muffats mit Balletmusik nach französischem Muster zu thun. Wiederholt nennt er Lully als sein besonderes Vorbild. Ihn erreicht er auch ziemlich, übertrifft ihn in der Arbeit, aber mit Händel und Gluck darf man, ihn nicht vergleichen, wie das neuerdings geschehen ist[1]); am allerwenigsten mit Rameau. Das deutsche Element überwiegt in seiner Musik mit seinen Vortheilen und Nachtheilen. Seine Kunst braucht etwas Platz. Darum sind die längeren Sätze die besten, wie die vereinzelte Passacaille in der 3. Suite des zweiten, der Rigaudon in der nächsten Suite desselben Bandes. Desgleichen zeichnen sich auch, wie man es von dem Verfasser des Apparatus musico-organisticus erwarten darf, die Fugen in den Ouvertüren durch eine vollendete Natürlichkeit und Leichtigkeit aus. Muffats Talente liegen auf der Seite des Gemüths und der anmuthigen Heiterkeit. Als einer der vorzüglichsten Melodiker des melodienreichen 17. Jahrhunderts, Lully an diesem Punkt weit überragend, schreibt er in den Einleitungen der Ouvertüren, in der Form von Sarabanden und Airs langsame Sätze, die sich in die Seele des Hörers auf lange hineinsingen. In den Giguen, Menuetts und den ihnen verwandten Satzarten hat er wenig Nebenbuhler; in den Giguen namentlich ist er oft völlig neu, erinnert an das 19. Jahrhundert mit der phantastischen Beweglichkeit und der ungewöhnlichen Metrik seiner Weisen: Presto.

Aber die Kunst des Pointirens, der frappanten Erfindung,

---

[1]) L. Stollbrock: Georg und Gottlieb Muffat. Rostocker Dissertation 1888.

in der die Grösse und die Eigenthümlichkeit der Franzosen ruht, ist Muffats Sache nicht. Kleine Malereien gelingen ihm manchmal: Ganz ergötzlich giebt er z. B. einmal das Lärmen der Messer wieder, mit denen Fleisch geklopft und gehackt wird, trefflich ist an derselben Stelle — zweite Suite des zweiten Florilegiums — die Lustigkeit der Küchenjungen gezeichnet. Aber viel, viel häufiger sind die Beispiele verfehlter Aehnlichkeit: Die Bauern haben dieselben Züge wie die Cavaliere und Gespenster. Um unter die Grössen der Tonmalerei sich zu erheben, ist die Rhetorik des Componisten zu bescheiden und zu sehr auf Wiederholungen in allen drei Elementarreichen der Musik angewiesen.

Noch weniger, wie zwischen den Titeln der Einzelnsätze und ihrer Musik, lässt sich eine Uebereinstimmung zwischen den Ueberschriften der ganzen Suiten und ihrem musikalischen Charakter feststellen. Es ist schon erwähnt worden, das diese Ueberschriften im zweiten Florilegium oft Namen von Theaterstücken sind; im ersten sind sie in der Mehrzahl reine Räthsel. Nur bei dem vierten und dem sechsten Stücke, die Impatientia und Blanditiae heissen, lassen sich ohne Gewalt einige Beziehungen zwischen den Werken und den Namen nachweisen.

Auf die Enttäuschungen, denen der moderne Hörer der Muffat'schen Suiten entgegengeht, hinzuweisen, ist deshalb zeitgemäss, weil die beiden Florilegien unlängst in Partiturform neugedruckt worden sind.[1]) Schon vorher sind in den Leipziger Akademischen Orchesterconcerten die Blanditiae aufgeführt worden und nach andern Stellen weiter gedrungen. Die Muffat'sche Musik ist trotz der nöthigen Einschränkungen geschichtlich und künstlerisch werth gekannt zu sein. Wer sie aufführt, muss aber wissen, wie weit die Noten wörtlich bindend sind und wo sie der Ergänzung bedürfen. Von sonstigen Freiheiten des Vortrags alter Musik abgesehen, arbeiten die Suiten

[1]) Denkmäler der Tonkunst in Oesterreich, Band I, 2 und II, 2. Wien 1894 und 1895.

Muffats, wie die Instrumentalmusik und der Sologesang ihrer Zeit im Allgemeinen mit einem sehr grossen Apparat von Verzierungen und Spielmanieren, die nicht gedruckt wurden und die die heutige Musik nicht mehr kennt. In der Vorrede des zweiten Florilegiums giebt Muffat darüber den deutschen Musikern, denen dieser Zierrath noch etwas fremd und neu war, genaue Anweisungen. Nach ihnen muss der Dirigent die Stimmen erst ausarbeiten. Der ganze Charakter dieser Musik wird durch diese „Agréments" und Ornamente mit bestimmt. Aus ihnen spricht der an Kleinleben unerschöpflich reiche, vermittelnde, glättende, allezeit graziöse Geist des Roccoco. Der heute so beliebte, grosse Ton, die langen Noten, die weiten Intervalle waren ihm rauhe und rohe Erscheinungen; durch eingelegte Gänge, durch ein beständiges Gleiten, Schleifen und Trillern setzte er ihre Wirkungen ausser Kraft. Auch ein guter Clavierauszug der Florilegien müsste mit dieser Stileigenthümlichkeit rechnen.

Muffat verfolgte mit der Veröffentlichung seines Florilegiums noch höhere, kunstgeschichtliche Zwecke. Es sollte in Deutschland der französischen Schule die Herrschaft über die italienische gewinnen. Die Italiener pflegten seit dem Anfang des Jahrhunderts mit grossem Eifer das Concert. Von ihm, namentlich von dem ihm innewohnenden Hang zu „unmässigen Läufen und Sprüngen", zu virtuosen Aeusserlichkeiten und zu allerhand Blendwerk, fürchtete Muffat für den musikalischen Geist der Zukunft mit Recht ernste Gefahren und suchte ihm, allerdings viel zu spät, durch die nach seiner Meinung viel solidere und gesündere Kunst der französischen Charakterballets den Weg nach Deutschland zu versperren. Das gelang nicht; bereits 1701 hat Muffat selbst zwölf Instrumentalconcerte nach italienischem Muster drucken lassen. Wir haben bis heute auch noch keine zureichenden Nachrichten über die Verbreitung von Muffats Florilegien. Nur das wissen wir, dass sie nach Schweden kamen. Aber es unterliegt keinem Zweifel, dass sie, soweit es sich um Violinen, Cembalo und französische Ouvertüre, also um die Annäherung an die höhere Kunst, an Concert und Kammermusik handelt, für die Orchestersuite in Deutschland vorbildlich geworden sind.

Während die Italiener nach wie vor sich an der Pflege der Orchestersuite, unmittelbar wenigstens, nur schwach betheiligten, behielten die Franzosen noch lange das Uebergewicht auf diesem Gebiete. Nur darf man ihre Leistungen nicht unter der Rubrik „Orchestersuite" suchen. Den Rahmen, in dem sie enthalten sind, bilden die Balletscenen der französischen Opern des 17. und 18. Jahrhunderts. Da braucht man sie nur herauszunehmen und zusammenzustellen. Oft bietet eine einzige Scene das gesammte Material zu einer vollständigen Suite; denn Charaktertänze und Ballets bilden den Grundstock und oft die reichliche Hälfte der Musik in der älteren französischen Oper. So sind denn früher schon einzelne Sätze aus Lully's und Rameau's Opern mit Erfolg in's Concert gebracht worden.[1]) Neuerdings
. P. Rameau. ermöglicht die Ausgabe von drei „Balletsuiten"[2]) Rameau's ein bequemes Studium dieses Meisters. Sie sind dazu bisher noch wenig benutzt worden, wahrscheinlich deshalb nicht, weil nur sehr wenige Musiker und Musikfreunde eine Ahnung von der Bedeutung Ramean's haben. Wie er im Allgemeinen ohne jedes Bedenken der grösste Tonsetzer Frankreichs und ein ebenbürtiger Zeitgenosse von Händel und Bach genannt werden darf, so ist er auf dem besonderen Gebiet der Suite, des poetischen Charakterstücks, der geschmackvollen Programmmusik geradezu unvergleichlich. Er vertritt, gegen Lully und Muffat gehalten, eine neue Zeit und eine Kunst, die die Schönheitsideale der Claude Lorrain und Poussin mit dem Realismus der

[1]) Lully: „Celèbre Gavotte" und Menuet do Bourgeois Gentilhomme; Rameau: Musette et Tambourin des „Fêtes d'Hebé", Rigaudon de „Dardanus" fragments do „Castor et Pollux" in Gevaert's Repertoire des Sociétés philharmoniques.

[2]) Drei Balletsuiten aus Acante, Zoroaster und Platée. Leipzig, Rieter-Biedermann. Den hier versuchten Titel „Balletsuite" hat sich inzwischen auch Felix Mottl zu eigen gemacht.

Niederländer zu verbinden weiss. Gross und vielseitig im Erfinden, besonders originell im Humoristischen, im Anmuthigen und Innigen, ist er im Gestalten ein echter Virtuos. Er spielt mit der Form und gewinnt ihr nach allen Seiten vollendete, hier durch Breite und Umfang, da durch Feinheit der Verschlingungen überraschende Neubildungen ab. In seiner Melodik, in seiner Rhythmik, überall wimmelt es von ganz eigenen, schönen und fesselnden Einfällen; nicht am wenigsten in seiner Instrumentation, in der wir Klangwirkungen begegnen, die vor ihm Niemand gehabt hat und die heute, nach hundertundfünfzig Jahren, von ihrer Frische nicht das Geringste eingebüsst haben. Hier kommt er in der Zeit und im Rang unmittelbar nach Monteverdi. Wenn die Franzosen noch heute in ihrer Oper der Balletmusik eine Stellung einräumen, die die Deutschen nicht begreifen, so ist das die Nachwirkung Rameau's. Wagner's Balletmusik zum Pariser Tannhäuser war ein Opfer, nicht dem Jokeyklub, sondern einer grossen historischen Tradition dargebracht. Auch Gluck hat sich ihr beugen müssen und er hat sie lieb gewonnen. Waren lange Zeit der „Furientanz“ und der „Reigen seliger Geister“ aus Orpheus die einzigen Beiträge zur Suite, die man von ihm kannte, so ist das neuerdings anders geworden. Wir haben da u. a. die Balletmusik aus „Paris und Helena“ von ihm vorliegen, Mottl hat als „Balletsuite“ Stücke aus verschiedenen Opern Gluck's zusammengestellt; auch der grösste Theil seines 1761 geschriebenen Ballets „Don Juan“ ist vor einigen Jahren in Form einer viersätzigen Orchestersuite dem Concert zugeführt worden.[1]) Dieses Ballet brachte pantomimisch dieselbe Handlung mit denselben Personen und in derselben Scenenfolge zur Darstellung, die später Mozart als Oper componiert hat. Gluck hat viele Sätze aus diesem Ballet für nachfolgende Opern benutzt, die Höllenfahrtmusik z. B. ist der „Furientanz“ geworden. Mehrere, namentlich unter den kleinen und

C. W. von Gluck

[1]) Leipzig, Breitkopf & Härtel.

kleinsten Stücken haben einen hohen Klangreiz, so das Pizzicatoständchen der Bauern.

Neben der neuen Muffat'schen Violinensuite, bestand natürlich die alte Bläsersuite noch weiter und so lange fort, als es noch Ständchen und allerhand „Aufwartungen" im Freien gab. Sie begegnet uns noch in den Divertissements, Cassationen und ähnlichen Compositionen Haydn's und Mozarts. Auch G. F. Händel's Feuer- und Wassermusik gehörten ursprünglicher zu dieser Classe von Suite. Die Violinen und die Ouvertüren sind ihnen erst später zugesetzt; die Feuermusik hat heute noch kein Cembalo

Händel Feuermusik. Die Feuermusik kam bei einem Hoffest, das sich durch ein brillantes Feuerwerk auszeichnete, am 27. April 1749, zur ersten Aufführung. Was den Londonern an der Musik gefiel, war die ausserordentlich starke Besetzung der Blasinstrumente, welche die Feuerwerks-Musik auszuführen hatten. Nur selten mochte bis dahin eine solche Harmoniemusik aufgestellt worden sein: 9 Hörner, 9 Trompeten, 24 Oboen, 12 Fagotte, 3 Pauken. Das Hauptstück der Suite ist jetzt die glänzende Ouvertüre, mit ihrem freudelachenden, farbenprächtigen Allegro, welches überraschender Weise nach dem zweiten Lento nochmals einsetzt. Die übrigen Sätze haben einfachen Tanz- und Liedstil: Im Anschluss an die entsprechenden Bilder des Feuerwerks tragen einzelne Ueberschriften: der schöne, weiche Siciliano heisst „la paix", der drauf folgende schnelle Marsch, in dem die Trompeten wieder an die Spitze treten „la réjouissance".

Händel Wassermusik. Die Wassermusik, eine Suite von nicht weniger als 20 kleinen Stücken, ist mit einer Anecdote verknüpft: Freunde Händels, der bei Georg I. in Ungnade gefallen war, veranlassten, dass der König bei einer abendlichen Vergnügungsfahrt auf der Themse mit dieser Musik überrascht wurde. Der König errieth den Verfasser der vielstimmigen Ovation und wendete dem Componisten seine Huld von Neuem zu. Noch weniger als die Feuermusik darf man die Wassermusik so ohne Weiteres in unsern heutigen, an philosophische Offenbarungen gewöhnten Concertsaal verpflanzen. Das sind durchweg leichtere

Unterhaltungsstückchen heiterer oder anmuthiger Natur, aber durchaus für den Zweck entworfen, einer fröhlichen Gesellschaft, die Abends auf der breiten Themse fuhr, in gehörigen Zwischenpausen zum Besten gegeben zu werden; bei gehöriger Kürzung und Einrichtung wird jedoch die Suite mit dem Reize ihrer Horn- und Trompetenklänge ein einsichtiges Publikum auch heute noch staunen machen und erfreuen.

Wir kannten bisher Feuer- und Wassermusik nur aus alten, unglaublich verstümmelten, englischen Ausgaben. Der 47. Band der Händelausgabe Chrysanders bringt die Werke zum ersten Male in reiner Form.

Wenn Einer von den vielen Kunstmusikern, die sich von der Mitte des 17. Jahrhunderts ab der Suite zuwendeten, berufen war, in dieser von Hause aus so volksmässigen Gattung etwas Ausgezeichnetes zu leisten, so war es sicherlich Seb. Bach, dessen Familie, durch die vielen tüchtigen Raths- und Stadtmusikanten, die sie den thüringischen Ländern Generationen hindurch stellte, mit dem alten anheimelnden Pfeiferthum verwachsen erscheint — Bach, der selbst in seinen verschlungensten Kunstwerken die Neigung zum Volksthümlichen bald mit grandiosem Humor, bald in kindlicher Naivität durchblicken lässt. Bach hat bekanntlich sehr viele Claviersuiten geschrieben, Orchesterpartien leider nur vier,[1]) was wir um so mehr bedauern müssen, als in der Mehrzahl derselben der alte einfache Suitengeist in einer Reinheit und Stärke zum Ausdruck kommt, die andern Tonsetzern nicht erreichbar war.

Entschieden lehnt sich Bach in seinen Orchestersuiten an die Tanzformen: Nur der erste Satz — eine regelrechte französische Ouvertüre von 3 Sätzen mit der Fuge in der Mitte — gehört, wie bei Muffat, der Kunstmusik an. Dann kommen Gavotten, Menuetten, Bourées, Giguen, Tanzweisen aus aller Herren Ländern in voller Naturtreue, kaum ein J. S. Bach Suiten.

[1]) Sie sind im 31. Jahrgang der Gesammtausgabe von Bach's Werken (durch die Bachgesellschaft) unter dem Titel „Ouvertüren", veröffentlicht. Nach alter Regel gab der erste Satz der Suite den Gesammtnamen.

wenig idealisirt: üppige Melodien und gebieterische, markante Rhythmen.

J. S. Bach C dur-Suite (Nr. 1).

Die erste dieser Suiten in Cdur hat ausser der Ouvertüre eine Courante, Gavotte I und II, Forlane, Menuett I und II, Bourée I und II und 2 Passepieds.

Die Forlane ist ein venetianischer Tanz in gleichmässig ruhiger, breiter Bewegung. Hier wird die führende Melodiestimme:

von einem Perpetuum mobile der zweiten Violinen und Bratschen begleitet; die Bässe stehen wie Zuschauer daneben und thun nur das Nöthigste um Harmonie und Rhythmus zu skizziren. Die Besetzung der Suite geht über Muffat hinaus, sie besteht aus Streichquartett und dem bekannten Bläsertrio: 2 Oboen und Fagott. Letzeres ist in alter Weise häufig solistisch und concertirend verwendet. In Bezug auf die Erfindung gehört diese Odur-Suite nicht zu den hervorragenden Werken Bach's. Sie charakterisirt mehr die Zeit als den speciellen Meister. Die Biographen setzen sie in Bach's Cöthener Periode.

J. S. Bach H moll-Suite (Nr. 2).

Dieser gehört auch die Hmoll-Suite an, deren eigenthümlicher Zug in der Verwendung der Flöte besteht, welche als einziger Vertreter der Bläserfamilie dem Streichorchester gegenüber gestellt ist. Doch hat man sich nach alter Praxis, mit Ausnahme der speciell als Solo bezeichneten concertirenden Stellen, eine chorweise, jedenfalls mehrfache Besetzung dieses Instruments zu denken oder aber, man führt die Suite als Kammermusik auf, nimmt nur eine Flöte und doppeltes Streichquartett.[1]) In der Hmoll-Suite lebt sehr viel Grazie. Das Thema ihrer Fuge ist:

[1]) Es giebt von diesem Werk eine Ausgabe von H. v. Bülow, die aber der Bach'schen Musik durch unnatürliche Phrasirung Gewalt anthut.

Dem ersten Satze folgt ein Rondeau, das einigermassen kunstmässig durchgeführt ist und die einfachen Suitenmaasse überschreitet. Seine Grundmelodie malt aber das bestimmte Tanzbild handgreiflich genug:

In der darauf folgenden Sarabande führen die Oberstimmen mit dem Basse einen Canon in der Unterquinte durch. Die weitern Sätze sind 2 Bourées, eine Polonaise, bei der Bach ausnahmsweise eine Tempobezeichnung angiebt: „Moderato" ein sicheres Zeichen, dass er darauf besonderen Werth legte; ein Menuett und eine keek dahin flatternde Badinerie. Die H moll-Suite hat als künstlerischer Beitrag zur Culturgeschichte noch ihren Nebenwerth. Das geschniegelte, fein abgezirkelte Wesen der eigentlichen „Gesellschaft" in der Zeit des Reifrocks und der Perrücke mit Zöpfchen ist hier so fein und mit einem so behaglichen Humor gezeichnet, als es nur jemals ein Chodowiecki gekonnt hätte. Den Verfasser der Matthäuspassion, den Schöpfer der protestantischen Kirchencantate zeigt die H moll-Suite von einer seltneren Seite, als einen vollendeten Kenner und Darsteller höfischen Geistes und höfischer Künste, als einen Weltkundigen, der die Etiquette bis auf den unscheinbarsten pas beherrschte.

Die beiden andren Suiten Bach's stehen in D dur und sind beide in Leipzig geschrieben, möglicherweise für den Telemann'schen Musikverein, einen der Vorläufer des jetzigen Gewandhausconcerts, den Bach von 1729—36 dirigirte. Es sind sogenannte Trompetensuiten, Suiten, mit dem vollen Orchester der Bach'schen Zeit. Sie waren eine Zeit lang das Neueste und Vornehmste, was in dieser Art Musik zu haben war. Wie das grosse Geläute, mussten sie besonders bestellt, bewilligt und bezahlt werden. Dass Bach in Leipzig als Suitencomponist volksthümlich geworden war, beweist die von Spitta dem „Tableau von Leipzig im Jahre 1783" entnommene Mittheilung, in der es bei der Schilderung der Kirmess zu Eutritzsch heisst: „Das Chor Musikanten streicht wacker zu; debütirt mit

Sonaten von Bach und schliesst mit Gassenhauern". Diese Sonaten können nur die Orchestersuiten oder Theile daraus gewesen sein. Bei den Laien, und auch bei den gewöhnlichen Orchestermusikern war und blieb „Sonate" der Universalname für mehrsätzige Compositionen jedweder Art.

J. S. Bach D dur-Suite (Nr. 3). Die erste dieser beiden D dur-Suiten ist auch heute wieder populär. Wir wollen nur die Anfangstakte ihrer Ouvertüre hersetzen:

Das Weitere, die in heiterster Kraft dahin schäumende Fuge,

die entzückende, in selige Abendstimmung getauchte Air[1]

die energischen Gavotten und was noch dazu gehört: Bourée und Gigue, das Alles steht jedem Musikfreund mit der losen Skizze vollständig vor der Erinnerung. Es ist fast unvermeidlich, diese Musik, die aus dem frischsten Quell entsprungen ist, sich zu merken. Ein äusserst glücklicher Griff war es, dass Mendelssohn (im Jahr 1838) gerade mit diesem Werke den als Orchestercomponisten ganz vergessenen Grossmeister in den Gewandhaussaal und damit in das Concertleben der Gegenwart zurückführte. „Er wiegt uns sammt und sonders auf dem kleinen Finger" schrieb Schumann unter dem frischen Eindruck der Aufführung dieser Suite.

J. S. Bach D dur-Suite (Nr. 4). Die andre Suite in D dur hat entweder unter der Berühmtheit ihrer Schwester oder aber unter der Bequemlichkeit der Dirigenten bisher zu leiden gehabt. Noch ehe sie in der Bachausgabe erschien, hat sie (1881) Roitzsch bei

---

[1]) Sie wird in der bekannten Wilhelmi'schen Bearbeitung für Solovioline durch die Transposition auf die tiefen Saiten im Charakter entstellt.

Peters in Partitur herausgegeben. Trotzdem ist sie so gut wie unbekannt geblieben. Brenet, der französische Geschichtsschreiber der Sinfonie nennt sie gar nicht. Und doch ist sie in doppelter Beziehung sehr interessant: einmal durch ihren Eigenwerth, zweitens durch den Vergleich mit der andern D dur-Suite, der in der Ouvertüre wenigstens sich aufzwingt. Hier ist die Verwandtschaft der beiden Werke eine eminent nahe; im langsamen Satze sind die Motive nahezu identisch, nur in der Behandlung unterscheiden sie sich. Wie die erste D dur-Suite in ihrer Air, so hat diese zweite in der zweiten Bourée einen Treffer, der nie versagen wird. Das ist ein ganz eigenes Stückchen Bach'scher Melancholie; in heiterer, anmuthiger Form die Klage der Oboe:

um sie herum der beunruhigte Solofagott und der lauschende und aufmunternde Chor!

Die Fuge in der Ouvertüre mit diesem Thema:

ist von Bach in der Weihnachts-Cantate „Unser Mund sei voll Lachen" zum Chore umgebildet. Bach liess die Instrumente wie sie waren und componierte Singstimmen darüber hinzu. Die weiteren Sätze dieser zweiten D dur-Suite sind, soweit sie nicht schon erwähnt wurden: Bourée I, Gavotte, Menuetto con Trio und ein „Réjouissance" benannter Finalsatz. Die Instrumentirung in dieser ganzen Suite ist mit besonderem Bedacht ausgeführt; ein Theil der Wirkung der Composition fällt in ihren Bereich allein. Für die moderne Praxis macht allerdings, abgesehen von der Nothwendigkeit, die drei Oboen jede mehrfach zu besetzen, der Trompetenchor grosse Schwierigkeiten, Schwierigkeiten, die noch bedeutender sind, als die (in den Originalstimmen wenigstens) gefürchteten der bekannten D dur-Suite Nr. 3.

Trotz des starken Verbrauchs an Orchestersuiten sind

im 18. Jahrhundert keine mehr gedruckt worden. Auch die Bach'schen lagen bis auf unsere Zeit nur handschriftlich vor. Unter den Zeitgenossen von ihm, die sich der Suite widmeten, verdient der als kirchlicher Tonsetzer wohl
J. D. Zelenka. heute noch bekannte Joh. Dismas Zelenka, ein geborener Böhme und mit S. Bach zugleich Hof- und Kirchencomponist der Kapelle in Dresden Beachtung. Die vormalige musikalische Privatsammlung Sr. Majestät des Königs von Sachsen besitzt von Zelenka eine Trompetensuite in F,[1]) über deren Humor wohl schon das Fugenthema der Ouvertüre:

unterrichtet. Was ist das für ein drolliger Einfall, sich auf dem Sechzehntel-Motiv festzurennen und was giebt das für einen grotesken Scherz, wenn die Oboen in Terzen sich um die Stelle abmühen! In dem guten Blick und der Vorliebe für lustige Nebenmotive haben wir einen Zug, an dem die slavische Musik noch heute zu erkennen ist. Mit der Ouvertüre theilt ihn auch der Schlusssatz von Zelenka's Suite, eine „Folie", mit folgendem Hauptthema:

Allegro.

aus dem im Verlauf das Motiv vom Anfang des dritten Taktes bevorzugt wird. Diese Folie ist sehr lang und eifrig durchgearbeitet, ein Zeichen, dass die höhere Kunst in der Suite sich nicht mehr mit der Ouvertüre begnügen wollte, dass man das Wesen der Suite nicht mehr recht verstand. Für Norddeutschland ist ihre Geschichte mit Bach und Zelenka zunächst zu Ende. In Süddeutschland und Oesterreich hielt sie sich, wie aus den Werken der Wiener Klassiker bekannt, noch länger, aber nicht, ohne auch hier eine kleine Wendung nach der

[1]) Ihre Veröffentlichung durch Breitkopf & Härtel steht nächstens bevor.

gelehrten Kunst zu machen. Seit jener Zeit hat sich zwischen der Tonkunst der höheren und der niederen Stände ein Riss gebildet und fast zu einer Kluft erweitert, deren Beseitigung wir nur auf's lebhafteste wünschen können.

Neben die Gabrieli'sche Orchestersonate und neben die Suite tritt schon bald im 17. Jahrhundert als eine dritte Gattung selbständiger Orchestermusik die Sinfonie.

Das Wort Sinfonie führt uns einige Jahrtausende zurück: Die griechischen Theoretiker gebrauchen es zuerst in dem Sinne eines melodischen Intervalls; bei den mittelalterlichen Musikschriftstellern erhält es, von Hucbald, von Guido von Arezzo ab, die Bedeutung des Zusammenklangs, des Accords. Im 16. Jahrhundert endlich erscheint das Wort auf den Titeln von Compositionen allgemein poetisirend: Waelrant 1594: Symphonia angelica, Engelsklänge, G. Gabrieli 1597: Sacrae symphoniae, fromme Klänge, Adr. Bianchieri 1607: Ecclesiastiche Sinfonie, geistliche Klänge. Es bergen sich zunächst unter diesen Sinfonien Sätze von ganz verschiedener Form, vokale und instrumentale. Erst in der Oper wird die Sinfonie ausschliesslich Orchestermusik. In Monteverdi's Orfeo werden Scenen und Akte durch Orchestersätze von mässiger Länge (6, 10, 12 Doppeltakte) eingeleitet und abgeschlossen, die als Sinfonien bezeichnet sind im Gegensatz von andern, die Strophen eines Gesangs vorbereitenden Instrumentalsätzchen, die Ritornelle heissen. Wir haben also hier Sinfonien zum ersten Male im Sinne kurzer, instrumentaler Einleitungen. So wird das Wort bekanntlich noch lange, bis in die Zeiten der Bach'schen Cantaten gebraucht. Matheson kennt es fast nur von dieser Seite. Diese Monteverdi'schen Sinfonien die in ihrem feierlichen und erhabenen Charakter noch einen deutlichen Zusammenhang mit der Kirche und mit Gabrieli haben, gehören mit zu den bedeutendsten Höhepunkten in der Kunst des grossen italienischen Meisters. Ein solches Mittel zur Beseelung der Handlung hatte bis dahin keine Art von Drama besessen. Auch der Chor der griechischen Tragödie bleibt dahinter zurück. Denn diese Monteverdi'schen Sinfonien gaben

Monteverdi's Sinfonie.

nicht blos der Stimmung an wichtigen Stellen mächtigen Ausdruck, sondern sie verknüpften auch entfernte Scenen in einer innigen poetischen Weise, die neu war, die später vergessen und erst durch Componisten unserer Zeit, insbesondere durch R. Wagner wieder entdeckt wurde. Eins der schönsten Beispiele für diese Verwerthung der Instrumentalmusik bietet Monteverdi's Orfeo[1]) im dritten Akt: Die Sinfonie, unter deren schauerlichen Posaunenklängen hier Orfeo zum Hades hinabsteigt, hören wir in dem Augenblick, wo Charon den Bitten des Sängers weicht zum zweiten Mal: jetzt aber gedämpften Tons im Bratschenkolorit. Unter den nächsten Nachfolgern Monteverdi's ist Giulia Caccini als Vertreterin dieser kleinen scenischen Sinfonien zu bemerken; in der Venetianischen Schule zeichnet sich Cavalli darin besonders aus. Ihm gelingen namentlich malerische Aufgaben, die Schilderung eines Sonnenaufgangs, einer Fahrt auf ruhigem Meer (Sinfonia navale in „Didone") ganz herrlich.

Cavalli's Sinfonien.

Eine Hauptbedeutung gewann die Oper für die Sinfonie von dem Augenblick ab, wo die Sinfonie zur Eröffnung der Musikdramen verwendet wurde. Schon Monteverdi hat diesen Versuch gemacht. Doch blieb man noch lange dabei, die Handlungen mit einem gesungenen Prolog einzuleiten. Erst in der Venetianischen Schule, etwa von 1650 ab, haben alle Opern Instrumentalprologe und zwar mit dem Titel Sinfonie. Mit diesen Venetianischen Opernsinfonien — auf sie wird bei Behandlung der Ouvertüre näher einzugehen sein — beginnt die Geschichte der modernen Sinfonie und zwar ist diese Jugendzeit einer ihrer rühmlichsten und gehaltvollsten Abschnitte. Es sind Compositionen von mässigen Umfang — von 35 bis zu 70 Takten — und nur einsätzig; aber, durch Wechsel von Takt und Tonart scharf und reichgegliedert, bergen sie innerhalb dieses einen Satzes einen mannigfaltigen Inhalt, eine verhältnissmässig grosse Reihe

Venetianische Sinfonie.

[1]) Der Orfeo Monteverdi's ist theilweise im 10. Bande der „Publikationen der Gesellschaft für Musikforschung" veröffentlicht worden.

von Bildern, die in der Regel ebenso wirkungsvoll wie natürlich aneinanderschliessen. Im Vergleich zur Gabrieli'schen Sonate führen sie in eine viel buntere und gestaltenreichere Welt und schildern neue Aufgaben mit neuen Mitteln. Die gebrochenen Rhythmen: mit denen noch Händel und das 18. Jahrhundert Erregung und Unruhe wirkungsvoll zeichnen, die Generalpausen und Fermaten sind hier heimisch. Denn wie sie anekdotenhaft und unruhig waren, so waren diese Venetianischen Opern auch an Wundern und Schrecken, an Spannung, Entsetzen und Ueberraschungen aller Art mehr als reich. Allen diesen Eröffnungssinfonien war auch ein feierlicher, langsamer, breiter Anfang gemeinsam, der zuweilen in der Mitte und sehr häufig am Ende wiederkehrt, ein Tribut von dem Componisten der Verwandtschaft zwischen Musikdrama und griechischer Tragödie gezollt!

Aber viel stärker als die typischen treten an diesen Venetianischen Sinfonien die individuellen Züge hervor. Gerade darin liegt ihr Hauptwerth, dass sie immer ein Bild von dem Drama geben, dem sie vorangestellt sind; das macht sie unter einander so verschieden, giebt den einzelnen ihr scharfes charaktervolles Gesicht. Man weiss aus diesen Sinfonien ohne Weiteres, was im Drama zu erwarten ist: ob Krieg und Kampf, Schauer und Unglück oder ob heitre und elegische Elemente die Oberhand haben. In knapper Form entwickeln sie einen reichen Inhalt, aus dem deutlich und beherrschend, wie der Berg aus der Ebene, ein Hauptstück hervortritt. Diesen Mittelpunkt bildet in der Sinfonie von Luzzo's „Medoro" z. B. die wilde und allarmirende Episode, die gleich nach den Einleitungstakten einsetzt, in der von Cavalli's „Ercole" der Abschnitt, wo die Sextaccorde in ungestümer Hast und Kraft dahinjagen, eine kühne Anwendung der alten Fauxbourdon-Harmonie; in der Sinfonie von Sartorio's „Seleuco" prägt sich die heimliche, zarte Melodie ein, die auf das Traumbild in der Oper deutet; aus der von Cestis „Pomo d'oro" begleiten uns lange die freudigen Lieder die das Orchester dem Eingangschor „di feste di giubili" entnimmt. In der Regel sind die wichtigsten Themen in den Venetianischen Sinfonien ganz so wie heute in der Freischütz-, in der Oberon-, in der Tannhäuserouvertüre den Hauptscenen der Oper entnommen. **Die wahre Heimath der modernen Programmouvertüre**, die einzelne Schriftsteller mit Gluck, andere mit Händel und Rameau einsetzen lassen, liegt **also in der Venetianischen Oper.**[1]) Sie ist bis heute spurlos vergessen gewesen, nur ihre Orchesterbesetzung lebte in der Sinfonie der folgenden Zeit weiter. Diese Besetzung besteht aus Streichinstrumenten und Cembalo; von Blasinstrumenten kommt fast nur die kriegerische Trompete vor.

Die Neapolitanische Schule, die am Ende des 17. Jahrhunderts die Führung in der Oper übernimmt, stellt eine neue Sinfonieart auf. Die Sinfonie erscheint bei ihr zum ersten Male in **der** modernen Form und Bedeutung einer **mehrsätzigen** Composition, eines höheren Gegenstücks

Italienische Sinfonie. zur Suite. Diese Neapolitanische oder **italienische Sinfonie** besteht aus **drei** Sätzen in der Folge: Allegro, Largo, Presto oder einer ähnlichen. Immer bildet ein langsamer Satz die Mitte zwischen zwei bewegten. Kurze, häufig taktmässig ausgezählte Pausen trennen ihn in der Regel vom vorhergehenden und dem folgenden Allegro; zuweilen wird er an den ersten Satz durch einen Trugschluss näher herangezogen. Das erste Allegro steht im geraden, das zweite im ungeraden oder in $^6/_8$ und $^{12}/_8$ Takt. Beide sind in der ersten Zeit verhältnissmässig knapp gehalten, zwischen 15 und 30 Takten schwankt ihr Umfang. Der langsame ist meistens der kürzeste von den drei Sätzen, zugleich aber der stattlichste im Klang: in der Regel zeichnet ihn ein schönes Solo der Oboe oder der Flöte aus.

Die Gesammtform dieser italienischen Sinfonie ist ein sehr glückliches Stück bester Renaissancekunst. Die drei

---

[1]) Das Material der Venetianischen Oper ist nur handschriftlich vorhanden, in der Hauptmasse in italienischen Bibliotheken. Einige aus der Schule stammende Sinfonien werden jedoch (in Partitur und Stimmen) nächstens in Breitkopf & Härtel's „Akademischer Orchesterbibliothek" erscheinen.

Sätze bilden ein leicht übersichtliches, scharf gegliedertes und durch den einfachen, klaren Gegensatz zwischen Bewegung und Ruhe ästhetisch voll befriedigendes und wirksames Ganze. Muster für diesen Typus bot bereits die Vokalcomposition z. B. im Kyrie der Messe; auch in dem grossen Wirrwarr verschiedenster Sonaten- und Canzonenformen, den die Entwickelung der jungen Instrumentalmusik im 17. Jahrhundert bildet, taucht er mit auf. Es ist das Verdienst des grossen Alessandro Scarlatti ihn gewissermassen zum zweitenmale erfunden zu haben. Soweit es sich übersehen lässt, hat dieser Meister in seinen Opern die italienische Sinfonie ausschliesslich verwendet und sie damit und mit der Wucht seines Namens für den ganzen Bereich der italienischen Schule durchgesetzt. Sie hat sich bis heute behauptet — denn streichen wir aus unserer modernen Sinfonie das Scherzo, so steht der Grundriss der alten italienischen Sinfonie vor uns; ausnahmsweise haben einzelne neue Sinfoniker, Liszt, Raff, Tschaikowsky für bestimmte Werke auf die unverfälschte Dreisätzigkeit zurückgegriffen. Sie ist aus der italienischen Sinfonie in das virtuose Concert hinübergegangen und hat sich da bekanntlich bis auf die Gegenwart rein erhalten. A. Scarlatti.

Durch die innere Einrichtung steht uns unter den drei Sätzen der italienischen Sinfonie der erste am nächsten, weil er sich zwar nicht immer aber doch meistens in drei Theilen ausspricht. Nehmen wir z. B. das erste Allegro von Scarlati's Sinfonie zu „Il trionfo del 'Onore".[1]) Es ist ein Satz von 17 Takten. Die ersten Violinen leiten ihn mit folgendem Thema ein:

[1]) Es ist die 140. Oper des Componisten, ihr Entstehungsjahr 1718.

Daran schliesst sich ein zweiter Abschnitt, in dem die Bässe und nach ihnen die Violinen nur das Motiv: durch die Tonarten tragen. Er geht von Cdur über Ddur, Emoll, Gdur nach C zurück und schliest mit dem 12. Takte, der uns wieder vor den Anfang des Satzes führt. Wir haben also in diesem Miniatursatz doch schon ganz deutlich das Gerippe des ersten Satzes der Haydn-Beethoven'schen Sinfonie, oder wie man gewöhnlich sagt, das Sonatenschema vor uns: a) Themengruppe, b) Durchführung, c) Wiederholung und was das wichtigste ist, den Durchführungstheil nach den Principien gestaltet, die noch heute gelten.

Der langsame Satz hat häufig die einfache zweitheilige Liedform; zuweilen bringt er gar kein Thema, sondern markirt nur, präludienartig modulirend, die Stelle, wo das Gemüth ruhen und träumen will und darf. Der schliessende schnelle Satz zerfällt in der Regel in zwei Theile, die thematisch verwandt sind und beide wiederholt werden.

Französische Sinfonie. J. B. Lully.

Im letzten Drittel des 17. Jahrhunderts war zu der italienischen eine französische Oper gekommen und auch die Franzosen entschieden sich für eine instrumentalsinfonie als Einleitungsstück der Oper. Diese französische Sinfonie oder Ouvertüre, die sehr häufig die Lully'sche genannt wird, obschon sie bereits bei Cambert vorkommt, besteht ebenfalls aus drei Sätzen, aber in der Anordnung Grave, Allegro, Grave. Auch darin unterscheidet sich die Form dieser französischen Sinfonie, der wir in der Suite der Muffat, Händel, Bach, Zelenka bereits begegnet sind, von der der italienischen, dass der erste Satz in der Regel ohne Pause in den zweiten und ebenso dieser in den dritten übergeht. Nimmt man noch hinzu, dass der dritte Satz (das zweite Grave) meistens eine wörtliche und vollständige, oder aber abgekürzte Wiederholung des ersten langsamen Satzes ist, so ergiebt sich für die französische Sinfonie eine grössere Abrundung und Geschlossenheit. Sie neigt zur Einsätzigkeit; das in der Mitte stehende, in der Regel fugirte Allegro ist nicht blos örtlich der Mittelpunkt des Ganzen, sondern auch dem Umfang und dem Geist nach. In der That ist auch aus jener französischen Sinfonie des 17. und 18. Jahrhunderts die einsätzige, langsam eingeleitete Ouvertüre der Cherubini und Beethoven hervorgegangen; ja selbst die langsamen, so beliebten und so dummen Einleitungen des modernen Walzers stammen aus dieser Quelle.

Sowohl die italienische, wie die französische Sinfonie stellen sich eine ganz andere Aufgabe, als die Venetianische. Diese sucht möglichst viele und möglichst getreue Miniaturbildchen aus dem folgenden Musikdrama vorauszuwerfen. Jene beiden wollen weniger ein bestimmtes Theaterstück, als vielmehr ein Fest einleiten. In Venedig waren die Opernbühnen Volkstheater, in Neapel und Paris Hofinstitute. Diesem Charakter der Opernaufführung tragen die neuen Sinfonietypen Rechnung; die italienische betont dabei die heiteren und glänzenden Seiten des Festes, die französische die feierlichen und majestätischen. Fehlte doch der Roi Soleil bei keiner wichtigen Vorstellung seiner Academie Royale de musique!

Musikalisch haben die italienische und die französische Sinfonie vor der Venetianischen die stattlichere Form und die Möglichkeit voraus, eine gewählte Idee eingehender zu verfolgen. Aber der Verzicht auf die Anregungen, die der Phantasie des Componisten aus dem Drama zuströmten, ist der Entwickelung der beiden Typen unheilvoll geworden. Die französische Sinfonie hat dabei weniger gelitten. Dank Lully, der sich darauf verstand, in seinen Allegris trotz des steifen Einerleis der ewigen Fugen, doch einigermassen dem Charakter des kommenden Dramas anzukünden und klar zu machen, ob die Oper heroisch oder pastoral sein werde, waren in der französischen Sinfonie Charaktergemälde ersten Ranges möglich, wie sie Jedermann in Gluck's Iphigenienouvertüre kennt, und in Händel's herrlicher Ouvertüre zu „Agrippina“[1]) kennen

C. W. v. Gluck.

G. F. Händel.

[1]) 57. Lieferung der deutschen Händelausgabe.

sollte. Seitenstücke zu diesen Meisterwerken wolle man
J. P. Rameau. in den Opern Rameaus aufsuchen, von denen auch jede bescheidenere Musikbibliothek einige Exemplare zu besitzen pflegt. Rameau war es, der den Uebergang aus der dreisätzigen Sinfonie zur einsätzigen Ouvertüre mit langsamer Einleitung anbahnte. Freilich scheinen die bedeutendsten Sinfonien nicht immer die beliebtesten gewesen zu sein. Das zeigt jene Anekdote von Friedrich dem Grossen, der es Graun sehr verdachte, dass er in der Ouvertüre zu „Papirio“ die Fuge durch ein charaktervolles, frei geformtes Allegro ersetzt hatte.[1])

Die Vorlagen, die Scarlatti den Italienern gab, waren geringer. Die Musik seiner Sinfonien ist sinnig, anmuthig, munter und geistvoll, aber ohne Grösse und Tiefe billigeren Zielen zugerichtet. Das Beste, was seine Sinfonien bieten, liegt auf der sinnlichen Seite in einem glänzenden, geistreichen Concertiren, in einer sinnigen Figurenbildung, im blendenden Colorit, Eigenschaften, die z. B. die Ouvertüre zu „Il prigionero fortunato“ (1709)[2]) auf's Schönste vereint. Was Hohes in der italienischen Sinfonie möglich
L. Leo. war, das zeigen die Oratorieneinleitungen Leonardo Leos, von denen die zu „St. Elena al Calvario“[3]) seit etlichen Jahren in Partiturdruck vorliegt. Das ist grosse und edle Trauer in unvergänglichem, für alle Zeiten musterhaften Ton! Solche Werke sind aber leider in der italienischen Schule die Ausnahme. Mit L. da Vinci beginnt in ihrer Sinfonie ein Verfall, der die Mehrzahl ergriff und dem die Versuche einzelner ernster Tonsetzer, wie Ad. Hasse und N. Piccini dauernd Einhalt zu thun nicht vermochten. Aeusserlich wuchs sie. Die Sätze wurden alle drei länger und reicher im Ausbau. Der erste fügte — das Beispiel gab auch für die französische Sinfonie das virtuose Concert —

---

[1]) L. Schneider, Geschichte der Oper in Berlin (1852), S. 111 stellt den Sachverhalt verkehrt dar.

[2]) Diese Sinfonie erscheint demnächst in Breitkopf & Härtel's „Academischer Orchesterbibliothek“.

[3]) Bei Breitkopf & Härtel.

ein zweites Thema ein, der dritte wendete sich der vielgliederigen und die Erfindung reizenden Rondoform zu. Aber das innere Wesen der italienischen Sinfonie ward immer leerer und läppischer.

Den erfreulichsten Theil bilden die langsamen Sätze. Sie haben um die Mitte des 18. Jahrhunderts in der Regel die grosse dreitheilige Liedform — a) Hauptthema als Doppelperiode zweimal, zwischen dem ersten und zweiten Mal ein mit Figuren ausgestattetes Seitenthema; b) zweites Thema zum Hauptthema in Tongeschlecht und Charakter in Gegensatz gebracht; c) Wiederholung von a in gekürzter Form — und bringen in ihr die eigenthümliche, weiche, edle Empfindsamkeit des 18. Jahrhunderts in freundlich-wehmüthigen Melodien und in einer Reinheit zur Anschauung, die den andern Künsten jener Zeit nicht erreichbar war, am wenigsten der durch moralische und mythologische Zöpfe gefesselten Dichtkunst. Zuweilen waren die Componisten hier noch zu süssen Erfindungen durch die Liebesscenen angeregt, die in der Oper und dem Oratorium des 18. Jahrhunderts einen sehr breiten Raum einnehmen. Um so schlimmer stand es in der Regel um den ersten, den Hauptsatz der Sinfonie. Einige Citate werden genügen, einen Begriff von der hier üblichen Thematik zu geben:

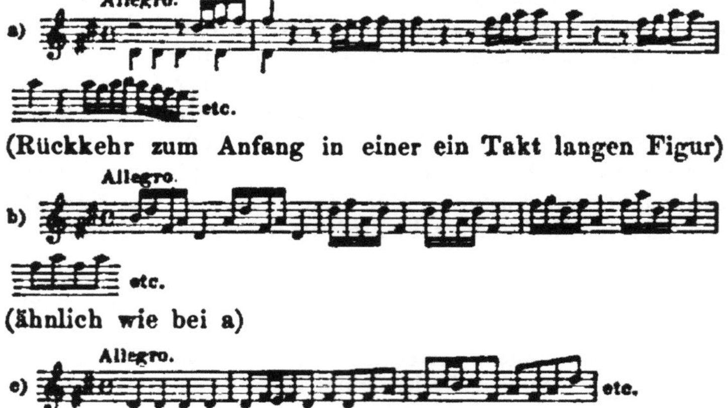

Beispiel a ist der Anfang zu der Sinfonie, mit der L.
L. da Vinci. da Vinci seine „Semiramis“ einleitet. b und c sind von
G. B. Pergolesi. Pergolesi, das eine ist der Anfang zur Sinfonie der Oper „Sallustia“, das andere vom Oratorium „San Guglielmo“. Diese Sinfonie hat der Componist nochmals für seine letzte
N. Jomelli. Oper „Olympia“ verwendet. Mit d beginnt Jomelli die Sinfonie seines Oratoriums „Abramo“. Wir haben also hier grosse Namen und ernste Werke vor uns. Wie wenig lassen das die Noten ahnen, wie tief ist der Begriff vom Wesen und Zweck der Sinfonie gesunken! Diese Umständlichkeit um Lappalien, diese gespreizte Trivialität sind der wahre Hohn auf echte Kunst, man kann solche Leistungen nicht mehr zur Musik rechnen; leider haben sie eine gewisse Bedeutung für die Geschichte Italiens, das heute glücklicherweise derartige Instrumentalcompositionen nicht mehr duldet.

Vom Anfang des 18. Jahrhunderts ab mehren sich in Deutschland die Orchester schnell und beträchtlich. Der hohe und niedere Adel thut es den Fürstenhöfen nach; gut oder schlecht, aber so ziemlich jedes Schloss hat seine Hauscapelle. Schüler und Studenten, dem Beispiel der italienischen Akademien folgend, gründen freiwillige collegia musica, die Bürgerkreise ihnen nach. Um die Mitte des Jahrhunderts ist das ganze Land mit einem dichten Netz von Musikvereinen überzogen, die alle in „wöchentlichen Concerten“, einmaligen und doppelten, ungemein viel Instrumental- und Orchestermusik verbrauchen. Comödien und Concerte sind die Haupthindernisse der Gelehrsamkeit, klagt 1763 der musikfeindliche Ernesti.[1]) Es ist niemals vorher und nachher wieder soviel Instrumentalmusik componirt, gespielt und angehört worden, als in jenen Tagen. Die Zeugnisse dafür liegen in den Briefen Mozart's und in den Lebensbeschreibungen von Quantz, Dittersdorf,

[1]) G. Wustmann, „Aus Leipzigs Vergangenheit“ (Leipzig 1885) S. 289.

Gyrowetz und anderen namhaften Musikern jener Zeit vor, in den Archivresten der Bibliotheken und in den Verlagsverzeichnissen. Sinfonien, Concerte werden immer bündelweise angeführt. Im quantitativen Sinn ist die Mitte des18. Jahrhunderts die Glanzzeit der Instrumentalmusik in Deutschland; dort liegen die Anfänge und Ursachen ihrer Vorherrschaft.

Dass in der ersten Hälfte jener Periode die Sinfonie zurücktritt, könnte nicht Wunder nehmen, auch wenn sie besser gewesen wäre. Denn sie hatte an dem neuen Virtuosenconcert einen übermächtigen Nebenbuhler. Wie hundert Jahre früher Monodie, Solo- und Bühnengesang die eigentliche „nuove musiche" der Generation waren, die den dreissigjährigen Krieg erlebte, so schienen für die, welche mit Friedrich dem Grossen jung waren, die Wunder des Orpheus in den Violinconcerten der Torelli, Vivaldi, Corelli wieder aufzuleben. Unter allen Erwerbungen, die die Musik in den letzten Jahrhunderten gemacht hat, war die des virtuosen Concerts die bedeutendste; keine andere hat den inneren und äusseren Wirkungskreis der Tonkunst so gewaltig erweitert. Indess den Dilettantenkräften der neuen Collegia musica musste den virtuosen Anforderungen des Concerts gegenüber ein Erdenrest von Technik zu tragen peinlich bleiben und den Wunsch nach einer andren Gattung von instrumentaler Ensemblemusik nahe legen. Da fiel denn der Blick naturgemäss auf die im Aufbau mit dem Concert ganz identische italienische Sinfonie und sie begann allmählich jenem zur Seite zu treten, es zu ersetzen. Wir können diesen Prozess mit einer interessanten Arbeit S. Bach's belegen. Derselbe Band der Bachausgabe,[1]) der die Orchestersuiten enthält, bringt als Anhang eine Sinfonie in F aus drei Sätzen bestehend, Allegro, Adagio, als Schlusssatz ein Menuett (mit 2 Trios). Diese Sinfonie ist aber nichts als eine Umarbeitung von Bach's erstem brandenburgischen Concert; der $^6/_8$ Takt, der dort (ad libitum) dem Menuett vorausgeht, ist weg-

S. Bach Sinfonie in F.

---

[1]) 31. Jahrgang, Erste Lieferung.

gelassen und der nur spärlich concertirende Violino piccolo, das Soloinstrument des Concerts, ist einfach gestrichen. Sonst stimmt Alles wörtlich. Auch wenn Bach selbst nicht der Bearbeiter dieser Sinfonie sein sollte, bleibt sie ein wichtiges Document für einen geschichtlichen Hergang: die Entstehung und das Empordringen einer selbstständigen Concertsinfonie. Sie verdankt ihre Existenz der Einrichtung regelmässiger Concerte, insbesondere den collegiis musicis der Studenten und anderer Dilettanten und befestigt sich ausserordentlich schnell in ihrer Stellung.

Schon um die Mitte des 18. Jahrhunderts sehen wir die Sinfonie unabhängig, das alte Verhältnis zur Oper gelöst; es wird allmählig möglich, dass sich begabte Tonsetzer vorwiegend oder ausschliesslich der Composition fürs Concert, für die Instrumente widmen, die Orchestersinfonie wird jetzt in Stimmen gedruckt und schnell ein ganz bedeutender Handelsartikel. In dem Breitkopf'schen Katalog von 1762 finden wir fünfzig Sinfoniekomponisten, bekannte Meister wie Gluck, Hasse, Galuppi, Jomelli, Graun, Hiller und heute vergessene Lokalgrössen durcheinander; keiner hat es unter einem halben Dutzend gethan. Als Beweise höchster Fruchtbarkeit finden sich in den Bibliotheken aus jener Zeit auch Sinfonien von Dilettanten componirt: Friedrich der Grosse, Max Joseph von Bayern, der Baron von Münchhausen erscheinen unter dieser Autorengruppe. Das Ausland tritt mehr und mehr zurück und kommt qualitativ bald ganz ausser Betracht. Die deutsche Produktion aber vertheilt sich auf folgende drei Bezirke: die Mannheimer, die Wiener und die Norddeutsche Schule.

Mannheimer Schule. Die Mannheimer Schule lebt heute noch in vieler Munde durch W. A. Mozart, der in den Briefen an seinen Vater wiederholt ihre Sinfonien und die Leistungen des Orchesters rühmlich hervorhebt. Der sonst so strenge Kritiker hat in Mannheim manches in einem allzu rosigen Licht gesehen, sicherlich die Sinfonien. Einzelne Vertreter **J. Holzbauer.** dieser Schule setzen durch ihre Fruchtbarkeit in Erstaunen. **Chr. Cannabich.** Holtzbauer schrieb 205 Sinfonien, Cannabich ungezähr 150[1]); auch die **Fielitz**, **Tosca**, **Stamitz** schrieben fleissig. Aber eine besondere Art haben die Mannheimer Sinfonien nicht; sie sind von geringem geistigen Gehalt und kennzeichnen sich gleich mit ihren theatralisch weitschweifigen aber unbedeutenden Themen als Kinder der italienischen Familie. Nur sind sie lebendiger instrumentirt und concertiren ungewöhnlich eifrig und wirksam mit den Orchesterstimmen, insbesondere den Bläsern. Mozart spricht mit besonderer Bewunderung von dem crescendo des Mannheimer Orchesters. Daraus haben Nohl und ähnliche Gelehrte den für Kenner alter Musik ganz unmöglichen Schluss gezogen: die Mannheimer Capelle sei die erste und einzige gewesen, welche sich darauf verstanden, die Uebergänge zwischen piano und forte zu geben. Das von Mozart gemeinte crescendo der Mannheimer Sinfonien ist aber etwas anders, nämlich in erster Linie ein Compositionseffekt: Es wird ein kurzes Motiv in einer langen Sequenzenperiode aus der Tiefe in die Höhe getragen, ähnlich wie das in den Strettis der Rossini'schen Opern so häufig vorkommt. Mit dem Aufschreiten zur Höhe wächst immer auch die Tonstärke. Namentlich Cannabich liebt diese crescendi.

Ueber die Vorgeschichte der **Wiener Schule**, die die Hauptquelle des deutschen Instrumentalruhms wurde, weil Oesterreich fleissiger als andere Länder musicirte, sind wir bisher schlecht unterrichtet. Niemand hat die Sinfonien der **Starzer**, **Aspelberger**, **Kobaut** und der andren Vorgänger Joseph Haydn's untersucht. Wahrscheinlich haben sie bereits die Dreisätzigkeit der italienischen Sinfonie durchbrochen und den Menuett eingefügt. **Wiener Schule**

In der **Norddeutschen Schule** ist neben dem Berliner Friedrich **Benda** das bedeutendste Sinfonietalent der Zeit überhaupt, **Philipp Emanuel Bach**, der sogenannte Hamburger Bach. Ph. Em. Bach ist weder durch Grösse, noch durch Menge der Gedanken ausgezeichnet; er hat aber nichts destoweniger für die Geschichte der **Norddeutsche Schule. Fr. Benda.**

[1]) 70 davon liegen in geschriebenen Stimmen auf der Münchner Staatsbibliothek.

Musik als Stylist eine Bedeutung ersten Ranges. Er erfand eine neue Art der thematischen Durchführung, die hinter der Fuge und den andern strengen Formen der Nachahmung an Gründlichkeit zurückstand, sie aber an Schmiegsamkeit und Beweglichkeit bei weitem übertraf und dem Spiele der Laune und des Augenblicks auch in den grösseren Formen einen bequemen und allezeit offnen Zutritt gestattete, ohne dass dabei die Darstellung — wie dies in der nordisch niederländischen Instrumentalschule früherer Zeit der Fall war — der Gefahr phantastischer Willkür verfiel. Bach ist in dieser seiner Art einer der ersten und bemerkenswerthesten Vertreter französischer Bildungsideale in der deutschen Instrumentalmusik. Richteten doch in der zweiten Hälfte des vorigen Jahrhunderts selbst die Liedercomponisten (der Berliner Schule) ihre Augen auf die in Frankreich gebotenen Muster. Neben seinem Lehrbuch „Versuch über die wahre Art das Clavier zu spielen" hat Bach am nachhaltigsten durch die Pianofortecompositionen gewirkt, die in grossen und kleinen, schweren und leichten Formen seiner fleissigen Feder in Menge entflossen. Aber System und Geist seiner Kunst kommen in den Sinfonien, die er schrieb, immer noch fühlbar zum Ausdruck. Ueberdies enthalten sie in der Orchesterbehandlung Elemente, die für die weitere Entwickelung der Gattung von Wichtigkeit wurden.

Ph. E. Bach Sinfonien.

Gerber schreibt in seinem Lexicon dem Ph. E. Bach „ein paar Dutzend Sinfonien" zu. Davon sind zu Bach's Zeiten ungefähr nur 10 in Stimmen gedruckt worden, vier davon im Jahre 1780 (bei Schwickert in Leipzig). Diese sind es, welche Espagne im Jahre 1860 bei Peters in Leipzig neu herausgab. Die erste derselben ist heute wieder bekannter: Das Hauptthema ihres ersten Satzes ist dieses

Es wird, flankirt

von einigen ziemlich unbedeutenden Seitenmotiven, zu einem Satze von ungefähr 200 Tacten Länge ausgeführt, in welchem man die drei Theile des Sonatensatzes: Themengruppe, Durchführung, Repetition, klar unterscheiden kann. Dieser erste Satz modulirt in den Schlusstakten nach Esdur, der Tonart des zweiten Satzes, einem Larghetto in dem weichen, zu Thränen bereiten Stile des 18. Jahrhunderts. Mit dem Klange der geliebten Flöten tritt das Thema des Satzes ein:

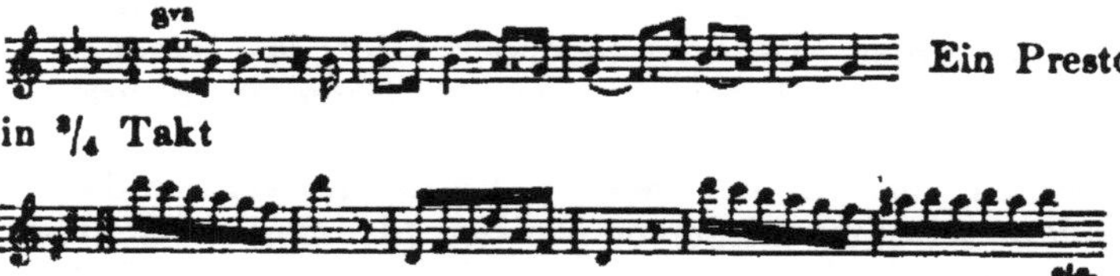

Ein Presto in $^3/_4$ Takt sausenden Laufs, nur selten durch einen ernsteren Einfall gehemmt, führt die Sinfonie zu Ende. Diese Scarlattische Grundform und auch der seelische Typus der D-dur-Sinfonie kehrt in den anderen wieder: geistreiches, lebendiges und sprühendes Finale, anziehendes oder erträgliches Larghetto und ein verwunderlicher Hauptsatz. Denn es ist verwunderlich, wie diese Hauptsätze der Sinfonien des Hamburger Bach im letzten Grunde doch ziemlich inhaltlos verlaufen. Sie setzen alle mit einem wunderbaren Schwung ein; mit gewaltiger Kraftanstrengung stürmen sie von Anlauf zu Anlauf, geberden sich in Trillern und allerhand ungewöhnlicher Melodik nicht selten ganz apart und absonderlich. Aber sie zerplatzen wie Seifenblasen ohne Spur und Resultate. Es stellt sich diesen heroischen Versuchen nichts Wichtiges entgegen, der Zug geräth in Tändeleien und streift am Bedeutenden flüchtig vorüber; das Ganze kommt nicht über das Phantastische hinaus und bleibt ein brillantes Feuilleton. Nur die gedanklich bedeutendste der vier Sinfonien, die zweite in Fdur, erhebt sich über diese Stufe. Beim unmittelbaren Hören der Bach'schen Sinfonie findet jedoch die Kritik keine Zeit zu ihren Bedenken; die Sätze gehen unmittelbar ineinander über und das Ganze rauscht, angeregt und anregend, verhältnissmässig schnell vorüber.

Die Besetzung der vier Sinfonien ist die gleiche: Streichorchester, 2 Flöten, 2 Oboen, 2 Hörner, 2 Fagotts und Flügel. Sie weist auf specifisch hamburgische Verhältnisse jener Zeit hin: ein starkes, mit virtuosen Kräften ausgestattetes Violinenensemble und ziemlich mässige Bläser. Der Flügel ist in jener Zeit bereits eine entbehrliche Zuthat. Interessant und Schule machend wirkte Bach durch die Behandlung der Instrumente. Unter ihnen herrscht im Vergleich zur älteren Weise volle Freizügigkeit, und sein Orchester formirt sich fortwährend anders und vollzieht die Evolutionen der neuen Aufstellung mit einer Leichtigkeit, die der älteren Praxis fremd war. Auch Bach kennt das „Concertino" des Concertorchesters noch, er giebt dem bekannten Bläsertrio gern die zweiten Themen im Hauptsatz. Aber auch jedes andere Instrument besitzt bei ihm die Solistenqualification und ist jeden Augenblick bereit, von ihr Gebrauch zu machen. Die solistische Führung geht taktweise von der Oboe zur Flöte, von einem Chor zum andern, während man früher bei solchem Wechsel etwas umständlicher war.

II.

J. Haydn, Mozart, Beethoven.

Der grosse Aufschwung, den die Pflege der Sinfonie in Deutschland um die Mitte des 18. Jahrhunderts nahm, übte auf ihre innere Entwickelung nur geringen Einfluss; im Wesentlichen blieb sie nach Form und Geist auf dem alten italienischen Standpunkt. Erst Josef Haydn wandelte sie um und zwar so gründlich und gewaltig, dass diese Reform der Sinfonie eine der bedeutendsten Thaten der gesammten Kunstgeschichte genannt werden darf.

Wenn wir auf die Frage, worin bestand Haydn's Reform der Sinfonie, mit unseren Handbüchern der Musikgeschichte und mit den musikalischen Lexicis antworten: in der Einführung des Menuetts, so bleiben wir allerdings den Thatsachen das Meiste und das Beste schuldig.

Haydn hat den Menuett nicht in die Sinfonie eingeführt. Die Sinfonie mit Menuett war eine Eigenthümlichkeit der Wiener Schule. Von dort eignete sie sich auch Mozart zu einer Zeit an, wo die Haydn'schen Sinfonien ausserhalb ihres Entstehungsorts noch unbekannt waren. Haydn verschaffte ihr nur in der internationalen Sinfonie allgemeines Bürgerrecht. Es handelt sich dabei im Menuett

4*

um ein Stück volksthümlicher Musik im Allgemeinen. Die Wiener Schule näherte sich mit der Aufnahme dieses Tanzsatzes in die Sinfonie der Suite und Haydn war es, der die von andern grossen Meistern, von Corelli und namentlich von Händel auf dem Gebiete des Concerts versuchte Aussöhnung der höheren Tonkunst mit der einfachen gesunden und reichen Volksmusik auf dem Gebiete der Sinfonie zu einem in seiner Art ganz vollendeten und wundervollen Abschluss brachte. Ihm gelang es, in den Formen der italienischen Sinfonie den Suitengeist heimisch zu machen; für diejenigen — kann man sagen — die diesen neuen Geist im alten Hause nicht merkten, wurde der Menuett, der modernisirte, ländlerartige, österreichische Menuett, noch besonders drein gegeben. Im letzten Allegro, im Schlusssatz, hielt auch die italienische Sinfonie auf eine gemeinverständliche, ungesuchte, an Tanz anklingende Fröhlichkeit. Aber in den andern Sätzen ist zwischen ihr und Haydn ein elementarer Unterschied: Der erste Satz hat bei den Italienern weit ausholende, umständliche, bei aller Trivialität auf Theaterfüssen einherstolzirende Themen; bei Haydn, bei dem späteren Haydn wenigstens, dem Haydn, den heute alle Leute meinen, wenn sie seinen Namen nennen — knappe, sofort fertige, ungekünstelte, lustige, gemüthlich beschauliche Weisen, die wie aus dem Volksmund genommen klingen, sicher für ihn wie geschaffen und doch dabei immer so edel sind, dass sie auch die vornehmen und hohen Geister erfreuen, erwärmen und fesseln. Seine langsamen Sätze, seine Adagios, Andantes, Larghettos entwickeln oft den Tiefsinn S. Bach's, die Empfindungsgrösse Händel's, sind erregt ohnegleichen; aber ihren Ausgang nehmen sie meistens von dem Boden des Kinderliedes. Wer denkt da nicht an das Andante mit dem Paukenschlag? Es führen gerade von diesen Sätzen goldne Fäden nach dem Rohrauer Elternhaus Haydn's, zu den Abendstunden, da der Vater die Harfe schlug und die Kinder sangen. Familienabkunft und Heimath haben einen grossen Antheil an der Sinfonie Haydn's; sie haben zum Theil ihre Richtung auf den Gedankenkreis der Suite bestimmt, ihre schnelle und weite Verbreitung, ihre ungeheure, bis heute bewährte Popularität begründet.

Aber der volksthümliche Charakter der Haydn'schen Sinfonie ist nur der eine Theil ihrer Neuerung. Er ruht auf der Erfindung der Gedanken. Wichtiger noch ist der andere: die Auslegung, Verwendung des thematischen Materials, das, was Theologen und Philologen die Exegese nennen. Hierfür standen der älteren Zeit in der Instrumentalmusik vor allem Fuge und Variation zur Verfügung. Beide Formen arbeiteten fast ausschliesslich mit dem Thema in seiner ganzen Ausdehnung und Länge. In zweiter Linie erst kam, namentlich durch das Concert, die Entwickelung eines Tonsatzes auf Grund von Bruchstücken des Themas, auf Grund sogenannter Motive in Branch. Haydn machte nun diese motivische Entwickelung zum Prinzip des Satzbaues und eine besondere Eigenheit von ihm war es, dass er solche Theile des Themas, solche Motive zu dem Zweck gern heranzog, die im Zusammenhang der thematischen Periode zurücktreten, denen man nichts bemerkenswerthes ansieht. Ein Hauptbeispiel für dieses Haydn'sche Verfahren bietet die D dur-Sinfonie Nr. 2 (der neuesten Partiturausgabe von Breitkopf & Härtel), die zweite der Londoner Sinfonien in ihrem ersten Satz. Da ist der ganze, grosse Durchführungstheil und auch ein gutes Stück der Uebergangpartien in der Themengruppe aus dem 3. und 4. Takte des Hauptthemas, aus dem zweiten Abschnitt des Vordersatzes hergestellt der also lautet:

Nun vergleiche man einmal, wie unbedeutend diese beiden Takte im Thema selbst bleiben, andrerseits was für eine Skala von Empfindungen Haydn mit ihnen durchspielt. Das geht von der entzückten Träumerei bis zum entsetzten, verzweifelten Toben.

Dieses neue Haydn'sche Verfahren liess die Grundlinien der in der italienischen Sinfonie herrschenden Formen im Anfangs- und Schlusssatz unberührt. Wir haben im ersten Sinfoniesatz bei Haydn nach wie vor die drei

Haupttheile: Themengruppe, Durchführung, Reprise: das Schema also des sogenannten Sonatensatzes. Seine Schlusssätze bleiben bei der bisher üblichen Rondoform — eine Art Instrumentalübertragung des Rundgesangs — oder sie verwenden, wie der erste Satz, ebenfalls das Sonatenschema. Aber die Theile selbst sind beträchtlich erweitert. Ganz besonders gilt das von der Durchführung des ersten Satzes, die dessen wichtigsten und spannendsten, in der Regel auch längsten, umfangreichsten Theil bildet. Gleicht die Themengruppe der Exposition im Drama, so bringt die Durchführung die Katastrophe, enthält das bewegteste Stück aus dem in der Composition vorgeführten Lebensbild. Dem langsamen Satz gab Haydn eine ganz neue, dem Sonatencharakter des ersten Satzes nachgebildete, in der Durchführung kürzer gehaltene, oder aber aus Variationen herausgewachsene Gestalt. Die Variationenform verdankt die Stellung, die sie in der modernen Sinfonie, im Quartett und in allen Zweigen des Sonatengebietes einnimmt, dem Meister Haydn. Zwischen ihm und der alten Orchestersuite der Hausmann und Genossen liegt eine Zeit, da sie ihr Dasein bescheidentlich auf dem Klavier und im Schuldienst fristete. Der Menuett allein bewahrt den Charakter der Volksmusik, den die andern Sätze der Haydn'schen Sinfonie im Anfang, in den Themen, zeigen, auch im weitern Verlauf. Er besteht aus einem in zwei Clauseln getheilten Hauptsatz, einem Trio als Gegensatz und der Wiederholung des Hauptsatzes. Im äusseren Gefüge wie im Inhalt, verliert er die praktischen Zwecke des Tanzes nie ganz aus den Augen und verzichtet deshalb auf Durchführung, thematische Arbeit und alle Künste der Auslegung.

Eine erstaunlich grosse Anzahl von Musikfreunden und Musikern — unter diesen Namen von gewichtigstem Klang — glaubt den „Papa Haydn“, den „gemüthlichen“, den „kindlichen“ Haydn, mit einem üblen Beisatz von Herablassung verehren zu dürfen, weil er in den Themen seiner bekannten Sinfonien sich sehr ungeniert als Bruder Lustig giebt und in demselben Kreise harmloser, von der Oberfläche geistigen Lebens geschöpften Ideen dreht. Sie übersehen ganz den inneren Zusammenhang, der zwischen der Thematik der Haydn'schen Sinfonie und ihrer Methodik besteht. Die Methode, in der Haydn seine Gedanken entwickelt, ausnutzt, zum grossen Tonsatz ausführt und erweitert, liebt bedeutende, durch eigne Wendungen ausgezeichnete Themen nicht; sie kann sie nur selten gebrauchen. Auch die Macht und Unmittelbarkeit der ersten Erfindung, der immer von Neuem, frisch einsetzenden Inspiration hat für sie wenig Werth. Tongedanken, die sich für die Haydn'sche Methode eignen sollen, müssen klar und reich gegliedert sein, vor allem unbeschränkte Verwandlungsfähigkeit besitzen. Das Wesen der Haydn'schen Sinfonie, ihre Eigenthümlichkeit beruht nicht auf den Themen und Ideen, ihrem Eigenwerth und ihrem ersten Eindruck, sondern auf dem Grad von Kunst, mit dem der Componist sie behandelt, darauf, was er aus ihnen zu machen weiss. Haydn schuf seine Sinfonien aus einem ähnlichen Glauben, aus dem heraus Aeschylus und Sophocles ihren Tragödien Volkssagen zu Grunde legten, Schütz und Händel, Allerweltsmotive und nachweislich fremde Erfindungen für ihre Compositionen benutzten: aus dem Glauben und der Anschauung: die Originalität und der Gehalt der Grundideen ist für grosse Kunstwerke weniger wichtig, als die Begabung des Künstlers. Ein Sinfoniker, der in der Methode Haydn's etwas leisten will, muss einen ausserordentlich reichen, beweglichen Geist, er muss die Fähigkeit besitzen, ein und dasselbe Thema mit tausend verschiedenen Lichtern zu beleuchten, mit ihm in alle Thüren und Thore seines Phantasie- und Gemüthslebens einzudringen. Er muss eine Persönlichkeit sein, die sich ihrer Fülle und Eigenart freuen darf und daraus mit vollendeter Freiheit mitzutheilen weiss was am Platz ist. War die Sinfonie vor Haydn eine Festmusik, so wurde sie durch ihn eine Tondichtung intimster Art: der Subjectivität des Componisten wurde ein grösserer Antheil angewiesen, als ihn bisher die Orchestermusik gekannt hatte. Es war fortan — um mit Brahms zu sprechen — „kein Spass“ mehr Sinfonien zu schreiben.

Zu dem Suitengeist, zu der durch die Betonung thematischer Arbeit erweiterten Satzform der Haydn'schen Sinfonie tritt als eine dritte Neuerung die Beseitigung des Cembalo aus dem Orchester. Man kann diese Massregel auf die Anregung der Gluck'schen Oper, oder, was wohl das Richtigere ist, auf das Beispiel der alten Orchestersuite und ihrer süddeutschen Rechtsnachfolger der Cassationen, Serenaden, zurückführen. Im letzteren Falle bedeutet sie, wie die Einführung des Menuett, wie die Thematik der Haydn'schen Sinfonie ebenfalls eine Annäherung an die Bräuche der gleichzeitigen Volksmusik. In dem Augenblick, wo die Instrumente des Haydn'schen Orchesters von dem Cembalo Abschied nehmen, richten sie unter einander eine, über alle bisherige Convention hinschreitende Freiheit des Verkehrs ein. Das Concertiren und das Solospiel wechselt in einer Beweglichkeit, die wohl von Händel z. B. in den Oboenconcerten, von Ph. F. Bach, von den Mannheimern vorbereitet, aber in der Haydn'schen Weise bisher noch von Niemandem durchgeführt war. Indem das Solorecht von jetzt ab allen Instrumenten ohne Ausnahme verliehen und in buntester Reihe, unter Umständen taktweise von einem zum andern wandernd, ausgeübt wurde, gewann das Orchester mit Haydn einen Reichthum und einen Reiz des Colorits, der die Wirkungen seiner Sinfonien auf die Zeitgenossen mächtig förderte. Wir allerdings haben von der Schönheit und Eigenheit des Haydn'schen Orchesterklanges in vielen Fällen gar keine Ahnung, weil wir sie durch das Missverhältniss zwischen der Besetzung der Geigen und der der Holzbläser gründlich verderben. Das vernichtet namentlich die Haydn'sche Kunst der Farbenmischung. Ein Beispiel: In der hübschen G dur-Sinfonie No. 13 (Partiturausgabe von Breitkopf & Härtel) kommt im ersten Satz mehrmals eine Stelle vor, an der zu den von den Bässen gebrauchten Variante des Hauptthemas:

die hohen Instrumente mit der Figur:

 contrapunktieren.

Diese Figur klingt ausserordentlich schelmisch, weil die Oboen mitspielen und in den Geigenton eine drollige Färbung hineintragen. Diese Nüance muss aber verloren gehen, wenn, wie das bei unseren Orchesteraufführungen anstandslos passirt, die ersten Geigen zehn- bis zwanzigfach, die Oboen aber einzeln besetzt sind. Der Dirigent muss nothwendigerweise die Besetzung des Orchesters kennen, die zur Zeit Haydn's üblich war und danach seine Einrichtungen treffen. Ohne etwas historisches Wissen geht's eben auch den sogenannten Classikern gegenüber nicht!

Nur wenige Musiker sind sich darüber klar, dass die Beseitigung des Cembalo aus dem Sinfonieorchester auch mit einem künstlerischen Nachtheil verbunden war. Er liegt darin, dass wir jetzt zur Füllung der Harmonie, Angabe des Rhythmus und anderer elementarer und mechanischer Aufgaben, für die vor Haydn das Accordinstrument da war, eine Anzahl von Künstlern in Betrieb setzen müssen. Wie sehen die Stimmen der Bläser, der zweiten besonders, in modernen Orchesterwerken oft aus! Zwei, drei Fülltöne, dann wieder zehn, oder auch zehnmal zehn Takte Pausen, selten eine melodische, thematische, für sich sinnvolle Stelle. — Es ist ein geradezu demoralisirender Färberdienst, der trefflichen Künstlern zugemuthet wird und über kurz oder lang wird es dahin kommen, dass wir das Cembalo oder einen Ersatz dafür wieder zurückholen. In London musste übrigens Haydn wohl oder übel bei Aufführungen eigener oder fremder Sinfonien sich das Clavier gefallen lassen, wohl auch selbst spielen.[1])

Unter den Neuerungen der Haydn'schen Sinfonie ist das Prinzip der motivischen Entwickelung, der thematischen Arbeit die wichtigste. Sie hat die Zukunft der Sinfonie bis heute beherrscht. Ihr Geist, ihr Charakter war mit

---

[1]) Grissinger, G. A.: Biographische Notizen über J. Haydn (1810) S. 50.

der Individualität Haydn's aufs engste verbunden. Haydn war mit seinem Scharfsinn, seiner Schlagfertigkeit, seinem Witz für diese Methode geschaffen. Und doch hat er sich ihr erst zugewendet, nachdem er die Mitte seines Lebens längst überschritten, — ähnlich wie im Oratorium, auch beim Betreten dieses seines eigensten und glänzendsten Gebietes ein Cunctator!

Von den mindestens 150 Sinfonien, die Haydn componirt hat, ist die gute Hälfte unveröffentlicht geblieben, nicht einmal in Stimmenausgaben gedruckt worden. Namentlich die Arbeiten aus den ersten beiden Jahrzehnten seiner Thätigkeit als Sinfoniker sind schwer zugänglich. Der weite Kreis der Musikfreunde kann sich darüber nur aus den Mittheilungen der vorzüglichen, aber unvollendeten Haydnbiographie C. F. Pohl's und aus der Partiturausgabe unterrichten, in der Carl Bank vor einigen Jahren sechs der schönsten Erstlinge des Tonsetzers vorgelegt hat. Es scheint aber festzustehen, dass Haydn in dieser früheren Zeit bis auf eine Anzahl Arbeiten, die in ihrer Dreisätzigkeit seinen Ausgang aus der italienischen Schule zeigen, mit seinen Sinfonien Beiträge zur Programmmusik gab. Die Richtung war zu Haydn's Zeit unter den Instrumentalcomponisten noch von Muffat's Suiten, Frohberger's und Kühnaus' Clavierstücken her beliebt und in der Sinfonie durch Männer wie Dittersdorf (Sinfonien zu Ovid's Metamorphosen) Myslivsczek (6 Sinfonien über die Monate Januar bis Juni), C. Stamiz (la chasse), Tessarini (la stravaganza), Rosetti (Sinfonien: „Calypso und Telemach", „Der Sturz Phaetons"), Pichel (neun Sinfonien über die neun Musen) vertreten. Er selbst hat seine Neigung zu ihr noch in späteren Jahren bekannt, als er dem Hofrath Griesinger bemerkte, dass er in seinen Sinfonien gern einen „moralischen Charakter" geschildert habe.[1]) Wie sehr das Publikum Haydn's, namentlich das französische, einen poetischen Anhalt in den Sinfonien liebte, das sagen uns die Beinamen, mit denen es die Werke Haydn's belegte:

---

[1]) Griesinger. S. 117.

Wir haben da einen Torso der Tageszeiten in den drei Sinfonien: le midi, le matin, le soir, wir haben einen Philosoph, einen „Zerstreuten", (il distratto) einen Schulmeister, eine Lamentation, eine Passion, eine Maria Theresia, einen Laudon, eine la Reine, la chasse, la poule, einen l'ours, eine Feuersinfonie, eine Militärsinfonie, eine Kindersinfonie und noch eine ganze Reihe merkwürdiger Namen. Carpani, der italienische Biograph Haydn's, der Librettist der italienischen „Schöpfung" irrt, wenn er — wahrscheinlich gestützt auf die Bemerkung Haydn's (bei Griesinger a. a. O.), dass er in einer seiner ältesten Sinfonien sich einen Dialog zwischen Gott und einen verstockten Sünder gedacht habe — behauptet, dass Haydn diesen Sinfonien allen ausgeführte Novellen und Geschichten untergelegt habe.[1]) Soweit es sich um Compositionen aus späterer Zeit handelt, stehen diese Titel dem Wesen der Kunstwerke meistens sehr fern und heften sich nur an Kleinigkeiten und Aeusserlichkeiten der im übrigen vollkommen normalen und formgerechten Sinfonien. Die bis zum Anfang der siebenziger Jahre geschriebenen Sinfonien Haydn's tragen aber meistens schon im Aeusseren die Merkmale des Ausserordentlichen. So z. B. die (von Bank mitgetheilte) Sinfonie „le midi" das zweite Werk der Gattung, das er überhaupt und zwar 1761 in Eisenstadt componirt hat. Sie ist fünfsätzig, bringt ein Adagio in Form eines Recitativs der Solovioline und hat im Schlusssatz dem concertirenden Dialog zwischen dieser und dem Solocello einen breiten Raum angewiesen. Die bekannteste aus dieser ersten Periode Haydn's ist die sogenannte **Abschiedssinfonie** geworden, vermuthlich ihrer Entstehungsgeschichte wegen. Dem Fürsten Esterhazy fiel es im Jahre 1772 plötzlich ein, die Capelle zwei Monate länger als gewöhnlich auf seinem Sommerschloss behalten zu wollen. Da entschloss sich Haydn, für seine Musiker eine Bittschrift einzureichen, und zwar eine musikalische. Eines Abends wurde der Fürst damit überrascht. Es war

J. Haydn Abschiedssinfonie.

[1]) Carpani, Giuseppe: Le Haydine (Milano 1812), S. 69.

die Abschiedssinfonie, ein Werk in fünf Sätzen, das in den ersten drei ebenso verläuft, wie die viersätzigen Sinfonien Haydn's aus späterer Zeit. Mit dem vierten beginnt die Pantomime. Er ist ein rasches Finale, in dessen Thema

— wenn der Satz sich schon auf die Affaire mit bezieht — man vielleicht die beiden Parteien der geschädigten Capelle, die klagenden und die wüthenden, räsonnirenden, erblicken kann. Die Musik wickelt sich sehr hastig hin; zu einem zweiten Thema kommt es nicht und ehe man es vermuthen und für gut finden kann, wird abgebrochen: Ein Adagio von mildem Tone, bittenden oder begütigenden Charakters, — äusserlich den zweiten Satz der Sinfonie gleichend — setzt ein

Es kommt zu sehr freundlichen Tönen. Nach 30 Takten steht in der Partitur beim zweiten Horn: „si parte". In Esterház legte der Spieler hier seine Noten zusammen, löschte die Lichter am Pulte aus und ging weg. Bald darauf verschwand in derselben Weise der Flötist; ihm nach der erste Hornist, die Oboebläser u. s. f. Das Orchester ward dunkler und leerer. Zuletzt blieben nur noch 2 Geiger übrig, die den Satz mühsam zu Ende bringen und durch schläfrige Wiederholungen zu erkennen geben: „Wir können auch nicht mehr". Der Fürst verstand die originelle Adresse, ging ins Vorzimmer, wo sich die Musiker inzwischen versammelt hatten, und sagte lächelnd: „Haydn, morgen können die Herren reisen". Der originelle Künstlerstreich sprach sich bald herum und kam von den achtziger Jahren ab wiederholt in Zeitungen und Bücher. Haydn soll später auch eine Einzugssinfonie geschrieben haben, in der die Musiker nach einander eintreten, Lichter anbrennen und zu spielen anfangen. Nachweislich ist die Idee der Abschiedssinfonie — englisch heisst sie candle overture — in dieser umgekehrten Richtung von Dittersdorf und Pleyel ausgenützt worden. Mendelssohn, der sie im Februar 1838 ins Gewandhaus zu Leipzig brachte (in einem historischen Concerte), nennt sie in einem Briefe an die Schwester Rebecca „ein curios melancholisches Stück". Aehnlich schildert Schumann und vor ihm Rochlitz den Eindruck von Hören und Zusehen. Griesinger nennt sie einen „durchgeführten musikalischen Scherz" und sieht in ihr ein Hauptbeispiel für Haydn's Schalkheit. Heute pflegt man die Sinfonie in der Regel nach der André'schen Ausgabe auszuführen, die nur die zwei letzten Sätze enthält, und zwar nach E moll transponirt. Das Original steht in Fis moll, einer für Orchestercompositionen sehr wenig gebrauchten Tonart, die hier aber ihre grosse Bedeutung hat. Denn die Instrumente klingen wie belegt, wie heiser, wie schlecht aufgelegt und missgestimmt, das A dur des letzten Adagio dann aber um so unwiederstehlicher!

Schon dieser eine Fall beweist, wie raffinirt Haydn sich auf das Charakterisiren verstand. Die Wiedergabe absonderlicher Zustände, Stimmungen und Gestalten musste ihn deshalb mächtig reizen. Sein Talent führte ihn unwillkürlich zur Programmmusik und wie dem jungen Schiller, dem jungen Berlioz, dem jungen Schumann scheinen ihm das Phantastische, das Problematische, das Seltne die eigentlich bedeutenden Aufgaben der Kunst zu umgrenzen. Haydn schwamm in jener Strömung der Romantik, die dem späteren Goethe so entsetzlich war; was ihn hinein getrieben hatte, ob Wieland, ob die französische Oper, lässt sich nicht sagen. Musikalisch ist allen den Sinfonien, die dieser Periode Haydn's angehören, ein Streben nach Originalität und Individualität eigen, das zuweilen zu bedeutenden und merkwürdigen Themen führt, im Ganzen jedoch sich nur selten neu und kühn äussert. Die Themengruppe, der Haydn in späterer Zeit sehr oft nicht einmal ein zweites Thema gönnt, ist in diesen Werken der bedeutendste unter den drei Theilen des ersten Satzes. Dagegen ist die Durchführung in der Regel nur sehr obenhin in einem gewissen al freso Stil behandelt. Sie zeigt Charakter, aber keinen eigentlichen geistigen Inhalt. Alles in Allem ist dieser frühere Haydn das reine Gegentheil von dem, den seine späteren, die noch heute weltbekannten Sinfonien zeigen.

J. Haydn Sinfonie „Maria Theresia".

Weil sie in Clavierauszügen vorliegen, gehen auch „der Schulmeister" und „Maria Theresia", die der Periode der Abschiedssinfonie angehören, bequeme Gelegenheit, einen Blick auf Haydn in der Zeit seines ersten Stils zu werfen.

Die Sinfonie „Maria Theresia" wurde bei einem Besuch, den die Kaiserin im September 1773 in Esterház abstattete, aufgeführt und erhielt daher ihren Namen. Haydn wird das Werk aus dem Vorrath fertiger Sinfonien in der Erwartung hervorgeholt haben, damit Ehre einlegen zu können. Sie ist so freigebig erfunden, dass man aus dem mitgetheilten Material gut zwei Sinfonien herstellen könnte, die selbständige und eigne thematische Ausstattung der Uebergangsgruppen erinnert mehr an den jungen Beethoven als an den fertigen Haydn. Die plötzliche Ausweichung nach Cmoll im 13. Takte des ersten Satzes z. B. ruft unwillkürlich eine frappante Stelle in Beethoven's erster Sinfonie (Themengruppe: das plötzliche pp. nach der G dur-Cadenz) vor die Phantasie.

Der Ton, in dem sonst Majestäten begrüsst zu werden pflegen, kommt in dieser Sinfonie der Kaiserin nicht vor, aber das „Willkommen", das sie bietet, kann an Herzlichkeit, an Frische und Kindlichkeit nicht übertroffen werden. Ein so begrüsster Gast kann nicht zweifeln, dass er unter liebenswürdige, glückliche und auch interessante Menschen gekommen ist. Wer die Sinfonie, ohne den Namen des Autors zu wissen, hört, wird hie und da auf Mozart rathen wollen, namentlich wenn das Hauptthema des ersten Satzes

oder wenn

Stellen kommen wie der Abschluss der ersten grossen Periode, in der die Violinen:

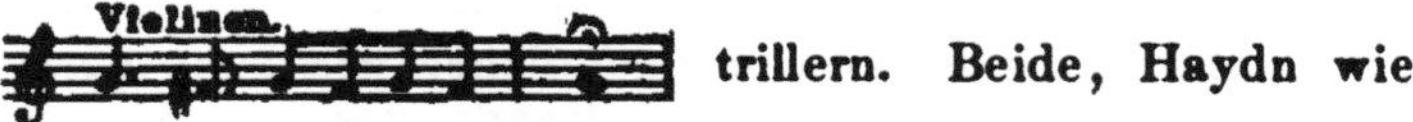

trillern. Beide, Haydn wie Mozart, hatten für solche Fälle eine gemeinsame Quelle: die italienische Schule. Den flotten, temperamentvollen Zug, der sich in den guten Opernsinfonien der Italiener findet, hat diese „Maria Theresia“ sich wohl zu eigen gemacht: das wird der Monarchin nach der musikalischen Erziehung, die ihr zu theil geworden war, sehr wohl gefallen und sie empfänglich und freundlich für die Menge neuer Humore gestimmt haben, die Haydn aus seinem eigensten Inneren dreingab. Sie finden sich in allen Sätzen: Die hervorragendsten sind im ersten die polternde und bärbeissige Unisono-Figur:

die die zarten Klänge des zweiten Themas verjagt. Im zweiten Satze liegen sie im Anfang des Hauptthemas selbst, in dem Widerspruch zwischen dem leichten Charakter der Verzierungsfigur:

und dem etwas schweren Klang der tiefen Violinsaiten: noch mehr in den Stellen, die die Uebergänge vom ersten zum zweiten Thema, von der Durchführung zur Wiederholung bilden. Es ist, als wenn diese paar Takte mit dem plötzlichen Hörnerklang, mit dem Vogelzwitscher, das aus den Violinen tönt, in die philosophischen Träumereien des Satzes hineinmahnten: Siehst du nicht, wie schön die Welt ist! Der Träumer aber fällt wieder in Tiefsinn und Grübelei und stellt in dem Trugschluss bei der Fermate — hier darf man an den Hamburger Bach denken — eine Frage an das Schicksal. Wie seltsam verläuft sich der Menuett in der zweiten Clausel aus der Klarheit und Sicherheit des

Tanzliedes, von dem Motiv:

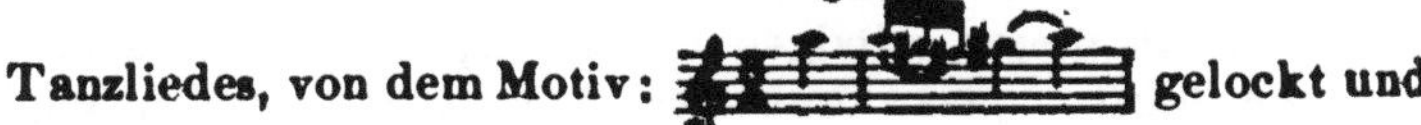

gelockt und gebannt ins Dunkel, ins Dickicht! Und als kaum wieder alles in Ordnung — was für eine neue Ueberraschung:

Kriegsvolk in Sicht? Wahrscheinlich. Es wird ja im Menuett so ernst und ungewöhnlich: Moll und der schwere Ausdruck:

Wenn die Kaiserin überhaupt schon je etwas so originell und doch einfach Lustiges gehört hatte, wie das Thema des letzten Satzes, der überhaupt nur das eine hat — so war das wohl kaum in einer Sinfonie der Fall gewesen.

So etwas kann doch nur die Musik, und unter den Musikern kann es so nur J. Haydn!

Die Durchführungen dieser hübschen und eignen Gedanken sind allerdings nach dem späteren Haydn'schen Massstab gar nicht als solche zu bezeichnen; es sind mehr freie und kurze Phantasien, die mit den Themen und den Ausgangspunkten der Sätze keinen oder nur geringen Zusammenhang haben. Ein Spass, den sich Haydn an dieser Stelle in der Periode der Abschiedssinfonie gern erlaubte, fehlt auch in „Maria Theresia“ nicht: Das Hauptthema kehrt im ersten, wie im letzten Satz in der ursprünglichen Tonart, bald nachdem die Durchführung eben erst begonnen, zurück. Jedermann glaubt und bedauert, dass die Wiederholung schon einsetzt und dass sich darin eben jedermann verrechnet, ist der Humor an der Sache.

J. Haydn Der Schulmeister.

Auch im ersten Satz der Sinfonie „Der Schulmeister", bringt Haydn diesen witzigen Treffer an, hier aber wesentlich verschärft. Das Orchester holt sehr entschieden, immer wieder mit dem klopfenden Rhythmus ♫ | ♩ nach Adur aus, die Harmonie liegt auf: b-d-f-gis. Aber im entscheidenden Moment hat Haydn sich das gis als as gedacht und da sind wir wieder in Esdur am Anfang der Sinfonie:

So lautet der Vordersatz des Themas: der Nachsatz folgendermassen:

Das ist jedenfalls ein merkwürdiges Thema, ganz und gar nicht von der Art, die Haydn in den Londoner Sinfonien bevorzugt. Es hat Programmblut und verführt, an bestimmte Vorgänge zu denken, auf die es gemünzt sein könnte. Die freundliche, sanfte Ansprache der vier piano-Takte, das plötzliche Dreinwettern, das Nachzucken des ♫. ♩, die gewaltsame Rückkehr in den leisen, zarten Ton — das liesse sich ohne zu grosse Kühnheit in das Bild einer Schulstunde zusammenbringen, wo die Unterweisung häufig genug durch Schelten unterbrochen werden muss. Wir hätten dann eine Erklärung für den Titel der Sinfonie „Der Schulmeister", die mit dem weiteren Verlauf des Satzes ganz gut zusammenpasst. Denn Unterbrechungen, Ueberraschungen, halb übers Knie gebrochene Schlüsse — Symptone des Zornes — geben ihm sein besonderes Gepräge. Pohl (II, 262) führt den Beinamen der

Composition auf den zweiten Satz, das Adagio zurück, auf den „abgemessenen Gang" seines Themas:

Das würde der ersten Annahme nicht widersprechen; im Gegentheil: wir erwarten bei einem Programm, dass alle Sätze der Sinfonie an seiner Durchführung theilnehmen.

Die hier mitgetheilte achttaktige Periode wird sofort in variirter Form wiederholt und nochmals im Halbschluss beendet; dann erst kommt der Nachsatz, der das Thema in die Haupttonart B dur zurückführt. Auch diesem gleichfalls achttaktigen Nachsatz folgt seine Variation auf dem Fusse.

Wir haben also ein Thema, das in breiter Anlage 32 Takte umspannt. Diese Aeusserlichkeit ist zu beachten, weil in den folgenden Variationen über dieses Thema, aus denen sich das Adagio bildet, die zweiten Perioden — als wörtliche Wiederholungen der ersten — nicht ausgeschrieben, sondern nur durch Wiederholungszeichen angegeben sind. Es wäre in diesem Falle ein Verstoss gegen die Metrik und das Ebenmass der Composition, wenn man, was sonst ja zuweilen statthaft oder geboten ist, diese Wiederholungszeichen ignoriren wollte.

Auch das Finale der Sinfonie ist ein Variationensatz und zwar über das Thema:

Zwar liegt dem Ganzen das Rondoschema zu Grunde; doch treten die Zwischensätze ganz zurück. — In die sorgenfreie Gemüthlichkeit dieses Schlusssatzes platzt (hinter dem siebenten Theilstrich) nach dem Dialog, den die hohen und die tiefen Instrumente über das Motiv:

führen, eine sehr aufgeregte Scene herein. Wieder einer jener Zwischenfälle, an denen diese Schulmeistersinfonie so reich ist! Diesmal scheint er erfreulicher Natur gewesen zu sein, denn das Sätzchen schliesst ganz still entzückt auf einer Fermate auf dem unerwarteten f-as-ces-des. Wie alle Sätze des „Schulmeister" ungewöhnlich mit einem kleinen Stich ins Carrikirte ausklingen, so auch das Finale. Aber das Kindliche und Rührende, der milde Glanz des Abendroths überwiegt doch ganz entschieden. Es ist eine Stelle von jener Poesie und Schönheit, mit der uns eine andere Perle der Schulmeister-Litteratur, Jean Paul's Schulmeister Wuz, entzückt.

Was bei Haydn zu dem schroffen Wechsel der künstlerischen Anschauungen geführt hat, lässt sich nur vermuthen. Zum Theil scheinen ihn die Werke Ph. Em. Bach's beeinflusst zu haben. Als ihm einmal[1]) von der Verwandtschaft seiner Musik mit der des Mailänder Tonsetzers Sammartini gesprochen wurde, wies er diesen vielcitirten Lehrer Gluck's als einen „Schmierer" heftig zurück und nannte ausdrücklich den Hamburger Bach sein Vorbild. Wohl konnte er sich von diesem Tonsetzer angezogen fühlen: denn er glich ihm an Temperament, an Munterkeit und Heiterkeit des Geistes. Dann mussten ihn aber auch die modernen Elemente in Bach's Musik mächtig erregen. Die neue Zeit, die Zeit der Rousseau'schen Natürlichkeit und des französischen Esprit, sprach aus keines Zweiten Tönen so deutlich, wie aus den Claviersonaten Bach's mit ihrer Freiheit des Ausdrucks, der Beweglichkeit und Zwanglosigkeit, mit der sie den Satzbau betrieben und allerhand bis dahin streng getrennte Stile durch einander mischten. Man kann schon in den ersten Sinfonien Haydn's vereinzelte Anregungen Ph. Em. Bach's annehmen. Näher kennen gelernt und eingestanden studirt hat er ihn aber wahrscheinlich erst in späteren Jahren, wo er reif genug war, sich vor den Ausschreitungen Bach's zu hüten.

---

[1]) Griesinger. S. 15.

Auch an die äussere Lebensgeschichte Haydn's knüpft sein neuer Sinfoniestil merkbar an. Im Jahre 1773 hatte sein „Stabat Mater" den Beifall Hasses und der italienischen Schule gefunden. Haydn war mit einem Schlag ein berühmter Mann geworden und schrieb nun auch seine Sinfonien nicht mehr für den kleinen Eisenstadter Kreis, sondern für das ganze musikalische Europa. Mit der Weltklugheit, die schon aus Haydn's Bildern spricht, trug er dieser Thatsache Rechnung, verzichtete auf die melancholischen und schwer verständlichen Sonderliebhabereien seiner Phantasie, wenn er fortan an Sinfonien ging und suchte statt dessen dem Geschmack der tonangebenden Gesellschaft seiner Zeit Rechnung zu tragen. Hierbei war es von entschiedener Bedeutung, dass die ersten und dann die meisten auswärtigen Bestellungen auf Haydn'sche Sinfonien von Paris einliefen. Von 1779 ab, wo das Concert de la Loge Olympique, die Nachfolgerin der alten Concerts spirituels von 1724, die heute noch in den Concerts du Conservatoire fortleben, Haydn einführte, war er der populärste Instrumentalcomponist der französischen Hauptstadt. Der Verleger Sieber in Paris gab nach und nach 63 Haydn'sche Sinfonien in Auflagestimmen heraus, man handelte mit gefälschten Haydn[1]). 1810 veröffentlichte Leduc sogar Partituren von 26 Haydn'schen Sinfonien. Leider ist diese Ausgabe nicht zu brauchen und bis heute sind die 6 von F. Wüllner herausgegebenen Sinfonien, nebst den Nummern 10 und 13 der Breitkopf'schen Ausgabe das Einzige, was wir aus der grossen Masse von Haydn's Pariser Sinfonien in Partitur haben. Von Paris aus drang dann der Ruf der Haydn'schen Sinfonie nach Wien, nach Deutschland und England und erzeugte jenen Haydnkultus, der bis ins 19. Jahrhundert hinein durch Anlegen von Sammlungen, Errichtung von Concertsälen, Gründung von Vereinsverbänden das allgemeine Musikwesen mannigfach förderte. Die Vergleiche Haydn's gingen vom „Gellert der Musik" vom musikalischen Ariost bis zum Phöbus Apollo

[1]) Siehe Gyrowetz Selbstbiographie S. 45.

und entsprangen einer völlig ungekünstelten Begeisterung, die nicht zum kleinsten Theil mit darauf beruhte, dass die Zeit Haydn's den besten Theil ihrer Bildung, ihres geistigen Wesens in den Sinfonien dieses Meisters wiederfand. Sie waren in vollendeter Weise auf den Ton jener Klasse gestimmt, die vor der französischen Revolution, unter dem sogenannten ancien régime, an der Spitze der europäischen Menschheit stand. Darum klingt aus den Themen dieser Sinfonien des zweiten Stils immer wieder derselbe anacreontische Grundton heraus, der Ton der Anmuth, Heiterkeit und Sorglosigkeit, der Denen ein für allemal vorgeschrieben war, die auf den Adelsschlössern und in den Salons der höheren Bürgerschaft verkehrten. Jener Ton, in dem die Frivolität des „Morgen wieder lustik", die überschäumende Lebenskraft des „Carpe diem" mit den Gefühlen edelster Humanität, des „Seid umschlungen Millionen" zusammentraf.

Nicht minder finden wir aber in den Haydn'schen Sinfonien jene Kunst der Conversation, jene Virtuosität im geistreichen Gedankenaustausch wieder, die während des 18. Jahrhunderts, soweit französische Bildung reichte, also innerhalb des ganzen civilisirten Europa unter den höchsten innern Gütern obenanstand. Man lese nur die unübertreffliche Schilderung, die Frau von Stael in ihrem bekannten Buche „Dell' Allemagne" von dieser französischen Conversation entwirft und suche dann die hervorragendsten ihrer Merkmale in der Haydn'schen Musik. Wer die Cultur des vergangenen Jahrhunderts getreu und vollständig übersehen will, darf an den Haydn'schen Sinfonien ebensowenig vorbeigehen, als an den französischen Encyclopädisten. Sie führen die Gegenwart vor das Bild eines gesellschaftlichen Geistes, der dem heutigen in mancher Hinsicht überlegen ist und zum Muster dienen kann.

Es ist nicht zu leugnen, dass unser Publikum dem vielfachen Gehalt der Haydn'schen Sinfonien und der grossen Bedeutung Haydn's volle Gerechtigkeit nicht wiederfahren lässt. Zum Theil aus Unfähigkeit. Denn die Haydn'sche Sinfonie verlangt eine grössere Kunst im

Folgen und Hören, als die alte italienische und der grösste Theil der modernen Werke. Mit der unvergleichlichen Beweglichkeit ihrer Gedanken setzt sie die Fähigkeit schnellen Verstehens und des scharfen Erfassens auch der kleinsten und feinsten Wendungen voraus. Weil sie diese nicht besitzen, kommen soviele Dilettanten, Kritiker, Spieler, Dirigenten über die Bewunderung des Haydn'schen Humors nicht hinaus. Dass Haydn auch tief, leidenschaftlich und dämonisch angelegt ist, entgeht ihnen, weil er diese Gebiete ausser in den langsamen Sätzen, immer nur kurz — in Einleitungen, in den Generalpausen, Fermaten seiner Allegrosätze, an den Schlüssen der Durchführungen — streift.

Das Jahr 1780 darf man als die Zeitgrenze hinstellen, in der der neue Sinfoniestil Haydn's seine Ausbildung abgeschlossen hat. Von den Pariser und den in ihre Nähe gehörigen Sinfonien, in denen er sich zunächst zeigt, sind La Chasse, L'ours, La Poule, La Reine und die Oxfordsinfonie wenigstens dem Namen nach allgemein bekannt. Keine von ihnen gehört zur eigentlichen Programmmusik und Haydn ist an den Titeln, die sie tragen, mit Ausnahme der ersten vollständig unschuldig. Es sind Kosenamen, die mehr an zufällige Einzelheiten, als an das Wesen der Werke anknüpfen, mehr die musikalischen Liebhabereien des französischen Volks, das diese Beinamen erfand, beleuchten, als den Inhalt der Sinfonien. Sie entstanden in den Jahren 1781—1788 und zeigen so, wie sie hinter einander folgen, dass auch Haydn auf dem Weg zur vollen Meisterschaft, gelegentlich gestrauchelt und rückwärts geglitten ist. Nach ihren Werth aufgestellt, würden die genannten Sinfonien die Reihe geben: La Poule, l'ours, la Reine, la chasse, Oxford-Sinfonie.

In der Zeit der Pariser Sinfonien bewegt sich Haydn noch in dem reicheren und weiteren Stimmungskreise seines ersten Stils und nimmt wohl in der Ausführung seiner Themen, aber nicht bei ihrer Erfindung auf den Geschmack der grossen Welt Rücksicht. Wenn die Compositionen dieser Periode im Allgemeinen den Charakter von Gelegenheitsdichtungen, Herzensergiessungen und Augenblicks-

J. Haydn La Poule.

bildern aus dem Leben ihres Schöpfers haben, so ist das bei La Poule ganz besonders der Fall. Diese Sinfonie erzählt von unruhigen, trüben und ernsten Stunden. Ein Rest von Sorge und Furcht wohnt auch in ihrem Menuett und ihrem Finale, wächst in diesem sogar zur Leidenschaft und Erregung an. So hat sie denn den Vorzug der geistigen Einheit und Zusammengehörigkeit sämmtlicher Sätze, die ja so häufig in der neueren Sinfonie fehlt; auf der andern Seite lässt sie, namentlich in den Ecksätzen, nicht verkennen, dass der Componist seinem Stoff noch nicht mit der menschlichen Freiheit gegenüberstand, die das Kunstwerk nicht entbehren kann.

Der erste Satz ruht auf einem Hauptthema von 16 Takten, von denen drei Viertel durch freie Wiederholung der Periode

gebildet sind.

Sie spricht Schmerz und Unwillen aus; bei der nächsten Weiterführung des Themas bleibt kein Zweifel, dass die Elemente des zweiten Abschnitts, die der Kraft und Energie, Anstalt machen das Feld zu behaupten. Beim 33. Takt, nachdem das Thema, variirt, zum zweiten male vorbei gezogen, tritt ein munteres, lebensfreudiges Motiv:

in seine Fusstapfen. Nach einigen Gängen, die es thut, verliert es sich aber unerwartet ins piano und pianissimo, tritt wie auf den Fusspitzen (nämlich in ♪ 𝄾 ♪ 𝄾 ♪ 𝄾 ♪ 𝄾) bei Seite um einer wichtigen Erscheinung Platz zu machen. Das sogenannte zweite Thema ists, das als höherer Verbündeter gegen die dunkle Macht des Hauptthemas eintritt:

Der Dichter ist an den Busen der Natur geflüchtet. Wenigstens haben die Franzosen nach diesem Thema und einer gleich darauf folgenden Stelle, wo die Oboe ziemlich lange auf demselben Ton den Rhythmus ♩. ♪ ♩. ♪ ♪ angiebt, die Sinfonie als La Poule getauft. Auf die Dauer vermag jedoch dieser naive Freund nichts gegen die Noth der Situation. Vergebens erhebt er seine Stimme noch einmal am Anfang der Durchführung. Diese selbst gehört ganz den bedrohlichen Tönen, mit denen das Hauptthema beginnt. Sie suchen mit besonderm Eifer aus den tiefen Regionen her, in den Bassinstrumenten zu schrecken. Doch ist ihre gespenstische Kraft geringer als der Componist beabsichtigt hat. Sie verstehen sich so wenig zu verwandeln und zu entwickeln, dass wir den ganzen ersten Satz unserer Sinfonie trotz der ansehnlichen und klaren Intentionen, die ihm zu Grunde liegen, zu den schwächsten Leistungen Haydn's rechnen müssen. Mit L'ours, la Reine steht La Poule in Bezug auf die Durchführung auf der Stufe von Versuchsarbeiten; nur das Prinzip erhebt sie über die Sinfonien des ersten Stils.

Ein schöner, reicher und interessanter Satz ist das Andante. Was er will, sagt das Hauptthema schon genügend in seiner ersten Hälfte:

Nämlich beruhigen. Wie es aber in der Lösung dieser Aufgabe nach den besten Wegen suchend die Richtung ändert, wie es dabei erschreckt, gehindert und gestört wird, das hat Haydn in einem Tonbilde ausgeführt, welches wir unter die unmittelbarsten, dramatisch bedeutendsten Leistungen der Instrumentalmusik überhaupt zählen müssen. Wenn wir uns die vier Sätze unserer Sinfonie als die Haupttheile einer spannenden Geschichte denken wollen, so enthält das Andante das Kapitel der Entscheidung. Ganz überwältigend hat darin Haydn den Zustand der äussersten Seelenspannung geschildert: wie die Erwartung, die das Schlagen des

Herzens unterdrücken möchte, dem lauten Aufschrei weicht und ein Gefühl ins andere stürzt, das ist mit einem wunderbaren Realismus dargestellt.

Die fieberhafte Stelle beginnt mit einer abwärts sausenden Scala in Zweiunddreissigsteln im forte, darauf folgen zwei Takte, wo nur in den Violinen noch ein Schatten von Ton sich regt — fast wie im 1. Satz der Eroica beim „Cumulus" — und dann durchs ganze Tutti ein fortissimo!

Der Menuett giebt der Freude in ziemlich eigensinnigen, Zwei und Dreiviertel unter einander werfenden Rhythmen Ausdruck wie schon der Anfang zeigt:

Es klingt fast slavisch, deutet in der massigen Besetzung und den stattlichen Unisono-Figuren auf Volksmengen und Feste im Freien. Von diesem Grunde hebt sich dann das Trio mit dem anmuthigen Flötensolo:

als reizende Idylle ab. Das Finale ruht auf dem Thema:

Einige Ausgaben schreiben für das Tempo Presto, andere Vivace vor. Es ist wieder einer von den Fällen, der uns den Mangel einer kritischen Gesammtausgabe der Haydn'schen Sinfonien fühlbar macht. Presto geht ganz und gar nicht, Vivace allenfalls! Die Melodie nähert sich nach Taktart und Charakter den Sicilianos des 18. Jahrhunderts. Es handelt sich in ihr nicht um stürmische Freude, sondern um ein besonnenes, wonniges Geniessen eines schwer errungenen Glücks. In der Durchführung leben die Stürme, die dem frohen Ende vorausgingen noch einmal auf. Sie setzt mit dem Thema in D moll ein und geht dann in heftiges Toben und Lärmen über. Glücklicherweise ist sie nur kurz.

J. Haydn L'ours. Die mit dem Beinamen l'ours belegte Cdur-Sinfonie stammt mit la Poule aus demselben Jahre 1786 und ähnelt ihr darin, dass auch bei ihr der erste Satz am wenigsten gelungen ist. Auch er hat ein inhaltreiches und ergiebiges Hauptthema:

in das sich, wie in die Seele eines rechten Jünglings, Feuer, Kraft und Anmuth theilen. Haydn stellt ihm ein zartes, zweites Thema entgegen:

Das Eigenthümliche an dem Satze ist aber, dass der Uebergang von dem ersten zum zweiten Gedanken nicht blos sehr lang ist, sondern auch sehr viel Leidenschaft und Erregung verbraucht. Es kommt namentlich an der Stelle, wo in der Mitte der Instrumente das g als liegende Stimme fortdröhnt, zu einer Wirkung, die sich für den Verlauf des Satzes als furchtbar einprägt und Schluss und Ausgleich verlangt. Damit ist dem Durchführungstheile die Spitze abgebrochen und in der That bringt er, mit Ausnahme des Eingangs, an dem das Motiv c des Hauptthemas wieder auftaucht, nicht viel anderes als Wiederholung der Themengruppe in andern Tonarten.

Was dieser erste Satz etwa schuldig bleibt, das bringen die andern reichlich wieder ein. Das Andante hat ein Thema von ganz volksthümlicher Natur; es ist auch in der einfachsten Art, die sich denken lässt, aufgebaut. Der Hauptsatz beginnt mit:

ein Nachsatz von ebenfalls vier Takten schliesst in F dur ab. Nun kommt ein Mitteltheil — 16 Takte lang — der mit der echt Haydn'schen Wendung:

in den ersten Theil zurücklenkt: Wir haben es also mit einem dreitheiligen Lied als Hauptsatz zu thun. Das wird dreimal in veränderter Instrumentation angestimmt; vor die erste und zweite Wiederholung treten Zwischensätze in Moll, geharnischt wie Riesen, die Alles zerschmettern wollen. Aber, wie es mit Goliath und David erging, so auch hier: die kleine Unschuld wird uns durch diesen Gegensatz nur immer lieber, behält das letzte Wort und benutzt die Gelegenheit zu einer Coda, in der sich nochmals ihr Humor, ihre Kraft und ihre Anmuth regen.

Die Glanzpartie der Sinfonie ist ihr Finale, dem nicht die Rondo —, sondern die Sonatenform gegeben ist. Sein Hauptthema:

dreht sich lustig und ausgelassen im engen Kreise. Seine besondere Färbung erhält es durch den begleitenden Bass, der den Satz ganz allein beginnt und hartnäckig auf demselben Ton fortbrummt. Zuweilen unterstützt ihn als zweite Stimme seine Quinte — das giebt dann einen Pastoralklang, der uns mittlerweile sehr geläufig geworden ist, denn neuere Componisten können ohne ihn kaum noch die einfachste Tanzscene schreiben. Zu Haydn's Zeiten war es eine ganz unerhörte Keckheit in eine Sinfonie derartige Sorten von Volksmusik hineinzuziehen. Wie mögen die ersten Zuhörer gestutzt haben als ihnen diese Jahrmarktskunst, diese lebensgetreue Nachahmung des Dudelsacks entgegentrat! Der übermüthige Streich ist aber so frisch, so geistvoll und hinreisend durchgeführt, dass er Haydn zum höchsten Ruhm ausschlug. Die Pariser fanden ungeheuren Gefallen an dem Brummbass; nach ihm tauften sie die Sinfonie mit dem Namen l'ours und reihten sie unter ihre erklärten Lieblinge. Die Wirkung eines solchen realistischen Einfalls, wie er diesem Finale zu Grunde liegt, wird immer kurz sein, wenn ihn nicht die Kunst, mit der er verwendet wird, nachträglich adelt. Und dieses Glück ist unserm Bärenbass in vollstem Maass zu Theil geworden. Die Idee des fortklingenden Basses wandelt Haydn sofort in die der liegenden Stimme um. Wenn die langen Töne dann in den Violinen anschlagen, dreht sich in den Bässen die drollige Figur des bewegten Motivs wie ein Wirbelwind. Dann schwingt sich der Componist auf dem Motiv im fröhlichen Sturm und mit der Sicherheit des Virtuosen nach einer Stelle, wo ausgeruht werden kann. G dur ist erreicht und fest ergriffen. Da setzt ein zartes, behagliches, zweites Thema ein in den Oboen:

In dieser Gesellschaft darf es nicht zu viel Ansprüche machen, den Schlusstakt der auf 8 Takte angelegten Periode schlägt der Brummbass nieder. Noch einmal versucht eine zarte Stimme sich Gehör zu verschaffen — auch sie verschlingt der Sturm; mit einem wilden, chromatischen Zug setzt die letzte Periode der Themengruppe ein. Die Durchführung, die im Ganzen nur kurz ist, überbietet die Ausgelassenheit des vorhergehenden Theils dadurch, dass sie das närrische Treiben in ganz entlegenen Tonarten fortsetzt. Wir sind aus G dur plötzlich nach F, von da nach E dur gestossen. Von da geht es nach D dur zurück und von diesem Punkt aus wird das Thema als neckischer Contrapunkt vorwiegend in den Bässen gebracht und bald die Reprise erreicht. An Munterkeit und Witz ist dieser Schlusssatz von l'ours eine von Haydn's höchsten Leistungen.]

Die Sinfonie „la Reine" soll der Königin Maria Antoinette besonders gefallen und daher ihren Beinamen erhalten haben. Sie ist eine Altersgenossin von l'ours und la Poule und steht mit ihnen auch in Bezug auf den Werth des ersten Satzes auf derselben Stufe. Das Interessanteste an ihm sind die Mozart'schen Züge in der kurzen, sehr majestätisch einsetzenden Einleitung und im Thema des Allegros: J. Haydn La Reine.

Das ist das Sinnen und Träumen, das romantische Zögern, dem sich der Meister von Salzburg gern überlässt wenn das Spiel beginnen soll. Es ist auch der flotte, ritterliche Schritt, mit dem er dann doch sich erhebt, wenn Haydn nun fortführt:

. Selten ist bei einer Sinfoniecomposition Haydn von dem Ausgangsgedanken eines Allegro so gefesselt worden, wie dieses Mal. Er wiederholt es zunächst in B dur noch einmal, dann kommt es in F dur, dann in der Durchführung in As dur und zwar immer mit Ausnahme der Tonart vollständig wörtlich. Auch die Zwischensätze, die diese Wiederholungen unterbrechen, haben immer denselben Charakter: Es sind Scenen der Aufregung und zwar fast alle in der primitiven Weise von Haydn's erstem Stil aus dem zuletzt angeführten Viertelmotiv gebildet. Ein zweites Thema ist im Satze nicht da und erst am Schlusse der Durchführung gewinnt der Componist dem ersten einige neue und tiefere Wendungen ab durch Nachahmungen und Anwendung weiterer contrapunktischer Kunst.

Der zweite Satz von „La Reine" ist ein Allegretto, das aus einem Variationencyclus über ein Thema mit folgendem Anfang:

besteht. Es ist, zu einem dreitheiligen Lied vervollständigt, die Melodie einer französischen Romanze von „la gentille et jeune Lisette". Dieser Herkunft des Themas wegen hat Haydn dem ganzen Satz die Ueberschrift „Romanze" gegeben. Pohl findet in ihr nahe Verwandtschaft mit der Romanze der Militärsinfonie. Sie beschränkt sich aber darauf, dass beide Stücke den Rhythmus ♩ ♫♫ | ♩ benutzen. In unsrer Romanze liegen die Reize der Variationen in der Instrumentirung, in der Färbung, in der Geschicklichkeit mit der Haydn das Thema, das immer wörtlich wiederkehrt, mit anmuthigen Contrapunkten verdeckt. Neue Gestalten führt nicht einmal der Mollsatz ins Bild ein.

Der Menuett der Sinfonie hält sich ungewöhnlich straff und bestimmt. Wenn er nicht im Dreivierteltakt stände, könnte er marschirende Soldaten begleiten. Um so loser tändelt das Trio; fast scheint es, als sollten hier die Instrumente nur an- und eingespielt werden — so sehr entschlägt sich die Composition jeder Gedankenlast. Das Finale hat wieder die Form des Sonatensatzes und singt einen Hymnus auf Behaglichkeit und Zufriedenheit. Die Themen sind:

Es ist das einer der seltenen Fälle, wo Haydn sich dem etwas trocknen Geiste der deutschen Moraldichter seiner Zeit nähert. In der Durchführung, die mit dem ersten Thema in den Bässen einsetzt, erhebt er sich aber mächtig. Sie ist so bewegt und an den Stellen, wo sie von D moll aus eine Reihe von verminderten Septaccorden in gewaltigen Absätzen anläuft, so gewaltig, dass man den Satz unter den merkwürdigsten Stücken in der Haydn'schen Sinfoniecomposition in Ehren halten muss.

Die Sinfonie „la chasse" ist diejenige in unserer Reihe, die wenigstens für einen Theil ihren Namen von Haydn selbst erhalten hat. Dieser Theil ist das Finale. Er ist im Jahre 1781 als Einleitung zum dritten Akt der Oper „la fedelta premiata" componirt. In diesem, nach der italienischen Intriguenschablone verfertigten Stücke führt Diana die heillos verfitzte Handlung zu einem gedeihlichen Ende und dies Auftreten der Jagdgöttin hat Haydn benutzt, seine sonst durch den Dichter unendlich gehemmte Phantasie in erwünschte Bewegung zu setzen. Für die musikalische Schilderung von Jagd und Jagen hatte sich in Cantate, Oper, Sonate und Sinfonie lange vor Haydn ein förmlicher Canon ausgebildet. Es war ein Lieblingsgegenstand der Tonsetzer. So dürfen wir auch von Haydn, obwohl er bekanntlich Jäger von Fach war, für die Orchesterphantasie in der er die Jagd und ihre Göttin feierte, keine neuen Motive erwarten, sondern wir wollen uns freuen, dass er

J. Haydn La Chasse.

alte, zweckentsprechende Weisen im lebensvollen Bilde auf uns wirken lässt.

Der Satz beginnt natürlich mit Hörnern. Sie tragen ein Fanfarenmotiv vor, in das aber auch Oboen, Fagotte, sämmtliche Streichinstrumente mit einstimmen:

Dieses gesammte Orchester setzt unmittelbar daran das Motiv:

welches für den Durchführungstheil des Satzes grosse Wichtigkeit erlangt. Es bildet dort den Träger der Bewegung, der Jagdfreude und wechselt von zwei zu zwei Takten mit den Motiven der Ruhe und des Waldfriedens als:

. Aehnlich wie in der Jagdscene der „Jahreszeiten" kommt am Schluss der Durchführung eine Minute gewaltiger Aufregung: Es sind die Augenblicke wo es sich entscheidet ob der Jäger oder ob das Wild Glück haben soll. Die letzten Kräfte werden angesetzt, der Schuss fällt: Dominantseptaccord und Fermate! Wir vermissen — die Stelle der Jahreszeiten im Kopfe — hier die Pauke. Aber sie ist nicht nöthig. Haydn versteht es, mit seinen Violinen, Bratschen, Cellis, Bässen, mit Flöte, Oboen, Fagotts und zwei Hörnern „grosses Orchester" zu spielen. Galt ja doch diese Besetzung für Sinfonien eine Zeitlang, in Norddeutschland wenigstens, für bedeutend. Benda nannte sie ausdrücklich in den Ueberschriften: grosses Orchester.

Zu einer ganzen, viersätzigen Sinfonie wurde la Chasse im nächsten Jahre vervollständigt; als der Fürst von Esterhazy von einer längeren Reise zurückkehrte, führte ihm Haydn das Werk vor. Man würde nach unseren heutigen Begriffen erwarten, dass die Vordersätze mit dem Schlusssatz in geistiger Verwandtschaft stehen und der Jagd vielleicht eine Reihe von Waldbildern vorausschicken, etwa in der Weise der Raff'schen Waldsinfonie. Anders das 18. Jahrhundert, dem Wald und Gebirge nur beschränkt als poetische Gegenstände galten. Jedenfalls waren dem Naturfreunde jener Zeit Ebenen mit Canälen und Pappelalleen lieber. Wir müssen auf ein solches Programmband zwischen den Sätzen von „La Chasse" verzichten und darauf: die Beziehungen, die zwischen ihnen zweifellos bestanden, die Gründe, weshalb die Sätze so sind, wie sie sind, angeben zu können. Der Fürst hat den Sinn der Ovation und der Composition jedenfalls verstanden und wir fühlen ohne Weiteres, dass die Sinfonie einen stark persönlichen Zug zeigt, den Charakter von tiefen Lebenseindrücken trägt. Sie gehört mit der Oxfordsinfonie zu denjenigen Werken der in Betracht kommenden Periode, die eine viel grössere Menge Herzenswärme ausstrahlen, als das bei Haydn durchschnittlich der Fall ist. Am stärksten trägt diesen Charakter der erste Satz der Sinfonie. Eine herrliche Einleitung empfängt uns mit ernst sinnenden Tönen und zeigt in der Ferne auf freundliche, liebliche Bilder. In ihrer Kürze, ihrem Reichthum ist sie eins der schönsten Beispiele dafür, was Haydn auf diesem Gebiete der Andeutungen zu bieten vermag. Sie schliesst in A dur, der Oberdominant von D, der Tonart der Sinfonie. Und nun setzt das Allegro ein:

lautet die erste Hälfte des Themas.

Ist das aber nicht seltsam, ein D dur-Allegro und der Anfang in G, in der Unterdominant? Ja, aussergewöhnlich ists, aber auch sehr bedeutungsvoll. Die Phantasie des Tondichters weilt nicht in der Gegenwart. Die Noten sagen uns, was ein anderer Poet jener Zeit in die Worte gefasst hat:

Ich denk' an euch, ihr himmlisch schönen Tage
Der seligen Vergangenheit.

Glückliche Stunden und Tage sind es, die vor die

Erinnerung des Meisters treten; vielleicht hat sie sein Herr mit ihm getheilt. Später wird das trauliche Bild aus der Vergangenheit noch mit einer breiten Melodie weiter geführt, die folgendermassen Mozartisch beginnt:

und über seufzende Achtelketten, über dunkle Modulationen zum A durschluss geht. Sie vertritt in der Themengruppe die Stelle eines zweiten Themas. Die Durchführung ist getheilt zwischen eine Hälfte des freudigen Schwärmens über das verkürzte Anfangsmotiv des Hauptthemas, das in der Form:

in Nachahmungen und Engführungen von allen Stimmen tüchtig durchgearbeitet wird. Noch einmal, glänzend und golden, drängen sich die „himmlisch schönen Tage“ vor die Seele: In der zweiten Hälfte der Durchführung kommt Erkenntniss und die Klage zum Durchbruch: dass es sich um Vergangenes handelt. Die Sätze sind hier über das elegische Motiv gebildet, das einigemal sehr rührend, traurig und schmerzlich zu uns spricht.

Der zweite Satz ist in seinem Anfang:

eine leibliche Schwester des weltbekannten Andante mit dem Paukenschlag. Es theilt mit ihm Rhythmus, Metrum und den Charakter der Kinderscene. Auch in den Liedern der „Zauberflöte“, im „Donauweibchen“, in den Singspielen Wenzel Müller's hat es zahlreiche Verwandte aus dem ersten Grade; in jeder Faser bekundet es die Zugehörigkeit zur niederösterreichischen Volksmusik. Ja, wenn man will, kann man aus den Noten, die die Viertel anfangen, das Kaiserlied „Gott erhalte Franz etc." heraushören. Freilich endet die Melodie nicht so einfach. Im 9. und 10. Takte, die den Schluss bilden, wendet sie sich deutlich genug ins Wehmüthige und fügt mit Halbcadenz und Fermate dem reizenden Bildchen ein „Ach dahin!" an. Es wiegt aber für den Kunstwerth dieses Andante sehr schwer, dass es sich dem ersten Satz innerlich so eng anschliesst, so eng, dass Niemand den Sinn und das Verhältniss missverstehen kann. Es ist, als wollte es aus dem Schatz alter schöner Erinnerungen der vorhin so obenhin erschlossen wurde, ein besonders anheimelndes, specielles Stück hervorholen, ein Stück aus der Kinderzeit meinen wir. In der Compositiou kämpft die Freude mit der Trauer. Der Trauer ist aber ein Ausdruck gegeben, eben so schlicht und einfach, wie es das Volkslied ist, von dem der Satz ausgeht. Kurze Generalpausen und Fermaten vermitteln ihn. Und dieselben Eigenschaften hat der Aufbau dieses vollendeten Kunstwerkchens: a) Thema, 24 Takte, b) erste Durchführung hauptsächlich in Moll etwas erregt und pathetisch, mit wunderschönen Anklängen der Hauptmelodie aus der Tiefe, 26 Takte, c) Thema wie a; d) zweite Durchführung mit innigen Klagen auf es—cis—d und kleinen, erregteren Nachahmungen, 20 Takte, e) Thema zum dritten Male mit kurzem, sanftem Nachgesang.

Auch im Menuett finden wir die Merkmale der Erinnerungsfeier: frohe Bilder und der Schatten der Vergänglichkeit darüber. Diese letzten sind der Grund der chromatisch romantischen Motivführung, die diesem Satz eigenthümlich ist, sowie der ins Klagende und Schwermüthige übergreifenden Haltung der zweiten Klausel:

Wir haben in La Chasse eine Sinfonie von höchster Vollendung. Eigene Grundideen verbinden sich mit einer Ausführung, bei der alle Theile, gleich gelungen in sich, sich als Glieder desselben Ganzen erweisen. Kein Wunder darum, dass diese Sinfonie sich besonders schnell und weit verbreitete. Sie wurde, was viel sagen wollte, auch in Italien bald bekannt. Pohl's Biographie giebt die näheren Daten.

J. Haydn Oxford-Sinfonie.

Die Oxford-Sinfonie, die Haydn im Jahre 1788 für Paris schrieb, ist im Zusammenhang mit „La Chasse" genannt worden. Sie haben beide den persönlichen Bezug auf Haydn's eigenes Leben, gehen von einem elegischen Rückblick aus, den der gereifte, alternde Mann auf die dahingegangene Jugend wirft. Die Verwandtschaft erstreckt sich aber auch auf die formelle Vollendung der zwei Sinfonien. Haydn vertritt nicht blos das Prinzip der thematischen Arbeit, der motivischen Entwickelung, der gründlichen Auslegung der Gedanken, sondern er handhabt es auch als Meister. Ohne Bedenken darf man in dieser Beziehung die Oxford-Sinfonie einige Stufen höher als die um sechs Jahre ältere Jagdsinfonie und auf eine Linie mit den besten Londoner Sinfonien stellen. Haydn hat auf seinem Weg zur Oxfordsinfonie sich in einem früher nicht vorhandenem Grade der Kunst bemächtigt, den Inhalt eines Themas mittels kontrapunktischen Feinheiten zu erschöpfen und im spannendsten Ton dem Zuhörer vorzuführen. Er nähert sich in der Behandlung von Engführungen, im Reichthum von schwierigen und aufregenden Nachahmungen der Weise, die mit Mozart gleich geboren war. Mit dieser sorgfältigen Ausarbeitung der Form, mit diesem liebevolleren Eingehen ins Kleinleben der Stimmen ist aber sichtlich auch die Beweglichkeit und Leichtigkeit von Haydn's Geist im Allgemeinen gewachsen. Wir bemerken das an der spielenden Sicherheit, mit der er jetzt kleine, contrapunktische Nebenmotive aufzunehmen und zur Gedankenverbindung zu benutzen pflegt, die er früher nach einmaligem Gebrauch würde haben fallen lassen. Das zeigt uns namentlich der erste Satz der Oxfordsinfonie. Er scheint keine Nebenpartien, keine Verbindungsabschnitte, keine Uebergänge zu haben. Alle Fugen, wo die Glieder aneinanderstossen, sind mit organischen Motiven überwachsen, alles schliesst eng und natürlich zusammen. Ja, es ist

Erklärern dieses ersten Satzes begegnet, dass sie eine begleitende Geigenfigur für die Hauptstimme gehalten haben. Dem Lernenden kann nur ernstlich gerathen werden, alle die Stellen aufzusuchen, an denen Haydn einen nebensächlichen Melodieschluss, ein Füllmotiv aufnimmt und zum Träger des Gedankenbaues macht. Man kann mit einem gewissen Recht die Oxfordsinfonie Haydn's Eroica nennen. Der neue Stil ist in ihr fertig.

Wenn der erste Satz in ihr und in der Jagdsinfonie dieselbe poetische Idee haben, ein elegisches Erinnerungsbild vorführen wollen, so thun sie das doch verschieden. Die Oxfordsinfonie zeigt den Componisten in einer viel stärkeren Weise erregt und ergriffen. Das sieht man schon an der Einleitung, man sieht es dann besonders daran, dass er im Allegro gar nicht von dem ersten Abschnitt seines Hauptthemas

lassen kann. Das Thema erstreckt sich, ins Starke und Zarte greifend, noch lang hin, bis die 16taktige Periode fertig ist. Aber Haydn kommt immer wieder auf die ersten fünf Noten zurück. Bald liegen sie oben, bald in der Mitte, bald unten, bald offen, bald überdeckt da. Er kann sich nicht beruhigen. Das zweite Thema kommt darum erst ganz am Schlusse der Themengruppe. Es ist eine Buffogestalt, aus vielen komischen Opern, zuletzt noch aus Rossini's „Barbier“ bekannt. Hier wirkt es aber doch wie eine freundliche, heimliche Vision: es spricht wie ein guter Freund, wie ein liebes Kind:

Durch die Wogen der Durchführung dient es mehrmals als helfender Lootse und hilft den verlorenen Weg wieder finden.

So häufig im ersten Satz gefragt wurde:

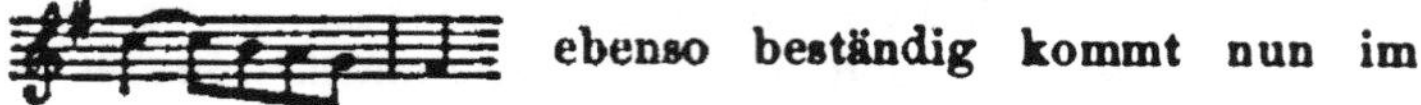 ebenso beständig kommt nun im

Adagio die Antwort:

Das Thema wird zur 8taktigen Periode vervollständigt, dann wiederholt. Hierauf folgen 6 Takte Mittelsatz, dann unser Thema schon wieder und mit dieser Entschiedenheit bleibt es auch für die Folge an der Spitze des Formenbaus. In die Mitte des Satzes stellt Haydn ein mildes Mollstück aus dem Dämonen ihre Fäuste vorstrecken. Aber der kleine Engel aus Ddur lässt sich nicht bange machen, nur eine kleine Weile kommt er ins Stocken. Es ist das eine sehr interessante Stelle, die die Fermaten und Septimenaccorde genügend kenntlich machen.

Die Erregung, die wir im ersten Satz der Oxfordsinfonie bemerken, dauert auch in dem Menuett noch an. Syncopen und Generalpausen sind seinem Hauptsatz eigen. Erst im Trio bringt der Gesang den Hörern den Frieden, dessen wir sonst an dieser Stelle von Anfang an sicher zu sein pflegen. Selbst im Finale dürfen wir dem frohen Ausgang noch nicht ganz unbedingt trauen. Das erste Thema hat in seinem Gesicht bei aller Regsamkeit einen launischen Zug

und benimmt sich insofern höchst eigenthümlich, als es nach Art der unbändigen Tarantella unmittelbar hintereinander viermal wiederkehrt. Im weiteren Verlauf verschwindet es einige Male ohne alle Ursache, bricht ab, setzt uns vor sehr verlegne Pausen und springt wie ein Kobold der nicht zu fassen ist aus den hohen Bläsern in die Bassinstrumente. In der Durchführung entfaltet Haydn sehr wirksam schwierige Künste des doppelten Contrapunktes. So bleibt die Oxford-Sinfonie von Anfang bis zu Ende originell. Haydn hat das Werk selbst hochgestellt. Als er im Juli 1791 nach Oxford zur Promotion reiste, legte er für alle Fälle diese Pariser Sinfonie in seinen Koffer. Sie trat schliesslich auch wirklich an die Stelle der ursprünglich für die Feierlichkeit bestimmten Composition und wurde seitdem unter den Namen Oxford-Sinfonie ein Liebling der englischen Concerte. Später hat Haydn ihrem Orchester noch Trompeten und Pauken hinzugefügt.

Kurze Zeit vor die sogenannte Oxforder fällt eine andere bedeutende G dur-Sinfonie die ebenfalls der Pariser Gruppe angehört. Die bekannte Partiturausgabe der Haydn'schen Sinfonien von Breitkopf & Härtel bringt sie als Nr. 13.

J. Haydn G dur-Sinfonie Nr. 13 (B. & H.).

Sie beginnt mit einem kurzen Adagio, das wie eine Morgenandacht die lustige Ausfahrt einleitet, die im Allegro sich vollzieht. Dieser Allegrosatz hat schon im Thema:

unerkennbare Verwandtschaft mit dem Hauptthema im Finale von Beethoven's achter Sinfonie. Man weiss ja dass Beethoven weil ihm die Aufgabe reizte oder auch aus Uebermuth die Arbeiten andrer Tonsetzer zuweilen zum Ausgangspunkt eigner grosser Compositionen nahm. So hat er sich mit voller Absicht nachweisbar an Händel, an Mozart, am häufigsten aber an unsern Haydn angelehnt. An ihn gerade weil er sich von diesem Tonsetzer mehr als von einem andern beeinflusst, geschult und gefördert wusste. Ihn direkt zu überbieten, reizte ganz besonders. Noch überzeugender als beim blossen Vergleich der Themen drängt sich die Verwandtschaft des Haydn'schen Allegros und des Beethoven'schen Finales auf, wenn man Charakter und Durchführung der beiden Sätze prüft. Hier wie dort: der unaufhaltsame, stürmische Zug, die plötzlichen verblüffenden Stockungen der Modulation, die polaren Gegensätze in der Dynamik! Bei Beethoven ist der Schwank nur noch um einige Grade toller gehalten. Mit der ihr in der Stimmung ganz fremden Oxford-

Sinfonie hat die unsre im ersten Satze einige formelle Züge gemein: Auch bei ihr tritt das zweite Thema sehr zurück, beschwichtigt für den Augenblick ohne Spuren zu hinterlassen. Auch bei ihr sind Motive des Hauptthemas, besonders virtuos zum Aufbau der Uebergangspartien verwendet. Auch bei ihr ganz nebensächliche, zufällige Melodiewendungen zum Träger der Weiterentwicklung aufgegriffen. Ein schönes Beispiel hierfür ist der Schluss der Themengruppe: lautet das letzte Wort der Violinen und daran knüpft der Anfang der Durchführung an, trägt die Figur im diminuendo nach *es* wo heimlich das Hauptthema anknüpft. Die Durchführung ist besonders meisterlich in der Grösse der Gruppirung.

Der zweite Satz ist ein Meisterstück Haydn'scher Variirungskunst. Er beginnt mit dem Gesang (Oboe, Cello dazu in 8va sub.)

Diese 8 Takte enthalten das vollständige Thema. Wir hören es siebenmal ohne Aenderung in seinen Motiven nur einmal nach A dur und einmal nach F dur transponirt. Auch keinen eigentlichen Gegensatz hat ihm Haydn gegenübergestellt. Die Wiederholungen werden nur durch Zwischensätze unterbrochen, die sich mit Ausnahme einer einzigen — es ist die von der A dur-Variation, sie umfasst 16 Takte — auf vier und acht Takte beschränken und in die Stimmung des Hauptthemas einlenken, bis auf einige ff. Takte nicht einmal aus seinem *piano* heraustreten. In den Variationen selbst herrscht mit Ausnahme der ersten und dritten wo die ersten Geigen, und der fünften wo die zweiten Geigen in Zweiunddreissigsteln contrapunktiren und begleiten durchaus der ruhige Rhyth-

mus der Hauptmelodie. Und doch würden wir nicht müde wenn der Satz in ähnlicher Weise noch einige Minuten fortdauerte. Das macht seine schöne wundervolle Stimmung, die an Sonntage, an Kirchenstunden in der Kinderzeit, an Träume vom Paradies und ewigen Frieden erinnert. In England wird die Melodie wirklich in den Kirchen zu der Hymne: „Praise God, from whom all blessings flow" gesungen. Dass Beethoven das Thema wiederholt benutzt hat, ist bekannt. Das macht der unübertreffliche Wohlklang, der Reichthum von Farben, den Haydn seinem doch bescheidnen Orchester hier abgewinnt. Auch seine Leistung in der Romanze von „La Reine" reicht noch nicht an das in diesem Variationensatz Gebotne heran.

Im Hauptsatz des Menuett geht Haydn mit der zweiten Klausel tiefer in die Auslegung des thematischen Gehalts hinein, als es sonst bei ihm an dieser Stelle üblich ist. Der originellste Einfall im Satze ist der, dass an den leisen Schlüssen der beiden Theile die Pauke sich wie von fern bemerklich macht. Auch diese Idee ist bei Beethoven — in seiner ersten Sinfonie — auf fruchtbaren Boden gefallen. Jener unvermuthete Eintritt der Pauke hat für das Trio des Menuetts seine Folgen gehabt: Bratschen und Fagotte bereiten den richtigen Boden zum ländlichen Tanz durch immerwährendes Anschlagen der Bassquinten: aber die Melodieinstrumente, Geigen, Flöten und Oboen kommen bei allem eifrigen Drehen nicht recht von der Stelle.

Erster Satz und Finale scheinen in dieser Sinfonie die Rollen tauschen zu wollen. Der Schlusssatz bleibt mit seinem Thema:

Allegro con spirito.

zunächst hinter der Flottheit des Sinfonieanfangs zurück. Aber je weiter wir in dem Rondo, das Haydn über diesen Hauptgedanken aufbaut, vordringen, desto grösser wird unser Erstaunen, unser Vergnügen über die Fülle von guter Laune, von Witz, die uns auf Schritt und Tritt entgegensprüht. Eine Wendung immer kecker und drolliger als die andere, jeder Themeneintritt eine Ueberraschung und eine Lust! Nach dem dritten Einsatz des Hauptthemas kommt im ff. ein Canon, in welchem sich über 20 Takte lang Violinen und Bässe in Entfernung eines Viertels um das Thema streiten, erst die einen dann die andern an der Spitze. Nach dieser tollen Hetzpartie folgt ein um so decenterer Uebergang: die Instrumente tröpfeln die Töne nur noch leicht hin. Dann das Thema zum letzten Male: Generalpause mit Fermate und ein freier Schluss im dithyrambischen Stil!

Als die classischen Vertreter des Haydn'schen Stils gelten die sogenannten 12 englischen Sinfonien, welche Haydn für die von ihm selbst geleiteten Concerte in Hannover Square Room zu London in den Jahren 1791 und 1794 — jeden Monat eine[1]) — componirte. Die bereits angeführte Partitur-Ausgabe von Breitkopf & Härtel bringt sie in den Nummern 1—9, 11, 12 und 14.

Bilden sie an und für sich schon eine Elite, so thun wir doch gut auch noch unter ihnen eine engere Wahl zu treffen. „Echter Haydn" sind sie wohl Alle; aber um sich den richtigen Begriff auch vom „ganzen Haydn" zu bilden, muss man unter ihnen unterscheiden. Da sind denn die Nummern 1, 2, 6, 11 und 12 den übrigen bedeutend voranzustellen. Sie sind die inhaltlich reicheren, diejenigen, in welchen der Tonpoet den Weg zum Paradiese sich weniger leicht macht, wo er kämpft und zweifelt und wo der heitere Grundton seiner lebensvollen Bilder durch tiefe und bedeutende Schatten die vollere und nachhaltigere Resonanz erhält. Sie sind mit einem kurzen Wort — das man nicht missverstehen wolle — moderner als die andern, in welchen die Scala der Freude virtuos und mit immer neuen Nüancen aber doch so abgespielt wird, dass wir uns ab und zu nach einem Gegenmotiv sehnen. Letztere sind — und wie wir glauben mit Unrecht — in der Kunstgeschichte zum Träger der Haydnschen Kunst gemacht worden und haben zu dem schon

---

[1]) Griesinger, a. a. O. S. 116.

berührten Missverständniss vom „Papa Haydn" geführt. Haydn, der immer die Frische des Jünglings bewahrt und von Schwächen in seinen Werken nur die der Jugend zeigt! Formell stehen sich die beiden Gruppen, in welche wir seine Elitesinfonien theilen, ungefähr ebenbürtig gegenüber. Namentlich auf dem Gebiete, welches Haydn der Instrumentalmusik entdeckt, erobert und ausgebildet hat: der Kunst der motivischen Arbeit, der Auflösung der ganzen Gedanken in ihre kleinsten selbständigen Bestandtheile und der Entwickelung neuer grosser Bilder aus diesen Fragmenten — hier zeigen jene volleren und die leichteren Sinfonien, als ganze Gruppen verglichen, keine wesentlichen Unterschiede.

An der Hand jener Breitkopf'schen Partitur-Ausgabe, und ihrer Reihenfolge nachgehend, durchschreiten wir kurz die erste Gruppe:

Die erste Sinfonie in ihr ist eine von mehreren in Es. Ihr Hauptsatz hat eine Einleitung, ein Adagio mit folgendem Thema:

Die Mehrzahl der Haydn'schen Sinfonien der späteren Zeit hat vor dem ersten Allegro eine solche feierliche, gedankenvolle, sinnende, träumende, romantische Einleitung. Das Tiefste, was an seiner Fantasie vorbeizog, wenn er das ihm vorschwebende oder schon fertige Werk mit einem eindringenden Seherblick mass, das fasste er in den Klängen solcher Einleitungen zusammen. Sie sind meist nach dem Charakter der Sinfonie, welche sie eröffnen, verschieden — sie haben sich auch von ihren eigentlichen Vorbildern, den immer im gleichen Typus auftretenden Einleitungslargis der französischen Ouvertüre weit entfernt. Auf Cherubini namentlich haben sie tief eingewirkt. Unter vielen solchen schönen Einleitungssätzen hat aber der hier in Betracht kommende zur Esdur-Sinfonie noch seine besondere Bedeutung. Haydn kommt auf ihn im ersten Allegro zwei-

J. Haydn Sinfonie Nr. 1 (Breitk. & H.).

mal zurück. Das erste Mal erscheinen die ernsten Züge des Themas nach der ersten Fermate in der Durchführung im schnellen Tempo und nur für einen flüchtigen Augenblick; nach der Reprise führt es aber der Componist noch einmal in seiner Originalgestalt vor. Solches Zurückgreifen ist bei Haydn äusserst selten: es beweist in diesem Falle, wie wichtig das Thema an sich ist. Der Componist stand unter dem Banne desselben und gab sich in Folge dessen den heiteren Ideen, welche die eigentlichen Themen des Allegro anschlagen, erstlich:

und zweitens:

nur bis zu einem gewissen Grade hin. Der Satz bleibt viel stärker auf das Ernste und Grosse gerichtet, als man nach der ausgesprochen leichten und launigen Natur dieser beiden Führer erwarten sollte. In formeller Beziehung ist dieses Allegro der Normaltypus eines Sonatensatzes, wie er in dieser Regelmässigkeit bei Haydn nicht oft vorkommt. Da haben wir ein vollkommen ausgebildetes zweites Thema: auch das obligatorische Tonalitätsverhältniss der beiden Themen — Tonica: Dominant — ist genau eingehalten. Im zweiten Theile, dem sogenannten Durchführungstheil des ersten Satzes, neckt sonst Haydn die Zuhörer gern, bringt das Hauptthema z. B. so, als wollte er die sogenannte Reprise beginnen, während es damit noch gute Weile hat. Hier aber hält er sich, unbeschadet aller Tiefe und Genialität, vollkommen schulgerecht. Ebenso normal verläuft der dritte Theil: die sogenannte Reprise dieses ersten Satzes. Es ist einfache Wiederholung des ersten Theils mit der üblichen Aenderung, dass das zweite Thema nun ebenfalls in die Haupttonart tritt, und sogar eine gekürzte Wiederholung. Nur die Einführung der Coda, der Moment, wo das Einleitungsthema wie ein Geist in die heitere Gesellschaft eintritt, steht ausserhalb und über jedem Usus und lehrt uns die

Freiheit des Genies bewundern und respectiren. Eine Eigenthümlichkeit von Haydn's Gedankenbau — das plötzliche Absetzen — die pointenreiche eindringliche, oft verblüffende Rhetorik, eine Frucht französischer Musikstudien — zeigt dieser Satz in besonderer Stärke: Er hat nicht weniger als sechs beredte Fermaten! In der Instrumentirung sind die Clarinetten zu bemerken, mit welchen sich Haydn erst in England näher befreundete.

Der zweite Satz ist ein Andante. Es beginnt mit folgendem Gedanken von dunkler Schönheit und einem im übermässigen Secundenschritte liegenden aparten Zug:

Aus ihm entwickelt sich ein längerer Gesang in der zweitheiligen Liedform, dem hierauf ein Alternativ mit marschartigem Charakter folgt. Durch Versetzung der obigen Melodie ins Dur und durch kleine rhythmische Varianten hat hier Haydn dem eben angeführten Thema ein vollständig anderes Bild abgewonnen.

Hauptsatz und Alternativ werden hierauf zweimal variirt. In der ersten Variation des Alternativs macht sich ein Violinsolo sehr bemerklich. Die zweite Variation imponirt durch einen gewaltigen Einsatz; zum ersten Male tritt hier in diesem Andante die gesammte Blasmusik, von Pauken begleitet, im kräftigsten Ton auf den Platz. Nach dem leise verhauchenden Ausgang des Violinsolos von doppelter Wirkung! Der Satz belegt wieder, dass die Kunst der Variation, mit Haydn's Sinfonien in ein neues Stadium tritt. Ganz genial ist an dem Andante unsrer Sinfonie der Abschluss, die sogenannte Coda, welche nach der Fermate beginnt. Sie bildet ein freies Nachspiel zu den Variationen; ein poetisches Abschiedswort an die vorausgehenden Scenen, in welchem Alles, was an Gedanken und Empfindungen vorübergezogen ist, noch einmal kurz zusammengefasst und potenzirt erscheint. Die 16 Takte von der überraschend einsetzenden Dominantharmonie auf *A* bis zum Wiedereintritt des Alternativs dürfen wir zu dem Genialsten und Eigenartigsten rechnen, was in der musikalischen Composition jemals erdacht worden ist. Nicht mit Unrecht haben Andere darauf hingewiesen, dass dieses Andante, und namentlich die hier erwähnte Episode der Coda, Beethoven beim Entwurf vom Trauermarsch seiner Eroica höchst wahrscheinlich als Muster vorgeschwebt hat.

Der dritte Satz dieser Sinfonie ist der Menuett: Sein erstes Thema

lässt schon in ungewöhnlichen Wendungen der Melodik und Rhythmik ahnen, dass dieser Satz über den einfachen Tanzcharakter hinausgehen wird; thatsächlich ist er ein Charakterstück höheren Schlags und macht bei allem Fluss und aller Einfachheit der Form eindringliche Abstecher in das Gebiet des Tiefsinnigen und Pathetischen, sich ungewöhnlicher Modulationsmittel bedienend. Die ausserordentliche Freiheit der Erfindung ist noch mehr als im Hauptsatze in dem Trio zu bemerken, hier namentlich an der Stelle, wo die Violinen, sehr launig aufgelegt, das Wort der Hörner weiterführen.

Das Finale ruht auf einem einzigen Thema:

. Ganz erstaunlich, welche Menge wechselnder und schön aneinander schliessender Bilder aus diesen wenigen Noten entwickelt werden! Es ist eine der grössten Leistungen contrapunktischer Kunst! Im Geist dieses Satzes sind entschieden Mozart'sche Züge bemerkbar. Wir begegnen solchen auch noch in andern von Haydn's englischen Sinfonien. Sie legen in einer rührenden Weise von der Tiefe und Echtheit der edelsten Herzensfreundschaft und Liebe Zeugniss ab, welche der alte Meister zu dem jungen gefasst hatte. Der Tod Mozart's scheint sie nur noch inniger zu machen.

Besonders in der Sinfonie Nr. 2 (D dur) scheint Haydn bei Mozart's Andenken zu verweilen. Er beginnt mit Don Juan und schliesst mit Figaro's Hochzeit seinen ersten Satz. Es sind flüchtige sinnige Anklänge, wörtlich kaum nachweisbar, aber für das Gefühl nicht misszuverstehen.

J. Haydn Sinfonie Nr. 2 (Breitk. & H.).

Die Einleitung des ersten Satzes ist diesmal nur kurz, hat aber einen wunderbaren, plötzlich verschleierten Schluss. Darauf Generalpause, Verstummen und Schweigen als müsste der Dichter schwere Gefühle niederkämpfen. War es die frische Nachricht vom Tode Mozart's? Der Anfang des Allegros lässt diese Annahme zu, denn es setzt ausgesprochen elegisch, leicht klagend ein, tritt auffällig aus dem Phantasiekreis der englischen Sinfonien heraus. Das Hauptthema dieses Allegro ist folgendes:

. Erst mit dem Zutritt der Bläser kommt eine fröhlich kräftige Gegenstrophe. Das endlich folgende zweite Thema (A dur) scheint nur pro forma da zu sein und kehrt im ganzen Satze ein einziges Mal, an der gehörigen Stelle in der Reprise, wieder. Die Durchführung zum grössten Theil von dem oben eingeklammerten Motive des Hauptthemas getragen ist schon früher als Musterbeispiel Haydn'scher Art erwähnt worden. Sie erhält durch die entschiedenen Rhythmen des zu Grunde liegenden Motivs einen ziemlich streitbaren Charakter.

Das Andante dieser Sinfonie ist eins der interessantesten und für die Auffassung von Haydn's geistiger Persönlichkeit, für das Verständniss seines Kunstglaubens ein wichtiger Beitrag. Zu Grunde liegt dieser Composition ein etwas erweiterter Liedsatz mit folgendem Hauptvers:

Er wird verschiedentlich variirt. Doch nicht diese Variationspartien sind das Hauptelement der Composition, sondern die freien Zwischensätze, in denen sich ein Fond von Leidenschaft auslebt, welcher die Bekenner des „gemüthlichen Vater Haydn" einigermassen erschrecken muss. Immer wieder werden diese stürmischen Ausbrüche einer heftigen trüben Empfindung unterdrückt, zurückgedrängt und abgebrochen. Beschwichtigend, zuweilen gewaltsam und halb ironisch, kehrt der Componist zu dem oben citirten Friedensmotiv zurück. War es Furcht vor dem Dämonischen, Respect vor der künstlerischen Etiquette, die Haydn zu dieser Führung dieses Satzes bestimmten, oder war sie durch einen besonderen Programmvorwurf bedingt, der verschwiegen blieb? Es liegen Räthsel in diesem Satze, die aber glücklicherweise die rein menschliche und künstlerische Wirkung des lebensvollen, erregten Seelengemäldes nicht beeinträchtigen.

Der Menuett dieser Sinfonie ist einer der wuchtigsten die verkommen und sehr mannigfaltig in seinen Bildungen: grotesk und intim, drohend und neckisch zugleich; reich an formell ungewöhnlichen Erscheinungen: Riesenintervallen, Paukenwirbeln mit Crescendo, Generalpausen und Generaltrillern. Das Trio bleibt durchaus zart, mädchenhaft im Blick und fröhlich einfach geschmückt.

Das Finale beginnt à la Musette wie die Bärensinfonie

A. Kuhacz weist nach, dass dieses, sowie das Thema vom Andante und vom Finale der vorhergehenden Esdur-Sinfonie in kroatischen Volksliedern vorkommen.[1]) Obwohl die Prioritätsfrage nicht entschieden ist, spricht Vieles dafür, dass sie Haydn daher entnommen hat. Gegen das sehr fröhliche Treiben, welches sich auf Grund dieses Themas im Finale entwickelt, bildet das bedeutsam ausgestaltete zweite Thema einen herrlichen Contrast.

[1]) Siehe darüber H. Reimann in Allg. Musik-Zeitung 1893, S. 525 u. ff.

Es wirkt, als wenn ein glücklicher Mensch, mitten in der rauschenden Festesfreude, einen frommen und dankbaren Blick nach dem Sternenhimmel würfe, und erscheint uns als die Perle in der durch und durch genialen Sinfonie!

J. Haydn Sinfonie Nr. 6 (Breitk. & H.).

Die Sinfonie Nr. 6 (G dur) wird mit einer Einleitung eröffnet, in welcher die „Jahreszeiten" ihren Schatten vorauswerfen. Das erste Allegro dieser Sinfonie ist knapp und gedrungen. Sein erstes Thema

läuft schon nach vier Takten aus dem üblichen leisen Anfang in den sausenden und brausenden Chor ein, der in den meisten Fällen das zweite Glied oder die Reserve des Hauptthemas zu bilden pflegt. Das zweite Thema, im Satz zu keiner Bedeutung gelangend, wird wieder, wie so oft bei Haydn, mit einigen Geigenaccorden präludirt, die uns in die idyllische Sphäre der Harfen- und Guitarrenmusik versetzen. Die Durchführung ist knapp gehalten; das oben eingeklammerte Achtelmotiv liefert ihr den grössten Theil des Materials. Der berühmteste Satz dieser Sinfonie ist das Andante. Sie heisst nach ihm die Sinfonie mit dem Paukenschlag bei den Engländern „the surpriil". Haydn schliesst hier eine sanfte, erst p, dann *pp* gehaltene Melodie mit einem kräftigen Accord des vollen Orchesters wie Gyrowetz[1]) behauptet aus Schelmerei, wie Haydn selbst sagte[2]) um das Publikum mit etwas Neuem zu über-

[1]) Gyrowetz, Selbstbiographie S. 59.

[2]) Griesinger S. 55.

raschen. Der an und für sich sehr billige Scherz gefiel ganz ungemein und ist wiederholt nachgebildet worden u. a. von Carl M. v. Weber in der Ouvertüre seines ebenfalls für London bestimmten „Oberon". Das Thema wird dann in vier Variationen durchgeführt, die ausgezeichnet unter einander verbunden sind. Besondere Aufmerksamkeit verdient der unvermuthete Uebergang nach Esdur in der zweiten und der schöne Gesang, welchen in der dritten Oboen und Flöten dem in den Geigen herschreitenden Hauptthema entgegenstellen. Die Coda hat wieder einschlummernden Charakter.

In dem sehr gestaltenreichen Menuett ist das Trio diesmal nicht als Gegensatz, sondern als Ergänzung behandelt. Die anmuthig hinflatternde Hauptmelodie des letzteren tragen Violine und Fagott zusammen vor, eine Octavverdoppelung, die Haydn namentlich in dem Menuett und in den zweiten Themen der Ecksätze auch in andern Formen gern anwendet. Die Heimath dieser Instrumentationsweise ist eine entschieden volksthümliche.

Das Finale giebt sich der fröhlichen Laune anfangs nur mit Vorbehalt hin: sein Hauptthema

hat einige sentimentale Elemente. In der Führung des Satzes ist die Ueberleitung zur Reprise bemerkenswerth; das Hauptthema kommt einigermassen unvermuthet, aber als willkommener Retter aus Irrfahrt und Oede.

J. Haydn Sinfonie Nr. 11 (Breitk. & H.). Die 11. Sinfonie (G dur) ist die sogenannte Militärsinfonie. Sie verdankt diesen Beinamen ihrem zweiten Satze: einem Allegretto, das auf Grund einer (von Haydn bearbeiteten) französischen Romanzenmelodie ein inhaltreiches Tonbild entrollt, dem man kriegerische Unterlagen wohl ansehen kann. Es ist eine Art Abschiedsstimmung in der freundlich sinnigen Marschweise, welche die Chöre des Orchesters nicht müde werden einander zuzusingen. Dann kommt plötzlich das Thema in Moll; der Satz erhält einen Mitteltheil, durch welchen grosse Schatten ziehen, der ernst stimmt und die Trauer streift: „Heute roth — morgen todt!“ Unverkennbar ausgeprägt tritt der militärische Charakter des Satzes gegen den Schluss vor: Abendstimmung: die Romanze verklingt: Da ein Trompetensignal, das im Orchester augenscheinlich grosses Aufsehen und Alarm erregt. In der Instrumentirung dieses Andante ist der grosse Apparat von Schlaginstrumenten für die besondern Tendenzen Haydn's an dieser Stelle bezeichnend: Ausser den Pauken: Triangel, Becken und grosse Trommel! Einen eigentlichen langsamen Satz enthält diese Sinfonie nicht; ähnlich wie Beethoven's achte.

Der Hauptsatz beginnt nach einer prächtigen Einleitung, die auch eine Stelle pathetischer Erregung hat, mit folgendem Thema von Oboen und Flöte allein vorgetragen:

Ehe es noch zu einem zweiten Thema kommt passiren wir bereits Partien eigenartigster Erfindung. Die Stelle, wo nach der Reprise des Themas in der Dominant, Geiger und Bläser echt träumerisch unschlüssig mit den zwei Noten spielen und sich dann im Forte heroisch aufraffen, gehört dahin. Darauf unmittelbar setzt das zweite Thema, wieder wie von Guitarrenklängen präludirt, ein. Es ist eine Melodie von echtem Wiener Blut, die zum flotten Marsch einer Infanteriekolonne ganz gut passt:

Dieses bis auf den Radetzkymarsch in der östreichischen Kunst- und Volksmusik immer wiederkehrende Thema lässt aber den Schwung nicht ahnen, der im Orchester losbricht, nachdem sich die Bässe der tändelnden Weise bemächtigt haben. Die Durchführung des Hauptsatzes ruht wesentlich auf diesem zweiten Thema und erhebt sich mit ihm ins Grossartige. Der Menuett dieser Sinfonie nähert sich dem alten Stile und wiegt sich in schwerfälliger Grazie. Haydn schreibt ausdrücklich „Moderato" vor. Im Trio scheint sich ein Solopaar zu produciren. Das Finale hat ein Hauptthema,

welches auf leichten Scherz und Tändelei hinzudeuten scheint. Haydn giebt ihm aber durch Modulationen und contrapunktische Umarbeitungen einen schwereren, energischen Charakter und flieht erregtere Scenen und Momente dunkler Spannung ein; Alles mit wenigen Noten und in einer Kürze, die eine Meisterleistung an sich bildet.

J. Haydn Sinfonie Nr. 12 (Breitk. & H.).

Die letzte Sinfonie in unserer ersten Gruppe Nr. 12 (Bdur) beginnt ebenfalls mit langsamer Einleitung vor dem Allegro: Die beiden Themen des letzteren sind folgende:

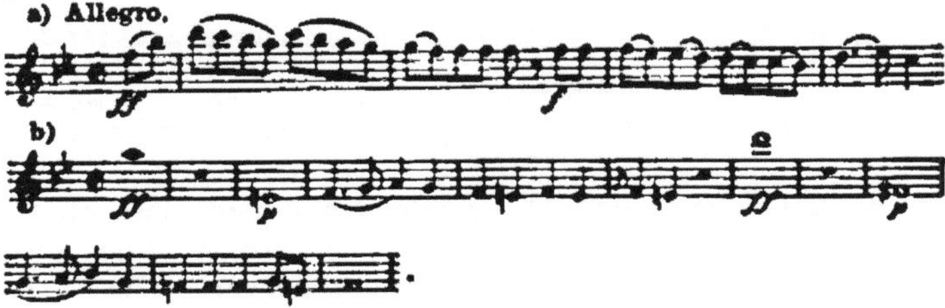

Das erste setzt ausnahmsweise gleich stark und mit dem vollen Orchester ein und lässt dann das Piano nachfolgen. Das zweite Thema hat in dem Satze grössere Bedeutung, als es durchschnittlich bei Haydn der Fall ist. Gleich sein erster Eintritt ist ungewöhnlich: es steht mit einem gewaltigen Schlage da, fertig wie aus der Erde emporgezaubert. An der Durchführung nimmt es einen wichtigen Antheil. Doch stehen ihm andere Motive hier ebenbürtig zur Seite; neben dem Achtelrhythmus des Hauptthemas noch das diesem folgende kurze Seitenmotiv:

An Reichthum und Mannigfaltigkeit des Materials zeichnet sich somit die Durchführung dieses Satzes aus und gestaltet ihn zu einem der imposantesten in Bezug auf den Aufbau. Dem entspricht eine Fülle innerer Bewegung und Energie. Unter den Allegrosätzen Haydn's, welche Beethoven zum Anknüpfen dienen konnten, muss dieser an erster Stelle genannt werden.

Der zweite Satz, von Haydn auch in einem Claviertrio verwendet, mit folgendem Hauptthema

ist auffallend kurz. Mehrmals streift er das leidenschaftliebere und schwermüthige Gebiet, zieht sich aber immer mit absichtlicher Eile und in genialen Wendungen auf das Ausgangsterrain der elegischen Träumerei zurück. Er gleicht einer Skizze.

In dem Menuett treten dem behäbigen Tanzcharakter des Hauptthemas

mehrfach beunruhigende Elemente gegenüber; namentlich ein pochendes Unisonomotiv ♩ | ♩ ♩ bringt eine fast dramatische Bewegung in der Scene hervor. Das Trio sucht mit einer unwiderstehlichen Herzlichkeit zu beschwichtigen: . Die Melodie, welche durch die chromatische Stelle ihre Signatur erhält, wird wieder in der Octave von Oboe und Fagott zusammen gespielt.

Das Finale ist auf das Material eines sehr possirlichen, augenscheinlich der Volksmusik entnommenen Trällerliedchens gebaut:

In seinem Anfangsmotiv bietet es Haydn Gelegenheit zu humoristischen Episoden, denen er freie Zwischensätze von zuweilen trotziger Kraft gegenüberstellt. Im Ganzen ist dieses Finale eins der wechselvollsten und inhaltlich mannigfaltigsten.

J. Haydn Sinfonie Nr. 3 (Breitk. & H.).

Von den Sinfonien der zweiten Gruppe gehört die Nr. 3 (Es dur) zu den schwächeren. Der erste Satz entbehrt der bei Haydn gewöhnlichen Inspiration und erscheint vorwiegend als ein Product der Arbeit. Seinen vergnüglichsten Theil bildet das zweite Thema

Im zweiten Satze, Adagio (G dur), wird ebenfalls das zweite Thema, mit folgendem Grundmotiv zum Hauptgedanken und giebt der Composition einen hymnenartigen Ausdruck. Wenn bei Haydn die zweiten Themen hervortreten, so ist dies in den meisten Fällen eine nicht unbedenkliche Erscheinung. Seine besten Sätze sind vorwiegend diejenigen, wo er ein zweites Thema gar nicht braucht.

Der Menuett der Sinfonie erhebt sich in der Erfindung über die vorhergehenden Sätze. Er gehört zu der Gattung Haydn'scher Menuette, welche den Uebergang zum Scherzo Beethoven's bilden. Noch höher steht das Finale, in welchem die gute Laune Haydn's an dem folgenden kurzbeinigen Thema

sich wieder in ihrer ganzen Frische aufrichtet. Namentlich an kostbaren Instrumentaleffecten ist der Satz reich.

J. Haydn Sinfonie Nr. 4 (Breitk. & H.).

In der Sinfonie Nr. 4 (D dur) macht sich eine gewisse Gleichförmigkeit sowohl innerhalb der einzelnen Sätze als auch im Verhältnisse der Sätze unter einander geltend. Hier sind ihre Hauptthemen.

Den interessantesten Einfall der ganzen Sinfonie bildet der im Andante die zahlreichen Wiederholungen des Hauptthema einleitende, eingeschobene Takt.

J. Haydn Sinfonie Nr. 5 (Breitk. & H.).

Die Sinfonie Nr. 5 (D dur) hat ebenso wie die vorletzte ihren schönsten Theil in der zweiten Hälfte. Mit dem Einsatz des Trio in dem Menuett, da wo die Bläser alle zusammen die allarmirenden Triolen anstimmen, verlässt der Tondichter endlich die Idylle, in der er uns etwas lange festgehalten hat. Der bedeutendste Satz ist das Finale (Presto ma non troppo.), dessen Thema schon unverkennbar romantisch anklingt. Seine ersten 3 Noten — bald wie ritterlicher Weckruf Alles allarmirend, bald wie geheimnissvolle Stimmen aus Waldesdunkel erschallend, jetzt näher, jetzt ferner klingend — haben im Bau dieses Finale besondere Bedeutung. Es ist reich an Bildern; die Gruppe vor der Einführung des zweiten Thema in der Reprise gehört zu den phantastischsten Eingebungen. Ihre Pausen, Fermaten, ihre schnell abbrechenden Schlüsse geben der Erklärungskunst voll zu thun. Vor anderen trägt die Fröh-

[1]) In der Vorzeichnung dieses Notenbeispiels fehlt ein Kreuz für *cis*.

lichkeit dieses Satzes ein männlich schönes Gepräge. Ganz am Schluss taucht Don Juan's Bild auf: „Viva la liberta!“

J. Haydn Sinfonie Nr. 14 (Breitk. & H.).

Die Sinfonie Nr. 14 (D dur) gehört der zweiten Gruppe vollständig an. Der erste Satz, dem ein leichtes Thema zu

Allegro.

Grunde liegt: contrapunktirt einigemale strenger und verausgabt einen grossen Vorrath gewaltig ausholender Gänge; er bleibt aber in seiner Fröhlichkeit etwas äusserlich und theatralisch. Das Andante:

schwärmt dahin wie vom Glück beflügelt; zuweilen bricht der Jubel mit Elementargewalt heraus, dann wieder zittert es in allen Gliedern wie von heimlicher Freude. Auch in dem dunkleren Mittelsatz, der ein Mollthema fugenartig durchführt, lebt ein schwelgender Klang. Der Schlusstheil des Andante wird zum Concert, wo den beiden Soloviolinen alle anderen Instrumente lauschen. Der Menuett ist von der aristokratischen Familie und neigt dem Zarten zu. Das Trio bringt reizende Soli der Flöte und des Fagotts, letzteres von der ersten Violine unterstützt. Das Finale ist ein Rondo mit folgendem kurzgeschürz-

Vivace assai.

ten Hauptthema:

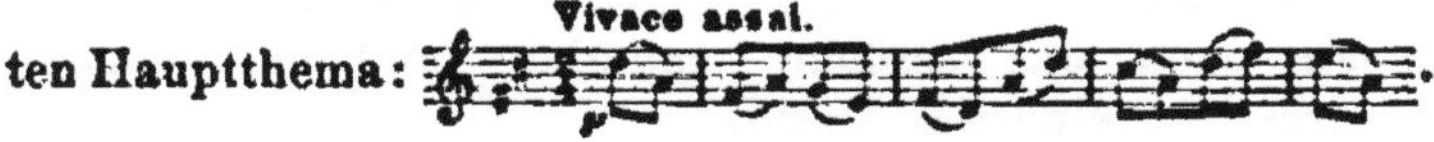

Namentlich die Solostellen der Violine, welche die Rückkehr in dieses Thema einleiten, sind von eigenartiger Wirkung.

Die drei übrigen Sinfonien (Nr. 7, 8, 9) nehmen eine Art Mittelstellung zwischen beiden Gruppen ein. In der Tendenz ihrer Hauptsätze, die dem Heroischen und Pathetischen zuneigen, haben sie etwas Gemeinsames und würden ohne Weiteres den Sinfonien der ersten Gruppe anzureihen sein, wenn sie sich mit diesen an musikalischem Reichthum der Ausführung messen könnten. Die bedeutendste unter ihnen ist die Nr. 9 (C moll), wohl auch die bekannteste. Sie beginnt ohne Einleitung mit einem Thema, dessen Doppelnatur weniger auf eine Sonate als auf die freiere Form der Fantasie hinzuweisen scheint:

J. Haydn Sinfonie Nr. 9 (Breitk. & H.).

In der weitern Folge beschäftigt sich Haydn vorwiegend mit der erregten Hälfte desselben, beginnt aber, wie zur Entschädigung, die Reprise ohne diese. Eine grosse Bedeutung hat für diesen Satz das volksthümliche freundliche zweite Thema: 

Es beschwichtigt die Stürme und herrscht in dem Wiederholungstheil des Allegro fast allein. Nach der ganzen Anlage weist der Satz auf eine frühere Periode von Haydn's Sinfoniebehandlung hin, in die Zeit, wo Mozart's Einfluss zuerst zur Geltung kam. In einzelnen Stellen z. B. dem oben angeführten Hauptthema des ersten Satzes, erinnert er ganz direct an ein bestimmtes Werk des jüngern Meisters: an dessen C moll-Fantasie. Mozart'sche Spuren zeigen auch das Andante cantabile und das Finale. Ersteres hat folgendes Thema:

, welches in einer Reihe von Variationen ausgeführt wird, von welchen namentlich die düstere in Es moll hervorzuheben ist. Im Finale empfiehlt es sich für den Zuhörer die ersten beiden Takte des Themas fest zu halten

Auf ihnen beruhen die zahlreichen Fugenbildungen des Satzes; die Melodie in ihrem vollen Umfange erscheint nur beim Abschluss grösserer Gruppen. Der durch selbständige Aufführungen verbreitete Menuett ist in seiner Verbindung von Grandezza und Schalkheit ein Muster:

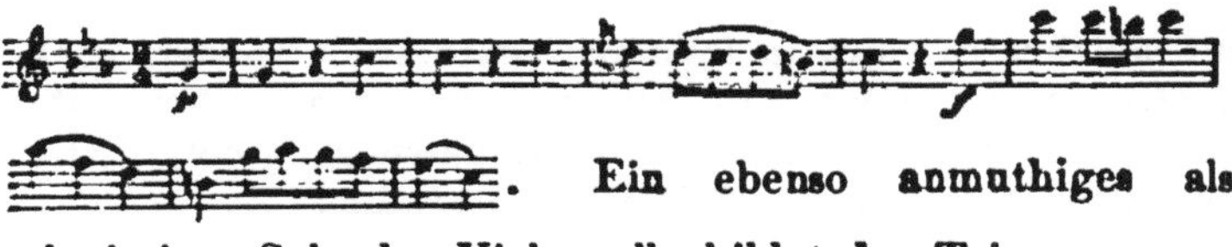

Ein ebenso anmuthiges als schwieriges Solo des Violoncello bildet das Trio.

J. Haydn Sinfonie Nr. 8 (Breitk. & H.).

Die Sinfonie Nr. 8 (B dur) hat ihren hervorragendsten Satz an zweiter Stelle: Es ist das Adagio cantabile, einer der wenigen langsamen Sätze in Haydn'schen Sinfonien, der sich die idyllischen, an die Schäferpoesie anklingenden Elemente ziemlich fern hält. Wie das Largo der G dur-Sinfonie Nr. 13 hat er entschiednen Hymnencharacter, folgendes Motiv ist der Hauptträger der andächtig gehobenen frommen Stimmung. Die Nebengedanken sind weniger bedeutend, ohne die Totalwirkung aber zu stören. Das Finale, dem folgendes Thema zu Grunde liegt Presto. ist durchweg leicht gehalten. Nur ganz vorübergehend treten kräftigere Gestalten hinein. Im Hauptsatz, dem ersten Allegro, ist ausser dem Hauptthema:

noch ein an und für sich unscheinbarer Zwischengedanke:

zu beachten, der beim ersten Male im Anschluss an das zweite Thema als Oboensolo auftritt. Das Mozart'sche Gepräge, welches die Haltung des Allegro zeigt, ist ihm besonders aufgedrückt.

J. Haydn Sinfonie Nr. 7 (Breitk. & H.).

In der Sinfonie Nr. 7 (Cdur) bestehen wieder, ähnlich wie in Nr. 1 engere Beziehungen zwischen Einleitung und erstem Allegro: das erstere eröffnende Motiv kehrt mit der schönen Harmonie, auf welcher es ruht, in letzterem wiederholt wieder, noch zuletzt in der Coda des Allegro, wo es zu einer selbständigen längeren Episode Veranlassung giebt. Das Hauptthema des ersten Satzes ist folgendes:

Der Satz interessirt durch sehr interessante Einzelheiten, er nimmt aber im Ganzen nicht den hohen Flug, den man nach einem solchen Anfang erwarten könnte, und erregt die Vermuthung, dass Haydn für ihn wie auch für den Menuett dieser Sinfonie eine alte Mappe aus der Zeit aufgeschlossen habe, da er noch unter dem Einfluss der italienischen Schule stand. Denn in deren Stil gehört vor Allem das Hauptthema. Bedeutender sind der zweite Satz, ein Variationenwerk mit folgendem Grundthema:

in dem die stereotype Wiederholung der Schlussformel: ganz eigenthümlich wirkt, und das Finale, einer der gelungendsten Rondosätze, die wir von Haydn besitzen. Das Hauptthema, welches immer, so oft es wiederkehrt, vom Frischen überrascht und ergötzt, ist folgendes:

Presto assai.

Namentlich am Schlusse dieses Finales zeigt Haydn noch einmal die ganze Grösse seiner Gestaltungskraft und leitet das harmlose Motiv flugschnell aus dem Anmuthigen ins Neckische und ins Erhabene und durch eine Fülle von Regionen, wie sie nur ein grosser Humorist zugleich beherrscht.

In neuerer Zeit sind „Beethovenabende", Orchesterconcerte in denen lediglich Beethoven'sche Sinfonien gespielt werden, in Aufnahme gekommen. Niemand braucht zu fürchten, dass diese Mode nächstens auf Haydn übertragen wird. Denn so sehr seine Musik anregt, sie füllt die Seele nicht, sie bedarf einer Ergänzung. Dem 18. Jahrhundert brachte diese Ergänzung W. A. Mozart: Haydn hat der Sinfonie ihr neues Gebäude errichtet; aber von dem Geiste, der hineinzog, ist ein wichtiges Stück Mozart's Eigenthum. Es sind die Ecksätze der Sinfonie, die Allegri, an denen Mozart eine Reform vollzog. Sie erstreckte sich nicht wie die Haydn's auf die Entwickelung, Durchführung und Ausnützung der Themen, sondern sie betraf die Themen selbst. In sie führte er ein Element ein, welches die Zeitgenossen als ein „cantabiles" bezeichnen. Was das heissen soll, versteht man sehr leicht, wenn man das Hauptthema im ersten Satz der bekannten D dur-Sinfonie Mozart's (Nr. 38 der neuen Gesammtausgabe von Breitkopf & Härtel) oder das entsprechende in seiner Es dur-Sinfonie (Nr. 39 ebendaselbst) mit irgend einem ersten Allegrothema des letzten Haydn's vergleicht. Hier immer rasche, vorwärts eilende Rhythmen, muntere, zuweilen leidenschaftliche Themen; immer bestimmte und fertige Aeusserungen einer activen, positiv kräftigen Stimmung. Dort, bei Mozart: verweilende, sich ausbreitende Motive, in denen eine schwere Empfindung nach Ausdruck ringt, das Pathos eines vollen Herzens, welches die Formen des menschlichen Gesangs bald fest ergreift, bald nur für einen kurzen Moment zu streifen scheint. Diese, im höheren, im

Mozart's Sinfonien.

Schiller'schen Sinne, sentimentalen Elemente des Seelenlebens waren der ältern Instrumentalmusik selbstverständlich nicht fremd; aber sie wurden dort in der Regel für sich gehegt und blieben vorzugsweise auf die langsamen Sätze beschränkt; in den lebhafteren erhielten sie höchstens Nebenplätze. Nach der Meinung Vieler machte sich daher Mozart einer Stylvermischung schuldig, indem er jene sentimentalen Elemente in die Hauptthemen und an andere wichtige Stellen der Allegri hineinzog, und noch der verdiente Nägeli nannte den Meister wegen jener Cantabilität, durch die ein Beethoven mit vorbereitet wurde, einen „unreinen Instrumentalcomponisten". Die zweite Hälfte des 18. Jahrhunderts war jedoch auch in der Musik die Zeit mancher wohlgeglückten und heilsamen Stylvermischung. In der ernsten Oper Gluck, in der komischen Piccini, Galuppi, Guglielmi, in der Instrumentalmusik Ph. E. Bach und in einem bestimmten Umkreise auch J. Haydn! Mozart's Cantabilität entsprach aber auch einer geistigen Strömung des 18. Jahrhunderts, die dem Optimismus des spätern Haydn mindestens die Waage hielt. Auf Haydn's Seite: der Adel und ein absterbendes Geschlecht, auf der Mozart's das junge aufstrebende Bürgerthum, die Führer der Litteratur, Kunstwerke wie Clavigo, Räuber, Cabale und Liebe, wie Hogarth's Bildercyclen. In der Sehnsucht nach einer gerechteren und vollkommneren Welt kam der Pessimismus der Aufklärung mit dem gläubigen Christenthum zusammen, berührte sich — ohne es zu wissen — Mozart mit dem ihm verhassten Voltaire. Mozart steht als Vertreter der cantabilen Richtung bereits in seiner ersten Sinfonie vor uns, die er als achtjähriger Knabe schrieb. Das Hauptthema ihres ersten Satzes ist so eine „Mischung" von Ritterlichkeit in den ersten Takten und frommen Kirchenklang im Nachsatz:

Die „Cantabilität" seiner Instrumentalmusik beruhte demnach in allererster Linie auf individuellen, angebornen und ererbten Anlagen. Zeigt sie sich ja doch auch, wenn schon viel schwächer in den Compositionen des Vaters: Leopold Mozart, den wir überdies aus den Briefen als einen bigotten Mann und argen Pessimisten kennen. Glücklicherweise hält jedoch bei Wolfgang Mozart den weltflüchtigen Elementen eine starke „Frohnatur" köstlichster Art und eine unversiegliche lebensfrohe Jugendfrische immer die Waage. Der Priester, der Weltweise in ihm wird stets von dem Cavalier begleitet; wie ein neuer Minnesänger repräsentirt Mozart auch die besten Adelselemente seiner Zeit. Daher die unübertreffliche, die unerreichte harmonische, die hellenische Wirkung seiner Kunst. Freilich in seinen Sinfonien ist sie nicht überall zu finden, sie zeigen zum grossen Theil, dass Mozart's Herz für die Instrumentalmusik nur schwächer schlug. Von den 49 Sinfonien Mozart's, die Köchel's Verzeichniss nachweist, besassen wir bis vor Kurzem nur 11 im Druck und zwar in der sogenannten alten Partiturausgabe von Breitkopf & Härtel, die zu diesen noch eine zwölfte, aber unechte hinzufügte. Diese Zahl ist durch die neue monumentale Gesammtausgabe[1]) der Werke Mozart's jetzt auf 47 vermehrt worden. Der Zuwachs besteht grösstentheils aus Jugendarbeiten, unter denen allerdings mehrere: z. B. die G moll-Sinfonie aus dem Jahre 1772, die in A dur von 1773, die 3 D dur-Sinfonien Nr. 4, 17, 20, die B dur-Sinfonie Nr. 24, die C dur-Sinfonie Nr. 28 der Gesammtausgabe mehr als blos biographisches Interesse haben. Aber es dauert verhältnissmässig lang, es kommt die Zeit der „Entführung aus dem Serail" heran, ehe Mozart als Sinfoniker gleichmässig bedeutend und eigenthümlich wird. Die Mehrzahl seiner früheren Sinfonien sind Durchschnittsarbeiten mit interessanten Einzelzügen und hübschen Einfällen; am reizendsten äussert sich sein kindliches Wesen in den Andantes und Schlusssätzen. Ein Theil dieser Jugend-

---

[1]) Leipzig, Breitkopf & Härtel.

arbeiten zeigt in der Aufnahme des Menuett und in der Themenbildung den Einfluss der Wiener Schule, die Mehrzahl aber folgt dem Vorbild der italienischen Theatersinfonie, wie sie ungefähr Hasse behandelte. In den weitausholenden Einsätzen, in der Allgemeinheit der Gedanken, in der dahinrauschenden, an Figuren und glänzenden Gängen reichen Rhetorik gleichen sie Festreden. Manche haben aber von dieser Abkunft auch einen Vorzug. Das ist ein hoher, weihevoller Grundton. Jedermann kennt ihn aus der Majestät der Jupitersinfonie, die in Bezug auf diese Eigenschaft keineswegs allein steht, sondern gerade darin in den Jugendsinfonien Mozart's zahlreiche Vorläufer hat.

Mozart D dur-Sinfonie „Pariser", Nr. 3 der Gesammtausgabe.

Es giebt noch unter den seit langer Zeit bekannten Sinfonien Mozart's solche, die gar nichts Individuelles haben. Dahin rechnen wir die D dur-Sinfonie Nr. 31, welche in der äussern Geschichte Mozart's eine gewisse Bedeutung hat. Mit ihr glaubte Mozart in Paris Position fassen zu können. Er schrieb sie für die dortigen Concerts spirituels des Director le Gros (im J. 1778) und fand damit grossen Beifall. Sie beginnt:

Die ersten drei Takte bilden den berühmten „premier coup d'archet", auf welchen die Franzosen so stolz waren. Das war nichts weiter als der gemeinsame Einsatz des gesammten Orchesters, der allerdings bei der ausserordentlich vollen Besetzung des Streicherchors einen Effect machte, dessen Natur die Pariser Dilettanten einer besondern Ueberlegenheit in der Präcision zuschreiben wollten. Diesen coup d'archet hat Mozart im ersten Satze weidlich ausgenutzt und ihm noch eine Reihe ähnlicher dynamischer Raritäten beigesellt, wie er sie selbst nagelneu aus der Mannheimer Capelle mitgebracht hatte. Das allgemeine

Crescendo auf einem einzigen Accord spielt darunter eine grosse Rolle. In der Entwickelung des Stimmungs- und Gedankenmaterials herrscht, obwohl Mozart in dieser Sinfonie dem „langen Geschmack" ausweichen wollte, eine grosse Umständlichkeit. Das Andante

Andante. Violine

ist ganz achtzehntes Jahrhundert; nur eine stolze Unisonfigur der Streichinstrumente unterbricht die Ruhe dieser Gessner'schen Idylle. Das Finale fängt ausnahmsweise einmal so an, wie Haydn in der Regel seine schnellen Sätze einzusetzen pflegt: die erste Periode leise und dann ein tüchtiges Forte. „Weil ich hörte" — schreibt Mozart an seinen Vater — „dass sie alle letzte Allegro's, wie die ersten, mit allen Instrumenten zugleich, und meistens unisono anfangen, so fing ichs mit den zwey Violinen piano nur acht Takte an — darauf kam gleich ein Forte, mithin machten die Zuhörer (wie ich es erwartete) beim Piano sch! — dann kam gleich das Forte. — Sie das Forte hören und in die Hände zu klatschen war Eins. Ich ging also gleich vor Freude nach der Sinfonie ins Palais Royal, nahm ein gutes Gefrornes, betete den Rosenkranz, den ich versprochen hatte, und ging nach Haus."

Man kann die Sinfonien Mozart's in solche theilen, bei denen der Ouvertürencharakter vorwiegt, und in eine andere Classe, welche sinfonisch in der modernen Bedeutung des Wortes genannt werden können. Daneben giebt es noch eine kleinere Gruppe, welche den Cassationen und andern suitenartigen Gelegenheitsmusiken nahesteht. Zu letzterer gehört die Sinfonie (in D) Nr. 8 der alten Ausgabe von Breitkopf & Härtel. Sie hat 5 Sätze, unter ihnen zwei Menuetts, die durch ein sehr langes Andante getrennt sind. Es ist eine Composition, die ganz und gar nichts Mozart'sches hat und durch ihren altväterischen Charakter Zweifel erregt bezüglich der Echtheit.

Mozart: Ddur-Sinfonie Nr. 8 (B. & H.).

Es giebt dann noch eine Uebergangsklasse, bei der die Hauptthemen des ersten Satzes beide festlich decorativ und ouvertürenmässig gehalten, aber durch gesangvolle und oft breit ausgeführte Nebenmotive in der Wirkung beschränkt sind. Unter den bekannteren Werken Mozart's gehört zu dieser Classe die Salzburger C dur-Sinfonie von 1780, Nr. 34 der Gesammt-Ausgabe. Allerdings verlässt bei ihr das Hauptthema das Ouvertürengebiet:

Mozart D dur-Sinfonie Nr. 34 (G.-A.).

Seine elegische Schlusswendung in das Moll weist über die Mozart'sche Zeit sogar hinaus. Das zweite Thema aber trägt das Gepräge der der Ouvertüre unbekannten Cantabilität ganz besonders stark.

Nur die Durchführung widerstrebt in ihrer Ungebundenheit nnd in ihrem starken Verbrauch neuen und verschiedenen Ideenmaterials den neuen sinfonischen Bedingungen. Interessant ist im Bau dieses ersten Satzes die doppelte Reprise des Hauptthemas. Das Andante ist ein echter Mozart:

Die resolute Schlusswendung zum Männlichen kennzeichnet ihn. Im Finale, einem rauschenden Allegro im $^6/_8$ Takt mit folgendem Anfang:

herrscht die energische, dramatische Bewegtheit der Jupitersinfonie: Stellen, wie die folgende, geben einen Begriff von der Deutlichkeit des instrumentalen Dialogs und dem bilderreichen Charakter dieses Finale:

Noch entschiedeneren Sinfoniencharakter als in der vorhergenannten haben die Themen im ersten Satze der

Mozart B dur-Sinfonie Nr. 33 (G.-A.).

B dur-Sinfonie Nr. 33, die im Jahre 1778 zu Salzburg geschrieben ist. In dem Hauptthema ist keine Spur mehr von der Ouvertürenfeierlichkeit früherer Sinfonien, es zieht voll Haydn'schen Geistes daher, zum Malen deutlich eine Originalfigur aus einem lustigen Genrestück:

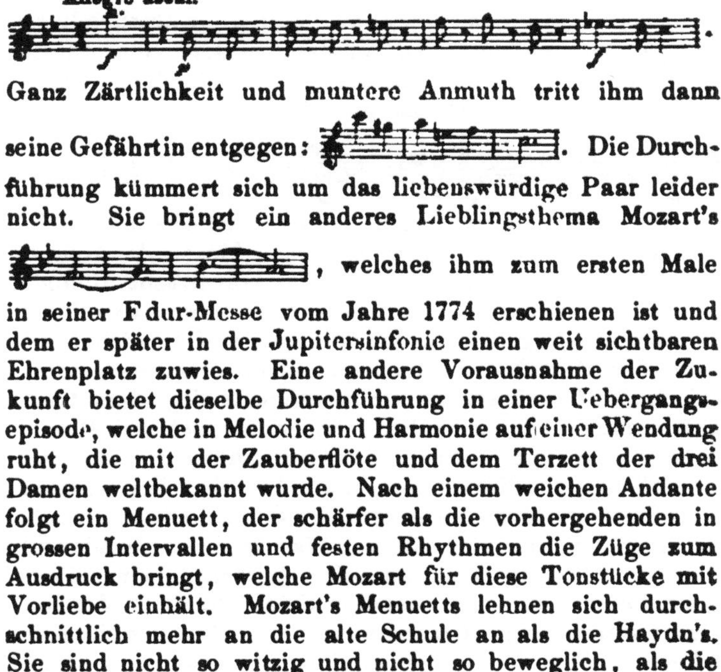

Ganz Zärtlichkeit und muntere Anmuth tritt ihm dann seine Gefährtin entgegen: . Die Durchführung kümmert sich um das liebenswürdige Paar leider nicht. Sie bringt ein anderes Lieblingsthema Mozart's , welches ihm zum ersten Male in seiner F dur-Messe vom Jahre 1774 erschienen ist und dem er später in der Jupitersinfonie einen weit sichtbaren Ehrenplatz zuwies. Eine andere Vorausnahme der Zukunft bietet dieselbe Durchführung in einer Uebergangsepisode, welche in Melodie und Harmonie auf einer Wendung ruht, die mit der Zauberflöte und dem Terzett der drei Damen weltbekannt wurde. Nach einem weichen Andante folgt ein Menuett, der schärfer als die vorhergehenden in grossen Intervallen und festen Rhythmen die Züge zum Ausdruck bringt, welche Mozart für diese Tonstücke mit Vorliebe einhält. Mozart's Menuetts lehnen sich durchschnittlich mehr an die alte Schule an als die Haydn's. Sie sind nicht so witzig und nicht so beweglich, als die letzteren, ihr Humor ist schwerer, zuweilen finster, streift auch wohl ans Groteske. Immer aber trägt ihn ein kraftvolles Element. Das Finale ist die Krone des Ganzen: ein Erguss bacchantisch dahinstürmender, aber gutmüthiger Heiterkeit. Jugendliche, ritterliche Männergestalten sind die Führer dieses fröhlichen Schwarms, dem Alles zuzuströmen scheint vom Adel und vom Volk, was Fröhlichkeit im Blute fühlt. Bleibt der Zug einen Augenblick bei einem schönen Auge stehen, so braust er dann nur um so flotter weiter. Im Hauptthema:

Presto assai.

erkennt man unschwer Fleisch und Blut aus dem Eröffnungssatz der Sinfonie. Unter den zahlreichen Seitenthemen verdient namentlich die drollige volksthümliche Gruppe hervorgehoben zu werden, welche die Bläser (Oboen und Fagott als Anklang an das alte Trio), bald nachdem das zweite Thema passirt ist, aufstellen:

Aeussere Veranlassungen haben wahrscheinlich sehr stark auf die Haltung eingewirkt, welche Mozart den Hauptsätzen seiner Sinfonien gab. Wie die Haydn'sche Sinfonie aus einer Kreuzung mit der Suite hervorging, so scheint man am Ausgang des 18. Jahrhunderts in Oestreich überhaupt den Begriff der Sinfonie nicht so streng genommen und ihn auf mehrsätzige Orchestermusik jeglichen Charakters angewendet zu haben. So erklärt sich bei Mozart das scheinbare Schwanken in den Grundsätzen und in seiner Entwickelung als Sinfoniecomponist. Der eben betrachteten B dur-Sinfonie folgt eine Arbeit, die D dur-Sinfonie Nr. 35, die zum Theil wie eine Art Rückfall in den Serenadenstil aussieht. Sie ging auch aus einer Serenade, einer Festmusik hervor, die eine freudige Feierlichkeit in der mit Mozart in freundschaftlichen und musikalischen Beziehungen stehenden Familie Hafner in Salzburg schmücken half.

Mozart D dur-Sinfonie Nr. 35 (G.-A.).

Als Serenade begann sie mit einem Marsch und hatte zwei Menuetts. Als sie nun Mozart in ein Wiener Concert als Sinfonie brachte, strich er den Marsch und den einen Menuett. Aber ihrem jetzigen ersten Satz ist die pathetisch gehobene Allgemeinheit geblieben, welche solche musikalische Gelegenheits- und Festdichtungen in der älteren Zeit einzuhalten pflegten. Dieser erste Satz hat nur das eine erstaunlich gross ausholende Thema:

welches mit einer aussergewöhnlichen contrapunktischen Consequenz durchgeführt wird. Gewiss wusste Mozart, dass die Arbeit vor Kenner kam. Das Andante gleicht einem dramatisirten Liede, seine simple Grundgestalt:

wird bald durch Zwischensätze, in denen es sich wunderbar und heimlich regt, verdrängt, bald durch Zuthaten der Dynamik und Harmonie, durch Accompagnement und wechselnde Seitenglieder mächtig gehoben. Menuett und Trio sind einfach, aber wirksam contrastirend. Das Finale zeigt in seinem Hauptthema

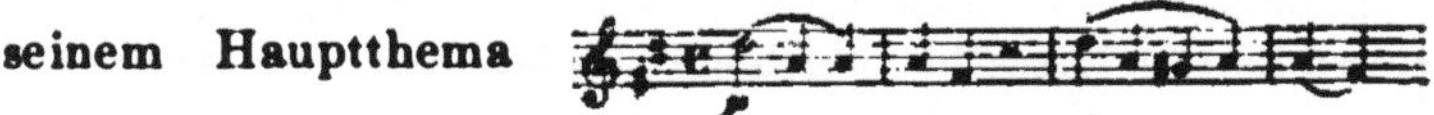

eine starke Verwandtschaft mit Osmin's „Ha wie will ich triumphiren". In der That schrieb auch Mozart diese Sinfonie i. J. 1782 mitten unter den drängenden Nacharbeiten der „Entführung".

Mozart C dur-Sinfonie, „Linzer", Nr. 36 (G.-A.).

Zeigt sie schon in den Allegrosätzen Haydn'sche Elemente, in dem ersten bezüglich der Durchführung, im letzten in der thematischen Erfindung selbst, so trägt die nächste Sinfonie (Nr. 36 Cdur) den Haydn'schen Einfluss noch offener zur Schau. Unter den Musikern ist dieses Werk als „Linzer" Sinfonie bekannt. Wahrscheinlich ist es diejenige Sinfonie, welche Mozart i. J. 1783, auf der

Durchreise durch Linz begriffen, in kurzer Zeit für den dortigen Musikverein componirte. Nicht eben tief, aber ein liebenswürdiges frisches Werk, erfreut sie den Musikfreund durch vielfache Vorklänge der grössten Zeit des Meisters und deren Hauptschöpfungen: Don Juan und Jupitersinfonie, und durch Klangwirkungen, welche ebenso durch ihre Eigenart wie durch ihre Einfachheit frappiren. Wir machen in letzterer Beziehung namentlich auf die Bläserharmonien im ersten Satze aufmerksam. Die Hauptthemen der Sinfonie sind:

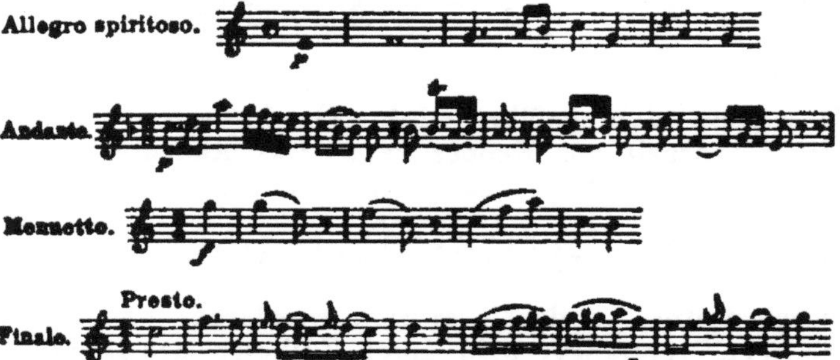

Haydn merkt man im ersten Satz: ausser in der langsamen, träumerisch gedankenvollen Einleitung, namentlich in der Durchführung, die hier in Haydn's Weise eingehender bei demselben Motive bleibt und aus ihm entwickelt. Dieselbe Methode finden wir im Andante. Dann sind auch noch kleinere Züge Haydn nachgebildet: die Einsätze der Allegri von *p* zum *forte* schreitend: kecke, überraschend in der Modulation wechselnde Periodenanfänge: Haydn'sche Lieblingswendungen der Melodie, wie der Schluss des Themas im Andante: Eigenheiten der Instrumentirung, wie im Trio die Verdoppelung der Melodiestimme: in der Dynamik unerwartete Accente und Gegensätze. Es ist aber noch genug von Mozart's besonderem Wesen in dieser Sinfonie. Nicht blos in der Gesammthaltung, in dem ihm eigenen raschen, kräftig elastischen Schritt kommt es zum Ausdruck; wir können es bis in seine kleinen charakteristischen Geberden und Angewohnheiten hinein verfolgen. Sein beliebtes chromatisches Ueberleitungsmotiv: [musical notation] kommt wiederholt vor: Zwischen dieser Cdur-Sinfonie und der ihr folgenden Nr. 38 (D dur) liegt ein Zeitraum von drei Jahren und eine künstlerische Entwickelung Mozart's, die wir in das eine Wort „Figaros Hochzeit“ fassen wollen. Mit dieser Sinfonie ist Mozart als Sinfoniker eine fertige Grösse. In ihr und den ihr folgenden Schwestern — es sind leider nur drei — steht er in bestimmter und abgeschlossener Individualität vor uns: in der ihm ganz eigenen Mischung von Kindlichkeit und Ernst, ein Meister, dessen Geiste sich die Form gebeugt hat, ein Mensch, dessen Anmuth und Liebenswürdigkeit die Tiefe und den Reichthum seines Seelenlebens mehr zu verhüllen als zu offenbaren suchen. In der Form zeigen die vier letzten Sinfonien eine Wandlung vollbracht, die sich in etlichen früheren Werken bereits vorbereitete. Sie betrifft die Methode in dem Durchführungstheil des ersten und letzten Satzes. Wenn hier Mozart in den früheren Sinfonien vorwiegend ganz neues Gedankenmaterial aufwarf, so nähert er sich jetzt dem Haydn'schen Weg und nimmt Themen und Motive aus dem ersten Theile des Satzes. Eigen ist ihm dabei, dass er nicht die eigentlichen Hauptthemen, sondern Nebenmotive aus Seiten- und Uebergangsgruppen benutzt und sich bei secundären Ideen ausruht und sammelt. Diesen ausserordentlich merkwürdigen, man kann sagen scheuen Zug, hat er einzig bei der subjectivsten seiner Sinfonien, der berühmten G moll-Sinfonie, aufgegeben.

Mozart D dur-Sinfonie Nr. 38 (G.-A.).

Die D dur-Sinfonie Nr. 38 (geschrieben für die Wiener Winterconcerte im December 1786) hat eine bedeutende Einleitung: im Tone freundlicher Ahnung beginnend, in der Mitte düster, zum Schlusse über Seufzer und Bitten in demüthige Resignation einlenkend: Der Allegrosatz ist zwischen eine fragend bange Stimmung und die Regungen eines ringenden Kraftgefühls getheilt. Diese

Momente treten schon im Hauptthema direkt neben einander:

Das zweite Thema

bildet nur einen flüchtigen Lichtblick: es repetirt sofort in Moll und verschwindet dann auf lange. In der Durchführung erscheint aus den Themen allein das oben eingehakte Motiv, dem noch zwei andere heftig angelegte Figuren, den Uebergangsperioden der Themagruppe entnommen:

und

zur Seite treten. Es herrscht unter ihnen die engste Reibung: das eine kommt nie ohne das andere und wie in der Mehrzahl der spätern Instrumentalwerke Mozart's geschieht die ganze Ideen- und Formenentwickelung nach den Principien des doppelten Contrapunkts. Ein Höhepunkt oder ein Resultat dieser Ideengährung ist nicht zu bemerken, der Schluss zieht sich wie tastend und suchend nach dem Hauptthema zurück, welches vor der eigentlichen Reprise in harmonischen und melodischen Umstellungen erscheint, die einen feinen poetischen Zug bedeuten. Ein Merkmal der letzten Sinfonien Mozart's ist der engere Anschluss in den Charakteren der einzelnen Sätze. Diesen Zusammenhang zeigt unsere Ddur-Sinfonie besonders stark. Wie er innerhalb des ersten Satzes die Gestaltung und das Wesen von Einleitung und

Allegro beeinflusst, so bestimmt er auch das Verhältniss dieses ersten Satzes zum Andante. Schon im Hauptthema dieses Andante 

ist die Verwandtschaft zu erkennen. In ihm liegt noch etwas von der gedrückten Stimmung, mit welcher der erste Satz begann; nur die Nüance ist eine mildere. Mit dem Seitenmotive , das in der Entwickelung des Satzes eine bedeutende Stelle einnimmt und gern in canonischer Stimmführung erscheint, strebt das Andante freundlichen Regionen entschiedener zu. Durch das energische und finstere Gegenthema kommt der energische und dramatische Charakter der dem ganzen Satz eigenthümlich ist, äusserlich am deutlichsten zum Ausdruck. Er beherrscht den Geist des ganzen Satzes in dem Grade, dass alle die Stimmung aufklärenden und freundlichen Abschnitte nur Versuche bleiben. Daraus erklärt es sich, dass das süsse zweite Thema des Andante (in Ddur) auf dessen Verlauf nicht die geringste Wirkung übt. Ihre grösste Macht enthalten die dunklen Seelenmächte in der Durchführung, wo sie selbst das Hauptthema ins Trübe und Bange (Dmoll, Emoll) wenden. Der Schluss ist überraschend in seiner sich still verlierenden Form sowohl als in dem halb humoristischen Ausdruck. Dass diese Ddur-Sinfonie auf die alte dreisätzige italienische Form zurückgreift, scheint kein Zufall zu sein, sondern das ist ein Ergebniss der Innerlichkeit dieser Musik, der Stärke und Echtheit mit der sie die Spannung des Gemüths wiederspiegelt in der sich Mozart zur Zeit dieser Composition befand. Ein Menuett, der Tanzsatz des äusserlichen Herkommens wegen, wäre Mozart in jenen Stunden mehr als blosse Verirrung des Stils, wäre ihm eine Lüge gewesen. Eine Scene der Gemüthlichkeit passt in das Seelenbild, das diese Sinfonie giebt, nicht; eher geht es mit einem gewaltsamen Humor. Ihm wendet sich der Schlusssatz zu. Sein Hauptthema soll und will Fröhlichkeit bringen, zum Aufraffen helfen:

. Ueber Abschnitte der Nachdenklichkeit und stürmischen Erregung gelangt die Darstellung zu dem zweiten Thema (in A dur) das mit einem Anflug von Resignation ein fröhliches Behagen, eine Art Glück in der Beschränkung ausspricht. Die Kämpfe die der Ideengang der Sinfonie erwarten lässt, sind in der Durchführung und im ersten Theil der Reprise enthalten, indessen mehr nur angedeutet als vorgeführt. Schon hieraus ergiebt sich, dass das Finale an Ursprünglichkeit und seelischer Macht die beiden ersten Sätze nicht erreicht.

Die drei letzten und berühmtesten Mozart'schen Sinfonien entstanden anderthalb Jahre nach dieser D dur-Sinfonie und zwar in der Reihenfolge: Es dur (26. Juni), G moll (25. Juli) und C dur (10. August 1788).

Mozart Es dur-Sinfonie („Schwanengesang") Nr. 39 (G.-A.).

Die Es dur-Sinfonie (Nr. 39), welche, wir wissen nicht von wem, den Beititel „Schwanengesang" erhalten hat, ist unter den letzten Sinfonien Mozart's, vielleicht unter seinen sämmtlichen Sinfonien, die Haydn am nächsten stehende. Sie ruft das Bild dieses Vormeisters nicht blos in formalen Nachbildungen wach, sondern namentlich durch das geistige Lebenselement, welches sie bewegt. Sie ist entschieden dem Frohsinn gewidmet, und wenn wir sie als Ausdruck von Mozart's persönlicher Stimmung betrachten dürften, so war die Zeit, wo er diese Sinfonie schrieb, eine sehr glückliche.

Die Einleitung des ersten Satzes beginnt in Pracht und Spannung. Ganz am Schlusse nur kommt ein schwermüthiger Don Juan-Klang:

Adagio.

. Das Allegro

stellt ihm ein beruhigendes Bild entgegen:

Der Wiederholung dieses freundlich zusprechenden Gesangs folgt das Haydn'sche Forte:

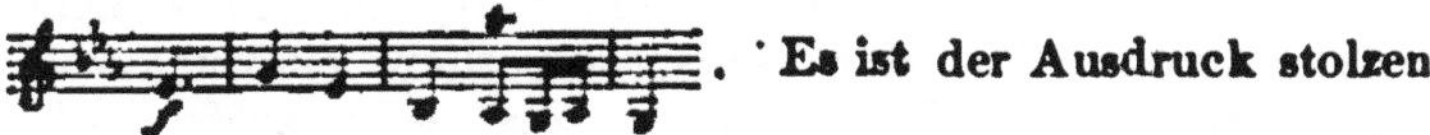

Es ist der Ausdruck stolzen Kraftgefühls, welches von nun an im Satze herrscht. Er ist eine Art Mozart'scher Eroica, zwar ohne Kampf und Sturm; aber in dem knappen, energischen, wuchtigen, bis zum Herausfordernden hingehenden und doch immer der Selbstbeherrschung sichern, männlichen Ausdruck der Freude liegt etwas entschieden Heldenmässiges. Was Haydn'sch ist im Satze, das erscheint aus dem Klangregister des Jünglings auf die Stimme des Mannes übertragen. Die tändelnd anmuthigen Elemente sind ferngehalten. Der in glücklicher Erinnerung schwelgenden Schwärmerei ist ein dunkler Ton beigemischt:

so lautet das zweite Thema in bedeutsamer Cantabilität. Für die Durchführung, welche sehr kurz ist, hat folgendes Nebenmotiv Wichtigkeit . Mit einer Generalpause wird sie abgebrochen, und in der genialen Kürze, mit welcher Mozart an diesem Punkte häufig verfährt, leiten 3 Takte der Bläser in die Reprise über. Dem zweiten Satze der Sinfonie, dem Andante, liegt folgendes Hauptthema zu Grunde

, in seiner marschartigen Natur an Haydn'sche Vorbilder erinnernd. Im zweiten Theile stellt ihm Mozart zunächst ein heftiges Motiv entgegen, das den Frieden des Satzes wiederholt in Frage stellt. Nach Abschluss dieser Fmoll-Episode beginnen die Bläser ein beschwichtigendes Sätzchen, das in seiner harmonischen Einführung und in seinem imitatorischen Stile sich ausserordentlich eindrucksvoll bemerklich macht. Der Menuett setzt sehr kräftig ein

mit prächtiger Ausnutzung der Natur der untern Violinsaiten. Das Trio, von der Clarinette gesungen und geschwärmt, ist eine der lieblichsten Idyllen, die musikalisch gedichtet worden sind. Das Finale, über folgendes Thema gebaut:

ist Haydn'sch im Material und im Geist, neckisch, leicht, scherzend und tändelnd. Auch die Ueberraschungen mit Generalpausen, dynamischen Contrasten, plötzlicher Rückkehr des Themas fehlen nicht. An einzelnen Stellen klingen uns specifisch Mozart'sche Töne entgegen; aber es sind nur kurz eingeworfene Motive. Zur Ausgestaltung eines zweiten Themas kommt es nicht; vielmehr wird der ganze Satz mit jenen wenigen Grundtakten bestritten, welche oben citirt sind. Es ist nicht genug zu bewundern, welches bunte Leben Mozart's Kunst und dramatische Phantasie ihnen abgewinnt. Es tummelt sich in diesem Finale wie auf den Marktbildern der niederländischen Schule: die komischen Gruppen umsteht und belohnt eine lebendige, froh erregte Menge mit fortreissendem Gelächter; die Komik ist von der feinsten Art bis zur unfreiwilligen vertreten, und auch der derberen Lustigkeit der Volksmasse ist ein Plätzchen mit eingeräumt. Siehe im ersten Forte die plump drollige Fröhlichkeit der Bässe: . Wie mit einem plötzlichen Windstoss ist der ganze Carneval verschwunden.

Mozart G moll-Sinfonie Nr. 40 (G.-A.).

Im direktesten Gegensatz zu dieser Es dur-Sinfonie steht die in G moll in Bezug auf Inhalt. Man kann nur wünschen, dass Mozart einen solchen seelischen Contrast, wie er ihn in diesen beiden Werken innerhalb Monatsfrist darstellte, nicht auch persönlich an seinem eignen Schicksal hat durchleben müssen. G moll ist eine Tonart, die bei Mozart immer etwas Besonderes zu bedeuten hat. Wir denken an das Klavierquartett und an das Quintett. Aber hier in dieser G moll-Sinfonie vom Jahre 1788 ist er doch noch anders, als er jemals vorher gewesen. Eine dergleichen leidenschaftliche Hingabe an eine einseitige Stimmung und noch dazu an eine so düstere, kommt in der ganzen Kunst überhaupt nur selten, sie kommt bei Mozart nicht wieder vor. Vielen erscheint allerdings heute dieses Werk in Bezug auf seinen Ausdruck gar nicht weiter der Rede werth, denn es ist Jahrzehnte lang in Zwischenaktsmusiken geschmacklos verbraucht worden. Aber noch im Jahre 1802 wird diese Sinfonie von Leipzig aus eine „schauerliche" genannt. Diese Bezeichnung kommt der eigentlichen Natur der G moll-Sinfonie vielleicht doch näher als die imitirte Begeisterung, mit welcher neuere Mozartverehrer uns immer wieder und immer wieder nur auf die Anmuth des Werkes aufmerksam machen.

Es ist wohl nicht blos zufällig, dass die G moll-Sinfonie keine Einleitung hat. Mozart steht hier sofort mitten in der Sache drin:

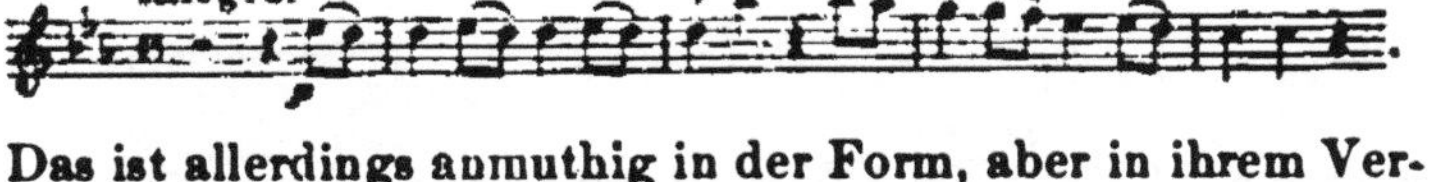

Das ist allerdings anmuthig in der Form, aber in ihrem Verhältnisse zum Inhalt erinnert diese Form an das bekannte Wort von der „guten Miene zum bösen Spiele". Der tiefere

Zug des Leidens, welcher sich schon in dem Sextenschluss des ersten Abschnitts vom Thema verräth, kommt in der Nachsatzperiode noch deutlicher zum Ausdruck:

und in dem unmittelbar zugefügten Schlussmotiv bricht die innerliche Erregung dämonisch durch. Das zweite Thema bringt keinen Gegensatz zum ersten, sondern es erweitert und begründet den erregten und düstern Charakter der dort ausgesprochenen Stimmung durch Töne der Wehmuth und Sehnsucht

. Trotzige Kraft lehnt sich dann auf, sie wechselt aber sofort mit rührender Klage. In der Durchführung werden die Versuche den Bann drückender Ideen zu durchbrechen mit grosser Kühnheit, aber erfolglos erneuert. Naeh schneidenden Dissonanzen, nach gewaltigen Ausbrüchen der Heftigkeit endet der Kampf mit einem von den Holzhiäsern gedeckten kleinlauten Rückzug in die Reprise. Bemerkenswerth ist, dass in dieser Durchführung Alles thematisch ist, ein bei Mozart ganz seltner Fall. Er greift weder zu neuen Motiven, noch zu Gängen und Passagen, die Phantasie bleibt an das erste Thema gefesselt. Das Andante hat zum Hauptthema folgendes Sätzchen:

[1]) Für *fes* lies: *fis*.

Sein zögernder, immer wieder ansetzender Aufbau kündet den suchenden und fragenden Grundcharakter des ganzen Satzes an. Das nächste Gegenmotiv, welches ihm Mozart zuschickt, stellt sich kraftvoll einsetzend in den Weg und verflattert ebenfalls bei seinem zweiten Schritt . Seine Zweiunddreissigstel-Figur bildet mit dem Achtelmotiv des ersten Thema im Satze zahlreiche sinnvolle Combinationen. Ein kurzes drittes Thema dieses Andante, beginnend:

 ist ausserordentlich inniger Natur.

Der Menuett nimmt den Kampf wieder entschieden auf; er ist mit den harten Dissonanzen seines zweiten Theils einer der streitbarsten Sätze, die auf Grund jener alten zierlichen Tanzform jemals gebildet wurden. Das Trio klingt süss und in kindlicher Unschuld dazwischen.

Seine zweite Clausel enthält eine der gefürchtetsten Hornstellen.

Im Finale herrscht eine einigermassen unheimliche Lustigkeit. In Unruhe und Aufregung stürmt es dahin mit seinem Hauptthema:

unvorbereitete Septimen und anderlei bösartige Elemente ergreifend. Mit verzweifelten Humor jagen die Stimmen in der Durchführung emsig contrapunktirend das verwegene Thema durch die Tonarten — das zweite Thema bietet kaum einen Ruhepunkt in der Hast des Satzes. Seiner Natur getreu geht er ungestüm und ungeklärt zu Ende.

Mozart's letzte Sinfonie, die Odur-Sinfonie Nr. 41 führt den Beinamen der „Jupitersinfonie". Sie darf in mancher Beziehung für Mozart's grösste Leistung im Sinfonienfache gelten und bildet eins der schönsten Denkmäler seines freien, starken und reichen Geistes. Keine andere der Sinfonien Mozart's hat diesen breiten Wurf der Themen, keine andere verbindet mit dem gleichen Reichthum wahrhaft goldener Ideen die Einheit im Charakter und die Harmonie der Darstellung. Es lebt etwas Antikes in ihr: eine erhabene Heiterkeit und ein Schönheitsgefühl, das auch ihre vollsten Lustausbrüche adelt. Ihr erster Satz klingt mit seinem Eingangsthema wieder an den festlichen Ouvertürenton der früheren Sinfonien Mozart's an; aber schon nach dem ersten Komma wird der Charakter innerlich

Mozart C dur-Sinfonie Nr. 41 (G.-A.).

und so bildet nicht blos dieses Thema — es hat bis zu seinem vollständigen Abschluss die beträchtliche Länge von 23 Takten — sondern der ganze Allegrosatz eine meisterhafte und erquickende Verbindung von äusserer glänzender Schilderei und edlem Seelenausdruck. Es ist im Allgemeinen nicht so schwer Programme zu den Meisterwerken unserer classischen Instrumentalmusik zu schreiben; bei der Jupitersinfonie kann man der Verlockung kaum widerstehen. Man sieht die Einzelnen in ihren stillen Gedanken dahingehen, die Massen in lauter Freude aufschäumen; es wechseln Bilder und Scenen in ruhiger Steigerung und Folgerichtigkeit, aber auch mit erschreckenden Zwischenfällen. Merkwürdig wie trotz des festlichen Grundtons die Motive des intimen Gemüthslebens

und der naiven volksthümlichen Fröhlichkeit:

 den Gesammtausdruck des Satzes bestimmen!

Im Andante stellt Mozart drei Führer auf. Sein erstes Thema lautet:

Ihm tritt in gewohnter Weise ein zweiter Satz entgegen von drohender, gegensätzlicher Haltung. Er ist diesmal nur kurz skizzirt und geht in einen erhaben friedevollen Gesang über:

dessen bewegliches Nachspiel (siehe *) im weiteren Verlauf Anlass zu Combinationen und Wendungen giebt, die in ihrer genialen Mischung von Tiefsinn und leichtem Spiel ganz einzig sind. Der Menuett dieser Sinfonie ruht auf sinnig beschaulichem Boden

 Sein Trio hat in der Achtelmelodie und in der Instrumentirung Haydn'sche Elemente. Der berühmteste Satz der Sinfonie ist das Finale. Man nennt das ganze Werk zuweilen mit Bezug auf diesen letzten Satz die Cdur-Sinfonie mit der Schlussfuge und noch neulich hat ein Musikschriftsteller, der sich in Speculationen gefällt, nachzuweisen gesucht, wie sich in diesem Finale Faust und Helena vermählen, wie hier die vermeintlich ganz conträren Stilarten der Fuge und Sonate ihre erstmalige Verbindung eingehen. Von alledem ist wenig wahr. Um diese Sinfonie von andern Cdur-Sinfonien Mozart's zu unterscheiden, mag man sie die Sinfonie mit der Schlussfuge nennen. In Wirklichkeit

aber spielt die Fugenform darin eine untergeordnete Rolle. Das Hauptthema des Satzes, dem wir schon früher begegneten, wird nach dem ersten Halbschluss, den der Satz macht, in einer einfachen Fuge durchgeführt, die nach 21 Takten zu Ende ist. Nach der Reprise des Satzes schliesst Mozart nicht einfach, sondern setzt noch eine Coda an, die ebenfalls wieder mit einer Fuge beginnt und zwar mit einer sogenannten Tripelfuge, bei welcher zu dem schon angegebenen Hauptthema noch folgende 2 Sujets hinzutreten

Nach 34 Takten ist auch diese Fuge wieder zu Ende. Das an letzter Stelle angeführte Motiv fungirt im Satze von vorn herein als sogenanntes zweites Thema. Dass es wie auch die übrigen Motive und Themen in diesem Finale mit Rücksicht auf contrapunktische Brauchbarkeit erfunden ist und dass der Ausdrucksgehalt dieser Rücksicht nachgesetzt worden ist, braucht nicht erst nachgewiesen zu werden. Der Schlusssatz der Jupitersinfonie ist und bleibt ein Meisterstück der contrapunktischen Kunst, die sich namentlich in Engführungen und canonischen Nachahmungen im vollen Glanze zeigt aber, wie sich im folgenden Capitel zeigen wird, ist er darin in der Periode der Classiker kein Unicum. Jedoch in der Hauptsache erhebt er sich über alle verwandten Arbeiten in der gleichzeitigen Sinfonik: nämlich unser Finale ist auch im Charakter, im Ausdruck eines kraftbewegten festlichen Lebens ein Meisterstück, würdig eines Jupiter, eines Olympiers der Kunst.

Mozart und Haydn waren persönlich befreundet, liebten einander als Künstler; aber wie das bei starken Individualitäten natürlich ist, keiner wirkte auf den andern künstlerisch wesentlich ein. Haydn bringt zuweilen einige cantabile Wendungen, Mozart eignet sich bei guter Laune humoristische Effecte Haydn's an aber im Wichtigsten, in dem neuen Princip der motivischen Gedankenentwickelung folgt er ihm nur ausnahmsweise. Wie Jahrzehnte lang italienische und französische Sinfonien neben einander hergegangen waren, so liess sich die weitere Geschichte der Sinfonie bereits auf eine neue und feindselige Theilung in eine Haydn'sche und eine Mozart'sche Schule an. Da ereignete sich eine jener glücklichen Fügungen, wie sie die Kunstgeschichte in ihren grössten Zeiten mehrfach zeigt. Es kam ein Dritter, der die Lebensthaten seiner beiden grossen

L. v. Beethoven Cdur-Sinfonie (Nr. I).

Vormänner zusammenfasste. Ludwig von Beethoven erschien und gab mit neun Sinfonien einem vollen Jahrhundert zu thun! Und noch immer nicht können wir sagen, dass das richtige Verhältniss zu diesen Ausnahmswerken gefunden sei.

An die Sinfoniecomposition, den Hauptheil seiner Unsterblichkeit, trat Beethoven verhältnissmässig spät und bescheiden heran. Seiner ersten Sinfonie gehen in den Klaviersonaten des op. 2, in der Trauercantate auf Joseph II. viel bedeutendere und ältere Werke voraus. Jedoch leicht hat er das neue Gebiet nicht genommen. Wir können bei ihm nicht nur die fertigen Compositionen, sondern auch die Entwürfe und Vorarbeiten dazu studiren. Ueberall und jederzeit begleiteten ihn schmale blaue Notenhefte, in die er alle Einfälle und Versuche eintrug. Sie sind uns als die sogenannten „Skizzenbücher" Beethoven's zum grössten Theil erhalten geblieben — die Kgl. Bibliothek in Berlin besitzt die meisten — und Gustav Nottebohm hat eine Auswahl ihres Inhalts in den Druck gebracht.[1]) Nach diesen Documenten hat Beethoven an seiner ersten Sinfonie schon i. J. 1791 angefangen, aber erst im April 1800 kam sie als Op. 25 zur Aufführung.[2]) Man sieht mit der heutigen Beethovenbrille dem Werke die zehn Jahre Arbeit nicht

[1]) G. Nottebohm: 1) Ein Skizzenbuch von Beethoven (1862). 2) Ein Skizzenbuch B.'s vom Jahre 1803 (1880). 3) Beethoveniana (1872). 4) Zweite Beethoveniana (1887). Alle Leipzig: Rieter-Biedermann.

[2]) Die genauesten Angaben über Vollendung und erste Aufführungen, Stimmen- und Partiturverlag der Beethoven'schen Sinfonien bietet: Georg Grove: Beethoven and his Nine Symphonies. London 1896.

an, man thut ihm aber Unrecht, wenn man es schlechthin, wie das zuweilen geschieht, für eine Copie im Mozart'schen Stil und im Allgemeinen für unbedeutend erklärt. Kraft und Lust, Fröhlichkeit, leichter Scherz, sprühende Heiterkeit, ja auch ein wenig Schwärmerei, anmuthiges Träumen — aber nur Empfindungen freundlicher Natur bilden den Ideenkreis, den Beethoven in seiner ersten Sinfonie durchschreitet. Es sind die Stimmungen, an welche sich die Orchestermusik des Südens in ihren Durchschnittsleistungen bis auf Beethoven hin fast ausschliesslich hielt. Nichts von dem tiefen Ernst des nordischen Bach, nicht eine Spur von dem Pathos, welches manche der Haydn'schen Adagios kennzeichnet, nichts von der Mozart'schen Melancholie — nichts vor Allem von dem Beethoven, welcher die Eroica schrieb, die 5., die 9. Sinfonie, die spätern Quartette, die grossen Klaviersonaten, eben jener Beethoven, den wir meinen, wenn wir seinen Namen nennen! Und doch ist er schon in der ersten Sinfonie als ein Eigner zu erkennen, in erster Linie im Ausdruck einzelner Stellen, im kühnen Vortrag und Wechsel der Gedanken. Diese Eigenschaft war es, die C. M. v. Weber im Auge haben mochte, als er die erste Sinfonie Beethoven's eine „feurig-strömende“ nannte.

Im ersten Satze der Cdur-Sinfonie (Op. 21) schliesst sich Beethoven in der Erfindung der Themen an Mozart an. Das Hauptthema:

mit welchem, nach einem sehr eigenwillig auf dem Septimenaccord einsetzenden Adagio von kurzem Umfang, das Allegro beginnt, hat nicht blos den allgemeinen, spannenden Charakter, welchen Mozart für seine Ouvertürensinfonien gern einhält, es ist geradezu eine Variante zum Hauptthema des ersten Satzes der Jupitersinfonie. Es wird in zweimaliger Sequenz weiter getragen: ein kräftiges Forte krönt den breiten Aufbau, ganz so wie wir das bei Mozart oft gesehen haben. Auch das zweite Thema

ist ganz Mozart'sch. Der jubelnde Nachgesang , welcher ihm folgt, kommt wörtlich so in der Jupitersinfonie und in andern Sinfonien des Salzburger Meisters vor. Gleich danach tritt aber Beethoven selbst in das Orchester. Es ist an der Stelle, wo die brausende Odur-Cadenz so ganz plötzlich von einem pp. abgelöst wird, wo die Bässe still über das erste Motiv des zweiten Themas sinnen und die andern Instrumente in dunklen und unruhigen Harmonien festliegen. Die Oboe findet den Ausgang aus der unheimlichen Verzauberung. Das ist zum ersten Male das dämonische Element Beethoven's in der Sinfonie! In der Durchführung dieser Gedanken folgt Beethoven der Haydn'schen Methode der motivischen Arbeit. Er geht aber schon hier im Herausgreifen und Bevorzugen der kleinen und unscheinbaren Motive und in den kühnen modulatorischen Umbildungen, denen er sie unterzieht, über seinen Meister hinaus. Es sind besonders das Motiv aus dem vierten Takt des ersten und aus dem fünften Takt des zweiten Themas.

Das Andante hat zum Hauptthema eine Melodie:

deren Metrum ungewöhnlich ist: 7 Takte. Sie wird fugenmässig kurz durchgeführt, dann bewegt sich der Satz in Haydn'scher Weise weiter: auch die concertirenden Triolenstellen fehlen nicht und nicht die leise Begleitung der Pauken.[1]) Den Charakter behaglich anmuthiger Schwärmerei,

---

[1]) Siehe S. 89 dieses Buchs.

welchen der Satz trägt, unterbricht nur der Anfang der Durchführung. Aber hier ist er auch schon der ganze, der einzige, der erschreckend grosse Beethoven, den man aus Tausenden heraus erkennt. Mit den blossen zwei ersten Noten des Hauptthemas schwingt er sich da in Höhen, taucht in Tiefen, die Niemand erwartet hat. Alles geht blitzschnell, aphoristisch andeutend vor sich. Es sind mehr Ahnungen als Bilder, Blicke mit dem Scheinwerfer in weite Fernen gethan. Aber wer die Stelle überhaupt versteht, wird sie zu den ungeheuersten Eingebungen von Beethoven's wunderbarem und furchtbaren Genie rechnen.

Den dritten Satz benennt hier Beethoven noch Menuetto. Die Melodie:

hat in ihrem Rhythmus einen Rest von Tanzcharakter, in ihrem rastlosen, stürmischen, feurigen Wesen geht sie aber über die Natur der alten und auch der Haydn'schen Menuetts weit hinaus. In ihrem zweiten Satze steht in der Kette trotziger Sforzati, in dem plötzlichen Piano mit seinen modulatorischen Irrlichtern, in den eigensinnig humoristischen Bildungen um die drei Noten ♩ | 𝅗𝅥 ♩ der spätere Scherzomeister in voller Originalität vor uns. Das Trio ist einer jener Sätze, in denen der Componist eine grosse Wirkung durch elementare Einfachheit erreicht. Auf melodische Gedanken und Themata ist hier so gut wie verzichtet; der feierliche Klang der ruhigen Bläserharmonien genügt. Als Spohr bei dem ersten deutschen Musikfest zu Frankenhausen die erste Sinfonie Beethoven's in den grossen Räumen der Kirche aufführte, machte nichts solchen Eindruck, als dieses Trio.[1]) Das Finale ist ein Rondo im Haydn'schen Stil, leichthin scherzend und

---

[1]) (Leipziger) Allgemeine Musikalische Zeitung, Jahrgang 12, S. 745 u. ff.: „Nachricht von einem in Thüringen seltnen Musikfeste" (verfasst vom Lexicographen Gerber).

tändelnd, aussergewöhnlich kurz. Das Witzigste daran sind die Stellen, wo das erste Thema

Allegro molto e vivace.

repetirt. Beethoven lässt ihnen Momente pathetischer Spannung vorausgehen. Unter den vier Sätzen der Sinfonie ist dieses Finale der am wenigsten eigenthümliche und ohne Zweifel hat Beethoven in den Klaviersonaten, welche in der Opuszahl und der Entstehungszeit unserer Cdur-Sinfonie vorausgehen — ganz andere Endsätze hingestellt. Aber harmlos hingenommen, wie es gemeint ist, kann auch dieses Finale nur erfreuen und erheitern; es gehört die ganze graue, in Programmmusiktendenzen blind gewordene Rigorosität eines Berlioz dazu, um ein so lebensfrohes und vergnügtes Kunstwerkchen einfach als „kindische Musik" abzuthun.[1])

L. v. Beethoven D dur-Sinfonie (Nr. 2).

Wir können es nur dem Himmel danken, dass Beethoven nicht mit der neunten Sinfonie, mit der grossen Messe in Ddur debütirte, sondern mit Werken die, wie das erste Klavierconcert, wie die Cdur-Messe und wie diese Cdur-Sinfonie, an die bisherige Schule anknüpften. Das Publikum seiner Zeit war entschieden dem heutigen an naiver Empfänglichkeit überlegen; aber bei der Ddur-Sinfonie stutzte es doch schon. Die Referenten der Allgemeinen Musikalischen Zeitung hielten sich nach der ersten Leipziger Aufführung dieses Werkes (im Jahre 1803) an die nicht ganz gelungene Wiedergabe, die Berliner sprechen nur (im Jahre 1804) von „den dreiviertel Stunden lang ausgeführten Schwierigkeiten", so dass sich Rochlitz, der erste Kritiker seiner Zeit und einer der ersten Verehrer und Pioniere Beethoven'scher Kunst, veranlasst sah, bei der nächsten Gelegenheit selbst das Wort zu ergreifen und zu versichern, dass diese zweite Sinfonie „das Werk

[1]) H. Berlioz: A travers chants I (Uebersetzung von R. Pohl): Kritische Studie über die Symphonien von Beethoven.

eines Feuergeistes bleiben werde, wenn tausend jetzt gefeierte Modesachen längst zu Grabe getragen sind". Aber von der ersten Sinfonie liest man nur, dass sie ein Lieblingsstück des Concertpublikums sei.

Die zweite Sinfonie Beethoven's (D dur op. 36, zuerst aufgeführt i. J. 1803) geht einen bei weitem beträchtlieberen Schritt über den Stil und die Sphäre der Haydn-Mozart'schen Sinfonie hinaus. Der erste Satz zeigt dies namentlich an der Einleitung und der Coda, die beide in Umfang und Inhalt alles bisher an dieser Stelle Gewohnte überragen. Nur die siebente Sinfonie Beethoven's hat einen noch bedeutenderen Einleitungssatz. Der der zweiten ist ausgezeichnet durch den herrlichen Gesang, mit dem er beginnt. Wie ein Bild aus der Sternenwelt wirkt diese ebenso erhabene als innige Melodie. Darauf wird es wolkig und sehr ernst: es kommt zu einem drohenden Unisono von unheimlicher Gewalt, das uns später fast wörtlich in der neunten Sinfonie wieder begegnet: . Muntere Triolen vertreiben das Unwetter und hellen den Horizont auf für das freundlich schwungvolle Allegro. In ihm ist das Verhältniss der beiden Themen merkwürdig: das zweite erscheint als die Hauptgestalt des Satzes. Das erste Thema hat einen gemüthlich humorvollen Ton, er erklingt aber vorerst nur leise, heimlich und erwartungsvoll

, das zweite aber erhebt sich triumphirend:

. In der Durchführung und der Verbindung der Satzgruppen ist die Doppelschlagfigur aus dem ersten Thema von grosser Bedeutung. Neben ihr sind aber in Mozartscher Weise der Ideenentwickelung auch Motive aus Themen zu Grunde gelegt, welche nur eine Nebenstellung haben, z. B.: , und

Das erste dieser beiden das erregte, drohende Dmoll-Motiv verknüpft Einleitung und Hauptsatz in ähnlicher Weise, wie das in der Haydn'schen Esdur-Sinfonie Nr. 1 der Fall ist. Es ist der erste Versuch Beethoven's in seinen Sinfonien das Sonatenschema weiter zu bilden, seine Form dem Charakter und Inhalt der Ideen des Satzes anzupassen.

Die Neigung Beethoven's, die Zahl der Themen zu vermehren, sogenannte Nebenmotive in wichtiger Weise zu verwenden und mit den hergebrachten Formen freier zu schalten, tritt mehr noch, als im ersten Satze der Ddur-Sinfonie, in ihrem Larghetto hervor. Die Stellen des grössten Ausdrucks sind hier geradezu diejenigen, an welchen die Darstellung an winzigen Motiven haftet, wie:

Das Hauptthema des Satzes: ein von Sehnsucht und Wehmuth leise berührter Hinweis auf Glück und Frieden, wirkt doppelt poetisch durch die Elemente, die es begleiten und bestreiten. Es dauert ziemlich lange und der Weg geht nicht in einfach gerader Linie, ehe der kindlich trauliche und einfache Spielplatz von

erreicht wird. Diese schalkhafte Weise, die den Himmelstönen des Hauptthemas die behaglichen Klänge irdischen Glücks gegenüberstellt, aus den weiten Weltenräumen die Phantasie heimführt in den Abendfrieden von Haus,

Familie und Freunden, bildet nur den Anhang des zweiten Themas:

verdunkelt es aber.

Der dritte Satz ist als Scherzo bezeichnet. Mit diesem Namen war der Begriff einer bestimmten Form bis zu Beethoven nicht verbunden. In der grossen Revolutionszeit der Musik, im 17. Jahrhundert, taucht auch er zum ersten Male auf und zwar für kleine, in der Form freie und im Inhalt etwas ausgelassene und übermüthige Liebesgesänge (für eine Stimme oder mehrere, meistens mit Begleitung). Von da wurde er auf das Instrumentalgebiet übertragen, aber nicht häufig angewendet. Beethoven griff ihn zunächst für seine Klaviersonaten auf und machte ihn classisch. Das Scherzo der Ddur-Sinfonie ist eins der drastischsten. Wie die Motive des Hauptthemas

gleichsam flüchtig und verirrt im Orchester hin und herflattern, jeder Takt eine andere Instrumentirung! Wie toll es der lustige Kobold, der sie jagt und schreckt, treibt, wie übermüthig er mit der musikalischen Grammatik spielt: Immer das *ff* auf dem von Natur unbetonten Takte! Diese Art Humor ist noch in keiner Sinfonie zum Vorschein gekommen. Das ist der grandios barocke Beethoven! Und bald darauf wieder etwas Neues: Unerhört ausgelassen brüllen sämmtliche Instrumente 14 Takte lang nur den einen Ton, fis, am Anfang des zweiten Theils vom Trio. Das ist der naturalistische Beethoven, derselbe Beethoven, der vor den Häusern vermeintlicher und wirklicher Widersacher die wildesten Injurien in die stille Nacht hinaustobte! Das Thema des Trios selbst steht der Berserkerscene wie ein bittendes, zartes Weib gegenüber. Seine Töne bilden dieselbe Folge wie im Trio der 9. Sinfonie, nur die Rhythmik ist anders:

Das Finale erscheint im Anfang mit seinem komisch polternden und bärbeissigen Eingangsmotiv zum Hauptthema:

wie eine Fortsetzung des Scherzo. Es hat Haydn'sches Blut in den Adern. Das zweite Thema:

aber lenkt in die Bahnen jener Cantabilität ein, welche Mozart in das Allegro einführte. Mit welcher Entschiedenheit Beethoven diesen neuen Weg weiter schritt und wie sehr er den frisch eröffneten Ideenkreis zu erweitern berufen war, ist an diesem Thema schon fühlbar. Noch mehr setzt die Durchführung in Erstaunen, die die heitren oder innigen Gedanken dieser Themen ins Majestätische und Gewaltige wendet. Wenn schon das ganze Finale sich mit dem der 8. Sinfonie mehrfach berührt, so thut dies namentlich der Schluss. Auch da wirds vor dem jubelnden Ende noch einmal abendlich still und gesammelt.

L. v. Beethoven Esdur-Sinfonie (Nr. 3. Eroica).

Die dritte Sinfonie Beethoven's (Esdur, Eroica) wurde im Jahre 1804 vollendet und im nächsten Januar zuerst in dem Würth'schen Concert in Wien aufgeführt. Nach dem Bericht, welchen die Allgemeine Musikalische Zeitung darüber brachte, nicht mit unbezweifeltem Erfolge. „Frappante und schöne Stellen" heisst's von ihr,

„energischer, talentvoller Geist“ von ihrem Schöpfer. Aber diese Zugeständnisse werden so gut wie aufgehoben durch Epitheta wie „äusserst lange und schwierige Composition“, „wilde Phantasie, die sich ins Regellose verliert“ und mehr noch durch das demonstrative Lob einer anderen Esdur-Sinfonie, die in demselben Concert vorkam. Diese andere war von Anton Eberl, den heute, vielleicht mit Unrecht, Niemand mehr kennt. Die Schwierigkeit der Eroica lag für die Ausführenden so gut vor wie für die Zuhörer. Auf letztern Umstand Gewicht legend verlaugte Beethoven (in einer Bemerkung die auf den Stimmen der ersten Auflage steht) dass die Sinfonie möglichst an den Anfang des Concerts gestellt werde. Sie wurde bei der ersten Probe in Wien, der Prinz Louis Ferdinand von Preussen beiwohnte, umgeworfen; in Leipzig und wo sie sonst in die Hände eines gewissenhaften Dirigenten kam, veranlasste sie Extraproben. Habeneck in Paris liess sie sich sogar ein grosses Frühstück kosten. Noch heute ist sie eine der schwierigsten Vorlagen, wenn ein intelligentes Orchester seine Meisterschaft zeigen soll; namentlich im ersten Satze, dem die mechanische Präcision allein nicht beizukommen vermag. Bei der ersten Aufführung des Werks im Leipziger Gewandhause war die Direction so vorsichtig und verständig, ihre Abonnenten durch gedruckte Charakteristiken der einzelnen Sätze vorzubereiten. Im Ganzen aber kann man sich nur wundern, dass die Musikwelt jener Tage sich nicht mehr und länger über die Eroica wunderte, sondern sie ziemlich bald und allgemein unter die immer und regelmässig wiederkehrenden Repertoirwerke aufnahm. Denn dieses Werk war den Zeitgenossen über Nacht gekommen: in seiner exotischen Pracht musste es zunächst ebenso befremden als entzücken. Von den vorausgehenden Werken zur Eroica fehlt die hinreichende Brücke. Soviel die ersteren, in erster Linie die Klaviersonaten, bieten und versprechen: dem Ideenreichthum dieser Sinfonie gegenüber, dem Vollgehalt, der Kraft und Gediegenheit, der ebenso kühnen, ja übermässigen, als festgefügten Anlage dieses Werkes gegenüber erscheinen sie nur als kleine Vettern aus einer entfernten Seitenlinie. Es ist ein unbegreiflicher Rest um die Stellung dieses Werkes in der Geschichte ihres Schöpfers. Denn Beethoven hat diesen monumentalen Eingangsbau zu einer neuen Orchesterkunst auch nicht überboten. Er setzte ihm Werke zur Seite, welche die einen intimer, die anderen populärer sein mögen, aber nur wenige, in denen jedes Glied so wie in dieser Eroica in Geist, Charakter und Poesie getaucht ist, wo die Kunst so sehr wie hier auf Figuren, auf Passagen, auf Putz und Ornament, auf allen jenen Kitt und Mörtel verzichtet hat, dessen sich die Musik zur Verbindung ihrer Hauptglieder gebräuchlicher- und erlaubtermassen bedient. Die Eroica bleibt für die Macht von Beethoven's Schöpfergeist das stärkste Zeugniss, und er selbst erklärte sie bis zur Zeit, wo „die Neunte" erschien, für seine beste Sinfonie.

Man weiss, dass Beethoven seine Eroica „Bonaparte" überschrieben hatte. Als aber der Consul sich zum Kaiser gemacht hatte, riss der republikanische Tonsetzer den Umschlag weg und widmete das Werk nur im Allgemeinen dem „Andenken eines Helden". Mit diesem Titel ist weniger ein eingehendes Programm gegeben, als vielmehr nur eine allgemeine Directive. Man hat bekanntlich den Mittelsätzen bestimmte Bilder aus dem Kriegerleben unterzulegen versucht; dem Trauermarsch eine feierliche Bestattungsscene der Gefallenen, dem Scherzo das geschäftige Treiben des Lagers und der Beiwacht. Das mag gestattet sein und jedenfalls nichts schaden. In den anderen Sätzen ist aber dieser Versuch nicht durchführbar; namentlich dem ersten gegenüber erscheint er unbedingt kleinlich! Das ist nicht das Bild einer Schlacht, wie Ausleger behauptet haben, sondern das einer Heldennatur, deren Hauptzüge Beethoven mit einer eignen Tiefe des Blicks erfasst hat und in gegenseitige Action bringt. Das Eigenthümliche an dieser Beethoven'schen Auffassung des Heroischen ist, dass er den Elementen der Kraft und des frohen Thatendranges einen stark elegischen und pathetischen Gegensatz beimischt. Es geht durch den ganzen Satz ein Zug der Trauer, über die Wunden, welche der Held schlagen muss; vor und nach den gewaltigen Streichen, die er führt, erhebt sich die Stimme des Mitleids, und seine grossen Entschlüsse umringt die Wehmuth. Dieser weiche menschliche Zug begleitet schon das Hauptthema, das in seiner ersten, vielleicht aus Mozart's Ouvertüre zu „Bastien et Bastienne“ entnommenen Hälfte den Hauptträger des kräftigen, fröhlichen Heroenthums bildet.

Bereits aber im fünften Takte mit dem langen verminderten Septaccord kommt die schmerzliche Wendung. Noch stärker ist sie im zweiten Thema ausgebildet:

mit dem übermässigen Dreiklang; ferner in der wehklagenden E-moll-Episode der Durchführung . Diese Episode machte Beethoven, wenn wir die durch Nottebohm veröffentlichten Skizzen zu dieser Sinfonie recht verstehen, geradezu zum Mittelpunkte des ersten Satzes. Sie war von vornherein fertig und fest beschlossen, und um sie in die rechte Wirkung zu setzen, änderte er die Entwürfe zu der ihr vorhergehenden Partie immer wieder, bis die Rhythmen so trotzig, die Dissonanzen so beängstigend, so realistisch schneidend wurden, wie sie jetzt dastehen. Von ähnlicher Tendenz ist auch das Nachspielmotiv, welches den wuchtigen Schlägen des empörten Orchesters am Schlusse des ersten Theils folgt:

Es sind die reinen Klagen und Seufzer; ähnlich auch die hinsterbenden Anklänge an das erste Motiv des Hauptthemas, mit denen der Durchführungstheil beginnt. Für die formelle Bildung des Satzes hat ausser den angeführten thematischen Elementen noch das kurze Motiv grosse Wichtigkeit, welches die Ueberleitungsgruppe zwischen dem ersten und zweiten Thema eröffnet

Es klingt wie Fragen und Bedenken. Deshalb folgt ihm gleich die Beschwichtigung in und diesem ein Motiv des erneuten Aufschwungs nach:

Der Durchführungstheil dieses ersten Satzes der Eroica stellt an das Zuhören und Verstehen ganz neue bis dahin noch nie erhobne Anforderungen wegen der ausserordentlichen Beweglichkeit, mit welcher der Componist Ideen und Empfindungen wechselt, wegen der Breite, mit welcher er sie ausführt und drittens weil er zur Themengruppe ein ganz ungewohntes Verhältniss einnimmt. Er ist diesmal keine Exegese, sondern er hat unverkennbar pragmatische Bedeutung er bringt die Hauptsache: die Schilderung des Kampfes, den der Held leitet. Diese durchaus dramatisch gehaltne, aufregende Schilderung gipfelt in der Scene wo sich Bläser und Geigen gewissermassen in einander festrennen, wo die Secunde $\overset{f}{e}$ so grässlich durch die Harmonien schreit. Das ist Schlag und Schmerz und darauf kommt naturgetreu und lebenswahr die E moll-Klage. Sie ist das eigentliche 2. Thema des Satzes und wir stehen vor ihr wieder bei einem gewaltigen Versuch Beethoven's die Sonatenform frei zu beleben. Nachdem dieser Gipfel passirt ist, setzt Beethoven ein zweites Mal an: Der Feind ist getroffen, aber nicht vernichtet. So beginnt der Kampf zum zweitenmal und diesmal endet er bei der fanatischen Ces dur-Stelle, die allmählich in Todtenstille übergeht und mit einer Wendung schliesst, deren eigenthümliche Schönheit lange Zeit über ihrer absonderlichen Form verkannt worden ist. Wir meinen jene Stelle — man nennt sie wenig geschmackvoll den Cumulus — wo über der tremolirenden Secunde $\overset{b}{as}$ der beiden Geigen das Solohorn leise den Zauberruf intonirt, der Alle wieder aus der unheimlichen Erstarrung ruft: das Heldenmotiv $\bar{es}\ \breve{g}\ |\ \bar{es}$. In der ersten Wiener Probe hatte Beethoven dieses *as* gegen die Musiker zu schützen, welche meinten, es sei ein Fehler vorgekommen; die Herausgeber der ersten französischen Partitur corrigirten es als Druckfehler in *g*; auch noch R. Wagner war dieser Meinung. Seit das Skizzenbuch Beethoven's aus dem Jahre 1803 bekannt ist, darf nicht der leiseste Zweifel mehr gehegt werden, dass Beethoven kaum etwas Anderes in seiner Eroica so bestimmt und klar gewollt hat, als diese vom mechanischen Harmoniestandpunkte aus befremdende und unter allen Umständen gewagte, aber jedenfalls mit tondichterischer Kühnheit und Feinheit ersonnene Wendung. Mit Gewalt rafft sich der Sieger. Die Reprise beginnt und verläuft in herrlichen Varianten. Da ist gleich das Thema in F dur vom Horn, dann in Des von der Flöte gebracht. Es ist als wenn nach gefallner Entscheidung sich Alles freier und grösser regte. Auch die Coda ist ungewöhnlich, am meisten dadurch, dass der Componist hier nochmals auf die Durchführung zurückgreift, wiederum nämlich auf die bereits berührte Episode in E moll; ein Beweis, wie wichtig sie für die Eigenart des Helden ist, wie ihn sich Beethoven dachte.

Der zweite Satz der Eroica, Marcia funebre überschrieben, die Grenzen eines einfachen Trauermarsches aber in jeder Beziehung überschreitend, besteht aus fünf Theilen. Der erste Theil stellt zunächst das Hauptthema

im Streichquartett auf. Die Bläser wiederholen dasselbe, von den Violinen in zitternden Rhythmen begleitet aus denen es wie ferner Trommelschlag klingt. Dann folgt ein Gegenmotiv in Esdur, das nach dem Hauptthema zurückkehrt. Auch diese Gruppe, vom Streichquartett zuerst gebracht, wiederholt der Bläserchor, und mit einem kurzen freien Nachspiel in Cmoll schliesst dieser erste Theil. Inhaltlich verbildlicht er jenen furchtbaren, fassungslosen Zustand der trauernden Seele, wo das Gefühl nach Ausdruck ringt, wo die Klage mit der Resignation kämpft, wo die Sprache erstarrt, versagt und bricht, wo die freundlichen Bilder der Erinnerung nur auftauchen, um von den Ausbrüchen des heftigsten Schmerzes verjagt zu werden. Der zweite Theil ruft das glänzende Bild des Helden zurück. Er erscheint wie eine Art Apotheose. Das Thema, welches ihn führt, in hellem Dur gehalten nimmt schon beim ersten Halbschluss (in Gdur) einen ganz triumphirenden Ton an. Am Schluss dieses Theiles ist die Rückkehr ins Hauptthema, der stets im Laufe des Satzes ein leidenschaftlicher Accent vorausgeht, von einem ganz besonders tiefen und gewaltigen Ausdruck des Schmerzes begleitet. Der dritte Theil, welcher mit dem Hauptthema (in Cmoll) beginnt, ruht im Wesentlichen auf folgendem Thema:

In der ersten Hälfte erscheint es durch die Verkettung mit dem Motiv

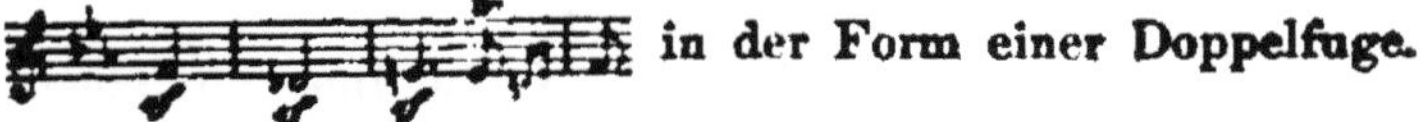

in der Form einer Doppelfuge.

Sein Ausdruck ist klagend, aber die Klage hat ihre Herbheit verloren und fliesst nun stetig dahin. Die Wendungen werden mild, fast freudig. Wieder steigt das Bild des lebenden Helden auf: ein leidenschaftlicher, begeisterter Aufschwung in der Musik: Da plötzlich:

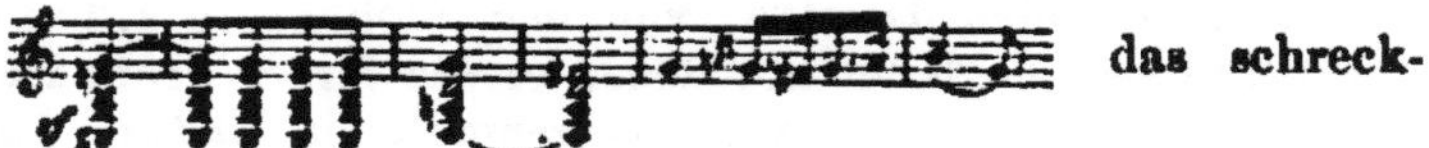

das schreckliche Besinnen: „Er ist nicht mehr!" Ein Aufschrei in den entlegensten Regionen des Orchesters, ein wilder, fast wüster Ausbruch des Schmerzes auf dem Asdur-Accord, ein Chaos, aus dem die schmetternden Trompeten den Ausweg suchen. Dann lenkt es mit mühsamer Beruhigung über in den vierten Theil, welcher im Wesentlichen eine Repetition des ersten Theiles aber mit einem grossen Zusatz von Leidenschaftlichkeit und Aufregung bildet. Es wird der letzte Abschied genommen! Der fünfte Theil, die Coda, schliesst das ergreifende Bild versöhnend ab. Wie Glockengeläute, das Beethoven ähnlich auch in seiner Trauercantate auf Joseph II. anklingen lässt, beginnt er in den Violinen, eine wehmüthig freundliche Melodie

klingt wie aus der Ferne herüber, dann geht die Musik für einen Augenblick in blosse rhythmische Bewegung auf; in den Violinen tönt's wie Schluchzen. Noch einmal erscheint dann das Marschthema, verflattert aber bald und zerfällt in Stücke. Als es verschwunden, stossen die Bläser noch ein letztes leidenschaftlich accentuirtes Lebewohl aus, über das sich sofort eine leise Fermate wie Grabesruhe legt.

Das Scherzo ist von einer ganz eigenthümlichen Anlage. Zum Hauptthema hat es folgende Takte:

Aber dieses theilt sich in die Darstellung mit einem Motive, das von Natur nur präludirenden und anlaufenden Charakters ist: . Lange Tonreihen, aus diesen wenigen Noten gewoben, durchziehen den Satz und geben ihm sein phantastisches, heimliches Gepräge, den merkwürdigen nächtlichen Klang, die Aehnlichkeit mit dem Gemurmel einer entfernten Menge, mit dem Getöse einer geschäftigen Stadt, das der Wind auf Meilen hinausträgt zum Wandrer. Die Tonart ist Es dur, aber es dauert 92 Takte, ehe sie mit dem Fortissimo des zum ersten Male geschlossen vortretenden Orchesters zum Ausdruck kommt. Es ist interessant zu wissen, dass Beethoven als dritten Satz seiner Eroica einen einfachen Menuett schreiben wollte. Erst im Laufe der Skizzen kam er auf das eben angeführte schwankende Motiv und damit auf die ganz neue Anlage des Satzes. Den Hörnern, welche bekanntlich im Trio des jetzigen Scherzo eine ziemlich gefürchtete Aufgabe haben, war von Anfang an eine besondere Rolle zugedacht, aber im Hauptsatze der Menuett. Der Held auf der Jagd?

Das Finale der Eroica ist in seiner ersten Hälfte ein Variationencyclus, dem folgendes einfache Thema zu Grunde liegt:

dasselbe, welches Beethoven früher schon zu den Klaviervariationen (Op. 35) und auch zur Musik des Ballets: „Die Geschöpfe des Prometheus" benutzt hat. Von der dritten Variation ab baut der Componist über dieses Thema eine innige Gesangmelodie,

welche in dem Satze als zweites Thema fungirt. Nachdem sie durchgeführt, wird die Variationenform verlassen, das Thema erscheint umgestaltet in eine Fuge; in andern Gruppen sind nur wenige Noten benutzt, auf Augenblicke verschwindet es ganz. Mit dem G moll-Satze, der marschartig kräftig einsetzt, tritt die Variationenform wieder ein; die einzelnen Variationen haben freie Schlüsse; im Uebrigen wiederholt sich der ganze Prozess der ersten Hälfte. Bis dahin erscheint das Finale der Eroica, so viele schöne Momente darin vorkommen, im Verhältniss zu den andern Sätzen etwas leicht gefügt: eine Reihe fröhlicher Bilder von der Krieger Heimkehr, frei nach Bürger's Versen: „Und alles Volk mit Sieg und Klang geschmückt mit grünen Beisern, zog heim zu seinen Häusern". Am Ende jedoch, mit der frommen Episode, in der das zweite Thema als Andante auftritt, erhebt es sich und schliesst allerdings etwas kurz abgebrochen, aber mit dithyrambischem Schwunge.

L. v. Beethoven Bdur-Sinfonie Nr. 4.

Beethoven's vierte Sinfonie (Bdur Op. 60), welche im Jahre 1806 entstand, wurde im Anfang des Jahres 1807 zuerst in Wien, kurz nach einander zweimal aufgeführt erst im Theater und dann im adligen Liebhaberconcert, und erfreute sich sogleich, wie berichtet wird, eines reichen Beifalls. Heute theilt sie mit der ihr geistig verwandten achten Sinfonie das Schicksal einer gewissen Zurücksetzung. Sie erreicht ihre Nachbarn zur Rechten und Linken, die Eroica und die Cmoll-Sinfonie weder in der Breite des Aufbaues und der äusseren Dimensionen, noch in der Grossartigkeit der Combinationen; sie ist aber dennoch eins der eigenartigsten und vollendetsten Werke der Beethoven'schen Kunst und repräsentirt unter den Sinfonien eine Gattung für sich. Was sie auszeichnet, ist die Frische und Unmittelbarkeit der Gestaltung. Sie gleicht darin einigen der Klaviersonaten, dass sie mehr phantasirt und improvisirt, unter einem fortwährenden Zufluss neuer Gedanken entstanden, als gearbeitet erscheint. Zweitens zeichnet sie sich aus durch eine andauernd heitre und glückliche Grundstimmung, die sich allerdings, wie bei Beethoven zu erwarten, nicht völlig rein, sondern in romantischer Färbung äussert. Man bemerkt diesen romantischen Zug in dem zögernden Aufbau der Melodien, in dem langen Festhalten der Harmonien, in der versteckten

Einmischung von Dissonanzen, in der bald in scharfen Contrasten springenden, bald träumerischen Dynamik: Erscheinungen, die uns in keiner zweiten Sinfonie Beethoven's so systematisch entgegentreten wie in der Bdur-Sinfonie. Sie schattirt auch die freudigen Farben ein wenig. Aber die Stürme düstrer Leidenschaft bleiben ihr fern und über dem Ganzen leuchtet eine solche Menge hellen und wärmenden Sonnenscheins, dass man die Zeit, wo diese Sinfonie entstand, zu den am wenigsten getrübten, zu den schönsten Tagen aus Beethoven's Leben rechnen möchte. Grove setzt sie geradezu mit einer Verlobung Beethoven's (mit Theresa von Brunswick) in Verbindung.

Nach einer Einleitung die ganz von geheimnissvoller Erwartung und Spannung erfüllt ist, bricht das Allegro des ersten Satzes mit Schlägen von urwüchsiger Derbheit los. Nach dem stürmischen Einsatz gelangen wir zu folgendem Hauptthema:

das die beiden Elemente des Satzes: frohes Ungestüm und geheimnissvolles Sinnen verbindet. Ihm folgt ein selbständiges Seitenthema, welches über das kindlicher Freude volle Motiv: zu einer Repetition des ersten überleitet. Diese Wiederholung schliesst mit einer Synkopenstelle, die eine gewaltige Herzenserregung kündet. Zauberschnell bricht sie ab: Das zweite Thema das nun erscheint, zerfällt in zwei Hauptgruppen, deren Grundmotive die folgenden sind:

Die zweite Gruppe tritt als Dialog, als Canon (in der Octav) zwischen Clarinette und Fagott auf. Zwischen ihnen stehen noch weitere selbständige Gedanken unter denen eine weit ausholende, aus Sequenzen über ein Motiv in (staccato gegebnen) Halbennoten gebildete Passage, die Sammeln und Klären bedeutet, der wichtigste ist. Ueppigkeit der Phantasie zeichnet diese Sinfonie aus. Auch die Durchführung überrascht durch eine ganz neue Idee: eine herrliche Melodie:

mit welcher eine Strecke lang die beiden Gruppen des Orchesters, Geiger und Bläser einen Wechselgesang vollführen. Das ist für lange Zeit die letzte Aeusserung fertiger Gedanken im Satze. Tiefste Ruhe, tiefster Frieden breiten sich über eine glückliche Seele. Immer leiser huschen durch die Geigen flüchtige Schatten des Hauptthemas, die Accordnoten aus den ersten beiden Takten. Diese lange Dämmerungsstelle kennzeichnet die vierte Sinfonie. Ganz eigen ist der Schluss dieser Durchführung, das Einschlummern der Instrumente in entlegener Tonart, die Führerrolle, welche die Pauke in diesem Momente übernimmt, und der eilige Rückzug, den das verlorene Gros unter ihrem immer lauteren Commando bewerkstelligt. In dem Scherzo der Cmoll-Sinfonie findet sich ein ähnliches und doch wieder sehr verschiedenes Seitenstück zu dieser Stelle.

Das Adagio, ein wunderbares Stück verklärter Poesie und der intimste von allen langsamen Sätzen der Beethoven'schen Sinfonien hat folgenden Gesang zum Hauptthema:

Die Form dieses Satzes ist so rein und einfach, dass er keiner Bemerkung bedarf. Das zweite Thema, in dem Momente eingeführt, wo die vom Anfange an im Satze lauernden Geister der Schelmerei und des Humors über das Maass zu gehen Miene machen, wird von der Clarinette vorgetragen, das Fagott bringt einen Nachgesang dazu.

In der Stimmung knüpft dieses zweite Thema an die leise und edle Melancholie des Hauptthemas wieder an.

Der dritte Satz, welcher nicht ausdrücklich als Scherzo überschrieben ist, hat die ausgesprochene Natur eines Capriccio. Er lässt eine etwas herausfordernde Lustigkeit gegen einige bedächtigere Humore ankämpfen. Das Anfangsmotiv seines Hauptthemas

giebt den Hauptstoff zum Bau des Satzes. Der in den ersten Takten dieses Themas schon gegebene Gegensatz von $^3/_4$ und $^2/_4$ Takt geht durch das ganze Stück und verstärkt den Eindruck einer bald übermüthigen, bald eigensinnigen Natur. Das Trio ist eins der köstlichsten Bilder naiver und unschuldiger Freude, eins jener Kunstwerke, die man nicht hören kann, ohne die Musiker zu beneiden, welche sie aufführen dürfen. Die Oboe führt das einfache Thema:

In die Pausen streuen die Violinen allerhand kleine Neckereien hinein — am Ende des Trios wächst die liebenswürdige zärtliche Melodie zu stolzer Pracht heran. Schon der erste Satz der Sinfonie zeigt einige Mozart'sche Spuren; sie mehren sich im Finale so sehr, dass man die Vermuthung kaum abweisen kann, in den Hauptgedanken gehöre dieser Satz einer früheren Entstehungszeit an. Seine Themen sind

mit dem Nachsatze und

Ob.
p
p
.

Sie ergeben einen Satz von brillantem, funkelndem Effect, von dramatischer Lebendigkeit und frappantem Humor, dessen heitere Natur nur durch einige breite, unbarmherzig dissonirende Accorde, die Einfälle einer rauhen Laune, gestört wird.

Die fünfte Sinfonie (Cmoll) ist mit der Pastoralsinfonie zusammen veröffentlicht worden. Beide Werke, welche die Opuszahlen 67 und 68 tragen, wurden auch zusammen in demselben Concert zuerst aufgeführt, welches Beethoven am 22. December 1808 im Theater an der Wien gab, einem Concerte, das durch die Reichhaltigkeit seines Programms als Curiosum in der Concertgeschichte dasteht. Es umfasste zwei grosse Chorwerke, die Chorfantasie, das Klavierconcert in *G*, eine freie Fantasie, die Pastoralsinfonie (als Nr. 5), die Cmoll-Sinfonie (als Nr. 6 bezeichnet). Gleichwohl sind die beiden Sinfonien zu verschiedener Zeit entstanden. Die ersten Arbeiten an der Cmoll-Sinfonie reichen bis in die Jahre 1800 und 1801 zurück. Das ausserordentliche, in jeder Faser Beethoven'sche Werk hat den Meister auch ausserordentlich intensiv beschäftigt und ist unter denjenigen Arbeiten, mit welchen er sich aussergewöhnlich lange trug — vergleichen wir nur die Ddur-Messe und die neunte Sinfonie — vielleicht diejenige, bei welcher die endgültige Form alle Intentionen des Schöpfers ohne Rest aufnahm. Von vielen Beurtheilern wird die Cmoll-Sinfonie als der Höhepunkt nicht blos der Beethoven'schen, sondern überhaupt der Instrumentalmusik bezeichnet, jedenfalls ist sie eins derjenigen Kunstwerke, über deren Gewalt Alle einig sind. Mit der Cmoll-Sinfonie bekehrte der junge Mendelssohn den alten Goethe zu Beethoven.[1]) Selbst Diejenigen, welche amusischen Geistes sind, pflegen vor der Cmoll-Sinfonie eine leise Regung von Respect zu haben. Jeder fühlt, dass aus dieser Sinfonie ein ungewöhnlicher Geist spricht. Es liegt etwas Titanisches in ihrem Zorn und ihrem Trotze, in ihrem Schmerze und auch in dem Rausche der Begeisterung, in

L. v. Beethoven Cmoll-Sinfonie Nr. 5.

---

[1]) F. Mendelssohn, Briefe (25. Mai 1830).

welchem sie schliesslich ausmündet. Man könnte sich vor diesem Kunstwerke an vielen Stellen fürchten, wenn nicht aus dem Hintergrunde seiner nächtigen Phantasien auch freundlichere Genien auftauchten; es würde uns transcendental und nur ehrwürdig bleiben, wenn es den Blick nicht ausser auf unendliche Sternenweiten auch auf trauliches Erdenland lenkte, wo uns Boten der Sehnsucht, des Humors und diejenigen Menschengefühle begegnen, welche das Walten eines guten Gemüthes verkünden. Die Darstellung in der Cmoll-Sinfonie ist heiss und ursprünglich, wahr, nothwendig einheitlich und dabei so scheinbar einfach und klar, dass das Werk trotz der Grösse seines Inhalts populär geworden ist. Was diesen Inhalt der Cmoll-Sinfonie bildet, wer getraut sich das ohne Fehler zu übersetzen? Beethoven soll dem ersten Satze dieses Werkes das Motto gegeben haben: „So klopft das Schicksal an die Pforte". Wir betonen aber das Wort „soll". Es ist das Charakteristicum musikalischer Kunstwerke, dass sie die Phantasie des Hörers anregen, ihn wohl auch auf bestimmte Bilder führen. Aber es ist vermessen, das eine dieser Bilder für das ausschliesslich richtige zu halten und zu proclamiren. Die Zahl der benannten Grössen, welche derselben algebraischen Formel entsprechen, ist in der Regel nicht klein: „Ratio multiplex, veritas una"! Aber der allgemeine Gang der Phantasie, nennen wir es die Grundidee, in der Cmoll-Sinfonie ist so klar ausgeprägt, dass man sie nennen muss: Es ist der Weg „aus Nacht zum Licht", per aspera ad astra, jener in der sinfonischen Kunst so oft gesuchte und noch öfters verfehlte Weg!

Der erste Satz ist eine der glänzendsten Bestätigungen für einen in jeder Kunst sattsam erprobten Erfahrungssatz: dass mit der Schwierigkeit der technischen Aufgabe bei starken Geistern auch die Phantasie wächst, der Flug der Gedanken kühner wird und die Ideen an Macht, Kraft und Reichthum zunehmen. Von der technischen Seite aus betrachtet, ist der erste Satz der Cmoll-Sinfonie eins der verwegensten Kunststücke: Denn sein wesentliches Grundmaterial besteht aus den vier Noten, welche lapidar und erschreckend den Eingang des Werkes bilden: Allegro con brio. . Schindler behauptet in seiner Biographie, dass Beethoven sie und ihre gleich folgende Transposition in einem langsameren Tempo gewünscht habe, wodurch sie gewissermassen als Motto hervorgehoben wurden. Wenn der Gewährsmann hier zuverlässig ist, bleibt doch auch die andere, die leidenschaftlichere Auffassung der Stelle bei Recht bestehen. Nach Czerny soll ein Goldammer Beethoven im Walde dieses von Spohr[1]) wegen Mangel an „Würde" getadelte Motiv zugetragen haben. Zwar hat der Satz ein zweites Thema:

Aber dasselbe ist in dem grossen psychologischen Process nur ein momentanes Beschwichtigungsmittel, über welches die Combinationen jenes Urmotivs achtlos hinwegschreiten. Es wird bei seinem ersten Erscheinen schon von den Bässen mit jenen vier unruhigen Grundnoten drohend empfangen, verfolgt und bald in den Strudel der wogenden Aufregung hineingezogen. Auch Aeltere, namentlich S. Bach, haben mit einem einzigen kurzen Motiv zuweilen ausgeführte Sätze gebildet. Aber dies sind Präludien und kleinere Stücke — hier aber haben wir einen ganz colossalen Satz von gegen 500 Takten! Dabei aber ist dieses Kunststück zugleich auch die höchste Leistung im leidenschaftlichen Stile, welche bis dahin vielleicht die ganze Instrumentalcomposition, ganz gewiss aber die Orchestermusik aufzuweisen hat — als musica appassionata eine Leistung, die in der Folge fraglich ob wieder erreicht, jedenfalls aber nicht überboten worden ist. Den Gang des Satzes im Einzelnen zu beschreiben, ist nicht durchführbar, wohl auch nicht nöthig. Nach so und so viel rührenden und erschütternden Versuchen kommt das

[1]) L. Spohr, Selbstbiographie I, S. 229.

Ende auf den Anfang zurück. Es ist das Bild eines ergreifenden hartnäckigen und verzweifelten Kampfes, der durchgeführt wird: Wohin unsere Phantasie den Schauplatz desselben legen mag, in die menschliche Seele oder in die Natur: seine Phasen sind mit der schauerlichsten Deutlichkeit wiedergegeben. Es ist ein Ringen ohne Gnade und ohne Nachgeben, das Seitenstück zum ersten Satz der Eroica, aber ohne Klage. Den kritischen Mittelpunkt bildet jene Partie im Durchführungstheile, wo das Anfangsmotiv des zweiten Thema

entscheidend eingreifen will. Die Stelle hat eine dramatische Gewalt, wie sie in der Instrumentalmusik ganz selten vorkommt. Wirds gelingen oder nicht? Als Streicher und Bläser mit dem Halbenmotiv wechseln, scheint volle Erschöpfung eingetreten und das Ende nahe zu sein. Aber der Held rafft sich wieder, weicht und hebt abermals; doch schliesslich steht er wieder fest in alter Kraft. Mit einem plötzlichen Ruck stehen wir vor dem Anfang des dritten Theils: der Reprise. Sie ist wie immer bei Beethoven keine wörtliche Wiederholung. Unter den Wendungen, die ihren Ausdruck und ihre Wirkung mächtig steigern sind die freie Cadenz der Oboe und die Coda hervorzuheben. Die Oboe spricht wie eine Menschenstimme, ganz unbeschreiblich rührend auch deshalb, weil es die einzige Stelle in dem durch und durch männlichen Satz ist, wo das Herzeleid zu Worte kommt. Seit Haydn's früheren Werken war es das erste Mal, dass wieder ein Componist in der Sinfonie Recitativ verwendete.

Entschieden der Hoffnung zugewendet, doch von Sorge und Zweifel noch leicht gestreift, setzt der zweite Satz (Andante con Moto, As dur, $^3/_8$ Takt) mit einem lieblichen Thema ein, welches Celli und Bratschen unisono vertragen:

Die hohen Holzbläser fahren unmittelbar fort mit

, die Geigen führen dieses Thema zu Ende und ihm folgt von Clarinetten und Fagotts eingeführt auf dem Fusse die Marschweise:

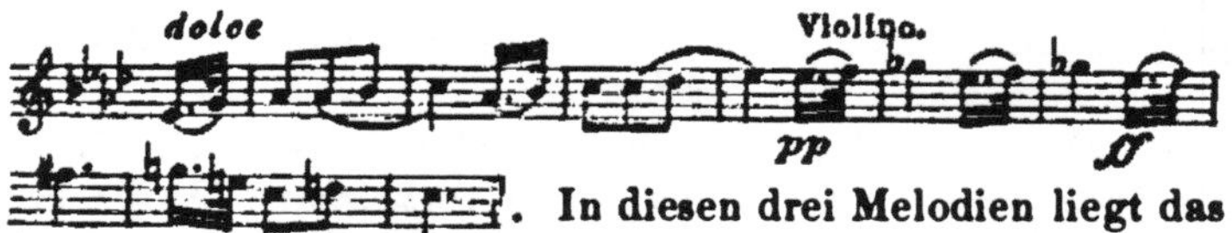

. In diesen drei Melodien liegt das ganze Material des Andante vor uns, in ihrer Folge zusammengedrängt der Verlauf der Composition. Das Thema der Holzbläser kommt immer gleichlautend wieder, selbst die Tonart wird in keiner Wiederholung verändert. Es ist der Leitstern, der fest am Himmel steht und freundlich blinkt. Der Marsch, der dreimal mit Pauken und Trompeten in C dur vorüberzieht bedeutet Triumph und Sieg und wirft einen Blick voraus in die Sphäre des Finales der Sinfonie. Die Grundform des Andante ist die einfache eines Variationengebildes in Haydn'scher Art. Das Hauptthema wird erst in Sechzehntel- dann in Zweiunddreissigstelform gebracht, der leichte Conflict der Gefühle, der in ihm liegt also gesteigert und erregter. Zu dieser Wendung tragen die übrigen Factoren der Compositiou alle ihr Theil mit bei. Auf der ganzen Linie wird die Farbengebung leuchtender, insbesondre wirkt die Sprache der Zwischensätze immer dringlicher, so sehr: dass die Nebenthemen, — der Gesang der Holzbläser und die Marschmelodie — den Gesammteindruck des Satzes fast mehr bestimmen als das Hauptthema: Unter den Episoden prägen sich namentlich zwei bedeutungsvoll ein: Die eine ist der Uebergang aus dem ersten C dur des Marschsatzes. Die Trompeten klingen mit der Quinte fast herausfordernd lang hin . Da mahnt es in den Streichern . Es geht nach F moll, es wird plötzlich finster fürs Ohr und wie Samiel im „Freischütz" zieht in der Ferne, gespensterhaft zu dem *des* der Geigen der Rhythmus auf dem *c* der Bässe vorüber; die Kampfgeister des ersten Satzes sind noch nicht todt. Die zweite Episode tritt nach der Zweiunddreissigstelvariation des Hauptthemas mit dem interessanten *es* in der Flöte (von dem Berlioz in seinen Memoiren eine Fétis betreffende Anecdote erzählt, die an den Cumulus der Eroica erinnert) ein. Die Geigen gehen Guitarrenaccorde, ein kleiner Dialog zwischen Clarinette und Fagott variirt den Anfang des Hauptthemas und nun beginnt in den obern Holzbläsern ein träumerisch holdes Spiel paarweise in Terzen, die Paare in Gegenbewegung. Die Stelle ist nur kurz, aber sie bildet einen der freundlichsten und lieblichsten Augenblicke in der ganzen C moll-Sinfonie.

Das thematische Material des dritten Satzes: ist folgendes für den Hauptheil

für den das Trio ersetzenden Mitteltheil: . Die Theile *a* (für dessen vier erste Takte Beethoven, nach Ausweis des von Nottebohm veröffentlichten Skizzenbuchs, den Anfang des Finale von Mozart's G moll-Sinfonie benutzte) und *b* des Hauptthema folgen im Satze unmittelbar wie oben; für die Entwickelung des Satzes wird besonders das Motiv *b* ausgenutzt. Während in den meisten andern Sinfonien Beethoven's im dritten Satze eine ausgelassene Fröhlichkeit ihre Feste feiert, will hier — wo, wahrscheinlich nicht zufällig, auch die Bezeichnung Scherzo fehlt — die gute Laune noch nicht recht in Gang kommen. Das nähere Verwandtschaftsverhältniss, in dem bei Beethoven sehr häufig der dritte Satz zum ersten steht, kommt hier mit besonderer Deutlichkeit zum Ausdruck. Es zeigt sich äusserlich in der Aehnlichkeit, welche zwischen dem Hornmotiv und dem Hauptrhythmus des ersten Satzes besteht, ferner in den vielen Fermaten, welche beiden Sätzen gemeinsam sind, und mehr noch innerlich in dem vorwiegend düstern Charakter dieses „Scherzo". Heiter ist im Hauptsatze desselben nur der Rhythmus, die Harmonien sind gedrückt, die Melodien fragend und schwermüthig, fremdartig durch den Klang der Instrumente, welche sie an den wichtigsten Stellen vortragen: das Motiv *a* die sonst nur für den schweren Dienst verwendeten Contrabässe, das Motiv *b* die Hörner. Auch der Mittelsatz, mit seinen polternden Figuren und seinem eifrigen Fugiren, verwischt den Eindruck des Aengstlichen, halb Unheimlichen noch nicht: Sein Humor ist etwas forcirt und ungeheuerlich, er deutet eine gute Wendung der Sache mehr an, als dass er sie schon bringt. Als sich — wie Berlioz, dem wir hier ausnahmsweise das Wort geben wollen, sagt[1]) — der Lärm seiner gewaltigen Läufe mehr und mehr verloren hat, erscheint das Scherzomotiv wieder: diesmal pizzicato. Man hört nichts mehr als einige von den Violinen halb hingehauchte Varianten des Motivs *b* und dazwischen ein seltsames, halb unterdrücktes Schluchzen der Fagotte. Dann bricht der Gedanke ganz ab. Das Orchester macht Miene den bösen Traum zu verschlafen; nur die Pauke hält im *pp* noch den Rhythmus wach. Es folgen einige Takte voll mysteriöser Harmonien und einer Ruhe, dass das Ohr zu hören zaudert, bis die Paukenschläge rascher werden, die Violinen sich winden und raffen und endlich das ganze Orchester wahrhaft fieberisch sich auf den leuchten-

[1]) H. Berlioz. A. Travers Chants (Deutsch von R. Pohl) S. 39.

den Cdur-Accord stürzt, mit dem der Triumphmarsch des Finale beginnt. Mit seinem unbeschreiblichen Jubel, mit Kraft und Schalkheit erstickt er alle finsteren Anwandlungen, die aus den früheren Sätzen in den Schluss hineinziehen möchten. Die Themen sind einfach bis zur Trivialität:

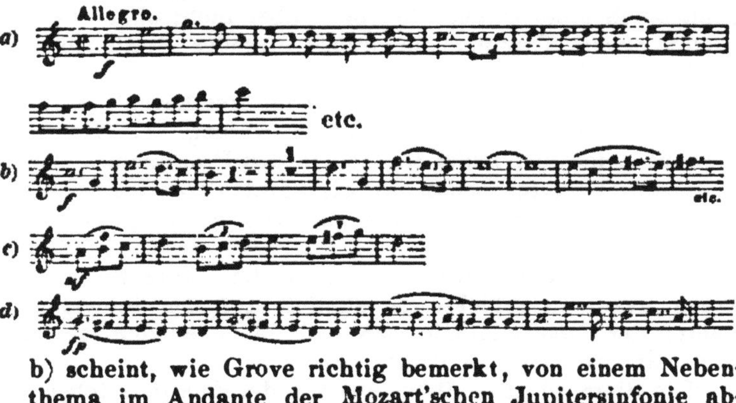

b) scheint, wie Grove richtig bemerkt, von einem Nebenthema im Andante der Mozart'schen Jupitersinfonie abgeleitet zu sein, den Nachsatz von c) begleitet ein Bassmotiv das in der Durchführung, namentlich aus dem Munde der Posaunen gewaltig und majestätisch wirkt und fast ihrer ganzen ersten Hälfte zu Grunde liegt. Der eigenthümliche Zug an dieser Durchführung ist, dass sie beim kritischen Punkte angelangt, plötzlich still abbricht und das Scherzo zurückkehren lässt. Die Idee selbst ist, höchst wahrscheinlich, einer Cdur-Sinfonie von Dittersdorf entnommen aber die Wirkung mit der sie Beethoven hier verwerthet hat, so ursprünglich als möglich: Banko's Geist an der Festtafel! Damit war auch Spohr, der wie C. M. v. Weber, begreiflicherweise an Beethoven's Sinfonien manches auszusetzen hatte, sehr einverstanden.

In der Instrumentirung ist nichts Ausserordentliches als der Zusatz von drei Posaunen, die hier zum ersten Male in Beethoven's Sinfonien erscheinen, Piccolo und Contrafagott — aber der innere Schwung und die Kunst des Componisten erreichen mit diesen gewöhnlichen Mitteln eine elementare, donnerähnliche Wirkung. Echt Beethoven'sch ist die Beharrlichkeit, mit welcher das endliche Ende immer wieder hinausgeschoben und umgangen wird. Schliesslich muss es doch kommen, aber nicht ohne einen letzten neuen Trumpf: ein freudezitterndes Presto über das Thema *d*.

Mit Recht ist die Cmoll-Sinfonie Beethoven's seine populärste. Sie war das von allem Anfang ab. Kaum bekannt geworden, findet sie sich in den Programmen der Virtuosen-Concerte ebenso gut wie auf den eben ins Leben tretenden Musikfesten — eine nie versagende pièce de résistance!

Wie Beethoven auf die Eroica die vierte Sinfonie folgen liess, so schickte er ähnlich auf den schweren Kampf der Cmoll-Sinfonie sich und den Freunden seiner Muse zur Erholung die Pastorale nach.

L. v. Beethoven Fdur-Sinfonie Nr. 6. Pastorale

Die Biographen erzählen uns von des Künstlers lebendigem Gefühle für die Schönheiten von Wald und Flur, von seinem unablässigen Studium der Naturphilosophie jener Tage. Beethoven hat seinem Wohlgefallen an Wachtelschlag und Waldesrauschen, seiner Freude und innigen Liebe zu Gottes freier Schöpfung in vielen Werken Ausdruck gegeben; in keinem glänzender als in seiner Pastoralsinfonie.

Sie gehört bekanntlich der Programmmusik an, sie ist aber ein Idealwerk dieser Richtung, welche, wie früher schon erwähnt, um die Neige des vorigen Jahrhunderts in Süddeutschland und Wien einen starken Anhang hatte. Von keinem Lessing geschreckt, unbekümmert um die — heute noch nicht festgestellten — Grenzen der Musik suchte ein grosser Theil der damaligen Instrumentalcomponisten die Stoffe mit der grössten Ungenirtheit in allen Gebieten der sichtbaren und der gedachten Welt: in Philosophie und Geschichte, in den Werken der Dichter und den Phänomenen der Natur. Jedes Verlagsverzeichniss brachte neue Beiträge zur beschreibenden Tonkunst: Thayer citirt aus 2 Anzeigen des Verlegers Traeg:

5 Sinfonien a) Belagerung Wiens, b) le portrait musical de la nature, c) König Lear (im Jahre 1792), drei weitere aus derselben Zeit, a) la tempesta, b) l'harmonie de la nature, c) la bataille. „Le portrait musical de la Nature" war eine 5sätzige Composition des Stuttgarter J. H. Knecht, der als Tonmaler grosses Ansehen genoss. Und noch grösser war dem Anschein nach die Zahl der ungedruckten Versuche, welche auf diesem Felde gemacht wurden. Noch bis in die Zeit Schumann's und seiner neuen Zeitschrift hinein lassen sich die Spuren der reisenden Orgelspieler verfolgen, welche wie der bekannte L. Böhner ständig auf ihrem Programm ein „Donnerwetter" mit sich führten. In einem Concertzettel des bekannten Abt Vogler findet sich eine solche Orgelmalerei, welche vor der Pastoralsinfonie bereits an diese erinnert: „das vergnügte Hirtenleben, von einem Donnerwetter unterbrochen, welches aber wegzieht, und sodann die naive und laute Freude deshalb". Beethoven lachte wohl über solche Malereien, wenn sie kindisch ausfielen, aber er verschmähte sie principiell nicht, und es war auch hier, wie Thayer richtig sagt, sein Ehrgeiz, die Zeitgenossen in der Anwendung vorhandener Kunstformen zu übertreffen. Doch hat es ihm wohl einige Mühe gemacht bei der Pastoralsinfonie über die Angabe seiner Programmideen ins Reine zu kommen. Einmal steht im Skizzenbuch: wer einen Begriff vom Landleben hätte, müsse den Componisten ohne alle Titelhülfen verstehen. Dann giebt er in der Partitur, in den geschriebnen und gedruckten Stimmen die Ueberschriften mit seinen Unterschieden. Vom Anfang bis zum Schluss bleibt er aber bei der Bemerkung, dass die Sinfonie „mehr Ausdruck der Empfindung als Malerei" sein solle.

Der erste Satz hat jetzt die Ueberschrift: „Erwachen heiterer Empfindungen bei der Ankunft auf dem Lande". Von der ersten ausführlichen Recension ab, die über die Pastoralsinfonie erschien[1]) bis heute ist immer wieder die Reserve ge-

---

[1]) Allgemeine Musikalische Zeitung 1810, S. 241. Ebenda auch über die Cmoll-Sinfonie: S. 630. Der zweite Aufsatz ist von E. T. A. Hoffmann, dem Gespenster-Hoffmann.

lobt worden, mit welcher Beethoven sich darauf beschränkt habe nur den Empfindungen, den innern Gefühlen Ausdruck zu geben, welche das Landleben erregt. Nicht aber soll er versucht haben Aeusserlichkeiten des Naturbildes nachzumalen. So ganz streng ist das nicht zu nehmen. Trotz des Titels steht in dem ersten Satze manches, was in die Kategorie der Empfindungen nicht passt. Die Triolen der Clarinetten und der anderen Bläser nach dem Abschluss des Hauptthemas, der lange Triller der Geigen vor der Reprise sind doch zu deutliche Anspielungen auf das Thun und Treiben, das Zirpen und Zwitschern der Vögel. Der feine Duft in der Instrumentirung, der durchklingende Schalmeienton, der Brummbassklang, die genrehafte kurzlebige Metrik — das Alles ist doch in diesen ersten Satz als der musikalische Niederschlag reeller Erscheinungen des Naturlebens gekommen. Uns soll das Werk darum nur um so lieber sein. Was die technische Structur des Satzes betrifft, so zeichnet sie sich durch ihre zarte Beweglichkeit aus und durch einen gewissen Miniaturencharakter des verwendeten Materials. Leicht tändelnde Themata hat Beethoven auch in der siebenten und achten Sinfonie — in keiner früheren — verwendet. Aber sie sind da weder so kurz wie in der sechsten, noch werden sie so naiv und zugleich kühn hinter einander weg wiederholt. Kleine eintaktige, einviertelige Figuren kommen 10, 20, 30 mal hintereinander. Es ist neuerdings vermuthet worden, dass Beethoven bei der Pastorale unter slavischem Einfluss gearbeitet habe.[1]) Wohl möglich: Diese Sinfonie nimmt thatsächlich die ganze Neurussische Schule vorweg. Für Cantabilität und grossen Ausdruck bietet nur die zweite Hälfte des ersten Thema eine bescheidene Unterlage

[1]) Vgl. Kubacz, X. Sammlung Kroatischer Volkslieder (Agram 1878—85) Bd. III und den Aufsatz: „Das Kroatische in der Pastoralsinfonie" in Allg. Musikzeitung 1893, S. 538.

. Der Zusatz von Dankgefühl, welche der Heiterkeit dieses Gedankens schon mit beigemischt ist, kommt in dem Zwischenmotiv, welches zum zweiten Thema überleitet, noch beredter heraus .
In seinen immer neuen Wiederholungen kann es sich gar nicht genug thun: es wandert durch alle Instrumente, überall das Bewusstsein der glücklichen Stunde weckend, zu ihrem vollen Genusse ladend. In verwandten Bildungen kommt auch die „Scene am Bach" und der „Hirtengesang" des Finale darauf zurück. Das zweite Thema selbst ist nur der Abschluss der beglückten Schwärmerei:

. In den formellen Elementen zeigt es sich dem ersten Thema mehr verwandt als entgegengesetzt. Für die Durchführung hat der zweite Takt des ersten Themas Hauptbedeutung. Aus ihm entfaltet Beethoven breite Bilder, wechselnden Scenen der durchwanderten Natur gleich, die zum Staunen und Lauschen veranlassen. Dem Anschein nach sind sie alle ähnlich leicht entworfen wie die entsprechenden Abschnitte der 4. Sinfonie. Beidemale handelte es sich um Ideen, mit denen Beethoven's Phantasie spielen konnte, nicht zu ringen brauchte. Soll aus diesem Durchführungstheil etwas hervorgehoben werden, so möchte man gleich beim Eingang beginnen. Hier sind die scharfen Biegungen so auffällig und fesselnd, die der Weg macht. Von *B* nach *D*, dann nach *G* und *E*; immer gehts im scharfen Ruck: Landschaftliche Ueberraschungen! Vom Glänzenden wendet sichs nun zum Intimen und wie der Wechsel auch weiter geht, der Genuss wächst nur. Weil menschliche Schwäche anmuthige Kunstwerke hinter die leidenschaftlichen stellt, sind wir — England ausgenommen — für den ersten Satz der Pastoralsinfonie nicht so dankbar, wie er's verdient. Steht er doch, wie es Beethoven auch sichtlich gewollt hat, dem ersten Satz der Fünften an Kunstwerth mindestens gleich. Moritz von Schwind und nach ihm neuere Maler haben die Pastoralsinfonie zu illustriren, Theaterdirektoren und andre Leute von Phantasie haben sie scenisch und mit lebenden Bildern[1]) aufzuführen versucht. Für die andren Sätze mögen diese Versuche annehmbar sein; von dem Inhalt und Charakter des ersten geben sie keine Ahnung.

Im zweiten Satz hat Beethoven die malende Tendenz offen eingestanden: er nennt ihn: „Scene am Bach". Im Vordergrunde dieser entzückenden Composition stehen als die Hauptthemen zwei leicht eingängliche gesangvolle Melodien, aus denen das ganze glückliche Behagen einer von allem Tagewerk befreiten, der herrlichsten Ruhe und den lieblichsten Träumereien hingegebenen Seele spricht. Und wir dürfen Alles mit geniessen. Der Tondichter führt uns an den sonnigen Waldbach hin, wir sehen die glitzernden Wellen dahingleiten und hören ihr melodisches, fleissiges Gemurmel. Tausende von Lichtern blitzen durch die Bäume; von ihren Zweigen, ihren Gipfeln schallen kleine zarte Stimmen; es neckt sich, es lockt sich; es lebt im Laub und im Grase; der Kukuk ruft, die Wachtel, die Nachtigall, der Goldammer und aus der Schaar der gefiederten noch so mancher andre ungenannte Sänger. Es ist ein so lebendiges Bild von dem heimlichen Weben der Natur, so glücklich gemischt mit menschlicher Poesie, so natürlich in dieser Mischung und in seinem ganzen Verlaufe. Die Musik des Satzes ist fast mehr klanglich als gedanklich. Es trillert fortwährend in Violinen, Flöten, Oboen, die Bässe und Hörner halten, durch Syncopen doppelt bemerklich, lange Töne, es schwirrt von kleinen Motiven. Das erste Thema im Satze wächst sich aus solchen verstreuten Ansätzen ziemlich unmerklich zu einer Melodie aus (B dur) schwärmerisch,

---

[1]) Vgl. Jahn, O. Gesammelte Aufsätze: S. 260 „Beethoven im Malkasten".

träumerisch, mit einem frommen Anklang. Das zweite Thema, das die Fagotts bringen, spricht Freude und Entzücken etwas lebhafter aus, aber doch immer noch zart. Die Durchführung ist kurz, modulirt aber viel. Da wo sie nach G dur tritt, lässt sich in einem Arpeggio der Flöte — wie Beethoven Schindler mittheilte, — der Goldammer hören. Der berühmte Scherz, wo Nachtigall, Wachtel und Kukuk zusammenwirken, befindet sich in der Coda.

Im folgenden Satze wird ein „lustiges Zusammensein der Landleute“ geschildert. Man versammelt sich, sehr munter und leichtfüssig eilt das junge Volk herbei:

Sofort wird auch der Vorschlag zu einem Tänzchen gemacht, zunächst noch leise:

Als immer mehr kommen, und es lauter und lauter wird, da ist die Möglichkeit eines Reigens Thatsache und wird mit urkräftiger, allgemeiner Zustimmung begrüsst. Und nun beginnen jene drolligen Scenen, in welchen Beethoven sich als Bauernmaler mit vollendetem Humor und mit weitgehender Realistik neben und über die Teniers, J. von Ostade, Adrian Brouwer und die andern Grössen des Faches stellt. In der Form dieser Schilderungen liegt ein zweiter grosser Spass, denn es ist darin sehr übermüthig die saloppe Art und Weise copirt und parodirt, in welcher, wie heute noch, auch zur Zeit der Wiener Meister ländliche Orchester zuweilen ihr Pensum Tanzmusik absolviren. Das sind ganz die richtigen, armen, müden und schlaftrunkenen Bierfiedler. Man hört lange Strecken nur begleitende Mittelstimmen und Rhythmus. Dann setzt eine Oboe ein, aufs Gerathewohl. Sie scheint eben erwacht, und hinkt ihre Melodie ein Viertel nach der Zeit hinterher. Ab und zu giebt auch ein anderer ein paar Töne drein, um gleich wieder zu verschwinden. Von besonderer

Komik ist namentlich der stereotype Einsatz des ersten Fagott, der immer nur *f* c bläst. Dass Beethoven specifisch österreichische Vorbilder für diesen ausgelassenen Scherz im Auge hatte, zeigt der zweite Theil dieser Tanzmusik: der Zweivierteltakt, welcher den Dreiviertel ablöst. Die alte östreichische Tanzmusik ist suitenmässig gehalten und liebt den plötzlichen Wechsel der Rhythmen. Nimmt man zu der Melodie dieses neuen Satzes

mit ihrem Lärm und ihren gewaltsamen Accenten noch die breiten Rhythmen und die unbewegliche Harmonie der Begleitung, so ist das Bild einer plumpen und schwerfälligen Lustigkeit, einer Lustigkeit in Holzschuhen und Aufschlagstiefeln, vollendet. Ganz drastisch ist der Schluss dieses Mittelsatzes. Man tobt zuletzt, dass der Athem ausgeht: eine Fermate mit diminuendo bildet das überraschende Ende dieses die Stelle des gewöhnlichen Trio vertretenden Theils. Die Repetition des Hauptsatzes beginnt, sie wird aber schon bald durch eine Generalpause unterbrochen. Augenscheinlich macht sich etwas Bedenkliches bemerkbar. Endlich ist man wieder im alten Geleise; schon setzt die Dorfmusik wieder ein: Da kommt statt des regelrechten kräftigen F dur-Accords ein

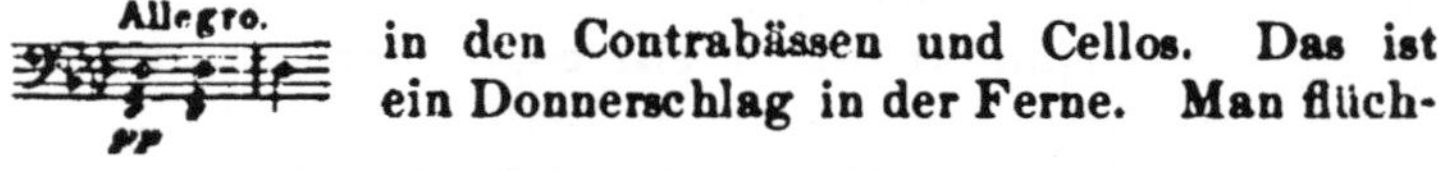

in den Contrabässen und Cellos. Das ist ein Donnerschlag in der Ferne. Man flüchtet, rettet sich und ruft ängstlich und klagend durcheinander:

Das Grollen des Donners wiederholt sich, rückt näher, und nun im Fortissimo

bricht das Wetter los. Blitzezucken:

Windstösse fahren einher, Regenschauer platzen nieder in mächtigen Unisonos des ganzen Orchesters:

Auf Momente tritt unheimliche Ruhe ein, dann zuckt es wieder auf und schlägt scharf und furchtbar drein. Den Ernst der Situation, den Höhepunkt der Krisis bezeichnen die Bässe mit ihrem düstern Scalengang und seinen erschreckenden Accenten

In das furchtbare Grollen und die Aufregung der Orchestermassen wirft jetzt auch der Piccolo seine schrillen Töne, die Pauke wirbelt stärker, und zum ersten Male in der Sinfonie stürmen die Posaunen drein. Die Harmonie ist auf einem vier Takte langen Septimenaccord erstarrt! Nun scheint aber auch das Schlimmste vorbei zu sein. Und so gewaltig Beethoven bis hierher im Aufthürmen und Drohen war, so rührend theilt und glättet er nun die Wogen und lenkt zu dem letzten Theil der Sinfonie über, dem „Hirtengesang“, der unmittelbar ohne Pause an das „Gewitter“ anschliesst. Wenn wir an diesem beendeten Satz die Wahrheit, die Macht und die Naturtreue der Darstellung bewundern, wollen wir nicht vergessen auch der noch schwierigeren Kunst, die er hier voll bewiesen, unser Augenmerk zu schenken. Das ist das Maass, welches Beethoven bei der Ausführung der für die Tonkunst dankbaren Aufgabe hielt, der souveräne Geschmack mit dem er aufhörte, nachdem das Nöthigste aufs Treffendste gebracht war.

Der „Hirtengesang“ (Allegretto $^6/_8$) soll „frohe und dankbare Gefühle nach dem Sturme“ schildern. Er thut es mit Motiven, welche von hier und da erklingen und deren pastoraler Charakter und deren Einfachheit Citate unnöthig machen. Er thut es mit frommem innigem Gesang, mit Wendungen in das muntere Gebiet und mit mancher versteckten und sinnigen Anspielung an Motive des ersten und zweiten Satzes. Aber er thut das Alles in einer etwas sehr ausführlichen Weise, mit Variationen, Fugatos und andern Formen, die der Wirkung seiner schönen Idee von jeher etwas Eintrag gethan haben. Zu Beethoven's Zeit wurde darauf hingewiesen, dass Haydn in seinen Jahreszeiten das gleiche Sujet, weil kürzer, effectvoller behandelt habe. Der formell beachtenswertheste Zug an der Pastoralsinfonie ist ihre Dreisätzigkeit. Sie zieht gleich wie die fünfte, die mit ihr entstand, Scherzo und Finale zusammen. Wir finden andere Merkmale eines solchen Parallelismus an Beethoven'schen Werken häufig.

Die siebente und achte Sinfonie sind wieder Zwillingswerke: beide wurden in demselben Jahre 1809 skizzirt, beide 1812 — die achte in Linz — vollendet, bald nach einander im December 1813 und Februar 1814 aufgeführt und später als op. 92 und 93 veröffentlicht. Die Musik beider Werke trägt die Züge einer und derselben sonnigen Heimath, beide sind von grandioser Heiterkeit, die eine mit einem starken Schatten darin, die andere ganz ungetrübt — aber merkwürdiger Weise hat die achte nichts von der überreichen Popularität der siebenten, der A dur-Sinfonie, erringen können. Zum Aerger Beethoven's, welcher zu sagen pflegte: die achte sei „viel besser" als die siebente. In Wien wurde Jahre lang die Pastoralsinfonie schlechthin als die Sinfonie in F dur angezeigt, als ob die achte gar nicht existirte.[1]) Erst neuerdings zeigen die Concertzettel die Tendenz, dieses Hohelied des Humors zu Ehren zu bringen.

L. v. Beethoven A dur-Sinfonie Nr. 7.

Aehnlich wie die zweite Sinfonie eröffnet die siebente eine lange ausführliche Indroduction, ein herrliches, träumerisches Tongemälde, in dessen Bann der Zuhörer ganz vergisst, dass es nur eine Einleitung sein soll. Auch Beethoven hat mit gleicher Liebe kaum eine zweite Indroduction behandelt. Ihre Hauptmotive sind

---

[1]) E. Hanslick: Aus dem Concertsaal (1870) S. 319.

beide zum ersten Male von der Oboe eingeführt; gigantische Scalen bilden den Uebergang. Aehnlich wie in der letzten Ouvertüre zu „Fidelio", der in E, benutzt Beethoven die ersten beiden Noten des Adur-Themas zu romantischen Bildern, über denen jetzt Mondschein, jetzt der Glanz der prangenden Sonne liegt. Plötzlich, wie auf den Wink eines verschwiegenen Programms bricht er dann diese Scene erhabner Schwärmerei ab und lenkt in neckischer Führung der Instrumente über ins Vivace, dessen Hauptthema

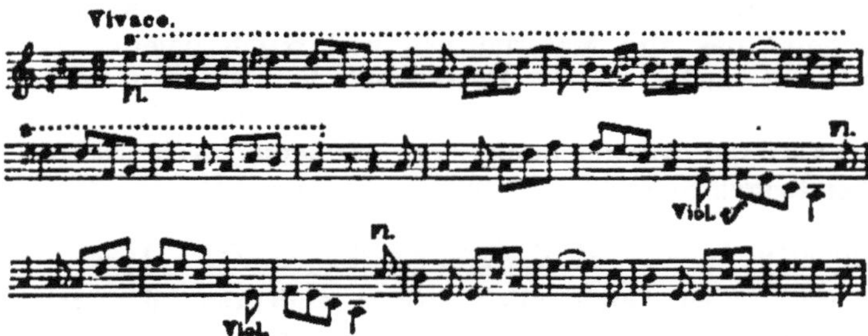

zugleich auch im Wesentlichen das Einzige des Satzes ist. Derselbe ist in dieser Beziehung, in der Ausbeutung eines beschränkten Grundmaterials mit dem Eingangssatze der Cmoll-Sinfonie verwandt, im Charakter selbstverständlich ganz verschieden. Beethoven gewinnt dem naiven pastoralen Grundgedanken des Satzes der zuerst wie ein Nachklang, ein Supplement der sechsten Sinfonie auftritt, Wendungen von hoher Pracht und Erhabenheit ab; das Gebiet des Leidenschaftlichen und des Dunklen wird nur gestreift. Reich ist der Satz an langgemessenen Perioden, Producten einer ungewöhnlichen Macht und Grösse der Empfindung; eigenthümlich sind ihm die schroffen Modulationen und der unvermuthete und unvermittelte Wechsel extremer dynamischer Nüancen. In beiden

Merkmalen äussert sich excentrische Stimmung. Auch das kurz abbrechende Element, das den Schluss der Einleitung charakterisirte, kehrt in diesem Vivace wieder: mit Dissonanzlösung, Modulationssprung und Wechsel von *ff* und *pp* verbunden sehr kühn und neu gegen den Schluss des ersten Theils wo dem lauten Accord: a-cis-e-fis vorübergehend ein stilles — a c f — folgt. Die Durchführung beginnt ähnlich sprunghaft. Wir sind plötzlich in Cdur, aus wildem Lärm in verschwiegner Idylle: tief unten flüstern und murmeln die Bässe das Thema. Bei der Reprise geht es mit Sturm und Scalenanlauf in das pastorale Hauptthema; erst später wiederholt es die Oboe in seinem angestammten Ton. Wie dieses eine Beispiel so ist der ganze Verlauf dieses Theils Wiederholung in freister Art; in der Instrumentirung, im ganzen Charakter erscheint das alte Material neu und frisch belebt. Die Coda ist mehr als je Beethovenisch. Sie tritt unter seltnen Zeichen ein: mit Generalpause, mit einer ganz unerwarteten Ausweichung der Harmonie nach *As* und einer langen Satzbildung über einem kurzen Basso ostinato folgenden Inhalts  . Was uns andere Stellen vernehmlich genug andeuten, das zeigt uns diese ganz deutlich und unverkennbar, dass nämlich hinter der anscheinend dominirenden, manchmal grellen Heiterkeit dieses Satzes doch höhere und ernstere Gedanken wachen, die sich nicht übertäuben lassen. Es besteht ein Zusammenhang zwischen dieser Stelle und dem edlen Pathos der Indroduction, ein Zusammenhang, der sich auch noch in der Melancholie des Allegretto und in den feierlichen Visionen, welche dem Trio des Scherzo zu Grunde liegen, verfolgen lässt. Wie ein leitender Faden geht durch die ersten Sätze dieser Sinfonie der halbverschwiegene Kampf zwischen einer jetzt harmlosen, alltäglichen, jetzt wilden Fröhlichkeit und einer höheren Sinnesart. Die Sinfonie erscheint unter diesem Gesichtspunkt als ein Lebensbild, aber nicht als ein rein freundliches. Das Ende deckt ein ironischer Humor.

Der zweite Satz der Adur-Sinfonie, Allegretto überschrieben, ist von Alters her berühmt. Die Berichte aus den Jugendjahren des Werkes theilen fast von jeder Aufführung mit, dass dieser Theil zur Wiederholung verlangt worden und gebracht sei. Das Allegretto besitzt jene seltne Art von Originalität, die sofort verstanden und sympathisch aufgenommen wird. Am Eingang und Ausgang des Satzes steht wie eine Erscheinung aus fremdem Lande ein Bläseraccord, auf eine Quartsextharmonie kühn und vielsagend hingestellt. Dann beginnen die tiefen Saiteninstrumente still und leise das merkwürdig resignirte Thema:

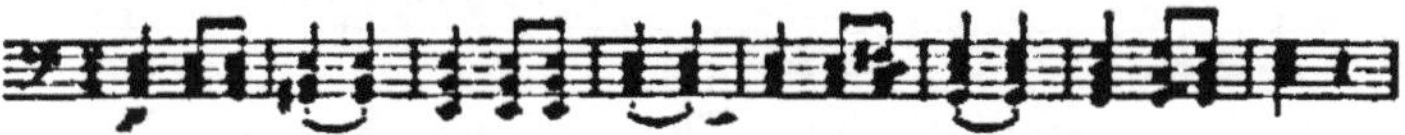

mit dem gebrochnen Marschrhythmus hinzustammeln. Erst mit dem Eintritt der Geigen kommt Fluss in die Sprache: Celli und Bratschen begleiten mit einer Melodie von innig sehnsüchtigem Ausdruck

Je mehr sie aus ihrem anfänglichen Versteck heraustritt, um so wärmer wird der Ton der Darstellung. Wie einer Bitte die Verheissung, so folgt diesem edel wehmüthigen Satze eine einfach sanfte, freundliche Melodie, die wie eine Mutterstimme tröstend und zusprechend aus der Clarinette weich herüberklingt:

Der einfache Contrast von Moll und Dur wirkt hier mit ganz ursprünglicher Elementarkraft. Die Bässe klopfen unter diesem Gesang den alten Marschrhythmus leise weiter, der wie Cerberus unter Orpheus' Saitenspiel zu

erweichen scheint. Mit einem Male aber fährt er wie eine Tigertatze hervor; schrill und heftig durchsausen die trotzigen Achtel das Orchester von einem Ende zum andern. In veränderter und erweiterter Form beginnt die Repetition. Nachdem die zweite Gruppe wieder vorbeigezogen, folgt das Ende sehr rasch mit all' der eigenthümlichen und schmerzlichen Schönheit eines gewaltsamen Abschiedes.

Mit derselben Erscheinung eines unbarmherzigen Losreissens von prächtigen Bildern endigt auch der dritte Satz. Das Trio mit dem, nach Abbé Stadler[1]) einem östreichischen Wallfahrtsgesang entnommenen Thema:

bildet den paradiesischen Theil dieses Satzes. Es ist nicht auszusagen, welch' ein zauberhaftes Tongebilde Beethoven dieser einfachen Melodie entlockt hat, wie er hier das Schöne in immer neuen Arten ausbreitet von der lieblichen stillen Idylle, mit welcher die Holzbläser einsetzen, bis zu den im Sonnenglanze strahlenden, festlichen und feierlichen Schlusse, in dem das Thema unter Pauken und Trompetenklang mit dem vollen Orchester wie auf dem stolzen Siegeswagen einherzieht. In einer genial-energischen Weise, die ohne Gleichen ist, hat Beethoven in diesem Trio den Effect einer sogenannten liegenden Stimme angebracht. Den ganzen Triosatz durchschimmert der gleiche Klang eines festgehaltenen *a*; bald schwebt dieser Ton in den Violinen über den Melodien, bald leuchtet er aus den unteren Instrumenten in den Gesang des Orchesters hinein; am eigenthümliebsten an den Stellen, wo das zweite Horn ihn murmelt. Schärfer als sonst vielleicht mit Ausnahme seiner ersten, der Cdur-Sinfonie, wollte Beethoven hier das Trio gegen den Hauptsatz contrastiren lassen. Die Tonarten zeigen

---

[1]) Vgl. A. W. Thayer: L. v. Beethoven's Leben (1879) III., 191.

das schon: *D* zu *F*. Der Hauptsatz selbst ist ein echter, der Capricen voller Schwarmgeist.

Seine Haupttrümpfe spielt er in seinem zweiten Theile aus, wo auf Grund der Motive *a* und c der überraschendste Schabernack, namentlich auch in metrischen Dingen getrieben wird. Der Bau des ganzen Satzes ist abweichend, aber einfach, nämlich: Hauptsatz und Trio zweimal. Der Hauptsatz wird zum dritten Male durchgespielt, auch das Trio setzt zum dritten Male ein, gelangt aber nicht über den zweiten Takt hinaus; sondern Beethoven schlägt ein Schnippchen und „spritzt die Feder aus", wie Schumann sagte.

Das Finale ist einer der ausgelassensten Sätze in der ganzen Musik: Beethoven nicht blos „aufgeknöpft" wie er sich gern sah und nannte, sondern Beethoven in einer demonstrativen, wilden, trotzigen Lustigkeit, die zu einem Theil derselbe „Galgenhumor" zu sein scheint, der in seinen letzten Kammermusikwerken öfters wiederkehrt. Dieser Satz tollt daher wie von der Tarantel gestochen, jauchzt, schreit auf [1])

pocht in überschäumender Kraft

---

[1]) Grove macht darauf aufmerksam, dass das Thema auch in Beethoven's Accompagnement zu dem Irischen Lied „Nora Creina" vorkommt.

und mischt auch in seine Grazie einen Zug des Grotesken:

. Ein formelles Element, welches sich an diesen Themen nicht einfach beweisen lässt, aber in ihrem Zusammenhang ersichtlich wird, ist die Hereinziehung ungarischer Rhythmen, Accente und Anklänge. Unter den Combinationen, in welchen Beethoven das hier skizzirte Ideenmaterial entwickelt, sei die Fdur-Stelle am Anfang der Durchführung hervorgehoben. Da stösst der Fluss auf ganz merkwürdige Hindernisse, zu deren Beseitigung die Violinen und die Bässe sich grotesk riesig anstrengen. Die Kühnheit der thematischen Entwickelung erreicht den Gipfel mit dem colossalen Orgelpunkt der Coda. Wir stehen hier ganz in der Nähe des Maasslosen und thun gut im Interesse unsrer Jugend zu bemerken und zu bekennen, dass Beethoven zuweilen geneigt war seine Intentionen mit übermüthiger Hartnäckigkeit auf die Spitze zu treiben. Eine „ungebändigte" Persönlichkeit nennt ihn Goethe in einem Brief an Zelter. Es lässt sich nicht leugnen, dass darunter auch die klangliche Klarheit und Ausführbarkeit unsres Finales gelitten hat. Wenn ein Theil unsrer heutigen Kritik die von Fach- und Zeitgenossen Beethoven's gegen diese Punkte gerichteten Einwendungen schnellfertig auf Neid und Beschränktheit zurückzuführen beliebt, giebt er sich selbst eine Blösse. Unbedingte Bewunderung ist eine erhebende Erscheinung, jedoch nur wenn sie auf zureichender Einsicht beruht.

L. v. Beethoven F dur-Sinfonie Nr. 8.

Die achte Sinfonie (Fdur) beginnt ohne Einleitung mit Themen, die eine laute Fröhlichkeit, ein Behagen, aber noch nicht einen wirklichen Humor ausdrücken:

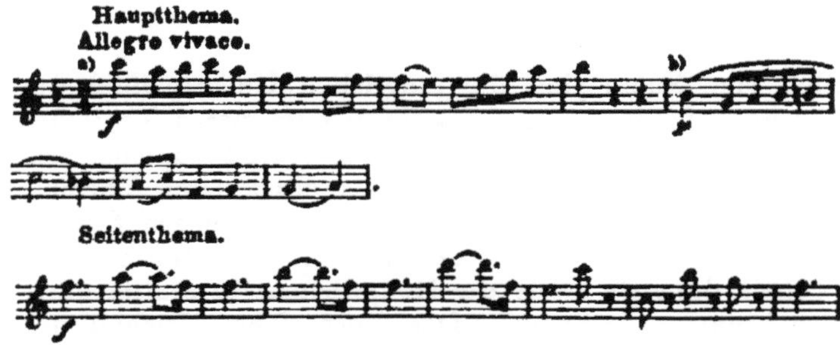

In dem Abschnitt *b* des Hauptthemas liegt sogar ein sinnendes, zögerndes Element, welches das zweite Thema,

trotz seines tändelnden Eintritts, theilt und in fast stärkerem Grade besitzt. Der Schalk kommt erst später und zwar am Schlusse der Wiederholung dieses zweiten Themas durch die Bläser. Da machen die Bässe dem Ritardando und dem Septimenaccord ein rasches Ende

 und wecken Kraft und Leben in der Versammlung. Doch bleibt dem ganzen Satze ein elegischer Rest — sehr schönen Ausdruck hat er in dem zweiten Seitenthema gefunden

Der Hauptzweck der Durchführung ist, ihm die weitere Ausdehnung zu bestreiten, was in einer launig harschen Art auch ausgeführt wird. Beethoven beginnt diese Durchführung mit einer kleinen Bosheit gegen die Bratschen; sie, die sonst immer in Deckung marschiren, stellt er als hätten sie den allgemeinen Rückzug versäumt allein hinaus mit dem Motiv . Diese immer wieder holten vier Noten sind die kläglichen Ueberbleibsel des glänzenden Schlusses, den das Tutti dem ersten Theil des Satzes, der Themengruppe gab. Sie sind zugleich die variirten Stichworte für den Einsatz des zweiten Themas. Doch dieses zweite Thema kommt nicht, sondern Fagott, Clarinette, Oboe, Flöte nach einander benutzen die Gelegenheit, das erste Motiv des Hauptthemas in sentimentale Beleuchtung zu bringen. Das Tutti fährt lärmend dazwischen und setzt, nachdem die Versuche noch einigemale sich wiederholt haben, auch seine Auffassung durch: Kraft ist Trumpf. Aus den ersten 6 Noten werden durch Sequenzen Perioden gebildet, in denen erst die Bässe (D moll), dann die zweiten Geigen (G moll), die ersten Geigen (F moll) die Führung übernehmen. Die Instrumente reissen sich förmlich um das Motiv; vom Einsatz des Desdur ab stehen wir vor einer nahezu beängstigenden Kampfscene. Die Bässe bleiben die Sieger, stellen die Ordnung wieder her und beginnen in unbeschreiblich stolzem Ton die Reprise des Satzes. Die Coda fängt nochmals contrapunktische Neckereien an. Doch mit dem heimlichen Schluss des Satzes:  bleibt das letzte Wort den Grazien.

Es ist interessant aus den Skizzenbüchern Beethoven's zu ersehen, dass der ganze schöne Ausgang des ersten Satzes (von der Fermate ab) nachcomponirt ist.

Dem stark humoristischen Grundzug dieser Sinfonie zuliebe hat Beethoven auf einen langsamen Satz in ihr verzichtet und infolge dessen den Mittelsätzen dieses Werkes einen von dem an dieser Stelle Gebräuchlichen ganz abweichenden Charakter gegeben. Der zweite ist ein richtiges Allegretto; es hüpft auf Kinderfüssen dahin, jugendlich durch und durch, unschuldig und reizend, scheinbar wie in einem Zuge hingeschrieben. Es ist eins der genialsten und gewinnendsten Stücke im graziösen

Genre. Ursprünglich hatte es Beethoven als einen Canon auf Mälzel und sein Metronom entworfen. Die Sechzehntel-Accorde mit denen die Bläser einsetzen, sollen also das Klappern dieses Instruments nachahmen. Der dritte Satz ist ein echter Menuett im alten Schnitt, in halb liebevoller, halb humoristischer Hingabe an altväterisches Wesen und Brauch ausgeführt. Wie getreu ist die gemüthliche Gravität und die Innigkeit, mit der vordem ge-

Tempo di Men.

tanzt wurde, in dem des Anfangsmotivs, wie launig die Umständlichkeit, mit der angesetzt, ausgeholt und der Takt probirt wurde, in dem

Tempo di Menuetto.

wiedergegeben! Das Trio ist ein verklärter Dittersdorf, eine wunderliebliche Idylle aus der altwienerischen Musikantenzeit, über dessen Charakter der Clavierauszug keine genügende Auskunft giebt. Es stehen in dem Satze manche kleine Scherze im Stile der Dorfmusik in der Pastoralsinfonie. — Um allen Missverständnissen in der Behandlung dieses dritten Satzes vorzubeugen, hat ihn Beethoven „Tempo di Minuetto“ überschrieben d. h. nicht ein blosser Titularmenuett, wie ihn Haydn oft schreibt, sondern einen mit der Poesie und dem Tempo der Spiessbürgerzeit!

Das Finale, dessen schon früher erwähntes Hauptthema:

Allegro vivace.

ebenso wie das des ersten Satzes, nach Ausweis des Skizzenbuchs, zu den schwer gefundnen gehört, steht mit seinen thematischen Wurzeln, aber auch mit seiner Entwickelung, seinem leichten, schäumenden, geiststprühenden Wesen auf dem Boden Haydn'scher Kunst. Es ist ein ins

Beethoven'sche ausgebauter und übersetzter Haydn; der jüngere Meister hat den Pulsschlag etwas gesteigert, die Ueberraschungen noch um einige Grade drastischer gemacht, die Formen verbreitert und Gegensätze hineingestellt, die dem Alten fern lagen. Ohne Gegensätzlichkeit ist Instrumentalcomposition schwer zu betreiben, insbesondere humoristische. Hier aber geht die Gegensätzlichkeit bis zur Selbstverspottung: Das Hauptthema verläuft sich von der letzten hier aufgezeichneten Note noch 8 Takte weiter in C dur immer leiser, heimlicher. Und allemal fällt in die letzten Töne dann ein Lärm ein, der uns aus

allen Himmeln wirft: 

Dieses cis, ein humoristisches Ungeheuer, ein gänzlich unmusikalisches Phänomen, ein Schreckschuss, ein Uebergriff des äussersten Realismus in der Kunst ist eine Hauptquelle für die originelle Wirkung des Finales der 8. Sinfonie. Es hat nirgends wieder seines Gleichen; vielleicht glücklicherweise. Nach dieser verwegnen Aufführung des Hauptthemas, setzt nun das zweite Thema lieblicher als je ein

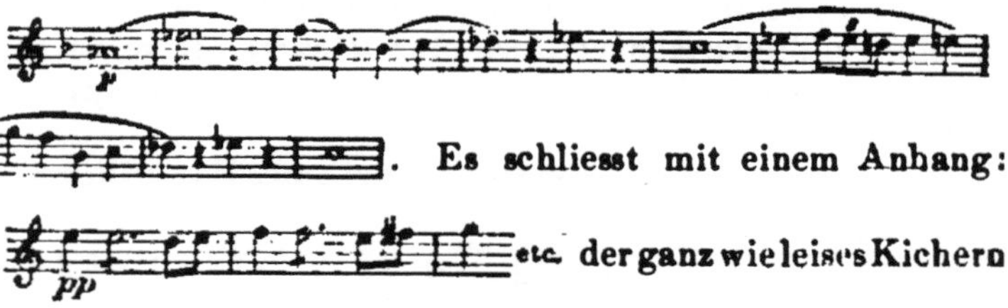

. Es schliesst mit einem Anhang:

etc. der ganz wie leises Kichern klingt. Die Themengruppe ist damit zu Ende. Der Satz, einer der längsten Beethovensinfoniesätze, hat modificirte Rondoform: es setzt die erste Durchführung ein, ernst durch die Herrschaft des neuen, sehr einfachen Commando-

motivs und durch Bildungen aus

den Vierteln vom 6. bis 8. Takt des Hauptthemas entwickelt. Am Ende haben die neckischen Geister wieder die Oberhand: Fagotte und die (hier in Octaven gestimmten) Pauken pochen ein drolliges Solo. Der nächste Theil ist eine mit kleinen neuen Zügen des Humors und der Grazie bereicherte Wiederholung der Themengruppe und nun folgt der eigentliche, weit über 200 Takte umfassende Schluss des Schlusssatzes. Nach einem zögernden, unentschlossnen Anfang, über den die Bässe sich sehr ungeberdig und zornig äussern, folgt eine lyrische Episode in schönster Abendstimmung über das Thema:

Das schreckliche cis kommt brutaler als je wieder, auch die andren ausgelassnen Scherze des Finale ziehen nochmals, am liebsten verschärft, vorüber; aber als es zum wirklichen Schliessen kommt, da behauptet die milde Schönheit die mit der Episode in die Composition eintrat, den Platz. Von der ersten Wiener Aufführung der achten Sinfonie (27. Februar 1814) heisst es „das Werk machte kein Furore", aus andern Orten berichtete man, dass es weniger gefiel als die andern.

L. v. Beethoven D moll-Sinfonie mit Schlusschor Nr. 9.

Wenn in musikalischen Kreisen schlechtweg von der „Neunten" gesprochen wird, ist damit wohl immer die neunte Sinfonie von L. v. Beethoven gemeint. In diesem abgekürzten Sprachgebrauche spricht sich die Sonderstellung, welche dieses Werk geniesst, deutlich genug aus. Es wird mit der neunten Sinfonie ein Cultus getrieben, der seinen Grund nicht ausschliesslich in dem eminenten Kunstwerthe dieses Werkes findet, sondern er hat einen nicht unbeträchtlichen Theil künstlicher Nahrung in den Theorien erhalten, welche in neuerer Zeit an den ausserordentlichen Charakter der neunten Sinfonie geknüpft worden sind. Die bis heute immer wiederholte Behauptung, dass dieses Werk beim ersten Erscheinen nicht verstanden worden sei stützt sich im Wesentlichen wieder auf Spohr[1])

[1]) L. Spohr, Selbstbiographie I, 202.

der die ersten drei Sätze die schlechtesten Sinfoniesätze Beethoven's und das Finale monströs, geschmacklos und trivial genannt hat, gehört aber, so allgemein hingestellt, ins Reich der Fabel. Aus London kamen ganz unverständige und niedrige Urtheile; in andern Städten, auch Leipzig, blieben die Meinungen bezüglich einzelner Punkte getheilt. Aber in Wien erregte die erste Aufführung des Werks (7. Mai 1824), so roh und ungefeilt sie auch ausfiel, doch den höchsten Grad von Enthusiasmus. Und gerade der Eingang des Finale wird ein Moment des seligsten Genusses, ein Punkt genannt, an welchem Kunst und Wahrheit ihren glänzendsten Triumph feiern: das Non plus ultra des Werks.[1]) Das einzige und noch heute von Vielen getheilte Bedenken gegen die Sinfonie äusserte sich in dem Wunsche, dass es Beethoven gefallen möchte diesem wahrhaft einzigen Finale eine ungleich concentrirtere Gestalt zu geben. Nach Czerny[2]) soll Beethoven auch wirklich eine Umarbeitung dieses Satzes beabsichtigt haben.

Der Hauptpunkt, in dem die neunte Sinfonie formell von den vorausgehenden abweicht, besteht darin, dass ihr Schlusssatz ein Gesangstück ist. Wie kam Beethoven dazu, eine Instrumentalsinfonie mit Singstimmen zu schliessen? Die von R. Wagner zuerst ausgesprochene Ansicht, weil er den Bankrutt der reinen Instrumentalmusik erkannte und aussprechen wollte, scheint angesichts der Streichquartette und Klaviersonaten, die Beethoven dieser Sinfonie (opus 125) noch folgen liess, nicht haltbar. Auch die andere Annahme, dass Beethoven bei der Composition seiner neunten Sinfonie von vornherein die Ode Schiller's „An die Freude“ zum Ausgangspunkt genommen habe, steht nicht fest. Allerdings schreibt Fischenich schon im Jahre 1793 an Charlotte von Schiller, dass Beethoven dieses Gedicht im grossen Stile componiren wollte

---

[1]) Allgemeine Musikalische Zeitung, 26. Jahrgang, S. 441.

[2]) C. Czerny: Recollections on Beethoven in Cock's Musical Miscellany 1852 u. 1853.

und die Skizzenbücher zeigen wie er wiederholt dazu ausholt, es in Ouvertüren — z. B. bei der zur Namensfeier — zu verwenden. Aber noch im Jahre 1823, als die ersten drei Sätze schon so gut wie abgeschlossen waren, sehen wir ihn zwischen einem vocalen oder instrumentalen Schlusssatz für die neunte Sinfonie schwanken. Wenn Beethoven sich dann doch für die Zuziehung des Gesangs entschied, so handelte es sich dabei um eine Massregel, die im Princip schon Haydn für zulässig erklärt hatte, indem er Recitativ in der Sinfonie verwendete. Beethoven war ihm darin in seiner Fünften gefolgt und von da, zuerst in den Skizzenbüchern, dann in seiner „Chorfantasie" zur Verwendung wirklicher Menschenstimmen und ausgeführter Vocalmusik weiter geschritten. Aus dem 17. Jahrhundert giebt es Cantaten, von denen man nicht weiss, ob sie wohl zur Gesang- oder zur Instrumentalmusik gehören. Auch zu Beethoven's Zeiten war in der Sinfonie der Chorschluss versucht worden. So von P. von Winter in seiner Schlachtsinfonie, die bei ihrem Erscheinen (1814), so schwer begreiflich das diesem Product aus Lärm und Trivialität gegenüber auch sein mag, viel Aufsehen erregte und Beethoven's „Schlacht bei Vittoria" an manchen Orten aus dem Sattel hob. Auch eine Sinfonie „Schlacht bei Leipzig" des Böhmen P. Maschek (1814) gehört zu dieser Mischgattung von Sinfonie und Cantate. Freilich war zwischen den Formen der Sinfonie Beethoven's und der anderer Leute ein grosser Unterschied, und indem Beethoven für die Sätze, welche zur Vorbereitung, Begründung und Einleitung der Ode dienen sollten, seine gewöhnlichen Sinfoniemasse des Allegro, des Scherzo und des Adagio nicht nur beibehielt, sondern auch noch steigerte, erhielt Schiller's Tempel der Freude einen so colossalen Unterbau, ein Fundament von solchen Dimensionen, solcher Selbständigkeit und solchem Reichthum an eigner Schönheit, dass das Hauptwerk, welchem dies Alles dienen soll, leicht darüber vergessen werden kann. Sei es nun mit der formellen Berechtigung wie es will; keinesfalls würde Beethoven die Ode ins Finale gebracht haben, wenn zwischen ihr und den drei ersten Sätzen der Sinfonie keine geistigen Beziehungen bestanden hätten. Sie aber aufzufinden, ist nicht schwer.

Die Schilderung eines Zustandes, dem die Freude fehlt, ist die wesentliche Idee des ersten Satzes. Mit der Formfreiheit, welche die Werke von Beethoven's letzter Periode auszeichnet, setzt er zunächst ohne Thema ein. Es wogt und nebelt chaotisch und unbestimmt über den berühmten leeren Quinten. Dann, erst nach 16 Takten, steigt in finsterer Majestät, voll Kraft und Trotz, aber durch einen an die gleiche Stelle in der „Eroica" erinnernden Zug des Leidens gezeichnet, die Heldengestalt dieses Allegro zu Tage:

Welch' heroischer Eintritt, wie langgemessen der Weg — aber wie sonderbar wirr das Ende! Das Thema setzt gleich darauf zum zweiten Male von einer anderen Seite ein, in Bdur, ohne sich aber wieder so breit zu entfalten: Ketten, aus dem Motive gebildet, decken und vorbereiten den Aufmarsch seiner zweiten Hälfte. Es capitulirt am Schluss und überlässt unmittelbar das Terrain an das zweite Thema und seine Vorläufer

Auch hier das gewaltige Längenmass, welches alles Gedanken- und Formenwesen der neunten Sinfonie, und dieses ersten Satzes insbesondere, charakterisirt. Dieselbe dämonische Unruhe, welche Empfindung und Phantasie immer wieder aufjagt. Sie treibt hier aus dem Reiche milder Wehmuth, freundlichen Sehnens, tröstlichen Erinnerns fort in das Ungestüm des Kampfes . Unmittelbar daran reihen sich wieder Bilder des Friedens und des seligen Glückes

etc. Alle Qual schlummert einen Augenblick; aber auch aus dem sanft wiegenden Traumgebilde treten Gegensätze erkennbar hervor:

Im Nu ist ein neuer Ausbruch da, in welchem diesmal die wild aufschlagenden Bässe die Führung übernehmen:

Die Holzbläser versuchen zu beschwichtigen; sie bitten um einen freundlicheren Ton: und erreichen es, dass der erste Theil des Satzes mit einer gewissen kräftigen Freudigkeit geschlossen wird. Die Durchführung entrollt das Faustische Bild weiter: Suchen und nicht Erreichen, rosige Phantasien von Zukunft und Vergangenheit und die Wirklichkeit von einem Schmerz erfüllt, der seine Rechte plötzlich geltend macht! Der Durchführungstheil ist verhältnissmässig nur kurz: thematisch wird er hauptsächlich getragen von Bildungen aus dem dritten und vierten Takte des Hauptthemas. Das trübe Element tritt in ihm zurück, um mit vollster Kraft bei der Rückkehr in den Hauptsatz auszubrechen an jener Stelle, wo die Pauke 38 Takte lang ihr *d* wirbelt; wo die beiden Theile des Orchesters heftig und wild gegen einander angehen — eine Stelle, an welcher die Mittel der musikalischen Kunst den dämonischen Intentionen Beethoven's kaum zu genügen scheinen. Am Schlusse der Coda, in deren Mitte das Horn einen überaus freundlichen und zuversichtlichen Lichtblick fallen lässt, wird die freudlose Grundstimmung des Satzes zu vollständiger Gebrochenheit. Wir glauben in der Melodie der Oboe einen Trauermarsch intonirt zu hören, bis die Klänge der anderen Instrumente stärker und stärker werden und noch einmal kurz, aber lapidar, Schmerz und Trotz neben einander stehen.

Der zweite Satz nähert sich der Freude schon mehr. Er beginnt über folgendem Thema

Molto vivace.

welches später auch in der Verkürzung von drei Takten gebraucht wird, ein Fugato erst heimlich und leise: am Schlusse im fröhlichsten und lautesten Tumult der dahinjagenden Instrumente. Nur auf einen kurzen Augenblick wird dieses muntere Treiben von Momenten müden Sehnens

abgelöst, die derb fidelen Tanzweisen der Bläser:

denen die Streichinstrumente in kräftigen Streichen das Anfangsmotiv des vorigen Themas zujauchzen, ersticken sie sogleich.

Der Mittelsatz, welcher das Trio vertritt, hat als Hauptgedanken folgende möglicher Weise Beethoven's russischen Musikstudien entsprossene in der Tonreihe mit dem Anfang des Trios der zweiten Sinfonie ganz übereinstimmende, nur rhythmisch von ihm verschiedne Melodie

Er schlägt pastorale Töne an und spielt in seinen simplen Hirtenweisen auf ländliche Vergnügungen an, aber auch in seinem zweiten Theile, den Beethoven über eine Umkehrung des Begleitungsbasses bildet:

in mächtig mystischen Geigenklängen auf Sonnenaufgänge und erhabene Freuden der herrlichen Natur.[1])

Das Adagio, der dritte Satz der Sinfonie, hat eine abweichende, nichts destoweniger aber sehr klare Disposition. Sein Hauptthema, der inbrünstige Ausdruck eines edlen, frommen Sinnes, der in die andere Welt hinüber Fragen zu richten scheint,

---

[1]) Um zu veranschaulichen, wie allgemein verständlich die Schönheit dieses Scherzo sei, berichtet der Franzose Elwart in seiner Voyage musical (1849), dass es selbst Rossini's Beifall gefunden habe, ähnlich findet Lenz in seiner Beethovenbiographie das Entzücken Glinka's bemerkenswerth. Gewiss hat das Scherzo der 9. Sinfonie ebensowenig Gegner wie ihr Adagio. Aber Rossini sollte man bei dem Beweis hierfür verschonen. Dass sein Geschmack nicht gewöhnlich war, geht aus seiner Mitgliedschaft bei der Bachgesellschaft genügend hervor.

hat die Länge des Periodenbaues, welche der Beethoven der letzten Periode liebt. Es schliesst nicht voll ab, sondern es schwebt unmittelbar in den Schooss des zweiten Thema über

welches auch äusserlich, nach Tonart und Taktart, die Kennzeichen einer völlig anderen Sphäre trägt. Nach dieser Themengruppe beginnen Variationen, zuerst über beide Hauptgedanken, dann über das erste Thema allein. Der ganze Satz strebt einer höheren Art von Freude zu: Da scheint ein Mensch zu träumen vom Himmel und vom Wiedersehen, von seinen Jugendtagen und von seinen Lieben. Aber Träume gehen zu Ende. Am Schlusse der ersten $^{12}/_{8}$ Takt-Variation verkünden Trompeten und Hörner mit einem plötzlichen Signal:

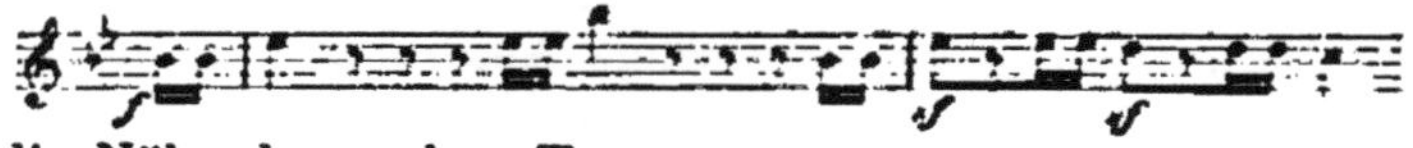

die Nähe des rauhen Tages.

Das schöne Bild verschwindet, und nun kommt im vierten Satze das, was Faust meint, wenn er sagt: „Des Morgens wach' ich mit Entsetzen auf". Gedacht ist wohl ohne Zweifel der Anfang des Finale im unmittelbaren Contrast zu den Himmelsklängen des Adagio. Im möglichst schnellen Anschluss an das Ende des letzteren verliert die wirre Fanfare, der Höllenlärm, mit welchem das empörte, heulende Orchester einsetzt, den Charakter des Unbegreiflichen, Capriciösen, am besten. Dieser wüste Anfang bedeutet den Rückfall in die chaotische Stimmung des ersten Satzes. Bässe und Celli warnen in kühnen, heftigen Recitativen. Jetzt suchen die Geigen und die Bläser nach rettenden Ideen. Die einen bringen eine Weise aus dem ersten Satz, die anderen aus dem zweiten, dann kommt ein Citat aus dem dritten. Nichts gefällt den Bässen. Endlich intoniren die Oboen etwas ganz Neues. Das findet Gnade bei den Vätern des Orchesters. Nachdem sie ihre Zustimmung in einem letzten Recitative ausgesprochen, ergreifen sie selbst das Motiv und führen es zu einer breiten Melodie aus:

Es ist dieselbe, zu der dann die Freudenode angestimmt wird, und die, rein oder variirt, den leitenden Faden des ganzen Finale bildet. Zunächst wird sie in einer Fuge durch das ganze Orchester geführt, ohne aber demselben auf die Dauer einen genügenden Halt bieten zu können. Denn es taumelt nach einem Moment des Herumirrens wieder zu jener Schreckensscene zurück, mit welcher der Satz begann. Da kommt weitere Hülfe. Es ist diesmal der Sänger des Barytonsolo, der mit den von Beethoven selbst eingeschobenen Worten „O Freunde, nicht diese Töne — sondern lasst uns angenehmere anstimmen und freudenvollere“ die Ordnung wiederherstellt. Und nun beginnt er den Hymnus in obiger volksthümlicher Melodie, — einer der wenigen, die Beethoven gleich beim ersten Anlauf fand — in welche die anderen Solisten und der Chor dann einfallen.

Von Schiller's Ode hat Beethoven nur einige Strophen benutzt und aus ihnen eine Reihe musikalischer Bilder entwickelt. Er lässt die Creaturen jauchzen um Küsse und um Reben, er tritt mit dem Cherub vor Gott, er malt die Bahn, die der Held durchläuft in einem wilden, stürmischen Fugato, dessen Kampfgetöse in einem festen, sieghaften Pochen endigt. Der Refrain aller Scenen, die Beethoven ausführt oder skizzirt, ist das vom Chor wieder eingesetzte „Freude“. Am ausführlichsten hat Beethoven die Scene des Helden behandelt; die Rücksicht auf die Dimensionen des Satzes gestatteten leider nicht, mit allen Themen des Gedichts in gleicher Weise zu verfahren. Es steht Vollendetes und Angefangenes neben einander, und bei aller Begeisterung über die entzückende Schönheit des Einzelnen empfinden wir, bewusst oder unbewusst, in der Totalform des Finale einen Mangel. Besonders weihevoll und hinreissend sind die Momente, in denen sich Beethoven dem Sternenzelt und dem himmlischen Vater nähert, der darüber wohnt. Die Worte „Seid umschlungen, Millionen" hat er in eine Art Ceremonie gefasst, die da oben am ewigen Throne zu spielen scheint. Sphärenhaft sind ihre Schlussklänge. Die irdische Musik vergeht in dieser Nachbarschaft ganz ins Stille. Nur wie heimlich setzen die Solostimmen wieder mit ihrem „Freude, Tochter aus Elysium" ein; bald aber gewinnt das Ensemble seinen Muth wieder und rauscht in einem Enthusiasmus einher, welcher immer stärker wird und schliesslich in einen völligen Freudentaumel übergeht. Dieses Schlussbild hat Beethoven in dem realistisch schwungvollen Stile ausgeführt, der mit ihm zuerst in die Tonkunst eintrat.

III.

Nebenmänner und Gefolge der Classiker. Vorläufer und Hauptvertreter der Romantik.

Die allgemeine Musikgeschichte pflegt bei dem Capitel „Sinfonie“ schnellen Schrittes von Beethoven auf Mendelssohn überzugehen. Nur Schubert und Spohr werden als Zwischenglieder kurz berührt. Es ist jedoch interessant und vom historischen Standpunkte aus sogar nothwendig, etwas länger bei dem Kreise schöpferischer Talente zu verweilen, deren Werke für die hervorragenden Leistungen der classischen Führer den Hintergrund bildeten.

Der Umbau der Sinfonie aus einer einfachen Gelegenheitsmusik zu einer Tondichtung grössten Stils hatte sich in dem verhältnissmässig kurzen Zeitraum von sechzig Jahren vollzogen. Das musikalische Publikum lebte sich wunderbar leicht in die Veränderung hinein, und geradezu erstaunlich ist es, wie schnell und richtig das Verhältniss zu Beethoven festgestellt wurde. Wir hören und lesen heute viel von dem unverstandnen Beethoven, von Beethoven dem Märtyrer. Diese Auffassung stützt sich auf kürzere und längere Verstimmungen des Componisten selbst, auf herbe und hitzige Urtheile der Gegner und Widersacher, die seine Werke im Einzelnen oder Ganzen natürlich fanden. Aber ihrer waren im Verhältniss zur Neuheit und Kühnheit seiner Kunst nur wenige und sie gaben nicht den Ausschlag. Beethoven lebte in einer Zeit die seiner würdig, seinem Geiste verwandt war. Man ehrte in ihm eine Ausnahmeerscheinung. Beethoven's Sinfonien sind die ersten und noch für lange die einzigen, von welchen zu Lebzeiten des Verfassers die Partitur gedruckt wurde. Das Hauptbedenken, welches sie verursachten, war ihre grosse Schwierigkeit: Die Dilettantenorchester, auf welchen die Existenz der damaligen Concertgesellschaften ruhte, waren diesen Werken gegenüber quantitativ und qualitativ zu schwach. Der bekannte Hofrath André gab diesem Bedenken den stärksten praktischen Ausdruck, indem er eine kleine Serie von „leichten" Sinfonien veröffentlichte. In einer derselben folgt in der Menuett auf einen Walzer als Hauptsatz das Trio in Form eines figurirten Chorals. Trotz André und trotz der Schwierigkeit blieben aber die Beethoven'schen Sinfonien an der Spitze des Repertoirs, über Haydn und Mozart sogar, und die Orchester wurden soweit sie in der Noth der Befreiungskriege Stand gehalten hatten, ihnen zu Liebe mit grossen Kosten allmählich umgebildet.

In den Kreisen der Componisten forderte der Uebergang in die neue Periode seine Opfer. Die Zahl der Stimmen im Sängerwalde minderte sich und ganze Geschlechter verschwanden. Es war aus mit einer „Sinfonie mit Guitarre" und mit ähnlichen Curiositäten: es war aus mit den alten, rauschenden Theatersinfonien, aus mit den concertirenden Sinfonien und den harmlosen Divertissements, welchen bisher ebenfalls der Titel Sinfonie erlaubt war. Wenn jetzt die Brandl, Braune, Blyma, Weyse, Kuffner und die andern Matadoren des leichten Stils an die Thüren der Concertsäle klopften, so scholl ihnen, wie dem Tamino in der Zauberflöte ein energisches „Zurück" entgegen. Es kamen Zeiten, wo es der Kritik gar nicht recht zu machen war, wo diejenigen, welche sich in Beethoven's Pathos versuchen wollten, schlechtweg „schwülstig", die Anhänger Haydn's als „kindisch" gescholten wurden, wo man die Form der Sinfonie für erschöpft erklärte und wo fast jede Recension eines neuen Werkes den melancholischen Anfang: „Wer jetzt noch mit einer neuen Sinfonie hervortritt, der etc.“ trug.

Diejenigen Männer, welche sich unter so erschwerenden Umständen als Sinfoniker zu behaupten wussten, welche neben den Classikern auf dem Repertoir standen und nach Beethoven einen Platz errangen, verdienen nicht ganz vergessen zu werden. Ohne einen Blick auf das Wesen und die Menge dieser Nebenmänner versteht man die Blüthezeit der Wiener Schule und die Individualität ihrer Classiker kaum vollständig. Die Grösse dieser classischen Periode beruht nicht zum Geringsten auf ihrem Reichthum an wirklichen, an bedeutenden Talenten. Süssmayer hat bekanntlich das Requiem von Mozart so vollendet ergänzt, dass noch bis heute Musiker sich vernehmen lassen, die angesichts der wohlverbürgten Thatsache doch die blosse Möglichkeit einer fremden Hand glauben in Abrede stellen zu dürfen. Diese kühnen Zweifler wissen nicht, dass Süssmayer keine vereinzelte Erscheinung ist, dass Haydn, Mozart, Beethoven nicht von Zwergen, sondern von hochgewachsnen Genossen umgeben waren, von denen einzelne heute, in unsrer musikalisch ärmeren Gegenwart vielleicht als Grössen ersten Ranges gelten würden.

Unter denjenigen Nebenmännern der Classiker, welche in der Sinfonie diesen hohen Massstab vertragen ist der älteste und bedeutendste Carl Ditters von Dittersdorf. Einst ein Liebling der deutschen Musikkreise, ein wiederholt und besonders gern gesehner Gast der preussischen Hauptstadt, ist dieser Tonsetzer heute nur noch durch seinen „Doctor und Apotheker“ bekannt. Und auch da nur dem Namen nach. Denn obwohl diese trauliche Oper als Culturbild, als Supplement zu Goethe's „Hermann und Dorothea“ einen unverlierbaren Werth besitzt, ist sie seit dreissig Jahren vollständig von der Bühne verschwunden. Trotzdem ist es möglich, dass Dittersdorf als Instrumentalcomponist wieder Fuss fasst. Mit seinem Es dur-Quintett hat er es bereits gethan. Mit seinen Sinfonien würde er die Neugier des jetzigen Geschlechts zunächst als Vertreter der Programmmusik reizen — aber schwerlich be-

C. v. Dittersdorf.

friedigen. Die Programmmusik giebt in Haydn's Werken bis zu seiner Jagdsinfonie, bei Beethoven in der Pastorale Lebenszeichen stark und deutlich genug um ahnen zu lassen, dass sie in der Nähe der Classikerperiode eine Rolle spielte. Thatsächlich war der Ausgang des 18. Jahrhunderts eine ihrer günstigsten Zeiten. In Sulzer's „Allgemeiner Theorie der schönen Künste" wurde ihr damals sogar der wissenschaftliche Segen zu Theil, unter den Praktikern aber die sich ihr in allen Ländern widmeten, war Dittersdorf der bedeutendste. Dittersdorf's Hauptbeitrag zur Gattung bestand in 12[1]) charakterisirten Sinfonien zu Abschnitten aus Ovid's Metamorphosen. Im Jahre 1785 als Stimmdruck veröffentlicht müssen sie einen beträchtlichen Erfolg gehabt haben, denn im nächsten Jahre schrieb der Probst Hermes Analysen dazu. In Deutschland scheint das interessante Werk verschwunden zu sein. Brenet[2]) ohne die Bibliothekstellen zu nennen an denen er sie gesehen hat, beschreibt zwei Stücke daraus: „Die vier Zeitalter" und „Actaeon" tadelnd, dass sie ganz an der viersätzigen Sinfonieform festhalten. Hanslick[3]) dem wohl auch Herr Brenet seine Kenntniss der Metamorphosencompositionen verdankt, rechnet unter die Dittersdorf'schen Programmsinfonien auch ein „Combattimento dell' umane Passioni." Doch ist das eine Suite, die dadurch überrascht, dass sie ganz in Muffat's Stil gehalten ist.[4]) Sie besteht aus den sieben Sätzen: Il Superbo, il Umile, il Matto, il Contento, il Melancolico, il Vivace. Der Schlusssatz ist ein grösseres Musikstück, die andren haben die kurze zweitheilige Form, die im Ballet und im Tanz so gebräuchlich ist; nur ausnahmsweise sind geeignete Motive durchgearbeitet. Die Erfindung ist in „Il Vivace" am glücklichsten gewesen; hier das Hauptthema:

---

[1]) Diese Zahl und diesen Titel giebt Dittersdorf (K. v. Dittersdorf's Lebensbeschreibung — Leipzig 1804 — S. 230) selbst an.

[2]) Brenet, Histoire de la Symphonie, Paris 1882, S. 109.

[3]) Hanslick, Geschichte des Wiener Concertwesens, Wien 1869, S. 114.

[4]) Exemplar auf der Münchner Hof- und Staatsbibliothek.

etc. Im Ganzen entbehrt sie der Schärfe. Von dem combattimento, dem Kampf den der Titel ankündigt, enthält die Composition keine Spur. Einmal nur sprechen zwei folgende Stücke einen Gegensatz im Charakter aus: il superbo und il umile. Den Ausdruck des Stolzes hat aber Dittersdorf dabei nicht sicher gefunden. Die Musik spricht Freude, Aufgeregtheit, ja Zorn aus; aber es fehlt ihr die Ruhe und Vornehmheit die zum rechten Stolz gehört. In eine sonderbare Beziehung ist il Amante der Verliebte zu Il Matto dem Verrückten gebracht worden. Er tritt als Trio im Menuett auf. Nach diesem Menuett hat sich Dittersdorf einen stillen Narren gedacht. Ob nun diese Sätze selbständig als „Sinfonie" componirt oder, was wahrscheinlicher ist als Einlagen zu einem Schauspiel, als Begleitungsmusik zu lebenden Bildern entstanden sind, eine angeborne Begabung für Programmmusik, Tonmalerei und Charakteristik zeigen sie nicht. Die Plastik, Eindringlichkeit und Eigenthümlichkeit der Motivbildung, die die Stärke Rameau's und der Franzosen ausmacht, in der auch Kuhnau sehr gross ist, geht ihnen ab. Und mit dieser Eigenschaft steht und fällt das Recht der Gattung.

Ein ganz Andrer aber ist Dittersdorf wenn ihm grosse Formen zur Verfügung stehen: da überrascht er durch einen poetischen und ungewöhnlich selbständigen Geist und lässt uns überall verstehen, warum ihn die Musikfreunde des ausgehenden achtzehnten Jahrhunderts in ihren Orchesterconcerten dicht neben Haydn und Mozart stellten. Er ist der Erste unter den Oestreichern jener Zeit, welcher, mit beiden Meistern geistesverwandt, zwischen ihnen in bedeutender Weise vermittelt. Mit Haydn theilt er als Naturgeschenk den Humor, lernt von ihm die Kunst der motivischen Arbeit und fügt dem die Mozart'sche Cantabilität bei. So betritt er mit grosser Bestimmtheit den

Weg, den dann Beethoven glänzend weiterschritt. Wir dürfen Dittersdorf in der Sinfonie soweit es sich um die Vermittelung zwischen Haydn und Mozart und um Selbständigkeit und Originalität in der musikalischen Architektur, im eigentlichen Satzbau handelt, einen Vorläufer Beethoven's nennen. Nur Unbekanntschaft mit seinen Werken ist die Ursache, dass die Biographen Beethoven's Dittersdorf als Vorgänger und Lehrer Beethoven's nicht anführen. Denn dass der junge Rheinländer die Sinfonien Dittersdorf's gekannt und studirt hat geht daraus hervor, dass er sie in einzelnen Zügen besondrer Gestaltung nachgebildet hat. Der diplomatische Beweis ist dafür wohl nicht zu erbringen aber für Diejenigen, welche noch mit Gründen äusserster Wahrscheinlichkeit rechnen, auch entbehrlich.

Als die (programmlosen) Hauptsinfonien Dittersdorf's darf man die 12 Stück betrachten, die im Jahre 1788 in Stimmendruck erschienen sind. Für diese Annahme spricht der Umstand, dass sich von einzelnen von ihnen wie von der ganzen Sammlung geschriebne Partituren vorfinden. Eine daraus — sie geht aus Odur — ist unlängst in Partitur und Stimmen neugedruckt worden[1]) und könnte berechtigte Veranlassung bieten Dittersdorf — und zwar nicht blos aus historischem Interesse — wieder in unsre Orchesterconcerte einzuführen.

Sie hat das grosse Orchester der Vor-Beethoven'schen Sinfonie nämlich 2 Oboen, 2 Fagotte, 2 Hörner, 2 Trompeten, Pauken und den fünfstimmigen Streicherchor. Dazu aber — ohne dass es besonders angegeben ist — Cembalo, ein Beweis, dass die Haydn'sche Praxis nicht mit einem Male und unabänderlich durchdrang.[2]) Auf dem Titelblatt nennt sich der Componist Carlo di Dittersdorf. Das ist mehr als eine blosse Aeusserlichkeit, denn die Musik

[1]) Bei Breitkopf & Härtel, Leipzig.

[2]) Unentbehrlich ist das Cembalo nur im 2. Satz der Sinfonie, in der Breitkopf'schen Neuausgabe übernehmen die Streichinstrumente seine Partie mit.

mischt zu den Haydn'schen und Mozart'schen Elementen drittens noch italienische. Namentlich der erste Satz hat die Lärm-, Prunk- und Festmotive der alten italienischen Sinfonie.

Mit einem solchen setzt das Hauptthema ein:

Das klingt sehr entschlossen und kräftig, die Fortsetzung schlägt aber einen zögernden Ton an:

Sie hat die Mozart'sche Cantabilität und das Thema als Ganzes ist der Ausdruck einer noch ungeklärten Stimmung. Es ruft uns das Bild eines Menschen vor die Phantasie, der vor einem schweren Entschluss vor einer schweren Aufgabe steht, vor einer Lage die unerwartet gekommen ist und deshalb verwirrend wirkt. Das scheint das Sechzehntelmotiv b) auszusprechen. Es hat nach einer wörtlichen Wiederholung des 8taktigen Themas zunächst die Oberhand, füllt mit scheinbar endlosen und rathlosen Sequenzen einen zwölftaktigen Abschnitt, der in Gdur endet und das zweite Thema bringt. Mit der Freiheit der Formbehandlung, die Dittersdorf's Instrumentalcompositionen auszeichnet ist es zu einer ganzen Themengruppe erweitert, in der wir drei Glieder zu unterscheiden haben: Das erste knüpft inhaltlich wieder an Motiv c) des Hauptthemas an: aber steigernd. Dort Sinnen, hier dumpfes Brüten wie gelähmt vom harten Schlag.

Im weitren Verlauf der zwölftaktigen Periode dringen die Achtelnoten mehr und mehr nach oben, Ermannen, Erwachen von Kraft verkündend. Und da setzt dann als zweites Glied eine abermals aus Motiv b) des Hauptthemas gebildete Periode an, jetzt aber nicht im fassungslosen Ton, in der Richtung schwankend, sondern entschieden nach oben strebend, von Hoffnung erfüllt, ja mehr als das: des glücklichen Ausgangs gewiss. Von dem jubelt das dritte Glied halb und halb in italienischer Zunge:

Das Verwirrungsmotiv (Abschnitt b des Hauptthemas) spielt jetzt in freudiger Gestalt als Bass mit. In feurigen Umbildungen dieses dritten Gliedes geht die Themengruppe zu Ende. Bevor aber ihr Schlusstheil einsetzt, lässt sich episodisch eine zarte Stimme vernehmen:

 mitten im Jubel wird in glücklicher Ruhe der vorübergezognen Wolken gedacht. Das ist einer der sinnigen Züge, durch die Dittersdorf seine instrumentalen Stimmungsbilder zu bereichern pflegt. Was seine Darstellung im ersten Theile des Hauptsatzes aber besonders auszeichnet das ist die psychologische Folgerichtigkeit der Theile, die Naturechtheit der Entwickelung und die Kunst mit der er die Satzform dem Gang seiner Ideen beugt. Ist Dittersdorf's Ideenkreis auch abgegrenzt, so bewegt er sich doch in ihm wie es nur ein grosser Meister und ein durch und durch klarer und aufrichtiger Mensch thun kann.

Die Durchführung unsres Hauptsatzes knüpft an das eben vorgeführte Episodenthema an. Es setzt in Gmoll ein: Die Stimmung wird wieder trüb und mehr und mehr kleinlaut, Pausen unterbrechen die Darstellung fortwährend.

Dann folgt als zweiter ein kräftigerer Abschnitt innern Kämpfens und Ringens. Das Verwirrungsmotiv bildet in ihm fortwährend den Bass. Er schliesst ausweichend, zagend in Edur und da setzt das zweite Thema ein. Aber nur in seinem ersten Glied wird es verwendet; im Gegensatz zu der Richtung die es in der Themengruppe nahm verliert es sich nach unten wie in Träumen und Schlummern. Wir hören zuletzt nur immer leisere Sextaccorde, Pausen dazwischen. Endlich kommt eine mit langer Formate, der vorhergehende Accord klang beruhigender: G h d f. In diesem Augenblick setzt mit überraschender Wirkung der dritte Theil, die Reprise ein. Wir treten an sie des guten Endes gewiss heran und sie verläuft in aller Regelmässigkeit.

Der zweite Satz, ein Larghetto, besteht aus Thema, drei Variationen darüber und Coda. Das Thema selbst, ein dreitheiliges Lied, von dem der erste Theil folgendermassen lautet:

zeigt uns Dittersdorf von seiner bekanntesten Seite als einen Hauptvertreter jener Poesie der Beschaulichkeit, der Zufriedenheit, der Zierlichkeit und Artigkeit, die als eine letzte Verdünnung der Renaissance übrig geblieben, von der Mitte des achtzehnten Jahrhunderts ab die deutschen Liedersammlungen und Singstuben beherrschte und bald dann in Gestalt der bürgerlichen Oper nach ihrem Ausgangspunkt: der Bühne, und zwar auch der italienischen und französischen zurückkehrte. — Den Ansatz mit dem Doppelschlag liebt Dittersdorf ausserordentlich; aber kaum wird er dieser Lieblingswendung in einer zweiten Composition so viel Raum zugestanden haben wie hier. In den 89 Takten aus denen ohne Wiederholungen das Larghetto besteht, fehlt sie nur vierundzwanzig mal. Etwas Monotonie, liebenswürdige Einförmigkeit gehört zum Charakter einer Idylle, wie sie dieser Satz im Gesammtbau der Sinfonie bilden soll: eine Scene der ungetrübtesten Anmuth, schmiegsamster Zärtlichkeit nach der gelinden Erregung des Hauptsatzes. Die Methode in der die Variationen gearbeitet sind, ist die einfache der Vor-Haydn'schen Zeit. In der ersten begleiten zweite Violinen und Bratschen das Thema mit einem Triolenmotiv, in der zweiten lösen es die ersten Violinen in ein perpetuum mobile in Zweiunddreissigsteln auf, das wohl für die Sologeige gedacht ist. In der dritten treten die Bläser mit reichen langen Klängen hinzu und die Bässe versuchen mit der Melodiestimme einen rhythmischen Dialog. In der kurzen Coda verklingt das merkwürdige Stück auf einer fremden, entlegnen G dur-Harmonie an die sich unmittelbar der Menuett anschliesst. Er ist dadurch eigen, dass er uns in kurzen und in neuen, zusammengedrängten Formen noch einmal das Wesentliche des ersten Satzes der Sinfonie vorführt. Wir haben da das kräftig entschlossene Aufbrechen und die Töne der Hoffnung und des Jubels

im ersten Theil wörtlich vor uns. Der zweite Theil streift die Momente des Bangens. Das Trio ist als 2. Menuett bezeichnet, eine reine Aeusserlichkeit. Das Stück bildet zum ersten Menuett weniger einen Gegensatz als eine Ergänzung, bringt zum Aeussren das Innre. Dort eine Freudenscene vor der Oeffentlichkeit, hier die dankbare und friedensfrohe Seele mit sich allein im stillen Kämmerlein: das schöne Thema

viermal hintereinander und immer leiser, so schliesst der Satz. Er klingt ausgezeichnet. Den Hauptheil kennzeichnen die tiefen Saiten der Geigen, den Mittelsatz ein mit Lerchenklang und Naturton fesselndes Oboensolo. Es kehrt nach Wiederholung des ersten Menuett als Coda wieder, mit einem Halbschluss bricht der Satz ab und unmittelbar darauf setzt das Finale ein:

Erst mit

Diese Themen kommen einzeln hintereinander, mit dem 14. Takte aber stehen wir, wie im Finale von Mozart's Jupitersinfonie, in einer Tripelfuge. Alle Geister der Neckerei und Heiterkeit, feine und derbe, phantastische und prosaische wirken zusammen. Aus einer Durchführung stürmen die Carnevalsgedanken in die nächste, in die dritte und vierte als endlich ein Orgelpunkt auf *G* eine bedeutende Wendung, vielleicht ein Ende des Treibens ankündet: Sie kommt zunächst mit einem grotesken Unisono in dem alle Instrumente, Hörner und Trompeten ausgenommen, auf dem ersten Thema fortissimo vorübersausen. Als der vierte Takt vorbei und G dur erreicht ist, fallen die Pauken ein: Halbschluss, Generalpause mit Fermate und — W i e d e r h o l u n g d e s M e n u e t t s. Genau also die Wendung, die das Finale von Beethoven's Cmoll-Sinfonie hat. Dieser Einfall Dittersdorf's hat an seiner Stelle die Bedeutung eines würdigeren Schlusses anstatt des tollen der von der Tripelfuge zu erwarten wäre und zugleich auch den der Rückkehr in die Stimmungssphäre des Hauptsatzes der Sinfonie, also den einer wohlthuenden Abrundung. Deshalb kommen beide Menuetts, nur ohne Wiederholungen, noch einmal vollständig und die Sinfonie schliesst auch mit einigen tumultarischen Takten im Rhythmus des Menuetts.

Bei näherer Prüfung ergiebt sich für Dittersdorf ein Uebergewicht des Mozart'schen Einflusses. Auf die Wiener Schule im Ganzen dagegen übte naturgemäss Haydn die stärkere Anziehung aus. Ihre Sinfonien vertreten den heiteren Charakter der Musik. In ihrem Rhythmus und in ihrem Figurenwerk herrscht ein rascher feuriger Geist, die Melodien sind in der Mehrzahl flott und munter und geben dem Frohsinn und der Lebenslust einen naiven und herzlichen Ausdruck. Es lebt in der Wiener Schule ein starker volksthümlicher Zug. Ein gewisser Localdialect klingt durch, derselbe, in welchem Haydn — z. B. in Allegro. und Mozart — in  Allegro. zuweilen ebenfalls sprechen und der noch heute unverfälscht in der östreichischen Armeemusik fortlebt.

Diese Stammeseigenschaften führten die Mehrzahl der östreichischen Sinfoniker zunächst auf die Seite Haydn's. Die hervorragendsten unter ihnen: Gyrowetz, Rosetti, Pleyel, Wranitzky, Hoffmeister hat Riehl in seinem Capitel über „Die göttlichen Philister" geschildert. Ihnen wäre vielleicht noch Neubauer, Vanhall, van Swieten, jedenfalls aber Franz Krommer anzureihen, der, durch die unglaubliche Popularität und Verbreitung seiner Quartette und Quintette mitgetragen, auch als Sinfoniker weiter drang und sich länger hielt als die genannten Schulgenossen. Seine Sinfonien sind denen Haydn's im

Allgemeinen sehr ähnlich, aber von einer niedrigeren Bildungsstufe aus entworfen und durchgeführt. Die Form hat grosse Mängel, die Gedanken verrathen die derbe Atmosphäre der Zauberoper. Die Aelteren unter uns haben mit dem Ton dieses Kreises vielleicht noch durch die Diabelli'schen Claviersonaten unerfreuliche Bekanntschaft gemacht. Einzelne von ihnen, Pleyel, Gyrowetz, haben grössere Ansprüche auf Sympathie und Achtung. Aber auch sie haben von dem Haydn'schen Erbe vom Geist der Zeit geleitet, nur den Epikuräischen Theil an sich genommen: die lustige Thematik seiner Londoner Zeit. An seiner Kunst des Auslegens gingen sie vorbei.

Nach dem Antheil, den französischer Geist am Wesen von Haydn's Sinfonien hat, war zu erwarten dass sich in Frankreich eine bedeutende Gefolgschaft dieses Tonsetzers gebildet hätte. Doch fehlte es hierzu an wesentlichen Bedingungen: an Concertinstituten und Sinfoniecomponisten. Von dem Reichthum musikalischer Collegien und „wöchentlicher Concerte" dessen sich Deutschland erfreute, keine Spur! Die wenigen Institute dieser Art, die sich in Paris und den Provinzhauptstädten aufgethan hatten, konnten den Vortheilen gegenüber, die eine erfolgreiche Oper einbrachte, nichts bieten. Diese an und für sich ungünstige Lage wurde durch Haydn noch verschlimmert. Denn, — so sagt ein Artikel des Moniteur im Jahre 1808[1] —, nachdem Haydn's Sinfonien die erste Schwierigkeit der Einführung überwunden hatten, konnte sie bald Jedermann auswendig und wollte keine andren hören. Beklagenswerther Weise ist hierüber auch Fr. J. Gossec um die Anerkennung gekommen, die ihm die Musikgeschichte Frankreichs schuldig ist. Er war der erste Tonsetzer von Bedeutung der sich der neuen Gattung der Concertsinfonie nachhaltig und mit voller Hingabe widmete. Schon als Zwanzigjähriger trat er mit Sinfonien hervor, die in italienischer Folge dreisätzig und vielleicht die ersten

---

[1]) Abgedruckt in A. Pongius Méhul-Biographie (Paris 1889) S. 301.

überhaupt sind, in denen Clarinetten vorkommen. Denn damals, Anfang der fünfziger Jahre, hatte diese neuen Instrumente ausser Rameau wohl noch Niemand ins Orchester gebracht; Haydn liess sich damit fast noch vierzig Jahre lang Zeit. Das allen Franzosen gemeinsame Klangtalent ist bei ihm überhaupt noch besonders hervorragend entwickelt. Deshalb waren seine concertirenden Sinfonien auch seine angesehensten. Doch auch durch einen stark nationalen Zug von Eleganz und Anmuth fesseln sein Werke. So war er in den siebenziger Jahren der unbestrittene Herrscher in den von ihm gegründeten Concerts des amateurs sowohl wie in den Concerts spirituels. Da kam Haydn und verdunkelte auch Gossec dermassen, dass das Ausland von ihm überhaupt keine Notiz nahm.

Die wenigen französischen Musiker, die in der Periode der Wiener Classiker Sinfonien schrieben, schlossen sich Haydn an. Unter ihnen ist Cherubini zu nennen mit einer Ddur-Sinfonie, die auch nach Deutschland kam aber bald vor den viel freieren und bedeutenderen Ouvertüren ihres Verfassers verschwand. Obwohl Haydn selbst Cherubini als „seinen musikalischen Sohn" bezeichnet hat[1]), sind in diesem Werke, mit Ausnahme des Larghetto cantabile, die eigentlichen Haydn'schen Künste nicht zum vollen Recht gekommen. Die Sinfonie ist wieder wie fast jede Orchestercomposition Cherubini's ein Muster des Klangs und auch in der Satztechnik anziehend und belehrend, unter anderm durch schöne Kanons. Ihr poetisch bedeutendstes und eigenthümlichstes Stück ist die träumerische Einleitung zum ersten Satz. Auch Méhul's Sinfonien gehören ganz zur Haydn'schen Schule; man kann Méhul den interessantesten und selbständigsten Schüler Haydn's nennen. Er folgt ihm, ohne sein Vorbild in der Virtuosität der thematischen Arbeit, der Beweglichkeit der Gedanken ganz zu erreichen in der Methode; das Uebrige bestreitet er aus eignem Vermögen. Die ganze Auffassung von Zweck und Wesen der Sinfonie ist bei Méhul etwas andres als bei

---

[1]) Griesinger S. 104.

Haydn und den Deutschen: Man merkt zuweilen, dass diese Kunst sich an ein grosses Volk richten will, von einem grossen Volke kommt: es ist ihr etwas Pathos und Stolz eingemischt und auch eine Dosis Glanz und Kraft, die mehr an Gluck und Händel als an Haydn erinnert. Anmuth und Eleganz geben sich etwas zugespitzt, so wie das die Franzosen von Rameau ab und in ihrer Volksmusik von jeher gern gehabt haben. Von den vier Sinfonien Méhul's, die sich nachweisen lassen, sind nur die in G moll und die in D dur nach Deutschland gekommen. Die erstere, in der der Menuett wegen des Pizzicato des Hauptsatzes besonders wirkte, kehrt bis in die sechziger Jahre, wenn auch nicht häufig, wieder. Mendelssohn, der durch historischen Sinn alle nachgekommnen Dirigenten unvergleichbar überragte, suchte sie in Leipzig im Jahre 1838 wieder aus dem Archiv hervor: Schumann, von dem man bei dieser Gelegenheit ein besondres Wort erwarten durfte, mengte sie — absichtlich oder versehentlich? — unter die Werke „bekannter Meister".[1]) Bei ihrer ersten Aufführung im Jahre 1810 hatte sie ein Messfremder in der Allgemeinen Musikalischen Zeitung[2]) als eine Sinfonie in „J. Haydn's Weise, frei ins Französische übersetzt" bezeichnet. Nach diesem richtigen Anfang führt der Verfasser fort: „So gut das gelingen kann, war es Méhul wirklich gelungen. Der melodische Theil war unstreitig der schwächste: der harmonische aber auch nicht selten grell und gesucht: Die Arbeit übrigens sorgsam und mit Streben nach Gründlichkeit; die Instrumentirung sehr gut und effektvoll". Von der dreifachen Befangenheit die dieses Urtheil trübt, kommt ein Theil auf die musikalisch mechanische Richtung des Schreibers, die beiden andren Theile muss man der Zeit Napoleon's und Beethoven's zu Gute halten. Die Gegenwart ist in der Lage Méhul's Sinfonien ohne Eingenommenheit zu würdigen; giebt man

---

[1]) Neue Zeitschrift für Musik. 8. Bd., S. 107.
[2]) Allg. Musik-Zeitung, 12. Jahrgang, S. 565.

ihr dazu Gelegenheit, wird sie ihn lieb gewinnen: mehr noch als in der Gmoll-Sinfonie in der in Ddur.

Die Italiener auf eine Herrschaft der Instrumentalmusik ebensowenig vorbereitet als die Franzosen, streichen allmählich die Pflege der Sinfonie so gut wie ganz aus ihrem musikalischen Pensum. Unter den Gründen, mit denen sie diesen schweren Fehler zu beschönigen suchten, hat der bis auf den heutigen Tag immer wiederholte Vorwurf, dass die deutsche Musik gelehrt und wissenschaftlich geworden sei, dass sie sich zu sehr an den Verstand wende, Gemüth und Phantasie vernachlässige, deshalb für uns Interesse, weil etwas wahres an diesem Vorwurf ist. Mozart, C. M. von Weber haben in ihren Sinfonien, Beethoven hat mit seinen letzten Quartetten gezeigt, dass es neben der Haydn'schen Methode in der sich Geist und Witz am besten entfalten können, andere giebt, die Erfindung, Phantasie, Inspiration zu einem grössern Recht kommen lassen. Die Bevorzugung des Haydn'schen Stils hat uns eine grosse Menge pedantisch langweiliger Instrumentalcompositionen eingebracht und der spätern Entwickelung der Sinfonie geschadet. Die wenigen italienischen Componisten die von jetzt ab noch Sinfonien versuchten, schlossen sich jedoch ebenfalls Haydn an. Unter ihnen ist L. Boccherini für lange Zeit der Einzige, der in Deutschland und wohl auch in Frankreich Beachtung gefunden hat. Wenigstens sind in Paris um 1799 zwei seiner Sinfonien (in Stimmendrucken) veröffentlicht worden. Beide haben vier Sätze, den Menuett als dritten. Die erste (in D) kommt im Finale auf das erste Allegro zurück und erreicht dadurch eine Einheit und Abrundung die dem Durchschnitt der Sinfonien jener Zeit nicht eigen ist. Die zweite (in C) gehört zur Gattung der concertirenden Sinfonien, sie verwendet das alte Corelli'sche und Händel'sche Concertino: 2 Soloviolinen und Solocello. Letzteres tritt im Andante sehr schön hervor.

Unter den Sinfonikern, welche zuerst auf Mozart's Seite traten, gebührt der Altersvorrang Michael Haydn, dem Salzburger Bruder von Joseph Haydn. Von den

32 Sinfonien, die ihm Fétis zuschreibt, sind zu Lebzeiten des Componisten nur drei in Stimmdrucken erschienen (1793 Wien); eine von diesen, eine Cdur-Sinfonie liegt aber seit kurzem in stattlichem Partiturdruck[1]) vor. Der Herausgeber, Otto Schmid, weist ihre Entstehung in das Jahr 1784, wo ihr Verfasser im zweiundfünfzigsten Lebensjahre stand. Die Musik würde jedem Jüngling Ehre machen; sie hat Frische, Freudigkeit, Kraft, alle Merkmale eines jugendlichen gesunden Geistes und zeigt dabei in jeder Wendung der Form die Sicherheit und Klarheit des reifen Meisters, jene Mozart'sche Abgeklärtheit, die auch in Vocalwerken des Salzburger Haydn so wohlthuend berührt.

Die Haydn'sche Sinfonie fängt mit denselben Noten wie Mozart's Linzer Cdur-Sinfonie aber sogleich im andren Charakter an. Noch ehe der zweite Takt schliesst, ist von Cantabilität keine Rede mehr, das Herz aus dem diese Töne kommen ist voll lauter Sonnenschein:

ganz besonderes Wohlgefallen hat der Componist an der aufschlagenden Sext des letzten Taktes gehabt. Wer noch nicht klar darüber ist, mit wem er es zu thun hat, dem müssen alle Zweifel schwinden wenn (mit dem 15. Takt) die Ergänzung des ersten Themas kommt:

Das ist Musik vom Geblüt des Don Giovanni und des Grafen im „Figaro“. Der ritterliche, junge, ins Leben stürmende, stolze Mozart ist es an den sich wie die Mehrzahl der Wiener Mozartschüler auch Michael Haydn an-

[1]) Leipzig, Breitkopf & Härtel.

schliesst. Zweites Thema und Uebergangspartien bieten geringres Interesse, in letztren macht sich eine gewisse Umständlichkeit bemerkbar. Sonst hat der Satz den grossen Vorzug vollendeter Natürlichkeit und Schlichtheit. Die Durchführung verarbeitet das 1. Motiv des Nachsatzes vom Hauptthema, das erst in Nachahmungen zwischen Violinen und Bässen, dann in letztren allein erscheint. Gefühl der Kraft äussert sich in kunstvollen Formen. Das Hauptfeld seiner contrapunktischen Meisterschaft verlegte Haydn in das Finale, bei dem wir wie in Mozart's Jupitersinfonie, in Dittersdorf's gleichaltriger Cdur-Sinfonie wieder vor einer Tripelfuge stehen. Haydn's Priorität ist unbestreitbar.

Das erste Thema:

Vivace assai.

dem 16 Takte spannende Einleitung vorangehen, nimmt mit seinen Durchführungen den ersten Abschnitt (bis zum 67. Takt) allein ein und führt uns ein Stimmungsbild vor in dem leises ahnungsvolles Behagen sich bis zu lauter Fröhlichkeit steigert. Da setzt auf dem Höhepunkt (Halbschluss in *G*) eine neue beweglichere Freudenweise ein, das zweite Thema: oder vielmehr sein Vorläufer. Denn der kurze Gedanke wird zunächst mehr versuchsweise begleitend in den ersten und zweiten Violinen probirt, das Commando bleibt beim ersten Thema. Neue Durchführungen, Engführungen, Zwischensätze aus Umbildungen dieses ersten Themas oder ganz frei gestaltet bilden den Inhalt des zweiten Abschnitts des Finale (bis zum Takt 152) der einem Ausruhen und Geniessen gewidmet ist. Seine schönsten lauschigsten Stellen sind die aus den Umbildungen des Themas gewonnenen:

und namentlich die heimlich humoristische wo die Bässe viermal 

geben.

Am Ende des Abschnitts wird ans Weitergeben gemahnt: Ein neues, fortdrängendes Thema:

lässt sich vernehmen. Der dritte Abschnitt beginnt. In ihm zeigt sich das zweite Thema in seiner vollen Gestalt, nämlich:

das neue dritte ist hierbei sofort wie ein Nachsatz verwendet. Zunächst ziehen nun die beiden Hälften dieses combinirten Themas Arm in Arm durch die Instrumente, dann hat der Nachsatz — (oder das dritte Thema) allein die Satzbildung zu bestreiten. Die Stimmung die sich in dem Abschnitte ausspricht ist im Verhältniss zum Vorhergehenden die einer grössren Erregung. Als er zum Schluss (Takt 202) ausholt, sehen wir mit ungeduldiger Erwartung nach der Fortsetzung aus. Sie tritt als Repetition des ersten Abschnitts vor uns hin. Aber es ist keine wörtliche, gewohnheitsmässige, sondern eine Wiederholung mit den stattlichsten Varianten. Wir sind noch gar nicht weit in dem neuen Abschnitt vorgedrungen, da bringt Haydn zum ersten Male alle 3 Themen miteinander. So hat die Anlage seines Finale Aehnlichkeit mit einem Spaziergang, der uns immer höher hinauf, von einem schönen Aussichtspunkt zum andern führt; der letzte vereinigt die einzelnen Augenweiden zu einem mächtigen Gesammtbild. Es ist in dem Finale dieser Sinfonie mithin gehaltvoller Plan und meisterliche Formbeherrschung nicht zu verkennen. Doch geht ihm die Fülle von sinnigen Détails, die der mächtigen Persönlichkeit entspriessen, es geht ihr auch der gewaltige Zug ab. Es ist zu lang und zu reich an Formalismen, an Wendungen die von Grössren geborgt sind. Man wolle diese Schwäche nicht der Zeit, sondern nur der Individualität ihres Schöpfers zur Last legen und ihrer niederdrückenden Wirkung bei etwaigen Aufführungen durch gehörige Striche vorbeugen. — Einen Menuett hat die Sinfonie nicht; sie ist dreisätzig wie es die italienischen Sinfonien waren. Der hier noch zu erwähnende Satz, der langsame, an der zweiten Stelle im Werke enthalten, ist aber der eigenste in der ganzen Composition. Er hat die hier ungewöhnliche Form des Rondo. Der Hauptsatz, der dreimal vorüberzieht ist gemüthlich beschaulicher Natur, fast in Dittersdorf'scher Art. Ausserordentlich schön und lebendig sind aber die Zwischensätze. Beim zweiten namentlich wills Einen anmuthen als wenn die Fluth des grossen Weltenlaufs in ein stilles Gebirgsdorf hineinwogt. Im ersten ist eine Stelle, die sich klanglich sehr hervorthut: Hörner, Trompeten und Pauken allein.

Auch der für die Clavierstudien unsrer Jugend noch heute sehr wichtige Muzio Clementi gehört unter diejenigen hervorragenden Nebenmänner der Wiener Classiker, die sich an Mozart anreihen und zwar an den feurigen, nicht an den Sänger der Schwermuth und des Weltschmerzes. Die fatale thematische Abhängigkeit von seinem Vorbild, die schon in Claviercompositionen Clementi's vom Plagiat schwer zu unterscheiden ist, tritt uns aber auch in den Sinfonien wieder entgegen. Die in B dur z. B. fängt an

. Nun vergleiche man damit das Presto der Mozart'schen Salzburger B dur-Sinfonie von 1778! Zu diesem ersten Verdruss tritt ein zweiter noch stärkrer über die Affectirtheit Clementi's. Was einen so sichren und in sich abgeschlossnen Künstler bewogen haben kann den natürlichen Gang seiner Modulationen fortwährend durch fremde Harmonieeinschübe und gewaltsame Quersprünge zu unterbrechen — wenn es nicht das Bestreben war sich neben den grossen Meistern als ein noch grösseres Original zu zeigen — lässt sich schwer begreifen. Wie sie in Folge dieser Gebrechen zu ihrer Entstehungszeit nicht fest einzuwurzeln vermochten, so ist's auch aussichtslos mit den Clementi'schen Sinfonien, obwohl sie durch das allgemeine Können ihres Verfassers ziemlich hoch stehen, heute Wiederbelebungsversuche anzustellen. Ehrlich währt am längsten — gilt auch für die Componisten!

Weitere Mozartianer unter den Sinfonikern der Wiener Schule sind: Sterkel, Witt, Wölfl, Wilms. Das Oestreichische vertritt unter ihnen am ausgeprägtesten Wölfl, Mozart's Salzburger Landsmann: anmuthig, gemüthlich, zuweilen intim; auf der Kehrseite nachlässig und unselbständig. Bei Sterkel tritt noch der italienische Bildungsgang in Melodien und Formen hervor. Diesem Umstand verdankt er den Triumph einmal Beethoven geschlagen zu haben. Das war bei einer Concurrenz um die Composition von „In questa tomba obscura". Sterkel erhielt den Preis; Beethoven's Musik wurde als „neudeutsch" abgelehnt. Witt ist ein kleiner Berlioz, ausgezeichnet durch Experimente und Künste der Instrumentirung: ganze Adagios mit Pizzicato in den Allegros: grosse Trommel und türkische Musik! Wilm's überragt die Genossen durch seine leidenschaftlichere Natur, welche sich musikalisch in grossen, kühnen Crescendos und breiten Zwischensätzen äussert. Der bedeutendste Wiener aus der Blüthezeit der Classiker ist Anton Eberl. Ihn nannte man unter den Grössen der Gattung und verglich ihn mit Beethoven, mit dem er die Gewohnheit theilte, auf Spaziergängen zu componiren. Eberl's thematische Erfindung ist wenig originell, vielfach auf Mozart direkt gestützt, die Figurenbildung altväterisch und schablonenhaft. Aber in seiner Harmonik, in der Steigerung des Ausdrucks, im gewaltigen Aufbau der Perioden, in den zarten Einschaltungen der Schlusstheile, in der ganzen Handlung der Form, lebt ein eigenes und starkes poetisches Talent. Eberl starb jung; sein Ruhm als Sinfoniker ruht nur auf wenigen Werken, von denen die Sinfonie in Ddur ihren Schöpfer lange überdauerte, auch draussen „im

Reich*. In ihrer dreisätzigen Form, in dem Violinsolo des Adagio hängt sie noch mit der alten Vor-Haydn'schen Periode zusammen; originell ist sie in der Disposition des ersten Satzes, welcher zwischen der langsamen Einleitung und dem eigentlichen Allegro in anziehenden Nüancen einen sehr hübschen Marsch vorüberführt:

Er zeigt vor dem Eintritt in den Kampf, dass Hülfe naht. Das liebenswürdige Adagio weist in seinem Hauptthema

mit den schmachtenden Vorhalten auf die Zeit Naumann's zurück und voraus auf die Bellinische. Dieser weichliche Schmerz rührt uns, weil er erlebt ist, — der männlichen Sprache der Classiker war er aber fremd. So bietet dieses Beispiel und ebenso das vorhergehende eine Ergänzung zu dem Ideenkreis der drei Hauptmeister. Sie zeigen uns die Stellen der Wiener Schule, aus denen Männer wie Franz Lachner und Louis Spohr ihren Ausgang nahmen. Wenn das Wiener Publikum seiner Zeit der Eberl'schen Esdur-Sinfonie den Vorzug gab vor Beethoven's Eroica, so schenkte es wenigstens seine Gunst keinem gewöhnlichen und unbedeutenden Werke. Es ist eine mit allen Vorzügen des Componisten ausgeführte sehr leidenschaftliche Composition; selbst in der Menuett grollt es noch heftig, erst das zweite Trio bringt Ruhe in die Stimmung. Der langsame Satz hat mit dem Trauermarsch der Eroica in der Vertheilung auf eine Cmoll- und eine Cdurhälfte und in den kriegerischen Triolen einige zufällige Aeusserlichkeiten gemeinsam.

Der geistige Einfluss Beethoven's lässt in der Wiener Schule sehr lange auf sich warten. Nur Wilms und Eberl zeigen unter den Genannten leise Beziehungen zu ihm. S. Neukomm, ein direkter Schüler J. Haydn's, in den Concertsälen Deutschlands bis in die Dreissiger Jahre hinein eine gern gesehene Erscheinung — namentlich seine Orchesterphantasie in D, eine zweisätzige Composition, in der das concertirende Element viel zur Geltung kommt, war sehr beliebt — schrieb noch im Jahre 1818 eine Sinfonia eroica. In ihren Schlusssatz ist Händel's „Seht er kommt etc." eingearbeitet. Als endlich Beethoven von den Wienern eifriger studirt wurde, wirkten zunächst die Aeusserlichkeiten des grossen Vorbildes. So wurden von Wien aus, dann weit und breit, die Posaunen in den Sinfonien endemisch. Die Dotzauer, Reicha, Maurer, Moralt — allerlei Talente, voran die kleinen, griffen zu den grossen Instrumenten. Als typisch für die einreissende Tonverschwendung können die Sinfonien von C. Czerny betrachtet werden. Diese beiden platt behaglichen, lärmenden Werke tragen die Opuszahlen 750 und 781! Aus dem grossen Citatenvorrath der ersten (in Cmoll) ist eine Reminiscenz von Schubert's „Erlkönig" kunstgeschichtlich bemerkenswerth! Ein andrer direkter Schüler Beethoven's, der bekannte Ferdinand Ries copirt stilistische Eigenthümlichkeiten des Meisters, besonders seine Ueberraschungseffekte und vermischt sie mit Rossini'schen Scherzen: Plötzliche Unterbrechungen der Fortepartien — die Geigen schaukeln Takte lang auf leisen Accordnoten, italienisches Guitarrenorchester — dann eine unvermuthete starke Dissonanz, aus der sich aber nichts Beethoven'sches entwickelt: „Parturiunt montes etc."! Trotzdem feierte die Kritik in den Zwanziger Jahren Ries als „geistreichen" Componisten. Schumann fand seine Eigenthümlichkeit „nur durch die Beethoven'sche verdunkelt".[1])

S. Neukomm. C. Czerny. F. Ries.

Der erste Tonsetzer, welcher, obwohl er auf einem

[1]) R. Schumann's Gesammelte Schriften (Ausgabe Jansen) I, 135.

wesentlich realistischem Bildungsboden steht, im höheren Sinne als Beethoven's Schüler bezeichnet werden kann, und welcher zugleich die Wiener Schule und ihren Localton als einer der Letzten und als der Glänzendste vertritt, ist Franz Schubert. Wiener und Oestreicher ist er in der Erfindung und Phantasie bis zu einem Grad, dass seine Compositionen an die Wiener Landschaft an Ländlerton und an Czardasklang erinnern, Beethovenianer in der breiten, zuweilen masslos breiten Führung der Form. F. Schubert.

Das Hauptwerk unter Franz Schubert's Sinfonien ist die grosse Sinfonie in C dur, welche in der Reihe der übrigen die Nummer 7 trägt. Sie ist ein Ausnahmewerk: in ihrer colossalen Anlage, in den unaufhörlichen Wiederholungen ihres Periodenbaues, in ihrer „himmlischen Länge", wie sich R. Schumann euphemistisch ausdrückte, etwas monströs; meisterhaft und genial, wie keine andere seit Beethoven, in der musikalischen Erfindung, in der Stärke des melodischen Stromes, in der Fülle schwärmerischer Weisen, in der Ursprünglichkeit und dem Reichthum origineller Tongedanken, die auf Schritt und Tritt in diesem Werke entgegensprossen: liebenswürdig und unwiderstehlich wie eine heitere, herrliche, grossartige Frühlingslandschaft nach der Natur ihrer Phantasie und Stimmung. Alles in Allem kann man sie vielleicht die schönste, die musikalisch reichste Sinfonie des 19. Jahrhunderts nennen; sicher hat sie in der Laienwelt mehr Freunde als irgend eine andere.

Die Sinfonie beginnt mit einer ausgeführten Einleitung, welche die Hörner romantisch eröffnen:

F. Schubert C dur-Sinfonie Nr. 7.

Die Holzbläser nehmen diese fragende Melodie zunächst auf, die Celli setzen sie fort. Dann beginnt eine Durchführung über die zwei ersten Takte des Themas. Dieser Discurs, von den Holzbläsern schüchtern und zagend, von dem Gros des Orchesters mit starker Entschiedenheit und einer gewissen robusten Pracht geführt, endigt mit einem Schlussresultat, welches in dem ersten Satze zu grosser Bedeutung gelangt. Es ist das freudig zuversichtliche Motiv

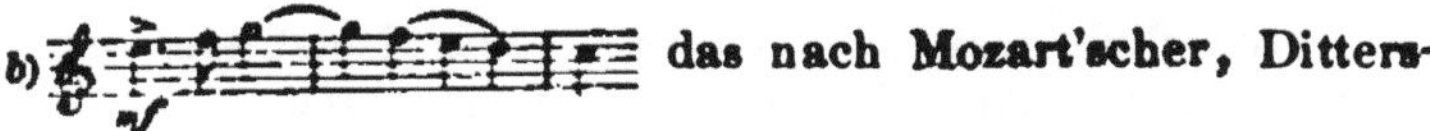

das nach Mozart'scher, Dittersdorf'scher, wir können sagen nach Wienerischer und italienischer Art der triumphirende Refrain in der Dichtung des ersten Satzes wird. Mit ihm scheint der Berg überstiegen. Ohne Aufenthalt, mit förmlichem Ungestüm geht es über in das Allegro, dass wie in den Strahlen der Morgensonne vor uns glitzert und flimmert. Ritterlich stolz die Geigen:

vor freudiger Erwartung bebend die Holzbläser: so bauen die beiden Theile des Orchesters das lange Thema vor uns stückweise auf. In seiner zweiten Hälfte giebt es einer grossen Freude immer kühneren und rauschenderen Ausdruck:

Echt Schubert'sch ist der Abschluss dieses Bildes und der Uebergang ins Nächste. Zwei Takte im Decrescendo gehalten — und wir sind aus dem Cdur und dem Sturme des vollen Orchesters in Emoll! Das zweite Thema setzt beschaulich und mit jenem kleinen Anflug von Melancholie und Sehnsucht ein, der Schubert gleich einen musikalischen Lenau immer begleitet: Die stark beschäftigten, in dieser Sinfonie fast überbürdeten Holzbläser tragen es

Erst nach 33 Takten gelangt es ans Ende und in die für diese Stelle zu erwartende normale Tonart

Gdur. Eigenthümlich ist, dass Schubert schon hier eine Durchführung, wenn auch nur eine kleinere, einschaltet. Darin zeigt sich deutlich der Einfluss Beethoven's. In dieser Durchführung durchstreift der Componist einen ausserordentlich weiten Ideenkreis. Die Holzbläser und das Streichorchester bringen mit dem munteren:

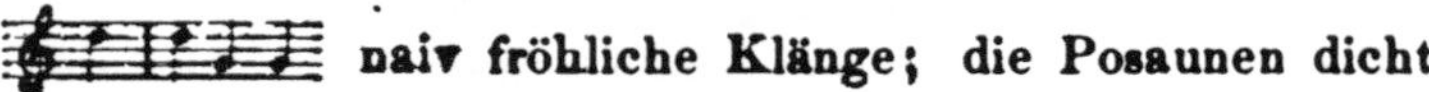

naiv fröhliche Klänge; die Posaunen dicht daneben mysteriös schauerliche . Es ist wie Vogelzwitschern und Waldesrauschen in einer Stunde, wo die Natur einschläft. Die beiden Motive sind durch kurz zugesetzte Auftakte aus früher aufgestellten Themen gebildet: das erste aus dem zweiten Thema, das Posaunenmotiv aus dem zweiten Takte der Einleitung. Es ist also Alles höchst einfach und natürlich augegangen und doch stehen wir hier wie vor einer übernatürlichen Wirkung, vor dem ganzen Schubert in seiner fast erschreckenden Grösse. Er, der aber noch wie ein Kind mit Kindern spielte, pflegt jetzt geheimen, priesterlichen Verkehr mit der Geisterwelt. Der gewaltige Eindruck der Stelle lässt sich weit in der modernen Composition verfolgen, z. B. Schumann's Dmoll-, Brahm's Cdur-Sinfonie zeigen die Spuren. Ein ganz eigner und neuer Zug an diesem Sinfoniesatze ist die innige Verbindung des Allegro mit der Einleitung. Dies oben unter *b*) gegebene Refrainthema aus der Einleitung schliesst die kleine Durchführung, von welcher hier die Rede ist. Es schliesst auch die grosse, die eigentliche Durchführung, welche nach ihr beginnt — etwas düster und in Moll gehalten — und am Schlusse des ganzen ersten Satzes steht herrlich und in vollem Glanze die Melodie vor uns, mit welcher die Hörner die Sinfonie begannen. In der grossen Durchführung des ersten Satzes ist eine Combination des Motivs mit einem andern aus dem ersten Thema des Allegro zu bemerken. Nach der Reprise kommt eine Coda, welche in gesteigerter Empfindung noch einmal auf den fremden- und erwartungsvollen Eingang des Allegro einen Blick wirft.

Das Andante der Sinfonie, ihr zweiter Satz (A moll $^2/_4$) besteht aus zwei grossen Gruppen. In der ersten trägt Alles den Charakter von genial, frei und sicher zusammengestellten Impromptus. Das führende Thema ist folgendes:

a)

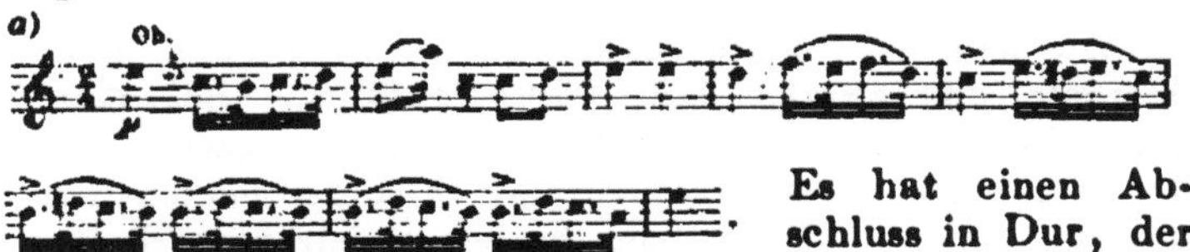

Es hat einen Abschluss in Dur, der ins Land des Glücks und ungetrübten Friedens weist:

Zu diesem Hauptthema tritt ein zweites, in welchem die Gegensätze des erstern gesteigert und näher an einander gerückt erscheinen:

b)

Der zweiten Gruppe ist ein ruhigerer Charakter eigen. Aus ihr klingen Töne der frommen Andacht und einer erhabnen Feierlichkeit, und an einzelnen Stellen herrschen ein Ernst und eine Resignation, aus denen die Gedanken an das Jenseits zu sprechen scheinen. Wir stehen wie durch Magie vor diesem neuen Bilde. Mit einem jener kleinen Harmoniewunder, an denen Schubert so reich ist, führt er uns von A- nach F dur. Das Hauptthema dieser zweiten Gruppe ist das folgende:

Es wird sofort nachdem es aufgestellt ist in kleinen Sätzchen motivisch entwickelt. Der Wechsel zwischen den zwei Chören des Orchesters, den Bläsern und den Geigern, giebt diesen Sätzchen ihre charakteristische Form. Von einer besonderen Schönheit ist die Schlusspartie dieser zweiten Gruppe, ihr sanfter wehmüthiger Abschiedscharakter, das fast übersinnliche Klangbild, in welchem Schubert hier mit den immer leiser, immer stockender gebrachten Tönen des Hornes und des Streichorchesters das Verschwinden der himmlischen Vision veranschaulicht.

Die beiden Gruppen des Andante werden nach diesem Momente ein zweites Mal vorübergeführt. Bei dieser Repetition besteht eine Hauptveränderung darin, dass die wilden Elemente des oben mit *b*) bezeichneten Themas der ersten Gruppe einen breiten Spielraum erhalten. Sie treiben es bis zu einer sehr bedenklichen Spitze. Von ihr aus finden die Celli mit einer rührenden Variante des Thema *a*) den Uebergang nach der zweiten Gruppe, welche diesmal in Adur gehalten ist. — Trotz der unendlich vielen Wiederholungen im Kleinen ist die Disposition des Andante eine knappe und einfache.

Das Scherzo, der dritte Satz, erscheint bei Weitem complicirter. Namentlich der zweite Theil seines Hauptsatzes übertrifft in der Menge der hier zusammentretenden Ideen und in der Länge seiner Ausführung auch die kühnsten Beethoven'schen Vorbilder.

Den Anfang des Scherzos macht ein Wechselspiel zwischen Bläserchor und Streichorchester, welchem folgendes Motiv zu Grunde liegt

Die Violinen, zuerst etwas barsch und burschikos, lenken dann in den zärtlicheren Ton der Blasinstrumente ein und schlagen schmeichelnd eine liebenswürdige Tanzmelodie vor

etc., welche jene mit Achtelgewinden aus dem Hauptthema umkränzen.

Der zweite Theil des Hauptsatzes setzt die reizenden Schelmereien des ersten fort; neu hinzugetragen erscheint ein kurzer Gedanke von grosser Innigkeit: ein veredelter Ländler

Das bewegte Treiben des Scherzo erhält durch das Trio eine köstliche Unterbrechung. Die Bläser tragen einen langen, gefühlvollen Gesang vor, dessen Hauptheil auf folgender Melodie ruht:

Das Finale setzt mit einem humoristischen Allarmsignal folgendermassen ein

Allegro vivace.

Von allen Seiten wird zum Aufbruch gerufen eine grosse glänzende Menge ist in Bewegung: ein herrlicher Tag, eine herrliche Landschaft! Aus der zweiten Hälfte des Hauptthema:

[1]) Im 2. Takt ist statt *g* „*a*“ zu lesen.

spricht vergnügt, ungeduldig drängend die Freude über ein grosses Ereigniss.

Im zweiten Thema nimmt die frohe Stimmung des Satzes einen beruhigten, festlichen Ausdruck an: es ist als ob sie nun kämen die lang Erwarteten im stolzen langen Zug. Ein Siegesfest liesse sich mit dieser herrlichen, reichen Musik feiern.

An dieser Melodie hat Schubert ein ersichtliches besondres Wohlgefallen gehabt; namentlich auf den breit daher schlendernden Anfang in halben Noten greift er immer wieder zurück: Dröhnend und mit mächtigem Nachklang schlagen sie uns aus den Bässen entgegen und führen die Gedanken von dem dunkleren Wege, den sie in der Durchführung streiften, wieder in heitere Sphären zurück. Aussergewöhnlich frei tritt die Reprise ein: mit dem ersten Thema in Esdur anstatt in der Haupttonart *C*. Namentlich das Finale ist derjenige Satz der Sinfonie, an welcher sich das Uebermass breiter Ausführung, welches dem Werke eigen ist, empfindlich macht. Ohne irgend einen neuen Zug zu bringen, setzt der Schluss dieses Satzes immer wieder an und wiederholt in immer andern Tonarten die zur Genüge oft vorgetragnen Gedanken. Es ist dies ein Mangel, der von der Ueberschwänglichkeit Schubert's, die uns häufig genug selige Momente bereitet, nicht zu trennen ist. Die Cdur-Sinfonie bleibt trotzdem eins der reichsten und beliebtesten Kunstwerke. Aber man würde sie wahrscheinlich häufiger aufführen, wenn sie kürzer wäre.

Schubert schrieb diese Sinfonie im Jahre 1828, wenige Monate vor seinem Tode; aber erst 10 Jahre später wurde sie der Oeffentlichkeit bekannt und zwar auf Schumann's Veranlassung.[1] Eine noch viel längere Wartezeit haben die übrigen Sinfonien Schubert's durchmachen müssen. Erst im Jahre 1865 kamen die beiden Sätze zur Aufführung, welche von der H moll-Sinfonie vorhanden sind.[2]

F. Schubert H moll-Sinfonie.

Dass das Werk nicht ein Fragment bleiben sollte, ist unzweifelhaft. Die Originalpartitur enthält noch 9 Takte als Anfang des Scherzo. Der Entstehungszeit nach dem Jahre 1822 angehörend, also 6 Jahre älter als die grosse C dur-Sinfonie, ist sie dieser doch an künstlerischer Vollendung überlegen: gedrungen in der Darstellung und frei von den formellen Mängeln der berühmten Schwester. Es ist eine Eigenheit der künstlerischen Entwickelung Schubert's, dass sie in Sprüngen auf und abwärts ging. Dem Inhalt nach ist die H moll-Sinfonie mit der grossen in *C* gar nicht zu vergleichen. Hier steht der schwermüthige Schubert vor uns und entrollt uns in kurzen und ergreifenden Zügen das Bild einer leidenden Seele. Manche Stellen im ersten Satze weisen direkt auf „Gretchen am Spinnrade“ hin, sogleich das erste Thema, in welchem unter dem sehnsüchtigen Gesang von Clarinette und Oboe (unisono)

die Geigen auf träumerisch belebtem Sechzehntelmotiv[3]

---

[1]) Die Entdeckungsgeschichte hat Schumann zuerst ausführlich in der Neuen Zeitschr. f. Musik, Bd. XII, S. 81 mitgetheilt: von da ist der Aufsatz in seine „Gesammelten Schriften“ übergegangen.

[2]) Ueber die Auffindung durch J. Herbeck siehe: Ed. Hanslick. Aus dem Concertsaal. Wien 1870, S. 350.

[3]) In der Partiturausgabe sind an dieser Stelle mit bemerkenswerther Pietät auch einige offenbare Schreibfehler Schubert's conservirt worden.

hin- und herschaukeln. Das zweite Thema, eine ländlerartige Melodie, setzt dann mit unbeschreiblichem Wohlklang in den Cellis ein

Es nimmt die ganze Erinnerung in Beschlag: es ist für seine Stelle fast zu schön und macht uns die erschütternden Gemüthsausbrüche vergessen, welche doch seine Fortsetzung bilden:

Der zweite Satz, Andante con moto (E dur $^3/_8$) bringt „himmlischen Balsam" in einfachster Schale. Die Melodie, auf welcher sein Hauptthema im Wesentlichen ruht, ist ein schlichter frommer Kindergesang: Andante con moto. pp

Das zweite Thema tritt mit den Fragen eines beschwerten Gemüths dagegen hin. Sie haben in der harmonischen Führung dieser Partei einen bewunderungswürdigen Ausdruck erhalten. Der ganze Satz ist das glänzendste Document für die Tiefe des Schubert'schen Geistes, für den erstaunlichen Reichthum einer Natur, in welcher neben der vollen Naivetät des Kindes aus dem Volke auch jene Grösse der Empfindung wohnte, die Beethoven's Theil war.

Seit kurzer Zeit liegen uns in der verdienstvollen Schubert-Ausgabe[1]) auch die Partituren der übrigen sechs Sinfonien vor, welche Schubert ausser den beiden hier geschilderten und in der Praxis eingebürgerten geschrieben hat. Von einer: der Cdur-Sinfonie Nr. 6, welche in

F. Schubert Cdur-Sinfonie (Nr. 6).

[1]) Leipzig, Breitkopf & Härtel.

ihrem ersten Satze Weber'schen Einfluss, im letzten Verwandtschaft mit dem Finale der siebenten zeigt, wissen wir das Entstehungsjahr nicht genau, wir dürfen es aber nach 1822 setzen. Die andern fünf fallen in die Zeit von 1813 bis 1816, ohne dass sich in der Reihenfolge, in der sie entstanden, eine fortschreitende Entwickelung verfolgen liesse. Dem grossen Sinfoniestile Beethoven's

F. Schubert Bdur-Sinfonie (Nr. 2).

nähert sich Schubert am meisten in der Bdur-Sinfonie (Nr. 2) vom Jahre 1844. Hier strebt er dem grossen Meister in dem breiten Entwurf der Perioden nach; ja das Hauptthema des ersten Satzes ist direkt aus einem ähnlichen im Finale von Beethoven's vierter Sinfonie hervorgegangen. Gleichzeitig zeigt auch diese Sinfonie das Eigene und das Wienerische in Schubert am stärksten, vornehmlich das Andante mit den Variationen: und das keck dahinsprühende Finale:

Diese Bdur-Sinfonie hat von allen den nachgefundenen die ersten Aussichten im Concertsaale heimisch zu werden. Alle die neugefundenen Sinfonien haben ihre interessanten Einzelheiten in Beziehungen auf andere

F. Schubert Sinfonie Nr. 1 und 3.

berühmte Werke ihres Componisten: die erste (Ddur v. J. 1813) in dem zweiten Thema des Finale, das mit dem Lied von der Forelle bestimmte Züge theilt, die dritte (Ddur v. J. 1815) durch einen Anklang an die grosse in Cdur. Gemeinsam ist ihnen die Meisterschaft im Colorit, die angeborene Genialität in der Mischung und Verwendung der Instrumente und ein ausgeprägter Zug von Lebensfreude. Eine Ausnahme von der letzten Eigenschaft macht nur die vierte Sinfonie (Cmoll v. J. 1816).

F. Schubert Tragische Sinfonie.

Sie ist „tragische Sinfonie" überschrieben und als ein Versuch in diesem Stile zu betrachten, wobei Muster wie Beethoven's Ouverturen zum Coriolan und zum Egmont und die Cherubini's zur Medea zum Grunde gelegen haben. Vom eigentlichen Wesen tragischer Musik enthält sie jedoch weniger als die unvollendete Sinfonie in H moll.

Die norddeutsche Schule die noch zu den Zeiten des Hamburger Bach der Wiener Schule innerlich ziemlich nahe steht, wird sich mit deren Erfolgen eines Gegensatzes bewusst und bemüht sich eine eigene Art zu äussern. Sie giebt sich pathetisch, ruhiger und ernster als die Wiener, zuweilen etwas trocken. In Form und Stil übertrifft sie jene durch Gediegenheit und Solidität und verräth einen Zusammenhang mit jener Berliner Contrapunktistenpartei, welche unter der Führung Kirnberger's den ersten Triumphen Haydn's mit dem Feldgeschrei „Sebastian Bach" entgegentrat. Die Opposition mag etwas lächerliches gehabt haben. Spottet doch Marpurg[1]) einmal über einen Philister, der eine Partitur „mit der finstren Miene eines Erzdoppelcontrapunktisten, der den galanten Haydn zu Boden schlagen will" prüft. Die norddeutschen Sinfonien sind reich an Imitationen und Umkehrungen und an Fugenpartien. Fugen sind auch den Wiener Sinfonien nicht fremd; aber die Norddeutschen tragen die strenge Arbeit gern zur Schau; ja es giebt Werke, in welchen das gelehrte Element sich ganz zum Herrn macht. Das am meisten charakteristische Produkt dieser Richtung ist die Cdur-Sinfonie des Abt Vogler, in deren Finale die diatonische Scala als Thema durchgeführt wird. Das Werk genoss von seinem Entstehungsjahre 1815 bis nahe an die neueste Gegenwart heran ein grosses Ansehen. Abt Vogler.

Mit dem Auftreten Mozart's nähert sich die Norddeutsche der Wiener Schule wieder. Mozart wird das Ideal ihrer Tonsetzer. Um Beethoven aber erwarb sie sich die grössten Verdienste. Seine Musik fand ihre Hauptstütze in Norddeutschland, namentlich durch das Eintreten des von Fr. Rochlitz wohl berathnen Leipziger Gewand-

---

[1]) Legende einiger Musikheiligen. (Cölln a/Rh. 1786.) S. 200.

hauses, eines der wenigen Institute, die aus der Periode der „wöchentlichen Concerte" heil in die neue Zeit herüberkamen. An guten Grundsätzen und Absichten reich, blieb die Norddeutsche Schule an überragenden Talenten lange arm und hinter der Wiener beträchtlich zurück, bis Mendelssohn und Schumann erschienen.

Die ersten namhaften Vertreter der norddeutschen
A. Romberg. Sinfonie sind die beiden Romberg und Fr. Schneider. Andreas Romberg, der Componist der „Glocke", galt als der anerkannte Führer. Von seinen Sinfonien, unter denen sich auch eine mit Janitscharenmusik befindet, ist die in *D*, welche Jahre lang ein Liebling der Orchester war, besonders hervorzuheben. In ihrem ersten Satze, welcher in freier und selbständiger Weise an die tragischen Motive des Don Juan anklingt, zeigt sie die der Schule eigenthümlichen ernsten Züge ausserordentlich deutlich. Sein
B. Romberg. Vetter Bernhard Romberg, einer der grössten Cellospieler seiner Zeit, heute noch durch seine Kindersinfonie weit bekannt, hat sich in der Gattung der höheren Sinfonie durch die „Trauersinfonie auf den Tod der Königin Louise" ein rühmliches Denkmal gesetzt. Ohne Choräle, Begräbnissgesänge und äusserliche Hülfsmittel wird hier eine erhebende Todtenfeier vollzogen, der leidenschaftliche Schmerz und die sanfte Klage haben denselben natürlichen schlichten Ausdruck gefunden; wahres, echtes Gefühl und edle Haltung machen diese Sinfonie zu einem hervorragenden Kunstwerk. Nach Geist und Stil erinnert es an
Fr. Schneider. Mozart's „Maurerische Trauermusik". Friedrich Schneider war einer der Ersten, welche in Beethoven's Fusstapfen zu treten suchten. Vom Jahre 1803 ab hat er über vier Jahrzehnte lang das Gebiet der Sinfonie gepflegt und in den Scherzi's seiner ungefähr zwanzig Sinfonien oft eine bedeutende Höhe erreicht.

Als der letzte und bedeutendste Vertreter des ursprüng-
W. Kalliwoda. lichen Stiles der norddeutschen Schule ist W. Kalliwoda zu betrachten, der von der Mitte der zwanziger Jahre ab ein Vierteljahrhundert hindurch einen bedeutenden Platz im Repertoir einnahm. In ihm schien das Geschick

wieder einen Meister ersten Ranges bescheeren zu wollen. Vielseitig, auf jedem Gebiete sicher, oft neu, originell und doch natürlich und einfach, macht er wiederholt den Eindruck eines Auserlesenen und nähert sich der letzten Stufe zur Unsterblichkeit. Obwohl das eminente Talent Kalliwoda's nicht zu voller Entfaltung gelangt ist und in fast jedem seiner Werke ein unfertiger Rest bleibt — hier die übermässige Breite der Ausführung, dort die Ungleichheit der Theile — ist doch das Studium seiner Sinfonien sehr genussreich. Jede enthält Perlen und Proben einer musikalischen Urkraft. In der ersten Sinfonie Kalliwoda's (F moll) machen wir auf die schöne Einleitung und das naiv kräftige (zweite) Thema des ersten Satzes:

aufmerksam. Ihr Scherzo hat in dem Hauptthema

eine zufällige Aehnlichkeit mit dem entsprechenden Satze der Schumann'schen D moll-Sinfonie. Die zweite Sinfonie Kalliwoda's zeigt bedeutende Fortschritte in der Form. Die Verbindungsgruppen sind gedankenvoller geworden und können der Stütze durch Figurenwerk entrathen. Der poetische Glanzpunkt des Werkes liegt in der kleinen Coda des Larghetto, welche der scheinbar schon geschlossenen Darstellung noch einen ganz neuen traulich herzlichen Gedanken in Canonform nachsendet. Die dritte Sinfonie Kalliwoda's darf im Allgemeinen als ein Hauptwerk aus der Periode ihrer Entstehung (1831) bezeichnet werden. Leider ist der letzte Satz den vorhergehenden nicht ebenbürtig und in allen wünscht man die Darstellung etwas gedrungener. Ohne diese Mängel würde sie für alle Zeiten die Repertoire zieren können. Viele Partien haben Beethoven's grossen und kühnen Zug; im zweiten Thema des ersten Satzes glauben wir uns direkt in die Sphäre der Rassumowsky-Quartette dieses Meisters versetzt. Der erste Satz ist einer der charaktervollsten

Sinfonie-Sätze, die je geschrieben worden sind; in seiner blüthenlosen Starre und Strenge hat er kaum seines Gleichen. Sein kahles und steinernes Hauptmotiv welches schon fremdartig in die Einleitung hineinklingt, gehört zu jener Classe von Themen, mit welchen es nur ein Genie wagen darf. Die vierte Sinfonie (C moll) zeigt den Componisten in Formen und Gedanken wieder als einen ganz anderen. Ihr erregtes Wesen deutet auf persönliche Erlebnisse; namentlich das Finale, wo nach einem ausserordentlich leidenschaftlichen Eingang plötzlich das sinnende Andante wieder erscheint, legt diese Vermuthung nahe. Die fünfte Sinfonie Kalliwoda's (H moll), welche im Ganzen etwas leichter wiegt, hielt sich durch das den langsamen Satz vertretende einschmeichelnde Allegretto

lange in der Gunst des Publikums. Die sechste und siebente Sinfonie Kalliwoda's stehen gegen ihre Vorgängerinnen zurück und erlangten in den Concertprogrammen keine feste Position.

Zur Bedeutung gelangte die norddeutsche Schule mit dem Anwachsen der romantischen Bewegung, die sie in die Sinfonie hineintrug.

Jean Paul nennt bekanntlich die Musik die romantischste, d. h. von Natur aus und von jeher romantische unter den Künsten. Und in früherer wie in neuerer Zeit ist mit Recht darauf aufmerksam gemacht worden, dass auch schon die Werke S. Bach's und anderer älterer Meister romantische Züge tragen. Geschichtlich datiert aber der Begriff der musikalischen Romantik erst seit dem Anfang unsers Jahrhunderts. Zwiespältigkeit und Mischung galt als Wesen der Romantik. In diesem Sinne wurden Mozart und Beethoven im Gegensatz zu Haydn als romantische Componisten bezeichnet: Mozart, weil er in seinen Allegrosätzen die Instrumente ohne Weiteres aus bewegtem

Figurenspiel in ruhigen Gesang übergehen liess, Beethoven, weil er Scherzi, d. i. heitere Sätze schrieb, bei denen man sich ängstigen konnte, und weil er auch sonst in demselben Athem Dinge verband, welche im schärfsten Gegensatze zu einander standen. Haydn that eins nach dem anderen und hielt seine Gedanken und Stimmungen einfach und frei von Mischungen. Die Wiener Schule, die ihm vorzugsweise folgte versagte sich der Romantik nicht grundsätzlich, aber sie ging, Franz Schubert ausgenommen, kaum über den Punkt hinaus, bis zu dem Mozart vorangeschritten war. An A. Eberl lässt sichs wahrnehmen wie sie die romantischen Wendungen auf die eigentlichen Adagiogefühle beschränkt. In der norddeutschen Schule durchdringt dagegen der romantische Geist schon frühzeitig auch das Allegroleben.

Wir begegnen seinen Spuren z. B. bei A. Romberg in kleinen chromatischen Durchgängen und Wechselnoten:

Durch sie werden die im Grunde muntren Weisen seiner D dur-Sinfonie sentimental durchblitzt. Die Heimath dieser Art romantischer Musikelemente ist vornehmlich die französische Oper. In den durch ihre Herbheit der norddeutschen Schule nahestehenden Sinfonien von Tomaschek, dem böhmischen „Schiller der Musik", und von Méhul, greift die Romantik schon tiefer in den Satzbau und in die Gedankenentwickelung hinein. Vom Jahre 1815 ab wird der romantische Stil der herrschende, und alle die Sinfoniker, welche neben Beethoven etwas bedeuten, repräsentiren eine Seite des romantischen Geistes. Die musikalische Romantik hat mit der Romantik in Litteratur, Poesie und bildender Kunst fortan mehrere Jahrzehnte lang hervorragende Berührungspunkte. Auch die musikalischen Romantiker kennzeichnet das Festhalten an Lieblingsstimmungen, das Hervortreten der Persönlichkeit des Darstellers in der Darstellung, der subjective Ton und die aus diesen Erscheinungen hervorgehende Einseitigkeit und Gleichförmigkeit der Werke. Die musikalischen Romantiker pflegen Specialitäten des Gemüthslebens und der Phantasie und haben in der Form Manieren, die immer wiederkehren und für welche sie schnell Nachahmer und Schüler finden. Wie die allgemeine Romantik läuft auch die Geschichte der musikalischen im Zickzack. Sie springt von dem phantastischen Gebiete auf das sentimentale über, von da auf das naturfrohe und naive, und läuft endlich von dieser letzten Station, von der Hingabe an das Genre und an das Kleinleben, in eine Periode der Realistik und des Naturalismus aus. Die romantische Epoche hat in der Musik sehr belebend und anregend gewirkt, Ideen einer früheren Zeit vertiefend ausgeführt, neue Klang- und Ausdrucksmittel zum Vorschein gebracht und die Litteratur mit Werken bereichert, welche allgemeinen bleibenden Kunstwerth haben. Sie bedeutet eine zweite Blüthezeit in der Geschichte der Sinfonie und hat in Mendelssohn und Schumann zwei Meister hervorgebracht, welche an Originalität und Reichthum der musikalischen Erfindung den grossen Classikern der Wiener Periode nahestehen.

Die phantastische Richtung der Romantik vertritt in
. M. v. Weber. der Sinfonie zuerst C. Maria von Weber. Von seinen zwei Sinfonien, die beide in C dur stehen, ist die erste (i. J. 1807 für die Capelle des Herzogs von Württemberg geschrieben) die bedeutendere. Sie war (vom Jahre 1814 ab) längere Zeit bei den Orchestern sehr beliebt und dürfte auch heute noch einer freundlichen Aufnahme gewiss sein. Es ist ein bescheidenes, liebenswürdiges und sehr mannigfaltiges Werk, heute doppelt interessant durch die vielen Einzelheiten, welche direkt auf den Schöpfer des Freischütz hinweisen. Das Andante, das poetische Hauptstück der Sinfonie, hat Wolfsschluchtsbässe und Agathecantilenen. In seiner düster feierlichen Pracht, in der stillen Schwermuth, welche aus den schmelzenden Klängen der Blasinstrumente spricht, ist es einer der schönsten langsamen Sätze, welche zur Zeit Beethoven's, und ganz unabhängig von diesem Meister, geschrieben

worden sind. Die freie Disposition macht es einer dramatisirten Erzählung ähnlich. Der Schauplatz ist nächtlich, zu den handelnden Personen stellt die Geisterwelt Mitwirkende. Im ersten Satze, welcher im Stile die contrapunktischen Merkmale der norddeutschen Schule trägt, überwiegt der muntere ritterliche Ton; die spannenden phantastischen Momente liegen in den leisen Solostellen der Contrabässe. Malerisch und bilderreich ist er im hohen Grade; der herrschenden Haydn'schen Methode bleibt er viel schuldig. Weber selbst war später mit diesem allerdings etwas zerfahrnen Satze am wenigsten zufrieden. Er entschuldigt sich bei Gottfr. Weber, dem die Sinfonie gewidmet ist, und bei Fr. Rochlitz damit, dass er hier mehr auf eine Ouvertüre ausgegangen sei.[1]) Dagegen erkannte er Menuett und Adagio voll an. Beim Publikum und bei dem Orchester war das Finale, in welchem immer die Hörner mit komischer Beflissenheit vorausstürmen, als einer der drolligsten Sätze seiner Zeit besonders beliebt.

Ein späterer Vertreter derselben Richtung ist Onslow, ein geistreicher, temperamentvoller Componist, welcher unter die Ersten gehört, deren Adagios den Beethoven'schen Massen nachstreben. Onslow ist apart, elegant, reich an Ideen, in Figuren und Rhythmen vielfach neu; in den Durchführungssätzen verrathen leider triviale Episoden den Mangel an musikalischer Durchbildung, welcher den Werken Onslow's eine schnelle Vergessenheit bereitet hat. Die verbreitetste seiner Sinfonien war die in A dur. Die Hauptthemen ihres ersten Satzes H. Onslow.

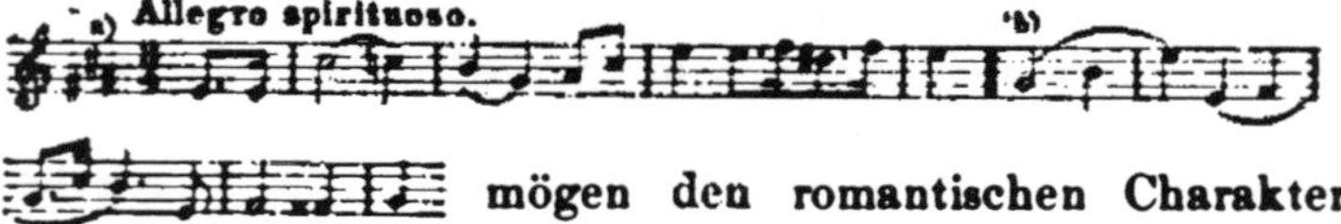

mögen den romantischen Charakter von Onslow's musikal. Erfindung erläutern. Wie die Romantiker der phantastischen Richtung von der französischen Oper im Allgemeinen viele Impulse empfingen, so

[1]) F. W. Jähns: C. M. v. Weber in seinen Werken (1871) S. 64.

zeigen diese und andere Melodien Onslow's speciell den Einfluss der Romanzen Boieldieu's.

Die sentimentale Richtung der Romantiker ist durch Mozart und Cherubini vorbereitet und auch in den Sinfonien der Wiener Schule reichlich vertreten. Ihre eifrigste Pflege findet sie in den Sinfonien von L. Spohr und F. Mendelssohn-Bartholdy.

Die Sinfonien von Louis Spohr sind in ihrer Mehrzahl der heutigen Generation bereits wieder fremd geworden. Fast zwei Menschenalter hindurch war dieser unermüdlich strebende Künstler auf diesem Gebiete thätig und nahm an allen den Bestrebungen thätigen Antheil, welche von Beethoven bis auf Liszt der Weiterentwickelung des sinfonischen Stils galten. Die erste unter Spohr's gedruckten neun Sinfonien (in Esdur) wurde für das zweite Frankenhauser Musikfest (1811) componirt und erfreute sich bald allgemeiner Anerkennung.[1] Sie zeigt bereits die fertige

L. Spohr Esdur-Sinfonie.

Individualität des merkwürdigen Künstlers: die Zeitgenossen fanden in ihrer ruhigen Würde einen Gegensatz zu dem Feuer Mozart's und Beethoven's, lobten die weniger gedanklich bedeutenden als angenehmen Melodien und tadelten die allzuhäufige Wiederkehr seiner chromatischen Gänge und die unruhige Modulation. Bis gegen das Jahr 1830 kehrt das Werk auf den Repertoiren immer wieder. Seine zweite Sinfonie (D moll) schrieb Spohr i. J. 1820 für die philharmonische Gesellschaft in London, die durch ihn kurz zuvor die erste Bekanntschaft mit dem Taktstocke gemacht hatte. Sie wirkte besonders durch die virtuosen Stellen des Streichorchesters.[2] Spohr's dritte Sinfonie (C moll), seine vierte („Weihe der Töne") und seine fünfte (C moll) bilden den Höhepunkt in der sinfonischen Thätigkeit ihres Verfassers und sind bis heute noch in den Programmen zu finden. Nament-

L. Spohr Cmoll-Sinfonie Nr. 3.

lich seine dritte Sinfonie (v. J. 1829) ist eins der liebenswürdigsten Denkmäler der ersten, unschuldigen Jugendzeit der musikalischen Romantik. Manche Zeilen in dieser

---

[1]) L. Spohr, Selbstbiographie I, 161.
[2]) Ebenda II, 89.

Dichtung — wir denken an das zweite Thema des ersten Satzes — sind veraltet, aber aus dem Ganzen spricht der überschwängliche Geist milder, weicher Schwärmerei, dem Spohr zuerst einen eignen Ausdruck verlieh, noch in erster Frische. Die musikalischen Wurzeln dieser Spohr'schen Kunst reichen bis in die Opern Paisiello's, Piccini's, Galüppi's zurück; in der Sinfonie erstarkte sie namentlich durch Eberl und jene Wiener Rührungsmänner, deren letzte Spuren sich in den Liedern H. Proch's finden. Schubert kannte Spohr nicht, als er seine ersten Sinfonien schrieb, und von Beethoven'schen Anregungen macht er nur einen sehr vorsichtigen Gebrauch; der italienischen und französischen Oper seiner Zeit, Cherubini namentlich, verdankt er Einiges. Spohr hat aber die Sprache der Sentimentalität auch selbständig weiter gebildet, und wie viel von den verminderten Schlussintervallen:

und von anderen Wendungen seines romantischen Idioms in die Werke mitlebender und folgender Künstler übergegangen ist, wird man mit Staunen bei Betrachtung dieser C moll-Sinfonie gewahr. Ihr Larghetto namentlich, der vollendetste, gedankenreichste und mannigfaltigste Satz des Werkes, hat in den Sinfonien gleichzeitiger und späterer Sinfoniker mächtig nachgewirkt.

Am ersten Satze ist das Beste die Einleitung mit dem charakteristischen, suchenden Quintenmotiv

und der Schluss der Durchführung, an welchem diese Einleitung wieder erscheint. Auch das erste Thema des Allegro, in seinem Anfang nicht hervorragend, erhält durch die poetische Anknüpfung an das citirte Motiv der Einleitung einen werthvollen Schluss.

Das Larghetto (F dur $^{9}/_{8}$) hat zum Hauptthema eine lange, behaglich ausgeführte Melodie, das Kind eines Herzens, welches seinen Frieden gefunden

Larghetto.

Nur leichte Schatten finden hier einen Zutritt:

. Der Glanzpunkt dieses Satzes ist das Cantabile

bei dem Spohr einen neuen Instrumentationseffect anwendete: Sämmtliche Geigen, Bratschen und Celli tragen die Melodie im Unisono vor. Die Wirkung ist grandios!

Das Scherzo dieser Sinfonie ist in seiner Herkunft verwandt mit dem in Beethoven's fünfter:

In der Ausführung bleibt es etwas gleichförmig. In lauter kleinen Zügen gepflegt, eines lebendigeren dramatischen Impulses baar, bildet es für den Zuhörer einen einigermassen mühsamen Genuss.

Der Humor Spohr's vergräbt sich mit Vorliebe in Miniaturen. So streiten auch im Finale gegen die grössern Intentionen des kühn scherzenden Hauptthema's, das an das Finale von Beethoven's zweiter erinnert,

allerhand kleine Arabesken, unter denen namentlich folgende Figur

einen breiteren Raum einnimmt.

L. Spohr C moll-Sinfonie Nr. 5.

Die andere Cmoll-Sinfonie Spohr's (geschrieben im Jahre 1838 für die Wiener Concerts spirituels) hat eine pathetischere Tendenz. Sie begiebt sich, allerdings nicht sehr weit, direkt ins Gebiet der Leidenschaften hinein. Spohr war sich der Einseitigkeit seiner musikalischen Natur bewusst und strebte zeitlebens ernstlich darnach seine Phantasie auch ausserhalb der elegischen Grenzen heimisch zu machen. Es ist aber nicht zu verkennen, dass ihm bei solchen Versuchen die Originalität des Ausdrucks versagt und dass er sobald wie möglich den Rückzug auf vertrautes Terrain anzutreten pflegt. Für die erstere Thatsache bildet das Hauptthema im ersten Allegro dieser Sinfonie eine genügende Illustration:

Einen schönen poetischen Zug theilt dieser erste Satz der fünften Sinfonie mit dem der dritten: das Thema der langsamen Einleitung die wie eine Verheissung in Dur steht, tritt plötzlich in die Durchführung hinein und kehrt dann bis zum Ende des Satzes mehrmals wieder. Der Schluss des Allegro sticht durch Macht des Ausdrucks hervor und schliesst das ganze Bild mit den Klängen edler Trauer ab. Man hat den Eindruck, dass das Werk einer Fortsetzung nicht bedarf und thatsächlich ist auch dieser Satz selbständig i. J. 1836 als Ouvertüre zu Raupach's „Tochter der Luft“ entstanden.

Das Larghetto dieser Sinfonie kommt im Geiste und auch in der thematischen Erfindung Beethoven sehr nahe; es ist einer der schönsten langsamen Sätze, die Spohr geschrieben hat. Bei der ersten Aufführung in Wien musste er wiederholt werden. Der Mittelsatz dieses Larghetto contrastirt mit dem Hauptheile, führt aber seine Aufgabe, eine unruhige Scene darzustellen, in einer namentlich nach Seite der Instrumentation hin bemerkenswerth originellen Weise aus. Wir geben hier das Hauptthema dieses Larghetto:

Das Scherzo, ein für Spohr aussergewöhnlich kräftiger Satz, stützt sich im Hauptthema auf ein chromatisches Motiv welches, von den Hörnern aus durch die Bläser wandernd, ein heitres Leben im Orchester wach

---

[1]) Lies c.

hält. Der zweite Theil des Hauptsatzes verdankt dem Aennchen aus Weber's Freischütz („Grillen sind mir böse Gäste") Einiges. Das graziös elegische Trio ist den Holzbläsern in der Hauptsache allein überwiesen.

Im Finale herrscht der Ton einer milden Heiterkeit. In kunstvollen Formen fugirend und imitirend, bilden sich fröhliche Spiele um das dem Hauptthema folgende Seitensätzchen: Allegro. Als zweites Thema des Finale erscheint die Melodie der Einleitung zum ersten Satz. Die Sinfonie erhält dadurch in Form und Idee eine sehr schöne Abrundung. Mehr als beachtet wird, sind die Sinfonien Spohr's reich an solchen geist- und sinnreichen Wendungen.

L. Spohr Die Weihe der Töne".

Zwischen den beiden C moll-Sinfonien steht die „Weihe der Töne". Dieses „charakteristische Tongemälde in Form einer Sinfonie", wie es der Componist nennt, erschien im Jahre 1834, fällt also in eine Periode, in welcher die Tendenz, die Instrumentalcomposition an poetische Vorwürfe zu binden, wieder einmal energisch aufgelebt war. Diese Periode, welche zufällig mit der Blüthezeit der Romantik in der Litteratur zusammenfällt, datirt von dem Franzosen H. Berlioz, dem sich Mendelssohn und Gade in ihren poetisirenden Concertouvertüren auf dem Gebiete des Orchesters in besonnener Distanz anschlossen; Schumann vertrat eine ähnliche Tendenz in der Klaviermusik mit seinen Charakterstücken. Auch auf Spohr übte diese Richtung einen grossen Reiz, und in seiner energischen Art ging er gleich praktisch und mit grossem äussren Erfolg ans Werk. Denn diese Composition wurde eine Lieblingssinfonie die man eine Zeit lang in den stehenden Concerten jedes Jahr zu hören verlangte. Der „Weihe der Töne" liegt ein ziemlich langes ursprünglich zu einer Cantate bestimmtes Gedicht von Carl Pfeiffer, einem Casseler Freunde des Componisten, zu Grunde, welches bei der Aufführung der Sinfonie entweder vertheilt oder laut vorgetragen werden soll. Die Concertdirektionen begnügen sich indessen mit einem kurzen Auszug, einer Art Inhaltsangabe, die den Tempis der einzelnen Sätze beigeschrieben wird und die Intentionen von Dichter und Componist, wenn auch nicht immer ganz, so doch annähernd trifft. Etwas unglücklich gewählt erscheint sofort die Bezeichnung des ersten Largo: „Starres Schweigen der Natur vor dem Erschaffen des Tons". Thatsächlich will Spohr hier nur etwas Aehnliches schildern wie J. Haydn im Chaos der Schöpfung, wie Beethoven im Anfang der neunten Sinfonie: eine Welt, der die Freude fehlt, in der das Leben noch nach Formen ringt. Das thut er in der Einleitung durch träge, lastende Melodien in den Bässen und andern tiefen Instrumenten und durch wühlende Harmonien. Der erlösende Jubal ist sehr bald geboren: Schon nach 23 Takten beginnt das Allegro. Es bringt als Hauptthema eine echt Spohr'sche Melodie:

Allegro.

pp

Ein zweites Thema besitzt dieser Satz nicht: An seiner Stelle erscheint eine lange concertirende Partie, in welcher die Holzbläser das Vogelgezwitscher nachzubilden suchen. Dergleichen Aeusserlichkeiten, Künsteleien und unreife Stellen sind in Programmsinfonien nichts Seltenes. Aber in der „Weihe der Töne" scheinen sie nicht ausschliesslich aus dem Principe hervorgegangen, sondern aus einer augenblicklichen Schwäche der musikalischen Erfindungskraft, die im Allgemeinen nöthigt, das Werk — so viel Liebenswürdiges es enthält — hinter die beiden Cmoll-Sinfonien zurückzustellen. Namentlich die Uebergangspartien von Bild zu Bild, von einem Thema zum andern, entbehren der Gedankenkraft und behelfen sich mit leerem Figurenwerk. Auch die Dichtung zwang nicht zu den kleinlichen Malereien, in welchen Spohr die Stimmen der gefiederten Sänger wiederzugeben glaubte; sie bringt in dem Verse, welchen das Allegro illustriren will, eine Reihe höherer Momente, welche der Componist bei Seite liegen liess. Dagegen hat Spohr in diesen Satz eine

Scene hinein escamotirt, von welcher der Dichter nichts weiss: einen Aufruhr der Elemente. Mit seinen heftigen Accenten bildet er zu der musikalischen Idylle der Themengruppe einen nicht unwillkommenen Gegensatz.

Im zweiten Satze sucht Spohr Wiegenlied, Tanz und Ständchen zu vereinigen. Namentlich das Wiegenlied ist mit einer sehr gelungenen Melodie wiedergegeben, von der man fast bedauert, dass wir sie so wenig unvermischt geniessen können

Der Tanz, ein französischer Zweivierteltakt, vertreibt diese Melodie schnell, und ihn löst später das Ständchen ab. Merkwürdiger Weise ist seine Ausführung dem Fagott übertragen. Es steht im $^9/_{16}$ Takt:

Diese drei Melodien sind, ähnlich wie in der Ballscene des Don Juan, zusammengestellt und bilden in ihren Combinationen für den Vortrag bedeutende Schwierigkeiten.

Der dritte Satz: „Kriegsmusik, Fortziehen in die Schlacht, Gefühl der Zurückbleibenden, Rückkehr der Sieger, Dankgebet“ beginnt mit einem Marsch (in *D*). Mit demselben kehren die Krieger auch nach dem Siege zurück. In der Zwischenzeit stimmt die Clarinette in einer sehr sprechenden, beklommenen Weise eine klagende Melodie an: in den Cellis bauges Sinnen, das volle Orchester bringt leidenschaftliche Ausbrüche des Schmerzes. In der Ferne hört man ab und zu abgerissene Motive des Marsches. Nach der Rückkehr der Krieger wird als Dankgebet der Ambrosianische Lobgesang: „Herr Gott, Dich loben wir“ geblasen; die Violinen umspielen ihn mit jubelnden Figuren.

Der letzte Satz: „Begräbnissmusik, Trost in Thränen“ überschrieben, wird durch ein Larghetto (F moll *C*) eingeleitet, welches in seiner Form dem Schlusse des vorhergehenden Satzes, dem „Dankgebet" ähnlich ist: Der Choral „Nun lasset uns den Leib begraben", von den Cellis und den beiden Clarinetten vorgetragen, wird von den andern Instrumenten mit Motiven begleitet. Namentlich die Zwischenspiele, in dumpfen Paukenwirbel gehüllt, sind ausserordentlich ergreifend und eindrucksvoll. Nach dieser Trauerscene folgt der Trost in Thränen als Allegretto (F dur $^3/_4$) mit folgendem Hauptthema:

Es schliesst mit dem Quintenmotiv *d g*, welches schon im ersten Satze eine wichtige Stelle im Thema einnimmt. Spohr hat diese ihm in allen Werken sehr liebe Wendung in allen Sätzen dieser Sinfonie untergebracht: Hier erscheint sie wie der bescheidene Hausgeist in einer Ecke versteckt, dort offen im Vordergrunde; vielfach in folgender Form: . Immer elegisch, friedvoll und auch an den Stellen des Aufschwungs so masshaltend, wie es der fromme Grundton der Stimmung verlangt, ist dieser Schlusssatz der „Weihe der Töne" nicht immer verstanden worden. Von der gebräuchlichen Haltung eines Sinfoniefinales weicht er völlig ab; zum Charakter des Tongemäldes, welches mit dem Ausblick auf das Jenseits abschliesst, passt er sehr wohl.

L. Spohr G dur-Sinfonie Nr. 8.

Spohr hat später nur noch eine rein musikalische Sinfonie geschrieben. Es ist die Nr. 8 (G dur), welche nach der instrumentalen Seite manches Neue und Interessante enthält. Das Scherzo, im Trio mit einem Violinsolo ausgestattet, ist in der Erfindung, welche sich ganz auf das virtuose Element lehnt, der eigenartigste ihrer vier Sätze.

L. Spohr Historische Sinfonie.

In den übrigen Sinfonien blieb er von der „Weihe der Töne" ab beim Princip der Programmmusik. Zunächst kam im Jahre 1839 seine „historische Sinfonie im Stile und Geschmack vier verschiedener Zeitalter". Der erste Satz soll die Periode Händel und Bach oder die Zeit um 1720 veranschaulichen. Er versucht das in einer aus trockenen Sequenzen zusammengebauten Fuge, mit einem Pastorale in der Form des Siciliano ($^{12}/_{8}$ Takt) als Mittelsatz. Der zweite Satz gilt der Periode Haydn-Mozart (1780). Dieser stand Spohr selbst geistig am nächsten und darum ist wohl dieses Andante der gelungenste Satz der Sinfonie. Auch hier schaut der chromatische Spohr überall hervor: aber er thut nichts was seine Modelle entstellt: Einiger Spässe und Derbheiten, welche Spohr den beiden Wiener Meistern insinuirt, wären sie fähig gewesen, wenn auch gerade nicht im Andante. Die Beethoven'sche Periode (1810), als die dritte, ist durch ein Scherzo vertreten, welches mit einem Solo von drei Pauken beginnt. Sie geben das Motiv

Im Uebrigen schiebt Spohr dem Beethoven einen Eigensinn zu, welcher selbst für diesen über alle Möglichkeit hinausgeht: In einem Satze, der gegen 400 Takte umfasst, ein einziger thematischer Gedanke von 8 Takten Länge! Wider allen Beethoven'schen Brauch bleibt auch das Trio an dieser fixen Idee haften! Noch schlimmer kommt „die allerneueste Periode" (1840), welche den vierten Satz einnimmt, weg: Ein Hexengebräu aus Nonen, Septimen und freien Dissonanzen, winselnden und schmachtenden Vorhalten! So wild ist auch Berlioz nie gewesen, so sehr haben auch die Pacini, Mercadante und Meyerbeer nicht gelärmt, so süsslich und zerflossen waren Rossini und Bellini niemals! Und wer in aller Welt mag zu den ewigen und tollen Gedankensprüngen dieses Satzes gesessen haben! Ist die Historie in den andern Sätzen dieser Sinfonie nur unzulänglich — so wird sie hier zur Parodie zur härtesten Kritik von Spohr's Beobachtungstalent und seinem Kunstverstand! Nur in Wien wo man bei der Aufführung blos die Jahreszahlen angab, die Namen weg liess, wurde diese Sinfonie beifällig und besonders im letzten Satz aufgenommen. Ueberall sonst blieben die Meinungen mindestens getheilt.[1])

L. Spohr „Irdisches und Göttliches im Menschenleben“

Die nächste Programmsinfonie Spohr's (im Jahre 1842 veröffentlicht) heisst „Irdisches und Göttliches im Menschenleben“ und ist betitelt als „Doppelsinfonie“! Wie dies in der ältern Zeit dann und wann (s. Cannabich) versucht wurde, sind hier wieder einmal zwei Orchester aufgestellt, die sich in der Regel ablösen, hie und da auch vereinen. Das erste Orchester hat im Streichquartett nur einfache Besetzung. Diese Anordnung führt zu einer Reihe neuer und schöner Klangwirkungen, deren häufige Wiederkehr allerdings den Endeindruck schwächt. Sie ist ein weiterer Beweis, wie Spohr sich immer etwas Neues ausdachte und in seiner Art auch ins Werk setzte. Die Idee zu dem Doppelorchester erhielt Spohr durch einen Scherz seiner Frau auf der Rückreise vom Musikfest zu Luzern. Sofort war auch die Sinfonie entworfen. Der erste Satz gilt der Kinderwelt. Hier sein Hauptthema:

Freilich: ein ungetrübtes Glück schildert er nicht; auch ihn drücken chromatische Schmerzen.

Der zweite Satz schildert die Zeit der Leidenschaften. Diese nahen in chromatischen Sechzehntelgängen der Bässe, stören die friedvollen Melodien der Holzbläser und schwellen zu einem Sturm an, der sich in einem Allegro (C-Takt) austobt, dass in seinem Hauptheil mit Sechzehntelläufen angefüllt ist. Eine Art kräftiger Marschmusik bildet einen Widerpart dagegen.

Der dritte Satz ist überschrieben: Endlicher Sieg des Göttlichen. Ein Presto in $^6/_8$ Takt (C moll) beginnt aufgeregt und lenkt dann in freundlich muntere Melodien über. Sie führen zu einem Adagio, welches, pompös instrumentirt, mit einem feierlich gehobenen Gesang ein-

[1]) L. Spohr a. a. O. II, 231.

setzt, und, ähnlich wie in der „Weihe der Töne" der Schlusssatz, mild und leise ausklingt.

L. Spohr „Die Jahreszeiten".

Den Vorwurf zu Spohr's letzter Sinfonie (Nr. 9, H moll) bilden „Die Jahreszeiten". Dieses der musikalischen Kunst viel bietende Thema wird hier in zwei Abtheilungen abgehandelt, deren erste den Winter, den Frühling und den Uebergang zwischen beiden enthält, die zweite den Sommer und Herbst. Das dichterische, allgemein künstlerische Talent Spohr's und noch mehr sein musikalisches — beide haben sich der reizenden Aufgabe gegenüber sehr kühl verhalten. Nur der letzte Satz erhebt sich an einzelnen Stellen, mit einer Paraphrase des Rheinweinliedes, über eine mittlere Temperatur.

Die sentimentale Richtung der Romantik erreicht in Mendelssohn ihre Spitze, kommt mit ihm ungefähr auf die Stufe, die in der Dichtkunst Lord Byron einnimmt. Der romantische Beiklang, welcher viele Compositionen Schubert's wehmüthig färbt, welcher alle Werke Spohr's wie mit einem Hauche von Sehnsucht überzieht, nimmt bei Mendelssohn einen energischeren Charakter an und äussert sich schwermüthig und klagend. Mendelssohn ist eine vielseitigere, beweglichere und reichere Natur als Spohr und wirft häufig jede romantische Fessel ab. Aber die Nachfolger ergriffen die romantische Sentimentalität seiner Werke als Hauptseite seines Wesens.

Mendelssohn's sinfonisches Hauptwerk ist die A moll-Sinfonie. Sie ist unter dem Beinamen „die schottische" bekannt: die Hauptmelodie des munteren Satzes, welcher in ihr die Stelle des Scherzos einnimmt, soll dem reichen Volksliederschatz Schottlands entstammen. Aber die Beziehungen zwischen dem Werke und seinem Titel sind tiefer: Mendelssohn schreibt, dass ihm die ersten Themen an den Stätten Maria Stuart's kamen.[1]) Die Sinfonie entstammt der künstlerisch reifsten Periode des Componisten, einem Abschnitt derselben, wo auch die Frische und der Reichthum seiner Phantasie die Höhe jener Jugendtage

---

[1]) S. Hensel. Die Familie Mendelssohn (5. Aufl.) 1886. I, 225.

behaupteten, in denen die Sommernachtstraum-Ouvertüre entstand. Die „Walpurgisnacht“, die mit dieser Sinfonie zugleich das Licht der Welt erblickte, schickt in dieselbe manche Grüsse hinein. Das Werk trägt in den gemischten Stimmungen, welche es wiedergiebt, in seiner Hinneigung zum naiv Volksthümlichen die Kennzeichen der Frühromantik. Es ist unter den Werken, welche diese Richtung in Poesie und Kunst hervorgebracht hat, eins der individuellsten und zugleich abgeklärtesten. An neuen, melodisch eindringlichen, eigenen Gedanken reich, besitzt die Sinfonie in der Darstellung den zugänglichen Charakter, welcher den Werken Mendelssohn's gemeinsam ist, im hohen Grade. Im Periodenbau herrscht ein Masshalten und eine Regelmässigkeit, die uns fast zu gross dünkt und die auch thatsächlich von Anfang an Widerspruch erregt hat. Ein andrer Grund dafür, dass das Werk bei seiner ersten Aufführung (im Jahre 1842) nur einen mässigen Anklang fand, lag in der Neuerung, dass Mendelssohn die vier Sätze der Sinfonie attacca d. h. ohne die gewöhnlichen Unterbrechungen aufeinander folgen lässt. Diese Anordnung, welche auf einen engern poetischen Zusammenhang der Sätze hinweist, schien die Zuhörer zu ermüden. In der Folgezeit hat sie ausser Schumann in seiner Dmoll-Sinfonie kein Componist adoptirt. In den kleinen Sinfonien von Ph. E. Bach und der Vor-Haydn'schen Periode liessen sich die Pausen zwischen den einzelnen Sätzen leichter entbehren.

F. Mendelssohn Amoll-Sinfonie (schottische).

Das Thema der Introduction der Amoll-Sinfonie

gehört zu den Lieblingsgedanken Mendelssohn's: Paulus in der Stunde der Reue, der lebensmüde Elias intoniren diese schwermüthige Melodie. In der Schule des Meisters ist sie vielfach variirt worden. Mendelssohn hat die ausserordentlich bedeutende Idee des Introductionsthemas in der Sinfonie noch einige Male berührt: im Adagio nimmt er einen flüchtigen Bezug darauf und im ersten

Allegro knüpft er direkt an die vier ersten Noten desselben an. Folgendes ist das Hauptthema dieses Allegro:

Die Erregung, welche in dieser Wendung halbverdeckt durchscheint, wird mit dem Schlusse des Hauptgedankens:

b)

zunächst zu melancholischer Ruhe gebracht. Bald aber bricht sie in dem Seitengedanken:

c)

mit den heftigen, kurzen Stössen aus, durch welche sich Mendelssohn's Sprache der Leidenschaft von denen anderer Künstler unterscheidet. Das zweite Thema geht mit innigen Tönen

in die klagende tragische Sphäre der Introduction zurück.

Ein äusserst liebenswürdiger rührender Nebengedanke schliesst die Themengruppe:

Besonders schön wirkt er, als er gegen den Schluss der Durchführung hin sich unmittelbar neben die wilde Gestalt des oben mit *c*) bezeichneten Themas stellt. Diese Durchführung selbst ist nicht nur musikalisch formell vollendet, sondern auch ein poetisches Meisterstück, genial in Aufbau und Ausdruck der Stimmung. Dieser Eingang, der Ruhe und Vergessenheit in neuen Träumen sucht, die allmähliche Einführung des Conflicts, der nicht zu vermeiden war, — die wiederholten Versuche abzubrechen — der endliche Ausgang mit der Trost und Resignation predigenden Melodie der Celli — das wirkt Alles mit einer Unmittelbarkeit, wie sie an dieser Stelle in Sinfonien nur selten erreicht wird! Wie ergreifend auch der letzte Abschluss des ganzen Allegro — als nach allen Stürmen die Melodie der Introduction ihr freundlich bleiches Antlitz wieder zeigt! In seiner harmonischen Mischung von menschlicher Tiefe und Anmuth, freier Dichtersprache und vollendeter Form würde der Satz allein hinreichen die Bewunderung zu erklären, welche Mendelssohn bei seinen Zeitgenossen erregte.

Auf einem andern Grundcharakter basirt ist der zweite Satz der Amoll-Sinfonie, das Vivace. Von dem phantastischen Elemente, welches Mendelssohn für seine Scherzi bevorzugt, hat es nichts. Es ist ein künstlerisch vollendetes Genrebild pastoraler Natur, welches uns nur bedauern lässt, dass Mendelssohn dieses Gebiet so selten betreten hat. Die Themen, welche in theilweise strengerer Arbeit durchgeführt werden, sind folgende:

Einen das Trio vertretenden Mittelsatz hat das Vivace nicht, aber eine kleine Einleitung von wenigen Takten, in der fröhliche Signale auf das bevorstehende lustige Treiben hinweisen. Auch das Adagio beginnt mit einer kurzen Einleitung, die den Zusammenhang mit der Introduction mit einigen, allerdings sehr feinen Strichen herstellt. Das Hauptthema hat in seiner ersten Hälfte folgende Gestalt:

Unmittelbar nachdem es abgeschlossen, tritt das zweite Thema:

ein, fremdartig und feierlich wie Hamlet's Geist. Im ganzen weitern Verlauf des Satzes geht es mit dem andern, von dem die Celli bevorzugten Besitz ergreifen, keine nähere Verbindung ein, sondern stellt sich ihm nur, immer wieder überraschend, wie mahnend und warnend, entgegen. Diese ungewöhnliche Disposition der Themen giebt dem Satze einen dramatischen Charakter.

In dem letzten Satz verschwindet das romantische Colorit einigermassen. Die Themen stürmen einer behaglichen Sphäre zu

erreichen sie

und geben den Gefühlen heroischer Kraft freudigen Ausdruck:

Was leidende Miene trägt, wie das Thema

das rücken liegende Stimmen, Orgelpunkte und andere Hülfsmittel der Instrumentation und der Harmonie in eine verklärende Ferne.

Die hier angeführten Themen gehören dem ersten, dem Haupttheile des Schlusssatzes zu. Mendelssohn nennt diesen ersten im C-Takt geschriebenen Theil Allegro *guerriero* — und bietet damit der Erklärungskunst einen verlockenden Stoff. Der zweite, kürzere Theil des

Finale besteht aus einem Satze im $^6/_8$ Takte, in dessen Hauptmotiv:  das schottische Element der Sinfonie noch einmal zu entschiedenster Geltung kommt. Diese Wendung bildet in der Melodik der schottischen Volksmusik eine stereotype Schlussformel. Bekanntlich fehlt der schottischen Scala die Septime.

Der schottischen Sinfonie steht unter den andern Sinfonien Mendelssohn's die vierte (Op. 90) an Werth und Popularität am nächsten. Sie heisst die italienische und gilt als die künstlerische Frucht der längeren italienischen Reise, welche der junge Mendelssohn im Jahre 1830 unternahm. Direkt erkennbare südliche Elemente bringt die Sinfonie in ihrem Schlussatze: einer ausgelassenen, bacchantisch lustigen Scene, welcher eine neapolitanische Tanzform, der wilde Saltarello, zu Grunde liegt. In den andern Sätzen sind Beziehungen zum Süden nicht nachzuweisen. Der erste Satz mit seinem heiteren Grundton hat gleichwohl zu vielen schwärmerischen Parallelen mit dem „ewig blauen Himmel des Landes, wo die Citronen blühen“ Veranlassung gegeben. Es herrscht in ihm eine kräftig glückliche Phantasie, die wohl an die Stimmung eines Jünglings denken lässt, der fröhlich und jubelnd hinauszieht in die schöne Welt. Das erste Thema, welches ohne Einleitung einsetzt:

F. Mendelssohn A dur-Sinfonie (italienische).

beginnt kräftig, ungeduldig; das zweite:

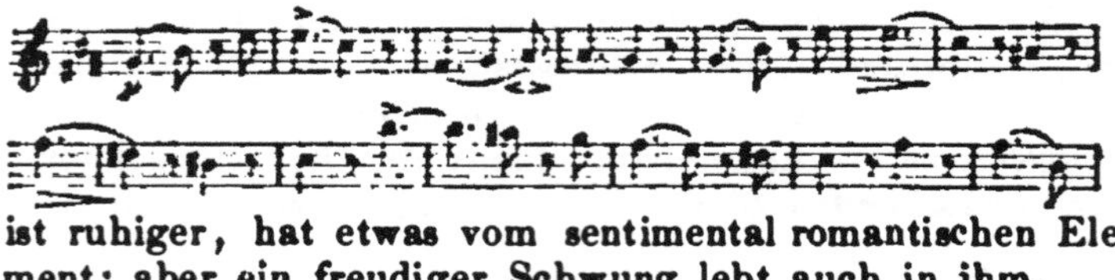

ist ruhiger, hat etwas vom sentimental romantischen Element; aber ein freudiger Schwung lebt auch in ihm.

In der Durchführung tritt ein neuer dritter Gedanke auf:

, welcher dann auch in den Schlusstheil des ersten Satzes aufgenommen wird.

Der zweite Satz (Andante con moto, D moll) beginnt wie eine schwermüthige Ballade mit folgendem Hauptthema, zunächst von Bratschen, Clarinette und Fagott vorgetragen:

dem dann ein freundlicher Gesang entgegentritt:

Diese anheimelnde Begegnungsscene wiederholt sich mit kleinen Intermezzos einige Male: Die trauernde Gestalt hat das letzte Wort und wie mit leisen Seufzern verschwindet der Satz in die umwölkte Ferne. Sind in diesem langsamen Satze schon nordische Anklänge nicht zu verkennen, so tritt in dem folgenden Satze, einem $^3/_4$ Takt ohne weitere Gattungsbezeichnung, das deutsche Element mit der grössten Bestimmtheit vor.

Der Hauptsatz dieses traulichen Stückes knüpft mit seinem Ländlerthema:

Con moto moderato.

an die gemüthlichsten Bilder an, welche die Wiener Meister von deutscher Fröhlichkeit und Geselligkeit entworfen haben. In dem Mitteltheil dieses Satzes lebt die Romantik unsrer Wälder in der Seele des jungen Mendelssohn auf: C. M. v. Weber, die musikalische Jugendliebe Mendelssohn's, scheint vor seine Phantasie zu treten und in dessen Hornklängen spricht der junge Tondichter einige der herrlichsten Zeilen seiner italienischen Sinfonie.

Der letzte Satz, mit einem fanatischen Unisono seinen

unbändigen Charakter ankündend, bringt als erstes Thema folgendes:

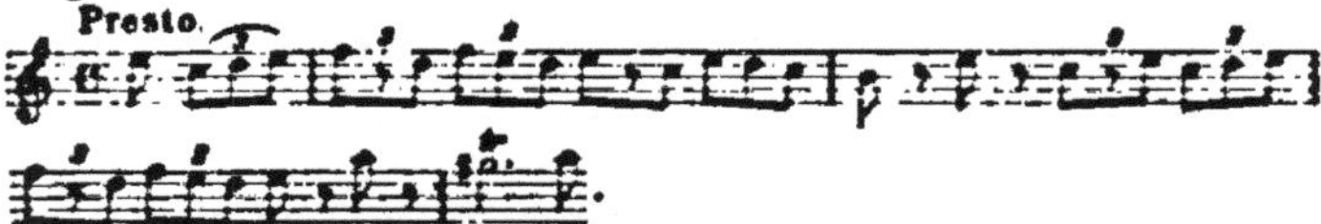

Es zieht in einer langen Entwickelung auf, durchstreift die Nüancen seelischen Ausdrucks von der zarten Anmuth bis zum wilden Toben und bringt alle Kräfte des Orchesters, die Solisten und die Massen in immer heftigere Action. Dem Aufmarsch dieses Hauptthema folgt eine Nachhut aus derben Elementen, aus stampfenden und pochenden Figuren, wie:

gebildet. Die weicheren und feineren Geister haben in den Kreisen dieses Satzes nur einen bescheidenen Platz. Das zweite Thema, in dem eine leise Reminiscenz an die Durchführung des 1. Satzes, gleichsam wie an den Anfang der Reise erinnert, sucht sie einzuführen:

. Ein erneuter und längerer Versuch, die ins Bedrohliche steigenden Wogen der Fröhlichkeit zu glätten, wird in der Durchführung dieses Satzes mit der Figur 

unternommen. Wie der erste Satz der Adur-Sinfonie manches aus der Notturnosphäre, so bringt dieser letztere wörtliche Einzelheiten aus den grotesken Partien der Sommernachtstraummusik, speciell aus der Ouvertüre.

Die italienische Sinfonie ist als Nr. 4 erst nach dem Tode des Componisten veröffentlicht worden; der Entstehungszeit nach geht sie der schottischen um mehrere Jahre voran: sie wurde von Mendelssohn zuerst im Jahre 1833 in der Philharmonischen Gesellschaft zu London aufgeführt. Zwischen diesen beiden Hauptsinfonien

'. Mendelssohn „Lobgesang" Sinfonie-Cantate.

Mendelssohn's liegt sein „Lobgesang", den er als „Sinfoniecantate nach Worten der heiligen Schrift" bezeichnet. Die Mischung von Sinfonie und Cantate, wie sie in diesem Werke sich zeigt, ist älter als Beethoven und seine neunte Sinfonie. Die eigenthümliche Anlage dieses Lobgesangs ist jedoch mit Berufung auf ältere Vorlagen noch nicht recht zu verstehen. Während die schottische und die italienische Sinfonie ziemlich langsam reiften, entstand diese Sinfoniecantate als rasche Gelegenheitsarbeit zum Leipziger Gutenbergfest des Jahres 1840. Für die Instrumentalsätze benutzte Mendelssohn eine seiner Zeit für London geschriebene Jugendsinfonie, deren Charakter sich der Idee der gewünschten Festmusik ohne Gewalt anpassen liess: Zu der Dankfeier, welche einem der wichtigsten Culturereignisse, einem Wendepunkt in der Geschichte der Menschheit galt, soll die ganze Tonkunst beisteuern. Voran schreiten die spielenden Massen. Sie loben den Herrn (im ersten Satze) mit Posaunen:

. Dann lobt man ihn mit Psalter und Harfen, in einem „feinen Ton". Dieser feine Ton ist der Kern des ersten Theils des Allegretto der Sinfonie (G moll $^6/_8$); seinen Ausgang bildet eine Choralparaphrase. Dem dritten Satze, dem Adagio (D dur $^3/_4$), dem frommsten und ehrfurchtsvollsten Theile der Sinfonie scheint der Gedanke zu Grunde zu liegen: „Betet an den Herrn in seinem heiligen Schmucke". Er bildet den Schluss des Sinfonietheils im Lobgesang. Nun setzt die Cantate ein. In ihrem ersten Chor sucht sie die Verbindung mit dem Vorausgehenden, indem sie das oben angegebene Thema des ersten Sinfoniesatzes zu den Worten „Alles was Odem hat, lobet den Herrn" aufnimmt. Der Höhepunkt dieser Cantate ist das dramatische Recitativ des Tenors „Hüter ist die Nacht bald hin?"

'. Mendelssohn Reformations-Sinfonie.

Weniger bekannt, im Drucke erst seit dem Jahre 1868 vorliegend, ist Mendelssohn's „Reformationssinfonie".

Das Werk ist interessant als ein halb declarirter Beitrag Mendelssohn's zur Programmmusik. Auf die Reformation selbst nimmt es den klarsten Bezug im letzten Satz, dessen Mittelpunkt der Choral „Eine feste Burg" bildet. Um ihn herum treten noch kriegerische Liedweisen, die den Charakter der Volkslieder des Mittelalters tragen. Der religiösen, ernsten Seite der Reformation selbst, ihrer streitbaren Natur, ihrer Freudigkeit am Kampfe, ihrer Festigkeit im Glauben und im Gottvertrauen ist der erste Satz gewidmet. Mit einer gewissen Starrheit und Unbeugsamkeit hält diese Composition ein kurzes Motiv

Allegro.

fest:  das von der Einleitung bis zum Schlusse, wie der feste Wächterruf in der Nacht, den Satz durchschallt. Wie das Kleinod, dem das Mühen gilt, ist die Melodie des Lutherischen Amen (das sogenannte „Dresdner Amen", das auch Wagner in seinen Parsifal aufgenommen hat):  in die erste Abtheilung der Sinfonie hineingestellt. Der Zeit der Reformation gilt der zweite Satz, ein Allegro vivace, die musikalische Verkörperung einfachen, altväterisch schlichten und kräftigen Frohsinns. Seine Melodie erscheint als metrische Umbildung des zweiten Thema im Vivace der schottischen Sinfonie. Das Trio besitzt Weihnachtsklang. Das Andante hat nach der Kürze des Umfangs und nach seiner erregten Haltung Aehnlichkeit mit einem Recitativ.

Im melodischen Stile weicht die Reformationssinfonie von den drei vorhergenannten Werken ab. Nichts von den weichen Sext- und Terzvorhalten, welche in den Weisen der mittleren Periode immer wiederkehren, und wenig von der Rücksicht auf das Violinmässige, welche in der Motivbildung der andern Orchesterwerke häufig in den Vordergrund tritt. Es geht ein herber, aber charaktervoller Zug durch die Melodik der Reformationssinfonie, der allein dazu berechtigen würde, diese Com-

[…] Mendelssohn [...]moll-Sinfonie. position der Jugendzeit Mendelssohn's zuzuweisen. Sie theilt ihn mit seiner ersten Sinfonie, der in Cmoll. Diese ist (als Opus 11) der Philharmonischen Gesellschaft in London gewidmet, vor längerer Zeit schon durch Schlesinger in einer gestochenen Ausgabe veröffentlicht, aber für Aufführungen so gut wie nicht benutzt worden. Der Stoff, welchen sie der Vergleichung und der biographischen Betrachtung bietet, ist nicht unbeträchtlich. Im Stile steht sie auf dem Boden der „Hochzeit des Camacho", der „Heimkehr aus der Fremde" und lässt gar nichts von der eigenthümlich phantastischen und reich beweglichen Natur des Componisten der Sommernachtstraummusik ahnen. In den Gedanken folgt sie namentlich der Führung Beethoven's; der erste Satz knüpft direkt an Ideen des Gdur-Concerts, der Coriolanouvertüre und der Waldsteinsonate dieses grossen Vorbildes an. Trotz dieser Unselbständigkeit ist aber das Werk wegen der Kraft, Frische, Knappheit und der Entschiedenheit, mit der es sich auf gedanklich Wichtiges richtet, sehr erfreulich und besitzt Lebensfähigkeit.

Die naive Richtung der Romantik tritt mit der phantastischen ziemlich gleichzeitig in die Musik herein. Ihre ersten Vertreter, unter welchen wir den liebenswürdigen, lyrisch schwungvollen F. E. Fesca (vier Sinfonien 1817 bis 23) nennen, gehören nach dem Stilbereiche der norddeutschen Schule an. Ihr Hauptmeister ward R. Schumann. In der grossen Reihe hoher Dichtergaben, deren Vereinigung Schumann's Individualität imposant macht, sticht sein naiver Zug besonders hervor. Mit ihm vertritt er in der Sinfonie kräftiger, als es vor ihm geschehen, jenen Rousseau'schen Zug zur Natur und Einfachheit, dessen Aufleben den gesundesten Theil der romantischen Bewegung bildet, denselben Zug, welcher unsere Dichter zum Volkslied zurückführte und unsere Maler, Ludwig Richter voran, den grossen Schatz von Poesie neu entdecken liess, der sich dem sinnigen Auge in der Alltäglichkeit des heimischen Lebens und im eigenen Lande aufthat. Der jugendliche Ton, die grosse Dosis ungezwungener

Natürlichkeit ist es in erster Linie, durch welche Schumanu's Musik ihre erfreuende und erfrischende Macht übt. Diesen inneren Eigenschaften verdankt sie auch viele von ihren eigenthümlichen formellen Elementen: die Figuren und Gesang ineinanderziehende Themenbildung, die aphoristischen und versteckten Melodien, die jetzt ungenirt losen, jetzt seltsam verketteten Rhythmen, die Naturlauten gleichenden Dissonanzen, und alle die neuen Elementarbildungen, durch welche Schumann's Schöpfungen für die weitere Entwickelung der Tonkunst von grosser Bedeutung geworden sind.

In die Reihe der Sinfoniker trat Schumann ungefähr ein Jahr, bevor Mendelssohn's „schottische Sinfonie" erschien.

Die echten Romantiker pflegen ihr Bestes gleich beim Anfang zu geben. Schumann's sinfonischer Erstling war die Sinfonie in B dur (Op. 38), eine seiner schönsten Tondichtungen und dasjenige Werk, welches seinem Namen mit einem Schlage die historischen Würden erwarb. Die B dur-Sinfonie hält sich an die bekannten Hauptformen der Gattung und bewegt sich im Wesentlichen in vertrauten und jedem Menschen naheliegenden und lieben Ideenkreisen — aber Schumann behandelt Idee wie Form mit ungewöhnlicher Freiheit und Kühnheit. Ja in der kurzen, ungenirten Ausdrucksweise, welche er in einzelneu Sätzen entwickelt, liegt eine Originalität, die nicht blos vor 40 Jahren neu war, die auch heute noch discutabel sein würde, wenn nicht der Grund einer fortreissenden Natürlichkeit und einer mächtigen Phantasie, auf denen sie ruht, zu stark durchleuchtete. Schumann selbst nennt in einem Briefe an Griepenkerl seine B dur-Sinfonie „in feuriger Stunde geboren" und nahm es seinem Freunde Wenzel sehr übel, als dieser (in der Leipziger Zeitung) bei Beurtheilung des Werkes von Hoffnungen für die Zukunft gesprochen hatte.[1]) Sie war in der kurzen Zeit von vier Tagen im Entwurf fertig.

R. Schumann B dur-Sinfonie.

---

1) G. F. Jansen: R. Schumann's Briefe. Neue Folge. (Leipzig 1886) S. 175.

Die poetische Idee der Sinfonie soll[1]) mit dem Gedichte „Du Geist der Wolke trüb und schwer“ von Adolf Böttiger in Beziehung stehen. Die Worte „Im Thale zieht der Frühling auf“ leiteten den Componisten, der das Werk mehrmals seine „Frühlingssinfonie“ genannt hat.

Dunklen Bildern und Ideen giebt Schumann in ihr, die den Stempel einer glücklichen Zeit überall trägt, nur so weit Raum, als es das Gesetz des Gegensatzes, das Lebenselement der Sonaten- und Sinfonieform, fordert.

Die Einleitung stellt zuerst diesen Gegensatz hin. Feierlich und ernst, auch etwas drohend, erhebt sie sich in ihrer ersten Hälfte. In lapidarer Form

²) Andante un poco maestoso.

bringt sie das Motiv voraus, welches in dem Gefüge des ersten Satzes die Hauptstütze bildet.[2]) Klagende Weisen tauchen in den Holzbläsern auf, schwer und kurz schlagen die Massen mit Accorden drein. Da mit einem Male, mit einem Ruck in der Harmonie, kommt Flötenklang: der Horizont hellt sich auf; in den Geigen beginnt es zu rauschen und in einem grossen, mächtigen Zug geht es über in das kräftige, frische Leben des Allegro:

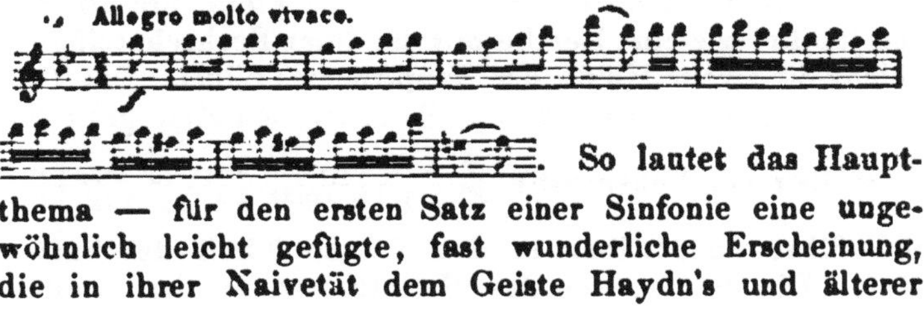

So lautet das Hauptthema — für den ersten Satz einer Sinfonie eine ungewöhnlich leicht gefügte, fast wunderliche Erscheinung, die in ihrer Naivetät dem Geiste Haydn's und älterer

---

¹) Nach einem auf der Leipziger Stadtbibliothek befindlichen Widmungsblatt Schumann's an den Dichter.

²) Nach des Componisten erster Intention hiess das Motiv gab aber auf den damals nur für Naturtöne eingerichteten Hörnern einen komischen Effekt.

Meister nahe steht. Auch das zweite Thema ist in seiner Bildung ungewöhnlich:

Es gleicht mehr einer Kette von Naturlauten als einem künstlerisch gestalteten Gesang. Was sonst noch an Melodie in der Themengruppe vorkommt, das reducirt sich auf Scalenmotive und auf kurze und kecke Andeutungen. Neben diesen anspruchslosen und bagatellartigen Ideen stehen aber Perioden, in welchen sich die Harmonie in dem grossen Stile Beethoven's aufbaut, kühn, sicher und leicht gestaltet. Alles ist vom Leben getragen und eine mächtig drängende Stimmung verräth die ungewöhnliche Künstlernatur, die auch aus Kleinigkeiten Bedeutendes bildet. Die Durchführung nimmt einen doppelten Anlauf. Das erste Mal geht der Weg über die beiden ersten Takte des Hauptthemas. Ihren dunklen Combinationen fügt der Componist noch eine neue, unbestimmt suchende Melodie bei:

Auf der Höhe angekommen, erhebt die Flöte ihre Stimme und jubilirt wie eine Lerche mit der losen Sechzehntelfigur, welche die zweite Hälfte des Hauptthemas bildet. Das Triangel klingt romantisch drein. Beim zweiten Male geht der Weg über ein Nebenmotiv und führt unmittelbar in den dritten Theil des Satzes über. Die Stelle, wo das Hauptthema in den breiten Rhythmen der Einleitung von Trompeten und Hörnern getragen und mit dem vollsten Glanze des Orchesters wieder eintritt, ist eine der herrlichsten in allen Sinfonien! Die Reprise ist sehr kurz gehalten, der zweite Theil des Hauptthemas sogar übergangen. Dafür fügt der Componist eine breite Coda an, die sehr viel Neues bringt. Besonders schön und innig berührt uns nach den stürmischen und hastigen Anläufen, mit denen sie beginnt, der fromme und ruhige Gesang

. Die rhythmischen Stockungen, welche den graden Gang dieser Melodie aufhalten, sind eine Liebhaberei Schumann's. Aus ihr entwickelte sich mit der Zeit mehr und mehr eine erschwerende und störende Manier.

Der zweite Satz (Larghetto Es dur 3/8) erscheint durch die letzt angeführte Episode in der Coda des ersten Allegro ideell vorbereitet. Er redet die Sprache eines Herzens, das leise zagt, bittet und vertraut. Ein tief religiöser Zug lebt darin. In Geist und Form dieses Larghetto ist viel Beethoven'sches, namentlich in den Uebergangsgruppen. Als Hauptthema dient dem Satze folgende Melodie:

Die Ausweichungen ihrer ersten Takte sind ganz Schumann's Eigen. In der kurzen Gruppe, welche der Repetition des Themas durch die Celli (in *B*) vorausgeht, tritt ein Beethoven'sches Motiv (Andante der fünften Sinfonie) hervor. Der Gegensatz zum Hauptthema besteht aus einer knappen Partie, in welcher das Motiv durch die Instrumente wandert. Auch in diesem Satze bringt der Schluss etwas ganz Neues, wieder einen Hinweis auf den folgenden Satz:

Wir hören ins Feierliche übertragen den Anfang des Scherzo von einem aus der Ferne herüber tönenden Posaunenchor. Wie mit einer stummen, tiefsinnigen Frage klingt das Larghetto aus, und unmittelbar, ohne eigentliche Pause, schliesst sich das Scherzo mit seinem energischen Thema an:

Der zweite Theil des Hauptsatzes ist ungewöhnlich knapp gehalten. Eingeleitet wird er durch eine selbständige, liebenswürdige Idee

Dem finstren Tone, der den eigentlichen Scherzosatz beherrscht, stellt Schumann zwei Trios gegenüber, auch hierin ungewöhnlich und, für seine Zeit wenigstens, neuernd. Von beiden ist das erste namentlich von grosser, von unerhörter Originalität: ein Wiegen auf weichem Rhythmus, ein Klingen und Grüssen lieblicher Accorde, das aus der Ferne näher und näher kommt und wie die starke Melodie der Winde anschwillt! Für die rhythmische Grundidee dieses Trio

liegen in Beethoven's erster, für die Mystik seines Klanges in desselben Componisten neunter Sinfonie Vorbilder vor. Ein kleines, munteres Motiv bildet den Abschluss der wunderbaren Partie. Das zweite Trio entwickelt eine harmlose, jugendliche Fidelität auf Grund eines altbekannten Allerweltsthema:

Das erste Trio wird am Schlusse des Scherzo noch einmal citirt, es erscheint mit innigen, sehnenden Blicken und verschwindet mit einem Seufzer. Das Finale der Sinfonie ist aus Heiterkeit und Kraft gemischt. Es dreht sich in vergnügter Stimmung in originellen, anmuthig possirlichen Wendungen

(erstes Thema) und führt wunderliche Dialoge, in welchen den ausgezeichnet gelaunten Bläsern von den Geigen unwirsch und barsch geantwortet wird

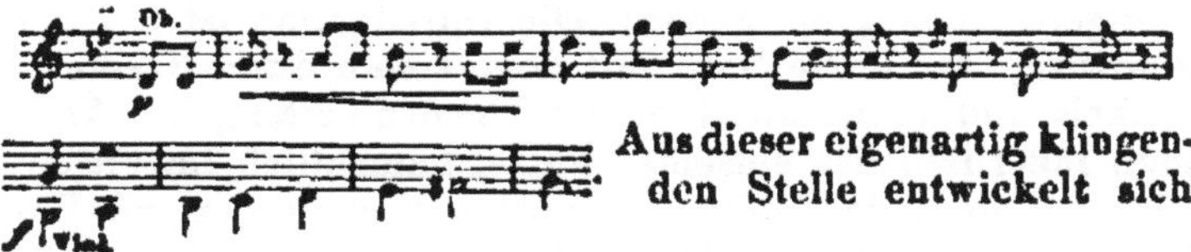

Aus dieser eigenartig klingenden Stelle entwickelt sich dann das eigentliche zweite Thema des Finale, der Ausdruck eines in Ruhe, Dankbarkeit und Festigkeit gesammelten Gemüthes:

Unter den vielen Zügen des Humors, die sich in diesem Finale finden, sei namentlich auf die Stellen aufmerksam gemacht, wo sich die Bässe mit den Cellis und Bratschen des Motivs  bemächtigt haben.

Der Entstehungszeit nach liegt die vierte Sinfonie Schumann's (Op. 120) nicht weit von der ersten. Sie wurde im Jahre 1841 als Nr. 2 aufgeführt und erhielt später im Wesentlichen nur eine neue, für geringe Orchester berechnete Instrumentirung, einen viel dickeren und plumperen Rock, der viel von der Grazie und den Farbenreizen des ursprünglichen Entwurfs verdeckt. Im Kunstwerth der Bdur-Sinfonie mindestens gleich, wenn nicht überlegen und ihr auch im Charakter nahe verwandt, bildet Schumann's Dmoll-Sinfonie in der Geschichte der Sinfonieform ein wichtiges Document. Wir denken hierbei weniger daran, dass in ihr genau wie in Mendelssohn's Amoll-Sinfonie die vier Sätze des Werkes ohne Unterbrechung auf einander folgen, also gleichsam einen einzigen grossen Satz bilden sollen, als vielmehr an die von Schumann ältern Vorgängern glücklich nachgebildeten Versuche die einzelnen Sätze in einen engeren materiellen Zusammenhang zu bringen und dem ganzen Werke eine strengere Einheit zu geben: Die Introduction ist mit der Romanze, der letzte Satz mit dem ersten durch Gemeinsamkeit und Verwandtschaft der Themen verknüpft. Aber auch innerhalb der einzelnen Sätze, namentlich im ersten, zeigt der formelle Aufbau gelungene Neuerungen von Bedeutung. Angesichts der Sicherheit und Leichtigkeit, mit welcher sie vollzogen sind, kann man nur erstaunt sein, dass vormals und neuerdings wieder die Frage aufgeworfen werden konnte, ob Schumann der grossen Form völlig Herr gewesen sei.

R. Schuman Dmoll-Sinfon

Das Thema, mit welchem nach einer etwas schwermüthigen Introduction das erste Allegro einsetzt, ist folgendes:

Lebhaft.

etc.

allerdings formell eine blosse Figur, aber eine Figur voll Charakter, aus der eine starke Erregung spricht. Es ist höchst meisterlich, wie Schumann dieses schwierige Thema handhabt, jetzt zum Ausdruck trotzig stürmender Kraft, jetzt des Zweifels gebraucht und dann mit ihm in freudige Regionen einlenkt. In keinem Takte lässt er dasselbe aus der Hand. Ob als Hauptglied, ob als Arabeske, immer ist es da und beherrscht die ganze Themengruppe, so dass, obgleich Alles singt und lebt, ein zweiter ebenbürtiger Hauptgedanke in dieser nicht aufkommt. Um so üppiger blühen die neuen Ideen im Durchführungstheile. Da ist zunächst, ähnlich wie in Schubert's grosser

Cdur-Sinfonie, ein geheimnissvolles Motiv der Posaunen , welches sich mit den Umbildungen der Hauptfigur verbindet; da ist ferner die feierlich, prächtige, mit Fermaten gekrönte Gruppe, deren Thema: später die Spitze und den Kern des Finale der Sinfonie bildet, da ist vor Allem die schöne, zarte, echt Schumann'sche Gestalt, die, noch post festum eintreffend, den Platz und die Bedeutung eines zweiten Thema in dem Satze erhält:

In der dem Componisten eigenen Weise ist auch diese Melodie an verschiedene Instrumente vertheilt.

Aus der freudigen Sphäre, in welche der schwungvolle feurige Schluss des ersten Satzes versetzt, ruft uns der Einsatz des folgenden dämonisch ab. Ohne Zweifel hat dieser accentuirte Dmoll-Accord, den die Bläser wie einen Schmerzensruf ausstossen, mit dem bekannten Quartsextaccord, welcher das Allegretto in Beethoven's siebenter Sinfonie einleitet, eine geistige Verwandtschaft. Aber bei Schumann wird die Wirkung des elementaren Mittels dadurch verschärft, dass die Zwischenpause der beiden Sätze wegfällt. Es ist wie ein Regenschauer bei blauem Himmel! Die Romanze mit ihrem edel wehmüthigen Gesang

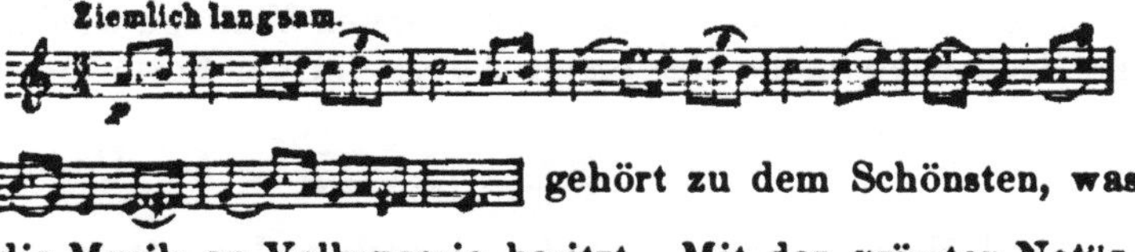

gehört zu dem Schönsten, was die Musik an Volkspoesie besitzt. Mit der grössten Natürlichkeit schliesst ihr Schumann die nachdenklichen Gedanken an, welche das thematische Material der Introduction der Sinfonie bilden:

Die klagende Melodie hat sie geweckt. Eine ausserordentlich liebenswürdige Idee des Componisten aber ist es, aus ihnen den freundlichen, sonnigen Ddur-Satz zu entwickeln, welcher die Mitte des kleinen Tonbildes einnimmt. Zu der Schönheit der Zeichnung und der Intention kommt hier auch noch der warme milde Klang, den die Celli der Melodie geben, und der Reiz, den der zierliche Schmuck der Solovioline darüber giesst.

Das Scherzo hat einen kräftigen Humor, am Schluss des Hauptthemas

spricht der Uebermuth der Jugendkraft, der Sebumann's beste Compositionen kennzeichnet. Aus dem Grundmotiv des Hauptthemas: bildet der zweite Satz zärtliche und innige Varianten. Das weiche, träumerisch sinnige Trio, mit seiner sanft dahingleitenden Melodie:

kehrt nach der Wiederholung des Hauptsatzes zurück. In seine einfache Herzlichkeit mischen sich schmerzliche Töne. Es nimmt einen langen Abschied und klingt dann noch wie aus weiter Ferne wie in Traumesschatten an. Als es ganz still geworden, intoniren die ersten Violinen wieder das Sechzehntelmotiv des ersten Allegro in der Form eines

Langsam.

schüchternen Vorschlags: . Die Posaunen und Hörner sind vor der Hand noch anderer Meinung und wollen bei der ernsten Weise bleiben. Die Mehrheit entscheidet aber zu Gunsten der Violinen, die Holzbläser gehen mit ihrem Antrag sogar noch weiter und stellen Motive auf, die dem freudigen Gezwitscher der

Vögel zu gleichen scheinen: 

So wird der heitere Charakter des letzten Satzes festgestellt. Diese 16 langsamen Takte, welche den Uebergang vom Scherzo zum Finale bilden, enthalten einen Reichthum von Phantasie und von musikalischen Ideen, welcher für eine eigene neue Composition ausreichen würde. Das Hauptthema des Finale ist uns aus der Durchführung des ersten Satzes bekannt: 

. Mit der Entschiedenheit, die der Grundstimmung des Finale entspricht, rückt es sofort im dritten Takte nach Cdur. Die Bässe in ihrem schwerfälligen Geiste halten noch eine ganze Weile an der Sechzehntelfigur fest. Das Finale hat seine schwülen Momente: Sie finden sich in dem Motive welches oft durch das Orchester fährt, namentlich aber am Eingang der Durchführung, wo dem über das Hauptthema gebildeten Fugato ganz eigenthümliche Dissonanzen, in ihrem besonderen Klange eine eigenste Erfindung Schumann's — vorhergehen. Aber immer folgen diesen flüchtigen Trübungen Partien von vollendeter Anmuth. Das zweite Thema ist ihr Hauptträger:

in seiner Mischung von Grazie, Caprice und jugendlich fröhlicher Naivetät ein echter Schumann. Es geht in eine Periode von kühnem harmonischem Aufbau über, in der die Kraft aufbraust. Der Posaunenklang kennzeichnet sie. Nach Beendigung der Reprise lenkt der Satz noch einmal auf ein ruhigeres Gebiet über, mit einem unerwarteten neuen Thema: freundlich fragenden Charakters: . Um so stürmischer bricht dann der jubelnde Schluss ein. Er hat die Form einer Stretta, frei nach italienischen Mustern! Das letzte Presto hat noch nie seine Wirkung verfehlt.

R. Schumann's Ouvertüre, Scherzo, Finale.

Mit seiner D moll-Sinfonie zugleich brachte Schumann eine zweite kleine Sinfonie in drei Sätzen zur ersten Aufführung, die unter dem Titel „Ouvertüre, Scherzo und Finale" als Op. 52 veröffentlicht wurde. Auch diese Sinfoniette zählt, nach der Häufigkeit der Aufführungen zu schliessen, unter Schumann's beliebteste Compositionen und hat den Schülern dieses Meisters besonders oft als Modell gedient. Was sie so anziehend und wirkungsvoll macht, ist der stark ausgeprägte Ton ritterlich phantastischer Romantik. Darin und in der ganzen Richtung der Phantasie erscheint sie als das Seitenstück zu den vierhändigen Märchenbildern. Man könnte ihr eine neuere oder ältere „Aventiure" unterlegen. Es lebt in ihr ein weltfahrender, abenteuerlicher und munterer Sinn,

Sie erzählt von Lieben und Sehnen

und auch von Fehden und wehrsamen Streichen:

Nicht ohne Bedeutung ist es, dass Schumann am Eingang des Werkes so deutlich den Geist Cherubini's, des Componisten der „Abenceragen" vorbeiziehen lässt. Auch Weber's romantische Harmonien klingen in der Ouvertüre durch. Musikalische Erfindungen bietet die kleine Sinfonie von eigenster und reizendster Art; in der Ausführung steht sie jedoch hinter den beiden Sinfonien in *B* und *D* beträchtlich zurück. Die Ungezwungenheit des

Componisten artet hier vielfach in Lässigkeit und Breite aus; ja der letzte Satz trägt in den Mendelssohn'schen Citaten und in dem eigensinnigen Beharren an alltäglichen Einfällen, in der Monotonie des Rhythmus und Metrums die unverkennbaren Spuren einer versagenden Phantasie.

R. Schumann Cdur-Sinfonie. Auf einem andern Boden als diese drei Werke steht Schumann's Cdur-Sinfonie, die (als Op. 61) in der Veröffentlichung der in Dmoll vorausging und bekanntlich die zweite genannt wird, aber nach der Entstehungszeit und nach der ersten Aufführung Schumann's dritte Sinfonie ist. In dieser Sinfonie hat Schumann hohe pathetische Intentionen verfolgt. Das Motiv: Sostenuto. *pp*, welches die Trompeten und Hörner an den Eingang der feierlich sinnenden Introduction hinstellen, durchzieht, mit Ausnahme des Adagio, alle Sätze des Werkes wie ein geheimnissvolles Geisterwort und bietet uns die Richtschnur für den aussergewöhnlichen Flug, welchen Schumann's Phantasie in dieser Tondichtung zu nehmen gedachte. Es handelte sich hier für den Componisten um die grossen Leidenschaften und die höchsten Ideen einer tiefen Menschenseele, um Faust'sche Probleme: um den Weiterbau auf jenem grausig schönen Terrain, auf welchem die neunte Sinfonie steht. Es geschah auf Grund dieser zweiten Sinfonie namentlich, dass Schumann von einer Anzahl treu ergebener Verehrer als der „Erbe Beethoven's" proclamirt wurde. Wir wissen, was Schumann mit diesem grössten Tondichter des Jahrhunderts gemeinsam hat. Wir stellen die zweite Sinfonie um ihrer Intention willen sehr hoch — aber wir glauben doch, dass es eine Irrlehre ist, sie als die Hauptsinfonie ihres Autors zu erklären. Sie ist sowohl in dem Werthe der musikalischen Grundideen selbst als in ihrer Behandlung ungleich; sie mischt Perlen und Sand und steht an Frische und Natürlichkeit der Gestaltungskraft den vorausgehenden Sinfonien sowohl in einzelnen Satzgruppen, wie auch in ganzen Sätzen nach. Mit der Cdur-Sinfonie beginnt ein Abschnitt der Entwickelung Schumann's als Instrumentalcomponist, in welcher der naiv-romantische, volksthümliche Zug seiner Erfindung die vornehmere künstlerische Sphäre häufig verlässt. Namentlich in den Finalsätzen der Cdur-Sinfonie und in dem der ihr folgenden Esdur-Sinfonie tritt diese Erscheinung zu Tage und leider gerade an ihren Hauptthemen. Zu dem Besten der Cdur-Sinfonie zählt im ersten Satze der Abschnitt, welcher das zweite Thema entwickelt, und das Thema selbst, welches in der Introduction schon angekündigt wird:

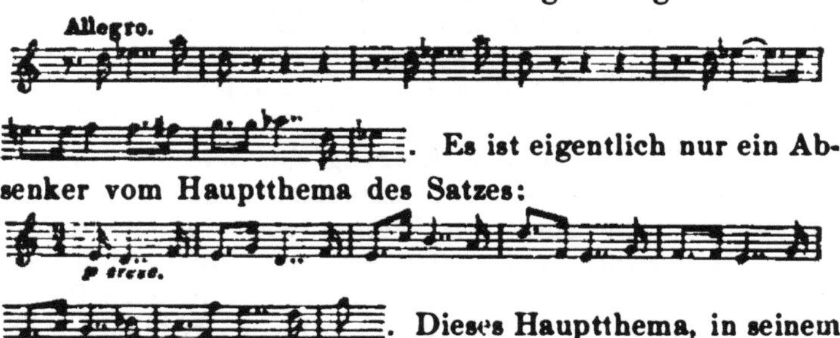

Es ist eigentlich nur ein Absenker vom Hauptthema des Satzes: … Dieses Hauptthema, in seinem capriciösen Charakter allerdings sehr wohl verständlich, leidet schon an der Monotonie des Rhythmus, welche die schwächeren Werke Schumann's kennzeichnet. In der Durchführung ist ein milder, stockender Schritt, der die Höhe nur erstrebt. Doch sind darin in der Gattung des leidenden Ausdrucks grosse Schönheiten. Die Glanznummern der Sinfonie sind der zweite und dritte Satz. Jener ist ein Scherzo, welches in dem Hauptsatze aus dem Motive (Allegro vivace. mf) entwickelt ist. Es dringt aus der anfangs bewölkten Sphäre zuweilen zu einer grandios freien Stimmung vor, namentlich in den Hdur-Schlüssen. Die Frühlingsklänge, die sich in den Holzbläsern vereinzelt hören lassen, erscheinen im ersten Trio zu einem Gedichte zusammengereiht. Das zweite Trio, welches nach der Repetition des Hauptsatzes einsetzt, gehört zu den schwächeren Partien der Sinfonie. Der dritte Satz ist ein Adagio, das in seiner Anlage einer Phantasie über folgendes Thema gleicht:

Dieser tiefe, seelenvolle Gesang, dessen Heimath das Trio in S. Bach's „Musikalischen Opfer" ist, beherrscht den Satz: ein selbständiges Thema tritt ihm nirgends auf die Dauer entgegen. Die wunderbare Melodie scheint, der trauernden Peri gleich, den Himmel zu suchen. Und sie findet die Pforte offen. Da: an den Stellen, wo die Violinen in Trillern von der höchsten Höhe wieder herabschweben, kann man einen Blick hineinthun. Dieses Adagio, eins von den wenigen neuen, deren Kürze man bedauert, wirft noch etwas von seinem Glanz in den letzten Satz der Sinfonie hinein. Kurz nach dem Abschlusse des ersten Thema, dessen Hauptkern folgender:

da wo die Violinen ihre Achtelfiguren anfangen — ergreifen im Finale die Celli den Gesang des Adagio und bilden aus ihm das zweite Thema des Schlusssatzes. Die spätere Stelle — sie ist an den Generalpausen leicht zu erkennen —, wo diese schöne Melodie gleichsam unter allgemeiner Trauer ins Grab gelegt wird, ist eine der ergreifendsten im ganzen Finale. An grossgedachten Combinationen ist dieser Schlussatz reich. Wir rechnen dahin ausser der Einführung des zweiten Themas aus dem ersten Satze auch die Aufnahme eines bekannten Beethoven'schen Gedankens:

Was den Eindruck des Finale beeinträchtigt, das hängt mit dem Charakter des Hauptthema und seiner mehr wiederholenden, als umbildenden Durchführung zusammen.

Die dritte Sinfonie Schumann's (Esdur Op. 97) rückt den beiden Vorgängen in B- und Dmoll wieder näher. Ihr Grundcharakter ist heiter. Wird doch angenommen, dass sie zu dem frischen Leben des Rheinlandes in inneren Beziehungen steht. Sie ist Schumann's letzte Sinfonie, entstand in Düsseldorf und kam am Anfang der fünfziger Jahre zur Veröffentlichung. In ihrem Stile unterscheidet sie sich von den ersten Sinfonien in Bdur und Dmoll, obgleich sie mit ihnen die Richtung der Phantasie theilt. Eine gewisse Schwerfälligkeit hat Platz gegriffen, die sich in dem ersten Entwurf der Tongedanken und in ihrer nur Transpositionen bietenden Entwickelung äussert. Ja sogar bis auf die Instrumentirung erstreckt sie sich. Der Klang ist oft pomphaft, aber in seiner Feierlichkeit monoton; vorzugsweise marschirt das Orchester in schwerer Rüstung und breitem Tritt. Wo sind die geistvollen, lebendigen, sprühenden und charakteristischen Violinfiguren hingekommen? Doch hat auch diese Sinfonie noch sehr schöne Partien. Dahin zu rechnen ist im ersten Satze namentlich das zweite Thema: R. Schumann Esdur-Sinfonie

vom zweiten Satze der Hauptttheil, der in einer gewissen altväterischen Fröhlichkeit gehalten ist.

Der Mittelsatz in diesem zweiten Satze, der dem Trio des Scherzo entspricht, erhält eine eigenthümliche Färbung dadurch, dass die einfache elegische Liedweise, welche die Holzbläser spielen, über einen grossen, tremolirenden Orgelpunkt gespannt wird. Für den bescheidnen Grundstoff des Satzes:

ist die Ausführung sehr reichlich bemessen. Nach dem Andante (Asdur *C*), in welchem sich sentimentale Elemente mit tändelnden mischen, kommt noch ein zweiter langsamer Satz (Es moll *C*) mit feierlichem Posaunenklang, in den seltsam aufgeregte Figuren hineinspielen. Man denkt an ein

„Gretchen im Dom“. Eine kirchliche Scene zu schildern, soll auch in diesem Satze Schumann's Absicht gewesen sein. Er schrieb ihn kurz nachdem er einer Feierlichkeit im Dome zu Köln beigewohnt und gab ihm ursprünglich eine erklärende Ueberschrift. Von dieser Domscene ist noch ein Nachklang im Finale zu finden. In der Hauptsache entrollt dieses aber eine Menge launige, anmuthige und frische Scenen, in deren neckischer Leichtigkeit wieder der alte Schumann lebt. Nur das Hauptthema und die zu ihm gehörenden Gruppen sind schwächer.

FÜHRER

DURCH DEN CONCERTSAAL

VON

HERMANN KRETZSCHMAR.

I. ABTHEILUNG:
SINFONIE UND SUITE.

II. BAND.

DRITTE AUFLAGE.

SIEBENTES TAUSEND.

LEIPZIG
VERLAG VON BREITKOPF & HÄRTEL
1898.

IV.

Die Programmmusik und die nationale Richtung in der Sinfonie.

Wie Mendelssohn und Schumann beide verhältnissmässig nur wenig Sinfonien geschrieben haben, so war zu ihrer Zeit die alte Fruchtbarkeit auf diesem Gebiete überhaupt erloschen. Aeussere Verhältnisse und der Gang des geistigen Lebens hatten dazu gleich stark beigetragen. Die Zahl der neuen Concertinstitute hatte die der alten Collegia musica nicht im Entferntesten wieder erreicht. Die neuen Sinfoniker standen unter den unendlich gesteigerten Forderungen Beethoven's, aber nicht wie ihre Vorfahren wurden sie vom Ideengehalt der Zeit getragen, kaum unterstützt. So waren die Werke der Romantiker ein letztes Aufflackern alten Glanzes; die mageren Jahre der Sinfonie begannen und die bestgemeinten Preisausschreiben konnten das nicht lindern. Wenn in einem Winter vier oder fünf neue Sinfonien vorlagen, die halbwegs brauchbar waren, so bedeutete das das Höchste, was sich erwarten liess. Die Namen dieser Componisten findet man ziemlich vollständig in Dr. A. Dörffel's Geschichte der Leipziger Gewandhausconcerte (1884), denn unter dem mit voller Bildung ausgerüsteten Mendelssohn machte dieses Institut erfolgreich von der natürlichen Ueberlegenheit seiner aus dem 18. Jahrhundert überkommenen Organisation Gebrauch und commandirte die deutsche Musik. Die verschiedenen und ehrenwerthen Müller's um die es sich hierbei handelt, die Molique, Gähring, Möhring, Täglichsbeck, Markull, Lührss, Rosenhain, Leonhardt, Helstedt, Pape u. s. w., die die Ehre einer Aufführung in der Regel nur einmal erlebten, arbeiteten durchschnittlich in den Spuren Mozart's und des jungen Beethoven. Etwas länger hielten sich die Sinfoniker aus der Schule Spohr's. Der fruchtbarste von ihnen: A. Hesse, der Breslauer Orgelmeister, ist jedoch heute im Concertsaal gleichfalls verschwunden. St. Bennet, dessen G moll-Sinfonie ebenfalls zu dieser Gruppe gehört, ist in England noch nicht vergessen und der poetischste dieser Spohrschüler Norbert Burgmüller bei uns auch noch nicht.

Beim Beginn dieses deutschen Niedergangs greift das Ausland, das seit Haydn gar nicht mehr mitgezählt worden, plötzlich und bedeutsam in die weitere Entwickelung der Sinfonie ein. Der Franzose Hector Berlinz begründete eine neue Periode — vielleicht nur eine Episode — der Programmmusik, der Däne Niels Gade eröffnet eine Reihe von Versuchen Elemente der Volksmusik zur Grundlage oder zum Ornament der grossen Formen der Sinfonie zu verwenden.

Unter „Programmmusik" versteht man bekanntlich eine Musik, welche als die Darstellung bestimmter innerer oder äusserer Vorgänge aufgefasst sein will, welche Geschichten in Tönen zu erzählen und nachzumalen versucht und die Phantasie an gegebene Objecte bindet. Die Tendenz dieser Kunstrichtung ist so alt wie die Musik und hat ihre natürliche Stütze in der Thatsache, dass Tonverbindungen wesentliche Merkmale geistiger Ideen und körperlicher Erscheinungen wiedergeben können. In der Vocalmusik bildet die Uebereinstimmung von Ton- und Textideen ein wichtiges Kriterium für den Kunstwerth der Compositionen. So lange es eine künstlerische Instrumentalmusik giebt, sind auch in dieser zu allen Perioden Versuche gemacht worden, bestimmte Programme durch die Töne zu übersetzen. Diese Versuche waren in der Regel von neuen, aber auch von verwunderlichen Resultaten begleitet. Nicht immer, z. B. nicht in der Periode Dittersdorf's, aber häufig haben die Programmmusiker eine poetische Hinneigung zu Ausnahmezuständen, zu aussergewöhnlichen Ereignissen oder zu Gegenständen gezeigt, welche ausserhalb der menschlichen Anschauung und Erfahrung liegen. So schildert schon Froberger einmal Jacobs Himmelsleiter, ein andermal einen Schiffbruch und einen Ueberfall durch Seeräuber, Kuhnau die „Unsinnigkeit" Sauls. Für die neueste Epoche der Programmmusik ist eine ähnliche Neigung geradezu zum Merkmale gemacht worden. Ist von ihr die Rede, so erinnert man sich, mit Unrecht, aber doch thatsächlich, in erster Linie der grässlichen Stoffe, welche sie zur Behandlung gewählt hat. Man denkt an die Hinrichtungsscene, an den Höllensatz in Berlioz's Sinfonie fantastique, an die Banditenscene in seinem Harold, an Liszt's Mephistosatz im „Faust", an den Inferno in der Dantesinfonie, an den Mazeppa, den Prometheus und die „Hunnenschlacht" des letztgenannten Componisten. Das sind Partien, in welchen die neue Programmmusik zugleich auch von dem Stile, welcher bis dahin in den Sinfonien üblich war, sehr bemerkbar abweicht. Wo die Extreme der Leidenschaften, wo Zustände der grössten Erregung, Ereignisse unerhörten Charakters, wo die Superlative der Phantasie berührt werden sollen, da bauen diese Componisten wie die Cyclopen mit unbehauenen Blöcken. Da lassen sie die Elementarkraft des blossen Klanges und des blossen Rhythmus wirken und gewähren der Macht des musikalischen Rohmaterials, dem physischen Elemente der Musik einen weiten Spielraum. Da stützen sie ganze Perioden nur auf das Fundament dissonanter Harmonien, auf hin- und hersausende chromatische Figuren, auf das brutale Treiben von Motiven und Themen, welche die Kunstmusik als trivial verwirft. Man vergisst über den Producten gewaltthätiger Charakteristik und über den Befürchtungen, welche ihr naturalistischer Stil erregen kann, sehr leicht, dass die Werke der Programmmusiker auch sehr reich sind an eigenartigen Schönheiten freundlich ruhiger Natur und dass ihre Hauptvertreter durch Aufstellung neuer, zweifellos berechtigter Principien und durch Ausbildung neuer

Ausdrucksmittel die allgemeine Entwickelung der Tonkunst gefördert haben. Die Geschichte der Sinfonie ist noch jung, denn die Kunst zählt nach Jahrhunderten. Mag die Programmmusik noch so oft Fiasko machen; ihr Princip wird nicht sterben. Nach der ganzen Entwickelung der Instrumentalmusik kann in der Zukunft ihr Boden nur breiter und fester werden. Schon heute liebt das Publikum einen poetischen Anhalt für die sinfonischen Gebilde und unter den Componisten hat das Programm mehr Anhänger, als sich öffentlich dazu bekennen. Es wäre ein Unglück, wenn wir nur Programmmusik hätten; aber es wäre kaum weniger zu bedauern, wenn wir gar keine hätten!

Die heutige Programmmusik ist zum grossen Theil durch Hector Berlioz so geworden, wie sie ist. Trotz seiner Schwärmerei für Virgil und für Gluck war Berlioz ein Erzromantiker und nicht umsonst nannten ihn seine Landsleute schon bald den Victor Hugo der Musik.[1]) Musikalisch lässt er den geborenen Franzosen, den Landsmann Rameau's nur mässig merken; aber dichterisch war er ganz von jener französischen Neuromantik besessen, der Vischer (in den „Kritischen Gängen") grob aber bezeichnend eine „Schinderphantasie" vorwirft. Der erste, schwerste, der unheilbare und unverzeihliche Mangel von Berlioz's Programmmusik liegt in den Programmen selbst, nicht in der Colossalität und Machtlosigkeit seiner poetischen Intentionen, wie Ambros sagt,[2]) sondern in ihrer vollständigen Geschmacklosigkeit. Der Einfall: die Geschichte, die der Sinfonie fantastique zu Grunde liegt mit Hexen und Hölle, die des Harold mit einer Banditenorgie zu schliessen bleibt, auch wenn man den Massstab nach den Verirrungen der Schule Eugen Sue's bildet, so vereinzelt und ungeheuerlich, dass man zu seiner Erklärung weitere Gründe bedarf. In der That wirkten auch auf den schwachen Punkt in Berlioz's Phantasie neben den litterarischen Einflüssen noch starke musikalische. Durch Simon Mayr waren in der

[1]) F. Hiller: Künstlerleben, 1880. S. 85.
[2]) W. Ambros: Bunte Blätter, 1872. S. 100.

italienischen Oper die Blasinstrumente zu einer neuen Bedeutung gelangt, bei Pacini und Mercadante entwickelte sich daraus ein förmlicher Cultus des Blechs. Meyerbeer führte ihn in die französische Oper über und Berlioz ward der Meyerbeer der Sinfonie. Er bereicherte sie mit der Harfe und dem englischen Horn, aber auch mit den dritten und vierten Fagotten und Trompeten, mit den Ophicleiden, dem türkischen Schlagzeug und mit dem halben Orchester der Wachparade. In den Schlusssätzen seiner Sinfonie wird dieser neue akustische Spuk prasselnd losgelassen.

Nichts setzt Berlioz so weit unter Beethoven wie diese Abhängigkeit vom gemeinen Effect. Und doch hat er sich für einen Schüler und Nachfolger Beethoven's gehalten und dieses Verhältniss mit dem Vergleich zwischen Columbus und Ferdinand Cortez zu bestimmen versucht.[1]) In der That fand er für seinen Naturalismus eine kleine Stütze in der Beethoven'schen Sinfonie von der zweiten ab. Aber wer gerecht sein will, kommt auch nicht um die Nothwendigkeit herum einzusehen und zuzugeben, dass Berlioz auch nach einer zweifellos nützlichen und zukunftsreichen Richtung hin an Beethoven anknüpft und ihn fortgesetzt hat: Er suchte und fand geeignete Mittel den breiten Beethoven'schen Formen der Sinfonie Verständlichkeit zu bewahren. Diese Mittel waren das Programm und die Verbindung der einzelnen Sätze durch Wiederkehr desselben Themas. So schlecht Berlioz's Programme waren, die Berechtigung und Wirkung des Mittels an sich haben sie festgestellt, sein aus dem Schlummer der Jahrhunderte wiedererwecktes Princip des Leitthemas ist aber von der ganzen modernen Musik, instrumental und vocal, von Gegnern und Freunden Berlioz's ohne Unterschied immer mehr aufgenommen worden.

H. Berlioz Sinfonie fantastique.

Berlioz's Debüt bildet die Sinfonie fantastique, op. 14 (1. Auff. 1830). In seinen Memoiren (S. 95) sagt Berlioz, dass die Bekanntschaft mit Goethe's „Faust" einen grossen Einfluss auf diese Composition gehabt habe. Das

---

[1]) F. Hiller, A. a. O. 127.

mag sein mit Blocksberg und Walpurgisnacht, vielleicht auch mit dem Spaziergang und mit den „zwei Seelen in einer Brust“; die Idee zu der „Fantastique“ wäre für Goethe ein Greuel gewesen und ist ganz Berlioz's eigene Erfindung, als solche für den abenteuerlichen Charakter seiner dichterischen Neigungen und seiner Ansichten vom Wesen und Zweck der Kunst überaupt sehr bezeichnend: Ein junger Künstler, liebestoll und lebenssatt, nimmt Opium. Die Dosis des Giftes, zu schwach um zu tödten, bewirkt nur einen tiefen Rausch und eine Reihe von Träumen, in denen die Liebesgeschichte des Künstlers repetirt und zu einem phantastischen ungeheuerlichen Abschluss weitergeführt wird. Mit andren Auslegern hat auch Schumann[1]) angenommen, dass der Composition und ihrem Programm ein Stück aus dem eignen Leben von Berlioz, seine Liebe zu der englischen Schauspielerin Miss Smithson, zu Grunde liege. Die Musik versucht die Traumbilder in fünf Sätzen wiederzugeben.

Der erste „Rêveries — Passions“ — (Träumereien — Leidenschaften) überschrieben, schildert die Zeit der erwachenden Liebe und der ersten Begegnung mit der Geliebten. Das Programm sagt: „Zuerst gedenkt der junge Musiker des beängstigenden Seelenzustandes, der dunklen Sehnsucht, der Schwermuth und des freudigen Aufwallens ohne besondren Grund, die er empfand, bevor ihm die Geliebte erschienen war; sodann erinnert er sich der heissen Liebe, die sie plötzlich in ihm entzündet, seiner fast wahnsinnigen Herzensangst, seiner eifersüchtigen Wuth, seiner wieder erwachenden Liebe, seiner religiösen Tröstungen.

Die in diesen Worten gestellte Aufgabe sucht Berlioz mit einem Satze zu lösen, der ganz die Form hat, die wir seit Haydn an dieser Stelle gewohnt sind: ein im Sonatenschema ausgeführtes Allegro mit langsamer Einleitung.

Die Einleitung (Largo C, C moll) schildert den Seelenzustand, in dem sich der Künstler vor dem Erscheinen der

---

[1]) R. Schumann's Gesammelte Schriften (Ausgabe von Jansen) I, 131.

Geliebten befand: Schon die ersten beiden Takte suchen das Bild einer klopfenden und nagenden und im selben Augenblick vom schweren Druck gehemmten Empfindung zu zeichnen: Die „Schwermuth“ und „die dunkle Sehnsucht“ des Programms drückt eine längere Geigenmelodie aus, die folgendermassen einsetzt:

. Die Fermaten und der stockende Gang kennzeichnen auch ihren weiteren Verlauf. Im achten Takt, am Schluss der Periode, zeigt ein Nonenaccord über der Dominante den Höhepunkt des Wehgefühls. Von da ab versucht die spröde Melodik grössere Schritte, überlässt aber sehr schnell das Wort dem Rhythmus, der in den tiefen Instrumenten über das Motiv 𝄾 ♪♪ ♩ einen Aufschwung der Stimmung einleitet. Aehnlich wie an der berühmten Stelle im Trauermarsch der Eroica lassen die Bässe ganz allein ein mächtiges *As* hören, das dröhnend nach *G* übertritt. Wir stehen vor dem zweiten Abschnitt des Largo, dem das Programm „das freudige Aufwecken ohne besonderen Grund“ zuweist. Er malt es in losen Figuren, die als Sechzehntelsextolen und als Triolen dahinflattern. Zuerst in der ersten Violine allein, dann ergreifen sie auch die übrigen Instrumente, durchschwärmen rasch von Cdur aus einen Kreis naher und ferner Tonarten, bis sie im sechsten Takt nach Cdur und gleich darauf nach Cmoll zurückkehren. Es war nur das Aufglühen des Fiebers, jetzt meldet sich die alte Schwermuth in den Klagen der Bläser wieder. Nach vier Takten haben wir wieder die oben angegebene Geigenmelodie. Der dritte Abschnitt des Largo beginnt, verläuft aber doch nicht ganz gleichlautend wie der erste. Das heitere Aufwallen hat etwas gewirkt:

in der Seele des verliebten Musikers ist es heller geworden. Das sagt uns die Durtonart (*Es*), in die das Thema jetzt versetzt ist, das sagen uns die Bläser, die die Geigen mit den muntren Motiven des zweiten Abschnitts umspielen. Nachdem diese Repetitionsgruppe geschlossen hat, geht in der Stimmung eine noch viel entschiedenere Wendung zur Hoffnung und Freude vor sich. Desdur setzt plötzlich ein, das Horn übernimmt die Führung mit Melodien die trösten, mit trillernden Figuren und neues Leben weckenden Motiven. Die Violinen nehmen die Dämpfer ab und stimmen mit frohen und muthigen Gängen ein. Es ist ein Zögern und Gähren in diesem Schlussabschnitt des Largo, das den empfänglich folgenden Zuhörer in grosse Spannung versetzt.

Das Allegro (Allegro agitato e appassionato, Cdur), welches im erregtesten Zucken einsetzt, löst sie bald. Die Geliebte erscheint, das folgende Thema, von der Flöte zuerst eingeführt:

soll ihre Gestalt bezeichnen. Schumann findet in ihm sogar den Charakter der „kühlen Brittin", die später Berlioz's Gattin wurde, ausgedrückt. Es fängt wohl etwas glücklich reservirt an, wird aber in den folgenden Perioden der Klage ziemlich warm und schliesst liebenswürdig zusprechend. Der hier wiedergegebene Anfang kehrt, gewöhnlich durch zitternde Rhythmen begrüsst, als Leitmotiv in allen Sätzen der Sinfonie wieder, Berlioz nennt es ihre „idée fixe". Das ist nicht in dem Sinne gemeint, in dem wir Deutsche von der „fixen Idee" gestörter Geister sprechen, sondern jene acht Takte bilden den „festen Pol in der Erscheinungen Flucht", das Band das den Inhalt der Sätze der Sinfonik verknüpft, das äussere Zeichen ihrer Zusammengehörigkeit. Gleichviel ob man in Berlioz's specifischer Musikbegabung Talent oder Talentlosigkeit erblickt, jedermann sollte einsehen, dass die Einführung und Durchführung des Princips der „idée fixe" eine künstlerische

That von hoher Bedeutung ist. Es war der erste und einzige wesentliche Fortschritt, den die Geschichte der Sinfonie nach Beethoven zu verzeichnen hat, der Punkt von dem aus sich noch eine Zukunft für diese Kunstgattung eröffnete.

Wie Haydn, legt auch Berlioz den zweiten Themen nicht viel Werth bei und zieht ihnen eine freie aber logische Fortsetzung des Hauptgedankens vor. So wird denn hier in der Themengruppe des ersten Satzes das Hauptthema mit einem Jubelausbruch begrüsst, der von zwei laut tremolirenden, je einen Takt langen Accorden aus: *g-b-des-e* und *g-h-d-f* in Achtelfiguren hinab und hinaufstürzt. Er schliesst zunächst mit einem innigen Rückblick auf den Schluss des Hauptthemas, auf dessen letzte Periode:

Dann erneut er sich, aber mit Motiven des stillen Entzückens:

gemischt, erweitert und in der Richtung bestimmter. Sie läuft geradewegs wieder auf das Hauptthema zu, das in G dur erreicht, aber nur mit den ersten Noten aufgenommen wird:

Die mit dem dritten Takte einsetzenden neuen Glieder fungiren als zweites Thema im Satze und vertreten in der Durchführung die Stimme des Liebesglücks.

Unser Allegro ist in der seit Haydn üblichen Form in den drei Haupttheilen: Themengruppe, Durchführung, Reprise aufgebaut. Die Themengruppe schliesst bald nach dem Auftreten des als zweites Thema geltenden Gedanken. Die Durchführung ist die Stelle der „Erinnerungen“, auf die das Programm zum ersten Satz hinweist. Nur sind sie in der Musik nicht so einfach abzulesen wie dort im Text. Die Reihenfolge der Empfindungen ist anders, aber insofern wohlgeordnet und übersichtlich als den trüben immer helle folgen. Eine wirkliche Schwierigkeit für Folgen und Verstehen liegt darin, dass Berlioz in der Schilderung der Affecte meist ohne Uebergänge schroff abspringt.

Die Durchführung beginnt mit einem kleinen Dialog (von G dur aus). Die Bässe zeigen wie aus der Ferne im Halbdunkel das Bild der Geliebten (Anfang des Hauptthemas), die Bläser in neuen eignen Motiven das Herz des liebenden jungen Künstlers. Mit dem zweiten Thema in C dur schliesst diese Gruppe. Nun kommt als zweite Gruppe die Darstellung jener „Herzensangst" auf die das Programm vorbereitet. In den Saiteninstrumenten wühlt es mit chromatischen Läufen, die Bläser stossen lange Klagetöne aus. Die Scene endigt mit einem aufregenden Sturm nach der Höhe, wie ein Befreiungsversuch aus schwülem luftlosem Raum, und mit einer erlösenden Generalpause. Der dritte Abschnitt bringt das Bild der Geliebten, das Hauptthema in voller Ausdehnung aber in G dur wieder. Ihm folgt eine leise beginnende Stelle des Besinnens erst, dann des Jubels, an die sich als fünfter Abschnit eine kurze Durchführung des zweiten Themas, die von den Cellis aus nach oben angetreten wird, schliesst. Sie endet mit der Wiederaufnahme vom Ende des Hauptthemas, das schliesslich wie grollend in den Bässen verschwindet. Und nun schliesst die Durchführung mit einer Gruppe, die complicirter und auch für die Aufführung schwieriger ist, als irgend eine der bisherigen Partien des Allegro. Die Celli nämlich beginnen eine lange Kette von Imitationen über den Anfang des Hauptthemas erst mit den Bratschen, später mit den zweiten Geigen. Die Holzbläser spielen verlegne oder brütende Gegenmotive dazu, die ersten Geigen wirken nur rhythmisch erregt mit. Das ist wohl die Schilderung der „eifersüchtigen Wuth" und der dunklen Befürchtungen im Herzen des Liebhabers. Er ringt sich durch und wir gelangen an die Reprise des Hauptthemas im *ff* (Odur) wie in der Apotheose. In der Reprise hat Berlioz Beethoven'sche Einschübe zur Steigerung des Ausdrucks des Liebesglücks mit Erfolg versucht. Es ist die H durstelle, wo die Bässe mit *h a fis dis* beginnen. Die „religiösen Tröstungen" des Programms kommen in den letzten Takten des Satzes im Anschluss an den leisen Abschied des Hauptthemas.

Der zweite Satz (Valse 3/8, A dur) hat die Ueberschrift „Un bal" ein Ballfest. Das Programm sagt zur Erläuterung: „Auf einem Ball inmitten des Geräusches eines glänzenden Festes findet er die Geliebte wieder". Berlioz hat namentlich durch den Ball in Romeo und Julie die musikalische Welt an effectvolle und lebendige Festscenen gewöhnt wie keiner vor ihm. Die hier gegebne ist bescheiden nach aussen, aber durch innerliche Wärme, durch Poesie und dramatisches Leben in der Form sehr bedeutend. Wie schön ist beidemal die „idée fixe" eingeführt, das Zusammentreffen der Liebenden in der festlichen Menge gezeichnet! Nach einer kurzen Einleitung, welche düstre Traumfiguren enthält, nimmt die Musik den Charakter eines deutschen Walzers an:

Die Durchführung dieses Hauptsatzes wird von erregteren, tiefere Saiten des Gefühls anschlagenden, scenischen Charakter tragenden Episoden mehrmals unterbrochen. In das rauschende Ende des Satzes lächelt Rossini herein.

Der dritte Satz (Adagio, 6/8, F dur) hat die Ueberschrift: „Scène aux champs" (Auf dem Lande) und folgendes Programm: „An einem Sommerabende, auf dem Lande, hört der Künstler zwei Schäfer, die abwechselnd den Kuhreigen blasen. Dieses Schäferduett, der Schauplatz, das leise Flüstern der sanft vom Winde bewegten Bäume, einige Gründe zur Hoffnung, die ihm erst kürzlich bekannt geworden, alles vereinigt sich um seinem Herzen eine unendliche Ruhe wieder zu geben, seinen Vorstellungen ein lachendes Colorit zu verleihen. Da erscheint sie aufs Neue; sein Herz stockt, schmerzliche Ahnungen steigen in ihm auf: „Wenn sie ihn hinterginge!" — Der eine Schäfer nimmt die Melodie wieder auf; der Andere antwortet nicht mehr ... Sonnenuntergang ... fernes Rollen des Donners ... Einsamkeit ... Stille".

Die Musik beginnt mit einem Dialog zwischen Englisch Horn und Hoboe, welche sich Motive des Kuhreigens zurufen. Das Gesammtorchester stimmt bald in die ländlichen Weisen ein, bald vertauscht es sie mit dramatischen Phrasen, welche die Sprache einer zwischen Zweifel und Hoffnung schwankenden Seele reden. An den Stellen, wo die „idée fixe" erscheint, wird der Ausdruck wild erregt oder rührend schmerzlich. Der Satz zeigt eine eigenthümliche Mischung von Gemüthsschilderung und Landschaftsmalerei. Berlioz verstand in einem hohen Grade die Kunst, die dramatische Darstellung seelischer Zustände mit einer anschaulichen, poetischen Wiedergabe der äusseren Scenerie zu verbinden. Sein Childe Harold und seine Romeosinfonie enthalten Musterstücke dieser Art. In letzterem Theile erinnert die „Scène aux champs" vielfach an das Andante von Beethoven's Pastoralsinfonie. Hier wie dort das Vogelgezwitscher, das Rauschen des Windes, das Säuseln der Bäume, der Reichthum an naturalistischen Détails in den grossen Fluss der musikalischen Darstellung eingezogen, zuweilen direkte Anklänge. Das Hauptthema der pastoralen Partie der Scene ist eine gesangvolle Melodie, welche folgendermassen anfängt:

Sie erscheint, so oft sie wiederkehrt, darunter zweimal in Cdur, in immer neuen Reizen des Colorits und des

Rhythmus. Von grossartigem Eindruck ist namentlich die Stelle, wo Bässe, Celli und Bratschen, alle in vielstimmigen Griffen mit dem Rhythmus begleiten. Die Gabe, schöne und eigenthümliche Klänge zu finden, war Berlioz angeboren. Kurze Zeit, bevor er seine Sinfonie fantastique schrieb, studirte er noch Medicin. Die „Idée fixe" beherrscht von der Mitte des Satzes an die Composition. Ihr erstes Auftreten bereitet ein in grösster Aufregung einsetzender Gang der Celli und Bässe vor:

Die Geigen werden von seiner verzweifelten Energie erfasst und helfen das Bild des in Leidenschaft schlagenden Herzens aufs spannendste ausführen. Erst nachdem das rasende Orchester sich in langen, auf verminderte Harmonien gestellten Tremolos ausgetobt hat, beginnt das „Stocken" von dem das Programm spricht. Die Clarinette beschwichtigt noch einmal mit einer neuen sanften Melodie

Ihr folgen die zweiten Geigen mit dem Hauptthema, dessen Vortrag mit einer Wendung des Aufschwungs und des Ausdrucks glücklichster Gefühle schliesst. In *C*dur begann dieser Abschnitt, in *F* geht er aus. Da setzt die „Idée fixe" nochmals ein, aber diesmal nicht verwirrend und verstörend; Hand in Hand mit ihr, die die Bläser einführen, geht in den Geigen das Hauptthema des Satzes. — Den „Sonnenuntergang", den das Programm verspricht, aus der Musik herauszuhören, wird nur Wenigen gelingen. Dagegen ist das „Rollen des fernen Donners" durch ein kleines Extraconcert auf vier Pauken sehr deutlich gemacht.

In seinen Memoiren (S. 95 und 110) erzählt Berlioz,

dass die Scène aux champs bei der ersten Aufführung keine Wirkung auf das Publikum geübt, dass er das Stück, das ihn bei der ersten Niederschrift schon drei Wochen aufhielt, im Laufe mehrer Jahre wiederholt umgearbeitet und nach den Anweisungen Ferd. Hiller's in seine letzte Gestalt gebracht habe. Es war also ein Sorgenkind und lässt auch heute noch einen Rest von Unfertigkeit merken, der die Wirkung seiner schönen Ideen und Absichten etwas beeinträchtigt.

Dagegen ist der folgende vierte Satz der Sinfonie (Allegretto non troppo, ₵, G moll) in einer Nacht geschrieben, ein Werk aus einem Guss. Er hat die Ueberschrift: Marche au supplice (Gang zum Hochgericht) und wird im Programm folgendermassen erläutert: „Dem jungen Künstler träumt er habe seine Geliebte gemordet, er sei zum Tode verdammt und werde zum Richtplatz geführt. Ein bald düsterer und wilder, bald brillanter und feierlicher Marsch begleitet den Zug; den lärmendsten Ausbrüchen folgen ohne Uebergang dumpfe, abgemessene Schritte. Zuletzt erscheint neuerdings die „Idée fixe", auf einen Augenblick, gleichsam ein letzter Liebesgedanke den der Todesstreich unterbricht."

Mit diesem Satze nehmen die Opiumträume des jungen Künstlers eine abenteuerliche Wendung, eine Wendung, welche uns den eigentlichen Traumgott der Sinfonie fantastique, ihren Componisten H. Berlioz nämlich, zum ersten Mal als Parteigänger jener Blut und Gräuel liebenden französischen Neuromantik zeigt, von der bereits die Rede war. Die Musik zu einem solchen dichterischen Vorwurf kann nicht anders als schauerlich sein. Dieser Zweck schliesst Sparsamkeit in den Mitteln der Instrumentation aus. Kurz vor dem Momente, wo das Fallbeil fällt — heftiger Schlag des ganzen Orchesters, zwei Pizzicatonoten des Streicherchors, ungeheurer Wirbel sämmtlicher Pauken und Trommeln — taucht der Gedanke an die Geliebte noch einmal auf. Die „idée fixe" erklingt im Solo einer schrillen C-Clarinette. Der Stelle geht ein schroffer

Harmoniewechsel von B moll (Bläser) und G moll (Geigen) voraus, welcher bei den ersten Aufführungen der Sinfonie in Deutschland die Meinungen besonders erhitzte. Eine tiefere Auffassung der ganzen Scene, das tragische Element derselben, kommt in der Melodie:

zur Geltung, welche nach einigen einleitenden Perioden, in der die Contrabässe einfach getheilt pizzicato-Accorde geben, die Pauken wirbeln, die Hörner einfach ernste Marschmotive anspielen, zuerst dumpf und schwer durch die Bässe schreitet. Der rhythmische Vortrag, namentlich die Betonung der einsetzenden Halben kann nicht entschieden genug sein. Die Violinen nehmen das Thema (in Es) auf eine dritte Clausel führt mit den Bässen als Hauptstimme wieder nach G moil zurück und an den Schluss des ersten Theils. Die Fortsetzung des Marschbildes ruht nun auf dem B dur-Thema:

Wie sie rhythmisch belebter ist, zieht sie die Aufmerksamkeit von dem erschütternden Charakter des Vorgangs mehr auf die Aeusserlichkeiten des Schauspiels, auf den Pöbel, dem jedes Unglück zum Feste wird. Es giebt Stellen wo man aus der Begleitung der Themen das Murmeln, Lärmen und Toben der Menge hört. Zuweilen dringen die Töne des tragischen Hauptthemas wieder vor. Schliesslich setzt es, von den Posaunen durchgedrückt, im vollen Tutti wieder ein, geht ins Wilde und zu dem schon geschilderten Ende über.

Durch die Einlage des Marsches überschreitet die Sinfonie fantastique zum ersten Male seit Haydn die hergebrachte Vierzahl der Sätze. Berlioz mag daran gedacht haben, dass versteckt wenigstens ein ähnliches Verhältniss in Beethoven's Pastorale vorliegt oder auch den Marsch als eine Art Präludium zum Finale gemeint haben. Dieses als fünfte Nummer gebrachte Finale hat die Ueberschrift Songe d'une nuit du Sabbat (Traum in der Walpurgisnacht) und folgendes Programm: „Der junge Künstler glaubt einem Hexentanz beizuwohnen inmitten grausiger Gespenster, unter Zaubrern und vielgestaltigen Ungeheuern, die sich zu seinem Begräbniss eingefunden haben. Seltsame Töne, Aechzen, gellendes Lachen, fernes Geschrei, auf welches andres Geschrei zu antworten scheint. Die geliebte Melodie taucht wieder auf, aber sie hat ihren edlen und schüchternen Charakter nicht mehr; sie ist zu einer gemeinen, trivialen und grotesken Tanzweise geworden: sie ist's, die zur Hexenversammlung kommt. Freudiges Gebrüll begrüsst ihre Ankunft.... Sie mischt sich unter die höllische Orgie; Sterbegeläute . . . burleske Parodie des Dies irae; Hexen-Rundtanz. Das Rondo und das Dies irae zu gleicher Zeit."

Die Hauptmasse der Musik des Schlusssatzes fällt auf dies „Ronde du Sabbat" die Darstellung des Hexenfestes in der Walpurgisnacht (Allegro, $^6/_8$, Cdur). Die vorausgehende Partie vertheilt sich auf mehrere durch Tempo und Charakter unterschiedene kürzere Sätze:

Ein Larghetto in Cdur beginnt gleich mit verminderten Harmonien, fremdartig polternden Bassfiguren, denen die dreifach getheilten Violinen hohe Tremolos und bacchanalisch schlürfende und schleifende Motive entgegenstellen. Das Larghetto ist der Ort der im Programm versprochnen „seltsamen Klänge", soweit sie ruhiger Natur sind. Am bemerkbarsten macht sich unter ihnen eine Nachahmung des Hahnenschreies. Es folgt ihm ein nur acht Takte langes Allegro ($^6/_8$, Cdur) in dem die „idée fixe" von der Clarinette *ppp* gebracht, die erste Verzerrung erleidet. So kurz die Stelle ist, so wirkt sie doch sehr dämonisch durch die Begleitung der beiden Pauken und der grossen Trommel. Schon hier zeigt sich das Finale der Fantastique als die Fundgrube von Effecten, die Meyerbeer und andre französische Operncomponisten fleissig ausgemünzt haben. Diesem ersten Allegro folgt ein zweites, wild tobendes in Es dur. Es leitet zu einem längeren Satz über, (Allegro 6/8, Es dur) den das Programm eine „gemeine, triviale und groteske Tanzweise" nennt. Die Melodie der „idée fixe" erscheint in den schrillen, abscheulichen Tönen einer hohen Es-Clarinette, lächerlich fratzenhaft und von Rohheit umgeben. Die Scene bricht plötzlich ab und macht einem ernsten Recitativ der Bässe Platz. Ihm folgen — noch heute eine crux für die Aufführung — Glockentöne *CG*, *CG*. Es ist der denkbar schärfste Contrast an dieser Stelle: Aus dem Höllenqualm gehts unvermittelt in Kirchenluft und Weihrauchduft. Das Dies irae setzt auf folgende Melodie ein:

Ophicleiden und Fagotte blasen sie, die Glocken läuten dazu. Sofort wird sie von Hörnern und Posaunen in einfacher, von den Geigen in doppelter Verkürzung parodirt. Es ist ein freches Stückchen Kunst. Das nun folgende „Ronde du Sabbat" ist im Haupttheil eine Fuge über das Thema:

das von den Cellis aus allmählich über das ganze Orchester vordringt. Es wird unterbrochen von Zwischensätzen, in denen *f* und *p* diabolisch wechseln, von neuen Motiven der Klage. Nach einem gravitätisch-burlesken Zwiegespräch von Bässen und Fagotten meldet sich das Dies irae wieder. Ein neuer Anlauf zur Fuge, — das Thema vom zweiten Takt an chromatisch rieselnd, — vertreibt es, bald aber als die Fuge am tollsten geworden, setzt es dominirend ein. Nun folgt ein Abschnitt der als Composition eine Farbenorgie ist. Eine Klangteufelei folgt der andren. Auf einen Satz col legno der Violinen ein verworren elastisches staccato der Holzbläser, dann die Ophicleiden im plumpen Sturmlauf und bald fanatisch erregt das Ende des Satzes, den man nicht unrecht eine musikalische Höllenbreugheliade genannt hat. Noch näher liegt der Vergleich mit Würtz, dem Brüsseler Maler.

Aesthetisch abstossend ist er technisch eine compositorische Virtuosenleistung, durch neue Formprincipien auch historisch wichtig.

Berlioz rühmt (a. a. O.) die gute Aufnahme, die in Paris bei der ersten Aufführung der Sinfonie fantastique Bal, Marche und Sabbat fanden. Börne[1]) äussert sich begeistert über das Ganze: „Es steckt ein ganzer Beethoven in diesem Franzosen . . . . Alles ist mit Händen zu greifen". Unter den Musikern bildeten sich Parteien für und wider. Stimmführer der Gegner war Fétis, der in der Revue musicale dem Componist Alles absprach und nur einen Instrumentationsinstinkt gelten liess. Mendelssohn verwarf mit befremdenden Hass bekanntlich sogar Berlioz's Instrumentirung.[2]) Schumann dagegen trat in seiner Neuen Zeitschrift für Musik mit der bereits erwähnten Kritik warm für die wunderliche Sinfonie ein. Zwei sehr wichtige Freunde fanden sich in F. Liszt und N. Paganini.

H. Berlioz Harold en Italie. Nach einer sehr guten Aufführung der Sinfonie fantastique am 22. December 1833 — schreibt Berlioz — erwartete mich nachdem das Publikum fort war, allein im Saal ein Mann mit langem Haar, durchbohrendem Auge, mit einer seltsamen Figur, ein sichtlich vom Genie Besessener, ein Coloss von einem Riesen, den ich nie gesehen hatte und dessen erster Anblick mich vollständig verwirrte. Er hielt mich beim Vorübergehen an um mir die Hand zu drücken, überhäufte mich mit heissen Lobeserhebungen, die mir im Kopf und Herzen brannten. Es war Paganini!

Einige Wochen später besuchte er mich. „Ich habe eine herrliche Bratsche — sagte er, — ein wundervolles Instrument von Stradivarius und möchte es gern öffentlich spielen. Aber ich habe keine Musik dafür. Wollen Sie

[1]) Allgemeine Zeitung vom 8. December 1830.
[2]) M. Briefe an Moscheles (S. 85).

mir nicht ein Bratschensolo schreiben? Für diese Arbeit habe ich Vertrauen blos zu Ihnen". — Gern, antwortete ich, das schmeichelt mir mehr als ich sagen kann; aber um Ihren Erwartungen zu entsprechen um in einer solchen Composition eine Gelegenheit zum Glänzen zu geben, die eines Virtuosen wie Sie würdig ist, muss man Bratsche spielen und das kann ich nicht. Sie allein, scheint mir, könnten die Aufgabe lösen. Nein, nein, ich bestehe darauf, — sagte Paganini, es wird Ihnen gelingen; was mich betrifft, so bin ich jetzt zu leidend zum Componiren, ich kann nicht daran denken.

Ich versuchte nun um den berühmten Virtuosen gefällig zu sein ein Bratschensolo zu schreiben, aber ein Solo das derartig mit dem Orchester verbunden wäre, dass es die Instrumentenmasse in ihrer Aeusserung nicht beeinträchtige, dabei war ich gewiss, dass Paganini durch seine wunderbare Vortragskunst dem Bratschensolo immer die herrschende Rolle behaupten würde. Die Absicht erschien mir neu, bald bildete sich bei mir ein ziemlich glücklicher Plan und leidenschaftlich ging ich an seine Ausführung. Der erste Satz war kaum fertig, als Paganini ihn sehen wollte. Beim Anblick der Pausen, die die Bratsche im Allegro zu zählen hat rief er: Das ist nicht das Rechte: ich schweige viel zu viel darin, ich muss immer spielen. Ich habe es gleich gesagt, antwortete ich. Sie wollen ein Bratschenconcert haben und Sie sind augenblicklich der Einzige, der das schreiben kann. Paganini erwiderte nichts, er schien enttäuscht und verliess mich ohne weiter von meinen sinfonischen Skizzen zu sprechen. ...

Nachdem ich mich überzeugt hatte, dass mein Compositionsplan ihm nicht passen konnte, entschloss ich mich, ihn in andrer Richtung und ohne mich um die Dankbarkeit der Bratschenpartie zu kümmern, doch auszuführen. Ich nahm mir vor eine Reihe von Scenen für Orchester zu schreiben, in die sich die Solobratsche wie eine mehr oder minder theilnehmende Figur, die jedoch immer ihre eigene Art festhielt, einmischen sollte. Ich wollte in der Solobratsche, indem ich sie in die Mitte der poetischen

Erinnerungen stellte, die meine Wanderungen in den Abruzzen bei mir hinterlassen hatten, eine Art melancholischen Träumer hinstellen ungefähr so wie es Byron's Childe Harold ist".

Soweit Berlioz selbst über die Entstehungsgeschichte und den Charakter seiner zweiten Sinfonie, die am 23. November 1834 mit vollem Erfolg zum ersten Mal aufgeführt und dann als op. 16 veröffentlicht wurde. Sie dichtet einige der musikalischen Behandlung entgegenkommende Nebenscenen von Byron's „Childe Harold" in freier Art nach und ergänzt und beschliesst dieselben mit einem neu erfundenen Finale im Stile der französischen Neuromantik. Eigen ist in der Anlage dieser Sinfonie das in allen Sätzen durchgehende Bratschensolo, in welchem das concertirende Element der alten Vorhaydn'schen Sinfonie wieder einmal in dichterischer Bedeutsamkeit auflebt. In der poetischen Oekonomie des Werkes repräsentirt es die Partie Harold's, des Helden, ähnlich wie in der Sinfonie fantastique die „Idée fixe" die Geliebte oder den Gedanken an sie vertritt. Nur tritt diese vorwiegend episodisch auf, Harold ist dagegen immer dabei, führt oder lässt sich führen. Das Leib- und Leitthema des melancholischen Ritters, welches diesen bis zu seinem letzten Athemzuge begleitet, ist folgendes:

Der erste Satz zeigt uns „Harold in den Bergen". (Harold aux Montagnes: Scènes de mélancolie, de bonheur et de joie.) Er besteht aus einer langsamen Einleitung (Adagio, $^{3}/_{4}$, G moll-G dur) und einem bewegten Satz in Sonatenform (Allegro, $^{6}/_{8}$, G dur).

Der langsame Satz, der nicht weniger als 94 Takte umfasst, geht hierdurch schon äusserlich über den Charakter einer gewöhnlichen Einleitung hinaus. Er hat die Aufgabe, uns das düstre, blasirte, aber durch edle und liebenswürdige Züge Theilnahme und Mitleid weckende Grundwesen Harold's zu schildern und beginnt mit der Scene der Melancholie, auf die die Ueberschrift des Satzes hinweist. Sie hat die musikalische Form einer Fuge erhalten, der das von Bässen und Cellis zuerst aufgestellte Thema:

zu Grunde liegt, ein treffendes melodisches Abbild düster hinbrütender, schmerzlich auffahrender Stimmung. Die Bläser, Fagotte, Hoboe, Clarinette mit Horn, Flöte geben zunächst nach einander einen chromatisch jammernden Contrapunkt dazu und vereinen sich dann zum Schluss der ersten Durchführung (15. Takt) zum Vortrag der Haroldmelodie. Aber sie steht hier in Moll. Die Fuge hebt jetzt pp vom Neuen an, aber schon mit der zweiten Stimme hört sie wieder auf und geht schnell zu einem lauten Schluss in G moll. Bei diesem Accord setzt die Harfe mit Arpeggien ein, im zweiten Takt bereits überrascht sie mit G dur. Es entsteht eine plötzliche Helle in der nun die Solobratsche mit Harold und seiner Melodie in der oben angegebenen Originalform hervortritt. Sie wird ganz leise wiederholt als ob Alles athemlos lauschte. Das veranlasst Harold sich zu zeigen, sich freier zu geben, er schliesst virtuosenmässig keck und übermüthig mit Passagen einfach und in Doppelgriffen, Resten einer auf Paganini gemünzten Erfindung.

Nach dem Schluss dieser brillanten Solostelle wird das Haroldthema vom vollen Orchester aufgenommen und zwar in der Form eines Kanons, als wären Aller Seelen von dem schönen Gesange voll. Die Trompeten, die Harfe, Cello, Fagott singen vor, die Holzbläser und Solobratsche singen in eines Viertels Abstand als zartes Echo nach; in den Violinen und Tuttibratschen erheben sich Zweiunddreissigstelfiguren nach oben als wenn der Morgenwind den Nebel theilt. Mit dieser Klärung und Aufheiterung in sanften Tönen schliesst der langsame Einleitungssatz, eins der schönsten unter den vielen schönen Tonbildern der Sinfonie. — Das Allegro, welches ihm folgt, ist ein breit ausgeführtes Pastoralgemälde, stilistisch und materiell dem ersten Satze von Beethoven's siebenter Sinfonie verwandt. Seine beiden Themen sind:

und das Mendelssohnsche.

Den Scenen, welche auf Grund dieser theilweise etwas spröden Melodien entrollt werden, mischt Harold mit den Tönen seiner Bratsche abwechselnd Jubel und Trauer ein. Der Anfang des Allegro bringt das Hauptthema noch nicht in der hier mitgetheilten Form, sondern zunächst noch unfertig, durch Pausen und durch die Instrumentirung zersprengt. Harold erhebt gegen den neuen Ton Einspruch: höchst sonderbar geigt er sechs Takte lang auf dem untersten Ton seiner Bratsche, dem *c*, dagegen an. Dann aber ist er es, der die vom Orchester vertretene Menge in den Schwung und auf den richtigen Weg bringt. Wie er sie erst aus dem Zögern fortreisst, so beschwichtigt er nun bei seinem zweiten Einsatz ihren Sturm. Mit einem langen Ton erbittet er sich allgemeine Aufmerksamkeit und Stille; dann spielt er sich allmählich in die fliessende Melodie hinein. Das chromatische Motiv in ihr, das dem Wesen Harold's so natürlich entspringt, scheint seinen jetzigen Genossen Schwierigkeiten zu machen. Augenscheinlich verstehen sie nicht recht: woher und warum der trübe Klang mitten in der Freude? Es entspinnt sich um ihn eine kurzgegliederte Auseinandersetzung zwischen Solo und Chor. Sie schneidet ganz unvermuthet, wie mit einem väterlichen Machtspruch den Einsatz des zweiten Themas ab, dessen gemüthlicher Inhalt ganz ausgezeichnet für den Mund des — vom Cello begleiteten —

Fagotts passt. Auch Harold nimmt es mit seiner Bratsche auf und bringt es aus fremder Tonart (*F*, *B*) in das normale Ddur. Schon im ersten Takt aber reisst er sich unwillig, nach höherem verlangend los. Die Themengruppe nimmt ein plötzliches Ende und die Durchführung beginnt mit wilden Figuren Harold's, denen das Orchester verwirrt und erschreckt gegenübersteht. Nach 16 Takten endlich tritt wieder Sammlung und Ordnung ein. Harold intonirt das Hauptthema erst in Desdur, dann in Dmoll. Das Orchester spielt es nun mit an, in Bdur, in Hmoll. Endlich ist ein sicherer Boden mit Odur erreicht. Die Melodie kommt in ihrer vollen Grösse, es wird nach Gdur modulirt, also in den freundlichen Stimmungskreis des Anfangs zurückgekehrt und zwar mit wörtlichen Wiederholungen. Auch das zweite Thema kommt wieder und wieder unerwartet, diesmal in Gdur und man verweilt etwas länger, beschaulicher und ruhiger dabei als vorhin in der Themengruppe. Die Bläser haben es. Diesmal machen ihm aber die Violinen ein Ende mit einer Sechzehntelfigur die im energischen crescendo nach oben geht und auf dem Motiv [Notenbeispiel] mit dem das Hauptthema beginnt, wie in einem Rausch von Freude und Kraftgefühl bedrohlich tobt. Eine Generalpause. Die Besonnenheit kehrt zurück: Wir hören kurz aber viel bedeutend einen Anklang an den chromatischen Theil des Themas: im sechsten Takt setzt es selbst ein, in der Solobratsche und den vier Fagotten unisono in Gdur, der Haupttonart gebracht. Die übrigen Bläser nehmen es in *D* auf. Man will verweilen aber die Perioden und Metren haben etwas Unregelmässiges das nicht viel verspricht und siehe da: bald stehen wir vor Fermaten auf verminderten Accorden, unverkennbaren Zeichen der Verlegenheit! Dieser Punkt würde ungefähr den Schluss der Durchführung nach dem von den Klassikern beobachteten Brauch bilden müssen. Berlioz hat in dem ersten Satz der Haroldsinfonie den üblichen Abschluss, durch die erweiterte, aber im Wesentlichen wörtliche Wiederholung der Themengruppe vermieden. *pp*, aber mit einer gewaltsamen Wendung der Phantasie geht er mit einigen Orchesterarpeggios von jenem Verlegenheitspunkt und dem verminderten *c-b-cis-g* nach Gdur herüber und bringt die Haroldsmelodie, die wir seit der Einleitung nicht gehört haben, in einem Fugato, — dem zweiten seiner Art in diesem Satze — das die Contrabässe beginnen. In den Bläsern tauchen dazu noch Brocken des zweiten Themas auf. Der beabsichtigte Aufschwung ist damit erreicht. Von Harold's Geist — das will wohl Berlioz sagen und schildern — ist ein Hauch in die Masse gedrungen. Dithyrambisch stimmt sie mit ein in den Hymnus der Lebensfreude, zu der den hingerissenen Melancholiker die Schönheit der Natur, der Anblick und die Gesellschaft einfacher harmloser Menschen gezwungen hat. So geht vom Ritter zum Volke eine beständige Wechselwirkung, beide Theile empfangen von einander, und heben sich gegenseitig. Die mächtigste Stelle dieses Schlussabschnittes ist wohl das zweimal vorüberrauschende Unisono des vollen Orchesters mit seinen grandios humoristischen Sprüngen und dem Feuer der Begeisterung, das aus Melodien und Harmonien leuchtet.

Der zweite Satz der Sinfonie (Allegretto, $^{2}/_{4}$, Edur) heisst „Marche des Pélcrins chantant la prière du soir“ (Pilgermarsch und Abendgebet). Sein Hauptthema bildet ein frommes einfaches Marschlied:

Alle acht Takte wird dasselbe von einer Unisono-Phrase der Bläser unterbrochen,

welche anschaulich genug die ihre Litanei hersagende Wallfahrerschaar vorführt. Das Bild einer psalmodirenden Gemeinde suchte Berlioz auch in seinem Requiem, das der Haroldsinfonie zunächst folgte, wiederholt wiederzugeben. Die Mitte des Satzes nimmt der Vortrag eines feierlich religiösen, in den ruhigen Rhythmen der alten Zeit geführten Hymnus ein, dem Berlioz die Ueberschrift „Canto religioso“ giebt. Harold, der vorhin, als die Pilger näher kamen, sie mit seinen Thema begrüsst und dann ab und zu seine Nähe mit leisen Arpeggien bekundet hat, stimmt in das Pilgerlied merkbar ein, die Bässe setzen in decenten Pizzicato-Tönen den Rhythmus des Marsches fort. Noch einige Mal hören wir wie vom Weiten das fromme Wanderlied, dann gehen die Töne schlafen. Nur die Glocken des nahen Klosters, die uns am Anfang des Satzes (in der Harfe: *CH*) empfingen, treten wieder vor. Es kommt die Nacht und stille Sterne blinken. Die kleine Composition ist ein Meisterstück, in welchem die Realistik der Darstellung nur dazu dient, die Poesie des Bildes noch beredter zu machen. Sie war die Frucht einer glücklichen Eingebung in der Dämmerstunde am Kaminfeuer. In 2 Stunden — erzählt Berlioz a. a. O. — war der Marsch fertig und erntete gleich bei der ersten Aufführung einen vollen Erfolg; trotzdem hat der Componist noch 6 Jahre lang daran gefeilt und verbessert. Er hat durch Einzelaufführungen den übrigen Sätzen voraus der Sinfonie den Boden und eine freundliche Stimmung auch in gegnerischen Lagern bereitet.

Der dritte Satz: (Allegretto assai, $^6/_8$, Cdur), betitelt: „Serenade d'un montagnard des Abruzzes à sa maitresse“ — „Ständchen in den Abruzzen“ — beginnt mit einem kleinen Scherzosatze, welchem wahrscheinlich eine italienische Originalmelodie zu Grunde liegt. Die italienischen Pifferarii, die ja auch Händel in seinem „Messias“ verewigt hat, waren seit alten Zeiten an drolligen, schelmischen Weisen reich und bringen sie noch heute auf die deutschen Märkte:

Piccolo und Oboe blasen das zusammen, und Bratschen mit Clarinetten geben in ausgehaltenen Tönen und trägen Harmonien das nöthige Dudelsackcolorit dazu. Nun tritt der Liebhaber auf und stimmt auf dem englischen Horn eine schmachtende, anmuthige, gutgemeinte zuweilen stockende, schüchterne und ungeschickte Melodie an:

in welche die Gefährten helfend und hingerissen einfallen. Auch Harold stimmt mit ein und sinnt noch den rührenden Tönen der Liebe nach, als die Dorfmusikanten schon längst nach Hause gezogen sind. Seine breite Melodie trägt in das Stückchen italienischer Dorfgeschichte, das Berlioz hier mit einem virtuosen Humor entrollt, der wohl nur in seiner Ouvertüre zum Carneval Romain ein Seitenstück findet, einen edlen und feierlichen Zug hinein.

Die Idee des Harold-Finale müssen wir ebenso wie die vom Schlusssatz der Fantastique ablehnen. Wie man aus Liszt's langem Aufsatz über die Sinfonie ersehen kann[1]), hat dieses Finale in Frankreich und in früherer Zeit doch zuweilen dämonisch gewirkt. Heute — und in Deutschland wohl von jeher — versetzt es auf den Boden, auf den sich die Räuber- und Rittergeschichten von Spies und Cramer bewegen. Berlioz's Satz schildert das Ende des in Gesellschaft von Banditen zu Grunde gehenden Harold in Zügen, die zum Theil rührend sind. Er beginnt wie das Finale der neunten Sinfonie mit Reminiscenzen an die früheren Sätze. Vor Harold's Geist tritt die fugirte Einleitung aus dem ersten Satze, der Pilgermarsch zieht vorüber; als letzte Erinnerung an reinere Zeiten tönen Fragmente aus dem Ständchen: Die wilde, wüste Orgie mit ihrem brutalen Hauptthema:

[1]) Gesammelte Schriften von Franz Liszt. 1882. S. 3 u. ff..

verschlingt Alles. Unter ihren grausamen Attacken zerbricht auch Harold's Thema und verflattert in Brocken. Zuweilen werden die wüthenden Triller, die bacchantischen Läufe und die grotesken, nirgends verführerischen, frechen Tanzweisen der Banditenmusik die sich gern auch soldatisch stolz giebt:

durch unheimliche Klänge unterbrochen, welche Gewissen, Reue und Strafgericht zu repräsentiren scheinen. Die weichste und ergreifendste Stelle des Satzes ist wohl die, wo nach dem dritten Einsatz des eben angeführten Themas (in G dur) der Pilgermarsch — in einem Nebensaal von Solisten gespielt — erklingt. Die Wallfahrt zieht draussen vor der Grotte vorbei. Tannhäuser in ähnlicher Lage flieht; Harold stirbt. Zum letzten Mal sucht er stammelnd nach seinem Thema; er findet die Intervalle nicht mehr.

War Berlioz in seiner „Fantastique" und in seinem „Harold" darauf ausgegangen unter Einhaltung der Beethoven'schen Formen den Inhalt der Sinfonie fasslicher zu gestalten, so versuchte er im Jahre 1839 mit einem dritten Werke eine Aenderung dieser Formen selbst. Es ist die Sinfonie „Romeo und Julie", (op. 17) mit der der Componist eine neue Gattung zu gründen gedachte, die er dramatische Sinfonie nennt. Sie vergrössert die Zahl der Sinfoniesätze und mischt in ihnen reine Instrumentalmusik mit einfacher Gesangmusik und Oper. Einen Vorläufer hatte Berlioz diesem Werk in seinem „Lelio" vorausgeschickt. Diese Composition war als Ergänzung zur Sinfonie fantastique, mit der sie die Opuszahl gemeinsam hat, gedacht, sollte schildern wie der junge Künstler aus seinen schrecklichen Träumen erwacht und zum Leben zurückkehrt. Daher ihr Nebentitel „Le retour à la vie". Berlioz giebt ihr die Gattungsbezeichnung Monodrame und fügt dem Instrumentenspiel und dem Gesang als drittes Mittel der Darstellung noch gesprochnen Dialog hinzu. Doch ist

H. Berlioz Romeo u. Julie

dieser Lelio bis heute nicht zu praktischer Bedeutung gelangt.

Eine Mischung der Kunstmittel, wie sie Berlioz in Romeo und Julie versucht, ist ungewöhnlich, unbequem aber an und für sich weder unsinnig noch unmöglich. Für Berlioz mag die nächste Anregung aus dem Finale von Beethoven's neunter Sinfonie gekommen sein; das Verfahren in der Darstellung einer Idee mit Vocal- und Instrumentalsätzen abzuwechseln ist aber schon älter. Aus dem 17. Jahrhundert bieten die sogenannten östreichischen Kaiserwerke[1]) bequem erreichbare Beispiele, jeder Musikfreund weiss wie Bach und Händel, jener im „Weihnachtsoratorium", dieser im „Messias" die Schilderung der heiligen Nacht mit den „Hirten auf dem Felde" in Instrumentalsinfonien geben. Das Wagner'sche Musikdrama und das neue Lied seit Schumann zeigen ebenfalls wie Gesang und Instrumente sich ebenbürtig und zum Besten des Gesammteindrucks in die Darstellung theilen können. Werden in eine Sinfonie Gesangsätze und in ein Chorwerk Instrumentalsätze eingefügt, so wird es immer darauf ankommen, dass diese Mischung so verschiedner Elemente Gründe der Nothwendigkeit für sich hat, den Hauptabsichten und den Grundideen des Kunstwerks zu Gute kommt und seine Wirkung bis zu einer Stufe hebt, die ohne jenes Mittel nicht erreichbar war.

Von diesen Gesichtspunkten aus kann man sich nicht darüber täuschen, dass auch „Romeo und Julie" ähnlich wie die Fantastique und Harold nur der Versuch aber nicht das Muster einer neuen Gattung ist. Die „Sinfonie dramatique" die Berlioz mit diesem Werke in die Orchestermusik einführen wollte, mag eine Zukunft haben — aber nur dann wenn ihre Vertreter kritischer zu Werke gehen als das Berlioz gethan hat. Ihm bleibt wieder das Verdienst den Pfad gewiesen zu haben, ihm der Ruhm in dem neuen Werke viel Schönes und Ergreifendes und Merkwürdiges, zum Theil in ganz neuer Art geboten zu haben. Aber

[1]) Siehe S. 8.

wer sich nicht über die Schwächen und Missgriffe in dieser dramatischen Sinfonie klar ist, bezahlt seine unbedingte Begeisterung mit einer etwas teuern Verwirrung seines künstlerischen Urtheilsvermögens.

Aeussere Gründe mögen Berlioz abgehalten haben Romeo und Julie, wie so viele Componisten vor und neben ihm, einfach als Oper in Musik zu setzen. An der Bühne gab es, wie sich soeben gelegentlich des Benvenuto Cellini gezeigt hatte, vielmehr Verdruss, Aerger und Aufregung als im Concertsaal, wo Berlioz bereits festen Fuss gefasst hatte. Er selbst sagt in seinen Memoiren über die Entstehung zu dem seltsamen Plan seiner Sinfonie dramatique nichts, erzählt uns nur von dem Entzücken in dem er sich während der Arbeit befunden, von der Schnelligkeit mit der er sie — innerhalb von 7 Monaten — vollendet habe und lässt an mehr als einer Stelle durchblicken, dass er mit dieser Composition dem Geist Shakespeare's eine durchaus würdige Huldigung gebracht zu haben glaubte. In der Meinung etwas vom Besten gegeben zu haben, widmete er die Sinfonie Nicolo Paganini, der ihn kurz vorher, nach der letzten Aufführung des Harold, grossmüthig — die böse Welt meinte aus Berechnung[1]) — mit dem zeitgemässen Geschenk von 20000 frcs. überrascht hatte.

Auf dem Titelblatt der Partitur steht „composée d'après la Tragédie de Shakespeare"; diese Wendung lässt Freiheiten und Abweichungen zu. Im Ganzen aber haben wir keinen ausreichenden Grund daran zu zweifeln, dass Berlioz mit seiner Sinfonie ein Abbild der grossen englischen Liebestragödie geben und ähnlich, wie es Schumann später mit dem dritten Theil seiner Musik zu Goethe's Faust wirklich gelungen ist, die Wirkung dieses Kunstwerks vertiefen wollte. Die Aufgabe dachte er sich wohl so, dass die gefühlsreichsten Situationen des Dramas dem Orchester zugewiesen würden, der Gesang sollte bei der

[1]) Ad. Jullien: Berlioz, 1888, S. 133. F. Hiller: Künstlerleben, 1880, S. 89.

Darstellung verwickelter, an Conflikten reicher Seeuca zu Hülfe kommen und ausserdem die Verbindung und Vorbereitung der musikalischen Hauptbilder übernehmen. Im grossen Ganzen hat Berlioz dieses Programm auch eingehalten; nur hat er es um rein musikalischer Effekte willen mehrfach getrübt und auch der Instrumentalmusik Leistungen zugemuthet, deren sie nicht fähig ist. Der erstere Fehler tritt in der Stellung des Prologs hervor und in der ungeheuren Bedeutung welche in der Sinfonie der im Drama ganz unwesentlichen Erzählung von der Fee Mab gegeben ist; der andre namentlich am Eingang der Grabscene.

Die Sinfonie besteht aus folgenden 8 Nummern: 1) Introduction, 2) Prolog, 3) Ballscene, 4) Gartenscene, 5) Fee Mab, 6) Juliens Begräbniss, 7) Grabscene, 8) Finale.

In der Natur des Prologs liegt es, dass er ein Werk eröffnet. Wenn Berlioz den von Romeo und Julie hinter die Instrumentalintroduction setzt, so könnte er sich auf altvenetianische Präcedenzfälle aus dem 17. Jahrhundert berufen, bei denen bekanntlich dem gesungnen Prolog noch eine gespielte Ouverture vorausging, gleichsam der Prolog doppelt gegeben wurde. Bei Berlioz hat es aber eine andre Bewandniss: Ihm kam der Anfang des Werks mit dem berichtenden Prolog zu ruhig und zu matt vor. Er wollte den Zuhörer zunächst erst einmal in Bewegung bringen. Seine Instrumentalintroduction (Allegro fugato, 𝄵, H moll) ist gar keine Introduction im üblichen Sinne des Wortes, sondern sie versucht den Inhalt der ersten Scenen Shakespeare's wiederzugeben, sie führt mitten in die Handlung hinein: in die Strassenkämpfe der Geschlechter der Montecchi und Capulets. Ein Zusatz zur Ueberschrift der Nummer: Combats — Tumulte — Intervention du Prince (Streit und Auflauf, der Fürst erscheint) spricht das noch ausdrücklich aus.

Die Musik sucht jene Kämpfe, ihre Aufregung und ihre Zwischenfälle mit einer Fuge zu veranschaulichen, die die Bratschen mit dem Thema:

anfangen; Celli, erste, zweite Violinen folgen und nehmen sich dabei mancherlei Freiheiten in Bezug auf Tonart und Intervalle gegenüber den Gesetzen, die die Schule für Beantwortung und Aufnahme von Fugenthemen stellt. Das Thema selbst hat in dem mit scharfem Triller einsetzenden Motiv seinen wichtigsten Bestandtheil und gelangt auf seinen vollen Umfang durch sogenannte Sequenzen, d. i. wörtliche oder freie Wiederholungen eines Grundmotivs. Hierdurch erhält der Satz einen auffallend regelmässigen Charakter. Berlioz scheint an den Anstand und das strenge Ceremoniell gedacht zu haben, das im Mittelalter die Turniere der Ritter beherrschte. Aufgeregter und eifriger wie die Introduction erst mit dem Fis moll beim Zutritt der Blasinstrumente. Das ist ungefähr die Stelle, wo bei Shakespeare zu den Dienern und Angehörigen der Capulets und Montecchi sich die Bürger von Verona mit Knütteln gesellen: „He! Spiess' und Stangen her! Schlagt auf sie los!“ Als bald darauf die Haupttonart H moll wiederkommt, dröhnt in Hörnern und Contrabässen der Grundton in halben Noten: Es sind dumpfe Schläge: die Glocken läuten Sturm, in fernen Gassen erwacht das Volk und sammelt sich. Auf dem Platz sind die Parteien zum ersten Male hart an einander geraten. Die beiden Geigen treiben einander vom *fis* bis zum *g*. Auf diesem Tone sitzen sie fest acht Takte lang; bedrohlich steigen von unten die Bässe nach der Höhe. Da löst eine schnelle Modulation nach A dur den Wirrwarr, die Fuge setzt vom Neuen an: das Thema diesmal in den ersten Violinen in D dur aber *ff* und von allen Instrumenten des Orchesters im stärksten Ton begleitet, die Hörner kurz und entschieden, die Posaunen mit einer wohlgemuth kampfesfrohen Melodie. Das Thema gelangt an die zweiten Violinen; noch ehe sie es an die Celli abgegeben haben ist mit den Trompeten zugleich der vollständige Sturm da; keine Ordnung mehr, kein Sinn für Fuge und Vernunft, sondern die vollständigste Empörung! Wie lange Alles vernichtende Wogen zischen die Accorde des Tutti hin. In diesem Augenblick geschieht etwas Ueberraschendes: Es wird still, die Rhythmen kommen ins Schwanken, das Fugenthema nimmt Reissans, wir hören nur noch wie vom Weiten Bruchstücke: eine spannende Fermate! Ihr folgt von sämmtlichen Posaunen und der Ophicleide im Einklang und Octave vorgetragen eine seltsame Melodie:

Sie bezeichnet das Auftreten des Fürsten von Verona, seine Anrede an die streitenden Haufen. Voll Hoheit und Verwunderung klingt sie in diesem Eingang doch noch gütig; erst im weitern Verlauf wird sie wetternd und donnernd. Shakespeare's Fürst ist gleich von Anfang an ungehalten und aufgeregt: „Aufrührerische Vasallen etc."

Die Annahme liegt nahe, dass diesem Recitativ das Finale von Beethoven's neunter Sinfonie zum Vorbild gedient hat. Der Prozess ist beidemale derselbe: dem Chaos, dem Tumult gegenüber die Bässe als Ordner! Verstehen und richtig deuten lässt sich die Stelle ohne Schwierigkeit, vorausgesetzt dass der Hörer soviel guten Willen und Scharfsinn mitbringt als die Programmmusik jederzeit voraussetzen darf. Hat doch Berlioz durch die Ueberschrift des Satzes der Phantasie vorgearbeitet! Berlioz hat dann wieder vorbildlich auf Liszt und den ersten Satz seiner Dante-Sinfonie gewirkt.

Die Rede des Fürsten wiederholt von höhrer Stufe aus die drei Glieder in denen sie zuerst vorgebracht wurde, wird herrischer und strenger. Am Schlusse, da wo die Bassinstrumente vom vollen Orchester abgelöst werden, wo die Hörner wie entsetzt nachschlagen, die Harmonie immer wieder dasselbe *Fis* anschlägt und verklingen lässt, da wo mit einem Worte das Leben der Musik erstarren will, da muss wohl das Wort „Todesstrafe" gefallen sein. Ein schnelles Ende folgt dieser Stelle, leise und kleinlaut steht das Fugenthema noch einmal auf, dann klingt es nur noch in Bruchstücken an, zuletzt bleibt das Trillermotiv ganz unsinnig in den Cellis hängen; bald ist Alles verschwunden. In diesem Schluss der Instrumentalintroduction von Romeo und Julie lebt eine starke Poesie. Auch im Ganzen ist der Satz einer der besten in der Sinfonie, geeignet und wohl werth für sich allein gekannt und aufgeführt zu werden, an malerischer Kraft und Eigenart ein echter Berlioz ersten Ranges, durch den Inhalt noch mit der gleichaltrigen Ouverture „Carnaval Romain" nahe verwandt.

Der aus angegebenen Gründen auf die zweite Nummer verschobene Prolog der Sinfonie ist für Solostimmen, für dreistimmigen Chor (Contraalt, Tenor und Bass) und Orchester componirt. Wie bei allen Gesangsnummern von Romeo und Julie hat auch hier Berlioz selbst den Text entworfen, Emil Deschamps brachte ihn in Reime, ein gewisser Freiberg hat ihn in oft holpriges Deutsch übersetzt. Der Zweck des Prologs ist der: den Inhalt des Dramas kurz zu erzählen. Der Chor ist der Träger dieser Erzählung; wichtige Punkte hebt Berlioz durch Sologesang und durch kleine Instrumentalsätze hervor.

Der erste Abschnitt beginnt mit einem Harfenakkord (*fis-ais-cis*). Dann fängt der Chor an eine Erklärung zu geben zu der Scene, die wir soeben in der Orchesterintroduction erlebt haben. Der Chor singt oder declamirt vorwiegend im unisono; es ist nur wenig Harmonie in seinen Satz gemischt, aber dann sehr wirksam. Der ganze Abschnitt macht dadurch, dass er an den liturgischen Ton erinnert, einen sehr ehrwürdigen und alterthümlichen Eindruck, ganz besonders in der Schlussmodulation, die uns bei den Worten „encore recours" („fortan erkämpft") ausserordentlich fein und Phantasie bezwingend nach D moll führt. Ein feierlich an- und abschwellender Akkord der Messingbläser, von der Pauke unterstützt, schliesst ab.

Der zweite Abschnitt erzählt vom Waffenstillstand der

Parteien und vom Fest bei Capulet. Hier ist das Erscheinen Romeo's ausgezeichnet durch einen unbegleiteten Sologesang des Alts, der mit einfachen Mitteln der Tempoverzögerung, chromatischer Melodieführung, des Wechsels der Tonstärke sehr ausdrucksvoll und bewegend wirkt. Das Fest bei Capulet schildert das am Chorschluss einsetzende Orchester indem es aus der dritten Nummer der Sinfonie das Hauptthema der Ballmusik und deren am Schluss der Nummer eintretende Umwandlung (die Musik der heimkehrenden Gäste) vorführt. Gewiss üben derartige Anspielungen erst auf solche Zuhörer welche das ganze Werk bereits kennen, ihre volle Wirkung aus; aber unberührt lassen sie auch den Unvorbereiteten nicht Dank dem dieser Musik innewohnenden plastischen Charakter. Sie erzählt unverkennbar von glücklichen Herzen.

Der dritte Abschnitt führt zur Gartenscene. Spannend ist die Stelle gehalten wo berichtet wird wie Romeo die Mauer übersteigt. Eine Generalpause mit Fermate giebt dem Erstaunen Raum. Und nun markirt ein pianissimo, ein heimlisches Rauschen der Chorakkorde die neue, die grössere Ueberraschung: Julia auf dem Balkon. Aufregend kurz, aber meisterhaft führt Berlioz zu dem Schluss, zu den warmen von Chor und Orchester gemeinsam gesungenen Melodien aus der Liebesmusik der vierten Nummer.

Angefügt ist diesem dritten Abschnitt eine lyrische Einlage, ein Strophenlied das das Glück der ersten Liebe preist: „Premiers transports etc.“ („O erste Schwüre etc.“). Der Soloalt singt es und das Cello singt mit ihm, so wird es zum Dialog, ein einfaches aber gefühlreiches prächtiges Stück musikalischer Poesie. Die Harfenbegleitung giebt ihm einen gewissen Troubadourcharakter, nur an wenigen Stellen tritt der Klang von Flöten, Clarinetten und englischem Horn weich umhüllend noch hinzu.

Es folgen nun als vierter Abschnitt die Erzählung von der Fee Mab und als fünfter, schliessend, der Bericht von Juliens Begräbniss und von der Versöhnung der feindlichen Geschlechter an der Gruft.

Die Geschichte von der Fee Mab ist nicht in dem

kurzen Stil behandelt, der sonst im Prolog herrscht, sondern im Detail breit, dramatisch alle Einzelheiten belebend, vorgeführt. Dieselbe Aufgabe in einem Werke auf zwei verschiedene Arten lösen zu wollen, war eine Kraftprobe. Berlioz hat sie glänzend bestanden. Denn die Schilderung der Fee Mab durch den Solotenor und den Chor ist ein ähnliches Unicum und ein Meisterstück wie das berühmte Orchesterscherzo, das Berlioz dem Gegenstand als fünfte Nummer der Sinfonie gewidmet hat. Die Fee Mab oder Königin Mab zieht im Prolog in der Form eines „Scherzetto" vorüber, wie Berlioz das Tonbild nennt; es ist das originellste und grösste im ganzen Prolog — 116 Takte umfasst es. Unter all den Geisterscenen lustiger freundlicher oder schreckhafter Natur, die der Musik in der grossen romantischen Epoche von Gretry, d'Alayrac, C. M. v. Weber bis auf Mendelssohn und Meyerbeer zugewachsen sind, ist mit dieser Berlioz'schen Composition von der Fee Mab Nichts zu vergleichen. Das ist ein Spuk ganz für sich, flüchtiger, leichter, abwechselungsreicher als jeder andere und auch da wo das Treiben verworrener wird, immer von grösster Anmuth. Das Hauptelement dieser Musik bilden Rhythmus und Tempo. Das Zeitmass verlangt von Instrumenten und Singstimmen das Aeusserste was sie an Schnelligkeit leisten können, die Bratschen und die untern Cellis haben mit ihren Begleitungsfiguren ein ungestümes aber doch immer feines perpetuum mobile zu leisten. Dann kommen die merkwürdigen schillernden Harmonica hinzu dem Satz einen fremdartigen Charakter zu geben: Jeder einfache Dreiklang wird durch einen humoristisch berechneten Misston gestreift. Die Einsätze der dürftigen Blasinstrumente wirken in gleichen Graden gespenstisch und komisch. Instrumentation und Nüancirung — fast immer *p* — werfen über das Ganze phantastische Schleier. Es ist in der Geschäftigkeit mit der eine Gestalt nach der andern vorbeisaust, etwas Athemversetzendes. Nirgends kommt etwas Fassbares; höchstens die kleine Episode von dem Kriegstraum des Pagen mit den Kanonaden, dem Tambour und der Trompete tritt deutlicher heraus und macht Miene dem Zuhörer auf den Leib zu rücken. Im Gesangtheil ist das Sätzchen, für germanische Chorzungen namentlich, ganz ausgesucht schwierig.

Der Schluss des Prologs, der vom tragischen Ende des Liebespaares und der Versöhnung der Geschlechter berichtet, ist äusserst kurz gerathen, fast als hätte Berlioz nach der Fee Mab sich über die Geduld der Zuhörer und über ihre hohen Ansprüche Gedanken gemacht. Angespielt ist nur auf die Begräbnissmusik der sechsten Nummer, und zwar nimmt das Orchester das charakteristische Liegenbleiben des einen Tons (*e*) von dort herüber.

Zieht man die Summe des Gebotnen, so kann kein Zweifel sein, dass im Prolog von Romeo und Julie, unscheinbar in der Form und in den Mitteln, doch eine ausserordentlich grosse und völlig originelle Leistung vorliegt, die für die Beurtheilung von Berlioz schwer wiegt.

Berlioz wendet sich nun wieder der unmittelbaren Darstellung zu und giebt zunächst ein Bild von dem Ballfest bei Juliens Eltern. Im Drama ist dieses Fest ein nicht unwichtiger Abschnitt: er bringt zum ersten Male die Liebenden zusammen. Dem Componisten bietet er gleich gute Gelegenheit zur Seelenmalerei wie zur Situationsschilderung, er kann scharf geprägte Gestalten zeichnen, ihre Herzensbeziehungen bloslegen, kann einen Ausschnitt aus dem Treiben der grossen Welt versuchen, sich im Intimen, ebenso wie im Glänzenden bewähren. Als geborner Freund grosser Mittel, mächtiger, üppiger, Sinne berauschender Klänge, als Meister in der Schilderung äusseren Lebens hat Berlioz den festlichen Charakter der Scene, die Pracht und die Freude in der sich die stolzen Massen einherbewegen, betont. Reichlich zwei Drittel der neuen Nummer sind mit rauschender, pompöser Ballmusik ausgefüllt. Aber wie in der Fantastique und im Harold kommen auch hier die eigentlichen Helden des Stücks nicht zu kurz und treten im rechten Augenblick in den Vordergrund.

Diesem d r i t t e n S a t z, welchen das Orchester allein ausführt, hat Berlioz die Ueberschrift gegeben: Romeo seul - Tristesse - Concert et Bal - Grande Fête chez Capulet

(Romeo allein in Traurigkeit; Concert und Ball; grosses Fest bei Capulet).

Er beginnt mit einem Andante melancolico, C, F dur, das zunächst die Worte Romeo's (I, 4) zu veranschaulichen scheint: „Mich drückt ein Herz von Blei zu Boden, dass ich kaum mich regen kann". Die ersten Violinen suchen nach Melodie und Ausdruck und finden nur spärlich; namentlich in der Unbestimmtheit der Tonart spricht diese Einleitung aufs deutlichste einen schwankenden Zustand aus. Endlich bietet sich ein Halt. Die Oboen und Clarinetten setzen (im 23. Takt) das Motiv

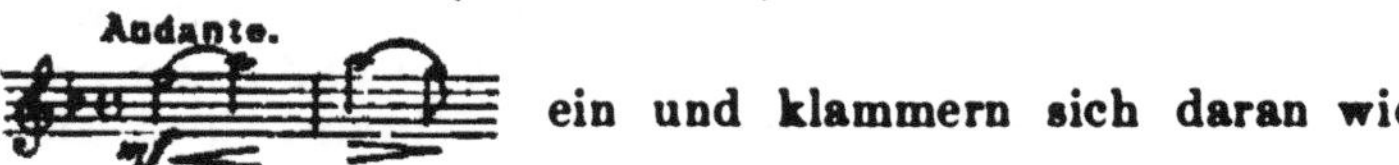

ein und klammern sich daran wie an eine letzte Rettung. Sechsmal hintereinander, nur mit immer neu tastenden und wechselnden Bässen, hören wir diese klagende Stimme; dann erst entwickelt sich eine lange Gesangmelodie, die im Anschluss an das gegebene Motiv folgendermassen lautet:

Noch einmal setzt sie zu einer viertaktigen Halbperiode an und gelangt mit ihr nach As dur. Diese unerwartete Harmoniewendung bestätigt nur was der gewissermassen irrende Schritt des Themas schon verräth: die Unruhe in Romeo's Seele, sein Sehnen und Zweifeln: „Mein Herz erbangt und ahndet ein Verhängniss, welches noch verborgen in den Sternen . . . das Ziel des läst'gen Lebens . . . mir kürzen wird durch irgend einen Frevel frühen Todes." (I, 4). In der neuen Tonart (As dur) schweben freundliche Motive in Triolen tänzelnd heran. Der kleine Zwischensatz (8 Takte) hebt die Stimmung etwas auf. Das Gesangthema mit den ausdrucksvollen halben Noten setzt jetzt in C dur wieder ein, aber des Zieles sichrer und hoffnungsvoller als beim ersten Mal weiter geführt. Violinen, Flöten, Bratschen bringen der Reihe nach das tröstliche neue Schlussmotiv. Da kommt eine plötzliche Unterbrechung: Allegro im Alla breve: *pp* klingen in den Geigen zitternde Rhythmen ; auch die Tonart Desdur zeigt auf eine ganz unvermuthete Wendung. In Clarinetten und Fagotten taucht das Bruchstück eines Polonaisenthemas auf. Dann folgt eine Gruppe von Takten, wo die Geigen still auf gehaltnen Accorden tremoliren, zuletzt tritt aufregender Paukenwirbel hinzu. Es ist eine ganz naturalistisch packende Stelle, ein Bild des kalten Fiebers das Romeo ergriffen hat. Was Berlioz hier gemeint hat, kann Niemand ganz bestimmt sagen: etwas Ausserordentliches jedenfalls. Das Wahrscheinlichste ist: Romeo hat seine Julie erblickt. Sei es nun eine äussere Erscheinung, sei es ein Entschluss dem der jetzt folgende Abschnitt in der Composition — Larghetto expressivo, 3/4, Cdur — gilt, Jedermann wird davon ergriffen sein, wie fein erfunden und gedacht er ist: Kein Ausbruch des Jubels, lauter Leidenschaft überhaupt, sondern ein zarter Gesang, fromm wie ein Gebet.

Die Oboe trägt die unschuldig einfache Melodie vor, die Erregung aus der sie emporgewachsen ist wird nur in den Rhythmen der decenten Begleitung bemerkbar: die Cellis umspielen mit rastlosen Sextolen; an den Schlussstellen werfen die Geigen mit den Pauken schauernde Tremolos hinzu. Und nun geht Romeo mitten hinein ins Fest der Feinde. Der Hapttheil des Satzes — Allegro ¢ Fdur — beginnt.

Es ist im Wesentlichen ein Tanzsatz, er theilt mit andren Arbeiten gleicher Gattung die wir von Berlioz besitzen das Feuer, unterscheidet sich aber von ihnen allen durch einen Zug von Stolz und Pracht. Dass es sich hier um ein Fest bei Patriziern handelt, sagen uns schon die einleitenden Takte mit den pompösen Bassgängen. Sie versetzen die heutigen Zuhörer unwillkürlich in den dritten Akt von Wagner's „Lohengrin", der allerdings 1839 noch nicht geschrieben war. Das Hauptthema, über dem sich Berlioz's Festgemälde nun aufbaut, fängt folgendermassen an:

Es enthält in der Schale einer Marschweise einen kostbaren Inhalt von Würde und Lebenslust. Der letztren dient unter den Motiven die dem hier gegebenen Anfang folgen, besonders das drollig ausholende:

Nachdem die glänzende Gesellschaft ihren ersten Rundgang vollendet — Ganzschluss in F dur — wird unsre Aufmerksamkeit auf eine einzelne Gruppe die etwas im Hintergrund steht, gelenkt. Celli, Bratschen und Fagotte sind ihre Sprecher:

Halblaut reden sie von den letzten Händeln mit den Montecchis. Es sind herrische Leute und wehe dem armen Romeo! Andere ziehen mit leichtem Scherz vorbei. Dann kommt das Hauptthema zum zweiten Mal, diesmal in den Holzbläsern, die Geiger ziehen ein langes Gewinde von Achteln darum. Dann wird es auf allen Seiten lauter, als stritten sich die Streicher mit den Bläsern um die Accorde. Und siehe da, in diesem Augenblick des Lärms und der Aufregung erscheint das Thema aus dem Larghetto wieder, diesmal nicht von der Oboe sondern von den Hörnern geführt. Sie behalten es auch im weitren Verlauf und ziehen noch Posaunen und Fagotte dazu. Berlioz giebt uns jetzt die Aufklärung was er mit der Larghetto-Melodie gemeint hat: Es ist wirklich Juliens Gestalt: majestätisch schreitet sie dahin und als der Hauptsatz, die rauschende Ballmusik, jetzt wieder wie beim Anfang des Allegro von der ganzen grossen Masse der Geigen, von Flöten und Bratschen unterstützt, von den andren Instrumenten, unter ihnen zwei Harfen, umlärmt wird — strahlt doch über all den glänzenden Wirrwarr hinweg in Hoheit die Larghettomelodie: Das Stück könnte nach genauer Wiederholung des ersten Allegrotheils — bis zu dem Punkte wo das Bassthema kam — beendet sein. Berlioz erweitert aber Beethoven'sch. Statt eines F dur-Schlusses kommt eine Ausbiegung über A dur nach D moll und ins piano. Die Stille der Verlegenheit tritt ein und in ihr lassen sich wieder Händelsüchtige vernehmen, sie brüten neue Complotte: Diese unfriedlichen Gedanken sind in zwei Themen gegeben

die das Material zu einer bescheidnen Doppelfuge bilden. Sie wird nicht durchgeführt, sondern Berlioz beschränkt sich darauf die chromatische Scala zu einem Basso ostinato zu verwenden, über den in wachsender Erregung, im langen crescendo erst allein die Bläser rhythmische Kampfmotive hinschmettern. Bald stimmen die Geigen mit ein; es reizen die Schlaginstrumente. Die festliche Stimmung ist in eine kriegerische umgeschlagen. In allen Gruppen grösste Unruhe, ein Anlauf über den andern auf das drängende Motiv:

über D moll nach *G*, nach *C*, dann dieselben Wege nochmals in bedrohlicherem Tone — es schlägt am Ende der Perioden bereits ein — und dann bricht mit dem endlich erreichten F dur das volle Wetter los: Eine wilde elementare Musik, ein schlimmrer

Aufruhr als in dem Augenblick der Orchesterintroduction, in dem die Posaunen des Fürsten sich erhuben. Noch einmal wird Ruhe. Wir hören wieder den chromatischen Bassgang von Pauken und Trommeln schauerlich beleuchtet. Diesen letzten Augenblick benutzt Romeo sich zu entfernen. Die Oboe singt wieder den Klagegesang mit dem sich im Andante melancolico Romeo schwermüthig vorstellte. Im Toben der Massen — eine plötzliche Generalpause sagt uns, bis zu welchem Grad die Wuth gediehen — geht der Satz schnell zum Schluss.

Die Italiener des 17. Jahrhunderts, die venetianischen Librettisten voran, die Spanier, die Geschlechter der ausgehenden Renaissance überhaupt verstanden sich auf Liebesscenen. Aber den Scenen, in denen Shakespeare in „Romeo und Julie" das Liebespaar zusammenführt, kommt doch wenig gleich. Dieses Urtheil lässt sich auch auf die Gartenscene der Berlioz'schen Sinfonie übertragen in der der Componist seine Erinnerungen an jenen schönsten Theil des Shakespear'schen Dramas in Töne gebracht hat. Man kann es ruhig sagen: Berlioz hat die Liebe von Romeo und Julie schöner geschildert als der Dichter, um so viel inniger und ergreifender als die Musik wenn es Gefühle darzustellen gilt, der Sprache überlegen ist. In der Composition Berlioz's steht auch das mit, was bei Shakespeare ungesagt bleibt; vor Allem über alle Süssigkeiten des Augenblicks hinweg bringt sie uns ins Bewusstsein, dass diese Liebe tragisch enden wird. Ein Ton der Klage und der Wehmuth klingt mit durch alle Seligkeit hindurch.

Mit der vorhergehenden Nummer, der Ballscene, ist die Gartenscene, als fünfte Nummer des Werkes, durch eine dramatische Einleitung verbunden. Die Ueberschrift des Stückes — Nuit serène — le jardin de Capulet silencieux et decent. Les jeunes Capulets sortant de la fête, passent en chantant des reminiscences de la musique du bal — welche Berlioz selbst gegeben hat, enthebt jeder weitern Beschreibung des Verfahrens. Ein Allegretto, ($^6/_8$ A dur) enthält diese Einleitung. Langgezogne Geigenaccorde, die nur schleichend moduliren, beginnen. Berlioz schreibt *pppp* vor. Das ist die Stille des Gartens, von der die Ueberschrift sagt. Nach dreissig Takten erst klingt es im ersten Horn: als käme Jemand. Und bald darauf beginnen die jungen Cavaliere ihr: „Oho Capulets, bon soir" („Capulets, schlaft wohl"). Gleich darauf kommt auch die hauptsächlichste von den Ballreminiscenzen, auf die uns der Componist selbst aufmerksam gemacht hat:

Allegretto.
O quelle nuit, quel festin!

. Leicht wird man in ihr den Anfang vom Hauptthema des Allegro's der Ballscene wiedererkennen. Das ganze Stück Einleitung ist von Humor, wie von poetisch höhrer Empfindung gleichmässig belebt. In ihrer etwas steifen Anmuth erinnert seine Melodik namentlich an Berlioz's „Flucht der heiligen Familie nach Egypten". Ein Wunder, dass es sich unsre Männergesangvereine fortdauernd entgehen lassen! Es verklingt und nun beginnt die eigentliche Scène d'Amour, die Liebesscene, in Form eines mehrmals von belebten, erregten Episoden durchbrochnen Adagios. Der $^{6}/_{8}$ Takt und die A dur-Tonart bleiben. Das langsame Tempo giebt aber der Composition ihren eigenthümlichen Charakter als einer Liebesscene von fast religiöser Tiefe.

Das Adagio beginnt wie präludirend mit einem Abschnitt in dem die Bratschen mit den getheilten Cellis in bald ausdrucksvollen, bald spielerischen Motiven sich dem Gesang nähern. Es ist ein eigenthümlich volles, gedämpft weiches Colorit ähnlich dem in der „Scène aux champs" von Berlioz's Fantastique. Drunter klopfen die Bässe wie die Schläge des Herzens. Die zweiten, dann die ersten Geigen tragen Verzierungen und melodische Fragmente herbei; noch mehr aber erinnern Clarinette und englisches Horn an die Liebesmusik der Vögel, sie seufzen sehnsüchtige Motive die uns die Stelle des Dramas vor die Phantasie bringen wo es heisst: „Es war die Nachtigall und nicht die Lerche". Dann wird ein Singen daraus, leidenschaftlich treiben die Töne nach oben. So setzt die Stelle ein:

und so schliesst sie:

Bald kehrt sie wörtlich genau wieder, sie umrahmt das vom Cello und vom Horn vorgetragne Liebesthema Juliens, ihr Geständniss, den Lüften anvertraut:

Eine der schönsten Melodien der ganzen neueren Musik, muss dieses Thema in diesem Werk und in diesem Satz namentlich mit seinem Schluss fest gemerkt werden. Denn er taucht wie ein Leit- und Repräsentirthema häufiger in unserm Adagio wieder auf. Die Musik wird von dem Einsatz der Vogelmotive ab wiederholt. Romeo lauscht entzückt und als Julia nun im vollsten Tonglanz ihr Liebesgeständniss (jetzt in Cdur) nochmals ablegt, bemächtigt sich ein grosser Sturm seiner Gefühle (Allegro agitato). Er dringt vor, giebt sich zu erkennen, das Cello hebt ein Recitativ an und leitet damit über zu der zweiten Hälfte der Nummer, dem Liebesdialog. Dieser Dialog hat wieder die Form eines Adagio, das gegen das erste um eine Kleinigkeit beschleunigt ist. Das in ihm neu hinzutretende Hauptthema ist:

. Von Flöte und englischem Horn eingeführt, findet es in einer zweiten Periode den seiner friedlich geniessenden Natur entsprechenden Abschluss in Adur. Daran knüpfen sich heitre, zum Tändeln neigende Motive bis dann bald Juliens Liebesgesang den Ideenkreis ins innig Pathetische zurückleitet. Es wechseln nun Augenblicke der Ruhe und der Erregung: es kommt die Schwere des wiederholten Abschieds, die Wonne des Wiedertreffens. Mehr als bei andren Sätzen der Sinfonie bietet die Kenntniss Shakespeare's für diese Nummer eine weitreichende Gewähr des Verständnisses.

Der fünfte Satz der Sinfonie, das Scherzo (Prestissimo, $^3/_8$, Fdur) trägt die Ueberschrift: „La Reine Mab, ou la Fée des Songes" (Königin Mab, die Traumfee). Er bedeutet einen Abfall von Shakespeare, eine Ueberläuferei zur selbstherrlichen Musik, insbesondere zu den Formen der Beethoven'schen Sinfonie. Berlioz mochte auf die bewährte Wirkung eines Scherzos auch in „Romeo und Julie" nicht verzichten. Sieht man von der Entstehungsursache ab, so bleibt dieser Satz eine bis heute noch nicht überbotne Glanzleistung auf dem Gebiete der Elfenmusik. Die Composition giebt den flüchtigen Charakter, den man von dieser Gattung erwartet nach einer Richtung wenigstens vollkommen wieder, ganz besonders aber zeichnet sie sich aus durch ihren Reichthum neuer und ungewohnter mit ebensoviel raffinirter Berechnung als mit poetischem Genie aufgesuchter und erfundener Klänge. Zwar für die Gestalt und das Treiben des Miniaturelfs, wie sie Shakespeare — vor Ball- und Balconscene I, 4 — beschreibt ist die Berlioz'sche Musik immer noch zu compakt, zu reich an Bassklang; aber man hatte in einer Sinfonie ein Scherzo wie dieses doch noch nicht gehört: Ein ganzer Jahrmarkt von seltnen, schweren Trillern, von pizzicatos, Flageolets, ausgesuchten Spielarten und Tonlagen that sich hier auf.

Dem Hauptsatz, den einige accordische durch Fermaten, Modulationen und Klangfarbe ins Träumerische erhobne Takte einleiten, liegt folgendes Thema

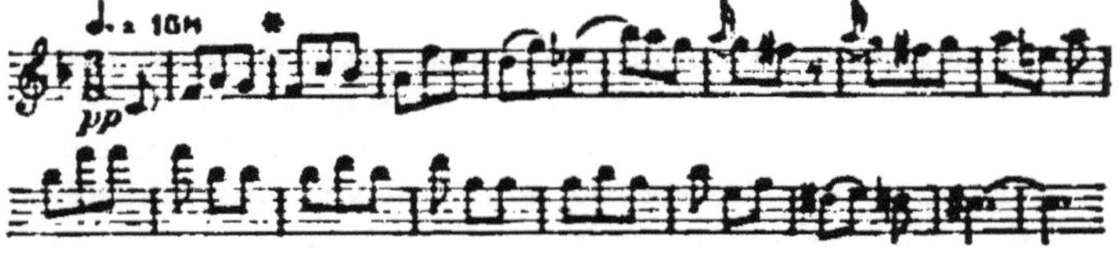

zu Grunde. Die Violinen durcheilen mit ihm im schnellsten Zeitmass, in der grössten Leichtigkeit, die möglich ist einen ziemlich umfangreichen Kreis von Tönen und Tonarten. Fdur beginnt, der Schluss führt nach *cis* und nach einem dissonanten Accord *des-f-as-h*, denselben der den Satz überhaupt begann. Es ist etwas koboldartiges in dieser Beweglichkeit und es ist auch nicht leicht für den Zuhörer genau zu folgen. Um das zu erleichtern müssen Spieler und Dirigenten die metrisch betonten Takte hervorheben. Wird damit von Anfang an — der mit * bezeichnete ist der erste — Klarheit eingehalten, so ist der Aufbau der Perioden leicht zu begreifen; er vollzieht sich vorwiegend in zweitaktigen Abschnitten.

Zunächst stellt Berlioz das angeführte Hauptthema noch zwischen das accordische Einleitungsmaterial. Erst im zweiten Abschnitt, dessen Eintritt sich scharf dadurch markirt, dass wir 8 Takte lang nur (in Bratschen und zweiten Violinen) Accordbegleitung ohne Thema haben, erhält es das Feld für sich und bestellt es in Umbildungen, wie sie für Menuetts, Scherzi fürs ganze Tanzgebiet von jeher üblich sind: Eine Doppelperiode in der Haupttonart Fdur mit Schluss in *C*, eine zweite in *C* mit Modulationen nach verwandten Harmonien und Schluss in *F*. Es ist ein leichtes anmuthiges Treiben ohne wichtigere Vorfälle. An dem oben genannten Punkte erst erscheint ein theilweise neues Motiv:

in den Geigen, das Flöte und englisches Horn mit

beantworten. Fee Mab wird ausgelassner: schärfer tritt der pizzicato-Klang vor, schärfer wechseln die Tonarten, in diesem kleinen Seitensatz. Hdur ist erreicht. Da führt bei einem allgemeinen temperamentvollen Crescendo ein heftiger chromatischer Lauf der Mittelstimmen nach der Haupttonart zurück und in eine grosse Wiederholung des Hauptsatzes mit einigen Erweiterungen. Motivisch neu tritt eine zuweilen auf vier Takte ausgedehnte Trillerfigur, aus der Schabernack und Uebermuth herüber klingen, vor.

Die grössten Ueberraschungen fürs Ohr hat Berlioz für die Mitte seines Scherzos aufgespart, für die Stelle die üblicherweise das Trio einnimmt. Gedacht ist wohl dieser wichtigere Theil so: dass er die Wirkungen der Schalkereien Mabs im Kopf des Schläfers veranschaulichen soll, während uns der bewegtere Hauptsatz den Umzug der Fee schildern soll. Das Thema dieses Trios heisst:

Mit seinen rufenden und ahnenden, auch mit seinen gesanglichen Elementen ist es im Grunde höchst einfach. Seine Wirkung erhält es durch die Decoration. Die ersten Violinen trillern dazu vom ersten Ton der Flöte bis zum letzten *pppp* aber ohne Unterbrechung auf $\bar{\bar{a}}$; die Celli antworten auf das Quartenmotiv; die andern Saiteninstrumente aber halten hohe Flageoletttöne aus. Von ihnen kommt der Märchenzauber, das Feenlicht das über dem Abschnitt liegt; süss wie Liebestraum und ganz fremdartig und neu erscheint er. Zugleich ist dieses Colorit zum ersten Mal das, was sich mit den von Shakespeare erweckten Vorstellungen deckt. Die Harfen fallen bald mit unerhörten Klängen ein, die zur selben Familie wie die Flageoletttöne der Geigen gehören. Die Phantasie des Hörers wird in demselben Augenblick aus dem Elegischen hinüber greifen nach dem humoristischen: wir hören in den Bratschen und Cellis Figuren die an den Rhythmus des galoppirenden Pferds erinnern. Berlioz hat an die Stelle gedacht wo bei Shakespeare die Fee Mab den Soldaten neckt.

Noch breiter ausgeführt als im Trio sind diese

militärischen Bilder in der Reprise des Hauptsatzes. Hier führen sie zu einigen Episoden an deren Spitzen die Hörner stehen: . Auch das englische Horn kommt einmal mit einem Jagdmotiv:

. Von einer einfachen Wiederholung ist diese Reprise so weit als möglich entfernt; sie ist eine Steigerung in jeder Beziehung, in den Formen nicht weniger als in den Farben. Für letztre sind auch die Schlaginstrumente meisterhaft herangezogen.

Stephen Heller lernte die neue Sinfonie Berlioz's bald nach ihrer Entstehung im Manuscript kennen und berichtete darüber an die Zeitschrift Robert Schumann's[1]). Dieser Bericht ist noch heute wichtig, weil er über die erste Fassung der Sinfonie Mittheilung giebt. Unter den Abweichungen, die sie von der veröffentlichten Form unterscheiden, tritt als eine der wesentlicheren der Umstand hervor, dass zum Beginn der zweiten Abtheilung die mit der Nummer 6 einsetzt, früher nochmals ein Prolog gesungen wurde.

Für diese sechste Nummer, die Juliens Begräbniss bringt — Convoi funèbre de Juliette — ist kein Prolog und keine Erläuterung nöthig. Denn es ist ein einfacher Satz (Andante non troppo lento, C, E moll), ein Trauermarsch wie wir ihn hier erwarten, nur mit der Besonderheit, dass das ausdrucksreiche Hauptthema

[1]) Neue Zeitschrift für Musik, XI, S. 102.

in Form einer Fuge durchgeführt wird. Die Singstimmen psalmodiren dazu auf einem und demselben Ton e. Berlioz hat denselben und einen ähnlichen Kunstgriff in seinen Trojanern und im Offertorium seines Requiems mit grossem Glück zum Ausdruck äusserster Niedergeschlagenheit verwendet. Besonders schön ist der zweite Theil der Nummer, der sich nach E dur wendet und Chor und Orchester die Rollen tauschen lässt.

In hohem Grad einer Erläuterung durch Prolog oder eine sonstige authentische Willensäusserung des Componisten ist dagegen die folgende siebente Nummer der Sinfonie, die Grabscene, bedürftig. Berlioz hat das selbst gefühlt. Er schickt in der Partitur eine Bemerkung voraus, worin er den Dirigenten ermächtigt den Satz zu überspringen. Mit den Worten: „Le public n'a pas d'imagination" wälzt er die Schuld von sich auf den unschuldigen Theil: Das Publikum, die Zuhörerschaft kann diesen Satz nicht verstehen und wenn neue Erklärer[1]) seinen Schwierigkeiten gegenüber mahnen sich den fünften Akt von Shakespeare's Drama lebhaft zu vergegenwärtigen, so empfehlen sie ein unzureichendes Mittel. Berlioz giebt als Inhalt unsrer siebenten Nummer an: Romeo au tombeau des Capulets; Invocation, Reveil de Juliette, Joie delirante, désespoir, dernières angoisses et mort des deux amants (Anrufung und Erwachen Juliens, Entzücken und Freude, Verzweiflung, letzte Noth und Tod der beiden Liebenden). Daraus ergiebt sich doch dass er die Ereignisse vollständig umgedichtet hat. Bei Shakespeare ist Romeo gestorben, ehe Julia erwacht; wohl bei Bellini, aber nicht bei Shakespeare giebt es Wiedersehn, Anlass zur Freude und gemeinsamen Tod. Der Zuhörer muss sich also in der Composition durch Rathen zurecht zu finden suchen; sie ist keine gute Programmmusik, sondern Theatermusik die nur den Augen will sehen helfen, sie ist ein an dieser Stelle verfehltes Kunstwerk.

---

[1]) F. Weingartner in Allgemeine Musikalische Zeitung, Jahrg. 1893, S. 123.

Der Satz (Allegro agitato e disperato, 2, E moll) beginnt mit hastigen Figuren

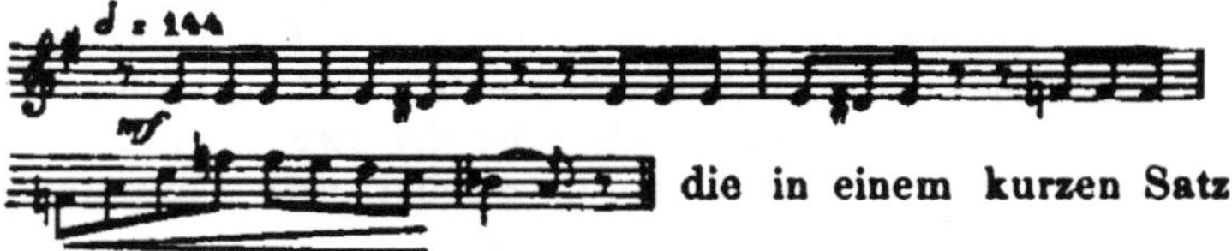

die in einem kurzen Satz das Bild geben, als wenn ein Mensch athemlos gerannt kommt: Romeo, den die schlimme Nachricht von Juliens Tod aus dem Mantuaner Exil vertrieben hat, eilt an die Pforte des Grabes. In langen Noten

wird äusserste Kraft gesammelt. „Die Nacht und mein Gemüth sind wüthend wild, viel grimm'ger und viel unerbittlicher als durst'ge Tiger und die wüste See“ so lauten die Worte mit denen Romeo bei Shakespeare (V, 3) die Thüre des Gewölbes — „die morschen Kiefern des Schlundes“ — erbricht. Dumpf, tief und schauerlich schlagen die Posaunen, ein Horn dazu, durch Fermaten gefesselte Accorde an. Dann folgt die I n v o c a t i o n, ein längrer Satz (Largo, $^{12}/_{8}$, Cis moll) in dem Romeo in feierlichen und wehmüthigen Melodien zu der todt geglaubten Geliebten spricht. Als sie zum Schluss kommen, gerathen sie ins Stocken. Chromatische Figuren in den Cellis deuten auf ausserordentliche Vorgänge. Die Clarinette setzt ein:

. Wer kennt diese Motive nicht und denkt bei ihnen nicht an den Anfang der Gartenscene? Nun kommt das volle Thema. Julie ist erwacht, sie lebt und ihr erster Gedanke ist wieder: ihre Liebe, ihr Romeo! Das Orchester stürmt voll wie in der Ballscene im Freudenrausch dahin eigentlich ohne Melodie und ohne Rhythmus,

Allegro vivace ed appassionato.

etc.

zügellos, elementar in Empfindung und Form. Lange klingt die Stelle wie ein grotesker, riesiger Triller. Dann vernehmen wir in den Motiven Reminiscenzen an die Gartenscene, an ihre schönsten Themen; aber in der unglaubliebsten Extase und Beschleunigung. Dazu unheimliche Dissonanzen! Der überspannte Bogen muss brechen, das Unglück ist in der Nähe. In dem reissenden Strom dieser Musiklava entsteht Stockung, Verwirrung: Romeo's Recitativ aus der Gartenscene klingt nochmals krampfhaft und unnatürlich an, von härtesten Schlägen des Orchesters begleitet, das *e* aus dem Leichenbegängniss (Nr. 6) lässt sich hören: Romeo stirbt. Bald, mitten heraus aus der Seligkeit, in der sie befangen, folgt seine Julie ihm im Tode nach. Innerhalb einer Minute gings aus höchstem Glück in die Vernichtung. Nur eine einzige Oboe hält an der verödeten Stelle noch Stand, wo eben noch das volle Orchester wie für eine Ewigkeit aufspielte.

Die achte Nummer, das Finale der Sinfonie, hat die Ueberschrift: La foule accourt au cimetière, Rixe des Capulets et Montagus, Recitatif et air du Père Laurence, serment de réconciliation (Die Menge eilt zum Kirchhof, Streit der Capulets und Montechi, Recitativ und Gesang des Pater Lorenzo, Versöhnungsschwur). Sie beginnt mit einem Allegro vivace, C, A moll, das dramatisch lebendig die Erregung der herbeieilenden Volksmassen schildert und viel Natur- und Herzenston enthält. Besonders der Schluss, wo das Tempo doppelt so langsam wird als es war, ergreift mächtig. Dann tritt der Pater Lorenzo auf und bemächtigt sich mit Erklärungen und Ermahnungen des Worts, für seine salbungsvolle Weise immer noch etwas allzu lange.[1]) Als die Parteien wieder an einander gerathen,

[1]) Berlioz hat die Reden des Paters, laut Memoiren, bedeutend gekürzt.

wiederholt Berlioz die Fugenmusik aus der Introduction der Sinfonie, diesmal mit Text „Mais notre sang rongit etc.“ („Doch unser Blut etc.“). Dem Pater gelingt es zu beruhigen, zu rühren. So gelangen wir ganz in dem Stil der grossen französischen Oper und mit mancher hübschen auf Berlioz persönlich weisenden Wendung, zum Schluss- und Trumpfstück dieses Finale: dem Serment, der Schwurscene, die ihrer musikalischen Natur nach ein Geschenk Meyerbeer's an das Haupt der französischen Instrumentalcomposition sein könnte. Wer mit Grund das Werk lieben gelernt hat, bedauert dass es nicht selbständiger und in einem poetischeren Stile endet.

Der Componist selbst hat seiner dramatischen Sinfonie nur eine Ausnahmestellung im Concertsaal zugetraut. Ihre Schwierigkeiten, sagt er in den Memoiren sind so gross, dass die Ausführenden das Werk auswendig können müssen. Als sie in Petersburg ausgezeichnet geht, trübt ihm der Gedanke die Freude, dass sie für London doch unmöglich sei. Er hat sie aber schliesslich auch in London dirigirt und im Laufe der grossen Berliozbewegung, die sich in den siebziger Jahren erhob, ist sie erst in Bruchstücken, dann mehr und mehr in ihrer Vollständigkeit bekannt geworden. Damit im Einklang mehren sich in neuester Zeit die Sinfonien, die nach dem Vorbild von Romeo und Julie Instrumentalstücke und Gesangsnummern mischen. Lange Zeit stand Fel. David und seine „Wüste“ mit dieser Nachfolge allein. Heute sind noch Nicodé's „Meer“, A. Samuel's „Christus“ und G. Mahler's Cmoll-Sinfonie zu nennen.

Es war mehr als blosser Zufall, dass der jüngste Vorstoss der Programmmusik von Frankreich ausging. Die Zuthaten und Aenderungen die das Gebäude der Beethoven'schen Sinfonie hierbei durch Berlioz erfuhr, lassen im letzten Grunde den Einfluss der Traditionen Rameau's doch deutlich erkennen. Indessen erkannte ihn Niemand. Berlioz's Programmsinfonien trugen in ihren dichterischen Wendungen sehr stark in ihren musikalischen Mitteln immer noch erkennbar französisch-nationalen Charakter; die Frauzosen wussten es ihm keinen. Dank. Auch im Ausland fanden sie mehr Widerspruch als Erfolg. Vor Allem blieb die Schule und der productive Anhang aus, der jeder neuen Richtung unentbehrlich ist. Spohr war für Jahrzehnte der einzige europäische Sinfoniker, der mitthat. Aber er vermied sowohl die Stoffe, wie die musikalischen Mittel, welche für die Berlioz'sche Epoche die charakteristischen sind. Da trat endlich in den fünfziger Jahren Franz Liszt mit der grössten Entschiedenheit für die gefährdete Sache ein.

Liszt ging aber über seinen Vorgänger wesentlich hinaus und ordnete dem Programm auch die Formen der Compositionen vollständig unter. Seine Sinfonien sind dreisätzig, zweisätzig, einsätzig, je nachdem; die dichterische Idee bestimmt den musikalischen Plan. In dieser Freiheit, in der Kühnheit und Sicherheit, mit welcher die Grundlinien des Formenbaues entworfen und durchgeführt sind, bilden die Liszt'schen Sinfonien Originalleistungen, und repräsentiren eine geistige Kraft und ein künstlerisches Gestaltungsvermögen von ausserordentlicher Stärke. Nach diesen formellen Seiten liegt ihre geschichtliche Bedeutung. Liszt's Sinfonien führen die von Berlioz gegebene Anregung zu einer vollen Reform aus und brechen die Alleinherrschaft des Haydn-Beethoven'schen Systems. Berlioz trat für die Deutlichkeit des poetischen Inhalts und des Zusammenhangs der Sätze ein; Liszt erweiterte diese Forderungen mit der dritten: Freiheit des Formenbaues! Wohl verstanden: Freiheit, künstlerische Freiheit, nicht etwa Anarchie und Formlosigkeit!

Auch den internen musikalischen Stil der Liszt'schen Musik hat vielfach die Forderung bestimmt, dass Ausdruck und Darstellung in erster Linie charakteristisch und anschaulich sein müssen, und eine grosse Reihe seiner Eigenthümlichkeiten sind aus der Treue gegen das Princip hervorgegangen. Dahin gehören die bei ihm noch zahlreicher als bei Berlioz hervortretenden Stellen, wo blosse Klangphänomene, rein accordische, instrumentale, dynamische und andere naturalische Bildungen die Träger der musikalischen Entwickelung bilden. Dahin gehören specifische

Eigenheiten der Liszt'schen Rhetorik: ihr Reichthum an Interjectionen, an Ausrufungszeichen und Gedankenstrichen, an pathetisch fortchreitenden Sequenzen und anderen primitiven Ausdrucksmitteln der musikalischen Deklamation, wie sie Liszt namentlich in den Momenten der Extase gern verwendet.

Andere Erscheinungen des Stils müssen auf die Natur und die Schranken der musikalischen Begabung Liszt's zurückgeführt werden: der vorwiegend eklektische Charakter seiner Melodik, seine Abhängigkeit von chromatischen Gängen, melodischen Ausnahmsintervallen und anderen Reizmitteln des Ausdrucks, die zu stehenden Formeln verbraucht werden; endlich der grössere Theil jener Satzbildungen, in denen Perioden und grössere Redetheile durch unaufhörliche Wiederholungen und blosse Transposition des ersten Gliedes entwickelt werden. Es kommt zu diesen Eigenheiten auch noch der Umstand, dass einzelne Compositionen Liszt's augenscheinlich sehr flüchtig hingeworfen sind. Aber eine ausserordentliche Gabe, mit wenigen Strichen einen Charakter zu zeichnen, leuchtet auch noch aus den schwächsten unter seinen Orchesterwerken. Die Mehrzahl von allen fesselt durch den Geist und die Hingabe, welche sich in der Haltung des Ganzen aussprechen, durch die Wärme des Ausdrucks, die Macht der poetischen Anschauung, welche einzelne Stellen belebt, durch eine Reihe schöner Momente, deren Genialität selbst vom Standpunkte des absoluten Musikgenusses nicht geleugnet werden kann. Dass aber Liszt, ähnlich wie dies Gluck seiner Zeit bei der Operncomposition gethan, auf diesen absolut musikalischen Standpunkt bei seinen Programmsinfonien verzichtet, soll der Zuhörer nie vergessen und dem Componisten mit einiger Gutwilligkeit — den poetischen Gegenstand der musikalischen Schilderung fest im Kopfe! — entgegenkommen. In diesem Falle wird man, wie es beabsichtigt ist, die Formen und den Ideengang der Liszt'schen Orchestercompositionen leichter finden, als die anderer programmloser Sinfonien, und ihnen Anregung und Genuss verdanken.

Die Liszt'schen Orchesterwerke umfassen — ausser einigen Bagatellen — 2 Sinfonien und 12 sogenannte sinfonische Dichtungen. Unter den beiden Sinfonien ist die im Jahre 1855 geschriebene Faustsinfonie (nach Goethe) die durch die Menge der Ideen und durch die Kunst, mit welcher sie entwickelt sind, hervorragendere. Sie ist in drei Sätzen gehalten, welche Liszt „Charakterbilder" nennt, womit also ein Anschluss an den scenischen Verlauf der Goethe'schen Dichtung von vornherein abgewiesen wird. Hierin verfährt Liszt ungleich mehr musikalisch, als Berlioz in „Romeo und Julie".

F. Liszt Faust-Sinfonie.

Der erste Satz (Lento und Allegro, C, ¢, $^3/_4$, C dur und C moll) gilt der Hauptfigur des Gedichtes, dem „Faust". Während die Normalsinfonie zwei Themen im ersten Satz aufstellt, bringt Liszt hier vier, die die hervortretendsten Züge der Faustnatur veranschaulichen wollen: das grübelnde, melancholisch-dämonische Element, das Ringen und Streben, das Liebessehnen, die heroisch thatenfrohe Seite seines Wesens. Das erste, Zweifel, Gram, Gefühl der Oede ausdrückend:

beruht in seiner vorderen Hälfte auf dem übermässigen Dreiklang. Gewiss ist dieser bis dahin noch niemals in ähnlicher Weise für ein Sinfoniethema verwendet worden und hat bei den ersten Aufführungen des Liszt'schen Werkes ungewöhnliches Staunen erregt. Aber um auf den überspannten Zug in Faust's Geist hinzuweisen, war das Mittel glücklich gewählt. Das Thema findet seine nächste Fortsetzung in einer Reihe kleiner, freier Monologe, die zwischen den Bläsern wechselnd, die äusserste Niedergeschlagenheit aussprechen. Im 11. Takte: Stocken, Fermate! Darauf repetirt der Satz von C aus und tritt dann in ein wildes Allegro (C, $^3/_4$, $^3/_4$) über, in welchem die Klagen des Hauptmotivs von den

Flammen der Verzweiflung und Empörung umlodert erscheinen. Bereits hier wird eine Schwierigkeit sehr bemerkbar, die der Hörer im ganzen Verlauf der Sinfonie immer wieder zu überwinden hat. Das ist die metrische Mannigfaltigkeit der Musik. Es findet fortwährend Wechsel von Takt und Rhythmus statt. Wer zu schlafen, zu träumen und nur äusserlich zu hören gewöhnt ist, erhält harte Stösse; nur mit lebendiger Phantasie und regem Geist erwirbt man sich den Genuss an diesem Kunstwerk! Das zweite Thema, das von der ausgeführten Gruppe des ersten durch ein kurzes Lento getrennt wird, ist weniger original als das erste, erinnert an Spohr'sche und Schumann'sche Weisen; aber wirkt an seiner Stelle warm und edel. Es repräsentirt lebenswilligere Elemente der Faustnatur: Ringen, Streben, Hoffen. Das Hauptglied seines technischen Organismus bilden die folgenden Takte:

Am Schlusse des Satzes, der dieses Thema entwickelt, wird die Stimmung wieder trostlos: die Bläser klagen und bitten:

Es folgt eine kurze Episode (Meno mosso, $^6/_4$ und $^4/_4$) traumhaft phantastischen Charakters, in welcher schattenhafte Figuren (Violini con sordini) das erste Thema flüchtig umschweben. Wie eine freundliche Vision erscheint nun, eingeleitet durch eine Art Recitativ, in dem Cello und Violine leidenschaftlich die Schlussnoten vom ersten Thema austauschen als drittes Thema eine Melodie, aus den beiden letzten Takten vom Thema *a* entwickelt, welche dem schwärmerischen Zuge im Faust, seinem Sehnen und Lieben gilt:

Sie setzt im neuen Tempo ein, wechselt die Taktarten, schliesst nicht streng ab und veranschaulicht damit auf einmal die ganze Reihe Freiheiten der Gestaltung, in denen Liszt zum Zweck einer lebendigen, dramatischen Darstellung vom üblichen Gange abweicht. Man wird dieses Thema auch im zweiten und im dritten Theile der Sinfonie wieder finden. Es bildet eins der wichtigsten „Leitmotive" des Werks, deren Princip Liszt, wie schon angedeutet, von Berlioz übernommen hat. Faust trennt sich von dem beglückenden Bilde wie vom Freudenrausche ergriffen; die Energie erwacht wieder (Allegro con fuoco, dem das Sechzehntelmotiv vom Thema *b* zu Grunde liegt), Thatkraft und Stolz regen sich und finden ihren Ausdruck in dem spannend eingeleiteten vierten Thema:

Wer die Vorzeichnungen der hier mitgetheilten Themen ansieht, kann nicht im Zweifel sein, dass Liszt so wie mit der Metrik auch mit der Harmonik von allem Herkommen abweicht. Es ist, wie z. B. am Anfang des Satzes, zuweilen schwer zu sagen in welcher modernen Tonart wir uns befinden. In *C* begann die Themengruppe; mit dem hier zuletzt gebrachten vierten Glied schliesst sie in H dur. Wir treten nun in den Durchführungstheil ein. Denn der erste Satz der Faustsinfonie hält an der üblichen Gliederung in Themengruppe, Durchführung, Reprise fest. Diese Durchführung beginnt mit einer Combination des vierten und dritten Themas, das letztre allerdings in Moll und Leidenschaft verwandelt; dann folgt ein zweiter Abschnitt der erstes und zweites Thema gegen einander stellt, von jenem durch einen Uebergangssatz heftigen Charakters getrennt. Der dritte Abschnitt der Durchführung zeigt das zweite Thema allein zur Herrschaft gelangt aber mit einem Zusatz von Erregung und Wildheit der die Physiognomie mit der es in der Themengruppe auftritt, vollständig ändert. Sehr natürlich und folgerichtig führt diese Wendung in die Reprise hinüber. Das erste Thema, als höchster Ausdruck von Faust's Seelenleid, kehrt wieder und mit ihm die ganze Themengruppe aber mit Modificationen, welche als die moralischen Wirkungen des Thema c) aufzufassen sind: Die Liebe hat Faust's Wesen verwandelt.

Das Verhältniss der drei Hauptgruppen des ersten Satzes weicht hiernach in Liszt's Faustsinfonie vom Herkommen namentlich dadurch ab; dass der Schwerpunkt aus der Durchführung in die Reprise verlegt ist.

Jene ist sehr kurz gehalten, verfolgt nur den Zweck den Rückfall von der heroischen Stimmung, mit der die Themengruppe schloss, in die verzweifelte des ersten Themas, des Anfangs des Charakterbildes psychologisch zu motiviren. Die Reprise aber ist nichts weniger als blosse Wiederholung der Themengruppe: sie zeigt uns Faust's Inneres noch einmal, führt noch einmal die Elemente der ersten Hauptgruppe vorüber aber in andrer Anordnung, in andrem Charakter, andren Verbindungen, sie zeigt einen neuen Faust. Mit dieser veränderten Bedeutung der Reprise knüpft Liszt, durch ein musikalisches, poetisches Naturrecht bereits genügend gestützt, an Anregungen an, die Beethoven namentlich in seinen grossen Leonoren-Ouvertüren gegeben hat.

Noch in zwei andren Punkten weicht die Form dieses Liszt'schen Faustsatzes von der Sinfonik des 19. Jahrhunderts ab: in der Beschränkung der motivischen Entwickelung und in der Aeusserlichkeit der Uebergangsideen. An beide Erscheinungen haben seine Gegner bis zu einem gewissen Grad mit vollem Recht ihre Bedenken und ihren Tadel geknüpft. Gegen eine sparsamere Verwendung motivischer und thematischer Arbeit lässt sich grundsätzlich schon deshalb wenig einwenden, weil dieses Erbe einer philosophisch und poetisch sehr reichen Zeit den geistig ärmeren Sinfoniecomponisten von heute und ihren Zuhörern in der Regel Verlegenheit bereitet.

Der zweite Satz der Faustsinfonie ist „Gretchen" überschrieben. Dieser Gretchensatz ist durch Einzelaufführungen bekannt geworden und hat auch in denjenigen Kreisen Freunde gefunden, welche der Natur und der Form der Faustsinfonie, wie überhaupt der ganzen Liszt'schen Kunst, apathisch oder feindlich gegenüberstehen. Er verdankt diesen Erfolg der gleichbleibenden Freundlichkeit des Inhalts und der gewinnenden Einfachheit, mit der Gretchen's holde Mädchengestalt gezeichnet ist. Dieser Gretchensatz (Andante soave, Hauptzeitmass: $^3/_4$, Asdur) zeigt die auch bei langsamen Sätzen bekanntermassen seit Haydn übliche Dreitheilung, das Sonatenschema aus Themengruppe, Durchführung und Reprise bestehend. Ein kurzes, träumerisch und weich schwärmendes Präludium von Flöten und Clarinetten leitet den Satz ein, dessen erstes, schlichtes Thema einen lieblichen, zarten Charakter hat:

Beim ersten Eintritt trägt es die Oboe vor: nur von einer Bratsche begleitet, ein Meyerbeer'scher Instrumentationseffekt! Liszt hat aber diese dürftige seltsame Begleitung aus innern Gründen gewählt: Es kam ihm darauf an die Gestalt Gretchen's zwar eigen, aber ganz bescheiden und unscheinbar einzuführen. Bei jeder Wiederkehr erscheint uns die zarte Melodie stattlicher und bedeutender. Der Zuhörer hat sie zu merken, denn im Schlusssatz der Sinfonie übernimmt sie die poetische Hauptrolle. Das zweite Thema:

das vom beruhigten Gemüth, vom heimlichen sichren Liebesglück zu erzählen scheint, ist eine von Liszt's gelungensten Melodien. Eine sehr gewählte schöne Harmonie erhöht die eigenartige Wirkung. Zwischen den beiden Themen liegen einzelne frappante Momente: ein Oboeneinsatz auf einer jähen Modulation, als wenn in Gretchen plötzlich der Gedanke an Faust erwachte: eine kleine Episode, in welcher zuerst Flöten und Clarinetten, dann die Violinen mit, erst schüchtern und leise, dann laut und stürmisch erregt, um die Motive [Notenbeispiel] und [Notenbeispiel] wie um „Er liebt mich" und „er liebt mich nicht" spielen. Bald nachdem das zweite Thema verklungen, setzt das Horn mit dem Liebesgesang des ersten Satzes ein (S. Thema *c*): Faust tritt auf! Mit diesem Momente beginnt der zweite Theil des Andante, verläuft aber sehr ungewöhnlich. An Stelle einer Durchführung und Verarbeitung der eben gehörten beiden Themen bringt Liszt Reminiscenzen aus dem ersten Satz der Faustsinfonie. Zu dem Liebesthema treten die Klagen Faust's die Motive des Ringens und Hoffens (Thema *b*). Zum Theil erscheint die Musik als eine wunderschöne Scene des Gefühlsaustausches, über welche der Instrumentenklang magisches Mondlicht leuchten lässt. In Faust's Seele wird es ruhiger und milder, seine düstren Gedanken überkleidet ein heller Schimmer; Jubel und Jauchzen klingen aus seiner Brust. Dann wird schnell abgebrochen, als wenn eine Vision plötzlich schwindet. Die Reprise setzt ein, bringt das erste Thema mit 4 Soloviolinen, citirt nochmals kurz das Liebesthema und geht über das zweite Asdur-Thema schnell zum Schluss.

Der dritte Satz führt den „Mephistopheles" ein. Die ersten Takte entwerfen kurz und meisterlich das Signalement des kalten, frechen, keeken, frivolen Patrons, geben ein Bild von seiner herausfordernden Gemeinheit ebensowohl als von der vollendeten Sicherheit und Leichtigkeit seines Auftretens. Dann beginnt die „Spottgeburt" ihre

Arbeit: spotten, verneinen und verhöhnen. Die Themen Faust's aus dem ersten Satz werden verzerrt, verrenkt und mit burlesken Schnörkeln versehen. Das erste Thema wird durch Tempo und angehängte Figuren zur Fratze gemacht, das zweite durch einen bissigen Rhythmus in folgende Missgestalt verwandelt:

Allegro vivace.

Zur besonderen Zielscheibe seines malitiösen Humors hat sich Mephisto, „der Geist, der stets verneint", das Liebesmotiv der Sinfonie ausersehen. Er zerreisst es, wirft die Stücke hin und her, verfolgt es unaufhörlich, zieht ihm Narrenkleider an:

— und auf dem Gipfel des Uebermuthes angelangt, jagt er es endlich in einer regelrechten Fuge zu Tode. Es ist etwas dämonisch Fortreissendes in dieser Schilderung der Mephistofelischen Lustigkeit, und die Bewunderung, die wir der Virtuosität zollen müssen, mit welcher Liszt die Themen der frühern Sätze umgebildet hat, wird in Nichts dadurch vermindert, dass wir uns an das Muster erinnern, welches in der Sinfonie fantastique von Berlioz hierfür bereits vorlag. Denn dieses Muster hat Liszt beträchtlich überboten. Hier ist die motivische Arbeit, auf die im ersten Satz verzichtet wurde, glänzend und in neuer Weise geleistet. Es kommen übrigens in diesem Finale der Faustsinfonie doch Momente vor, welche über ein Charakterbild Mephisto's im engeren Sinne hinausgehen und an den Verlauf der Goethe'schen Dichtung anknüpfen. Mitten in den wildesten Excessen der Höllenmusik ertönen feierliche und dumpfe Klänge, die an Grab und Geisterwelt erinnern. Die erste Mahnung dieser Art erklingt, nachdem wie unter Hohngelächter Faust's erstes Thema (mit dem übermässigen Dreiklang) vorübergezogen ist, ernst und schwer unter Paukenbegleitung von den Bläsern her. Sie kehrt sofort wieder als die Bratschen jenes oben gegehae Fugenthema eingesetzt haben, die warnenden und drohenden Stimmen lassen sich dann während der Verspottung von Faust's heroischem Thema breiter und schauerlicher vernehmen (Gestopfte Hörner!). In seiner „Hunnenschlacht", wo ein ähnlicher Geisterkampf geschildert wird, behandelt Liszt beide Parteien gleichmässig breit. Hier steht nur Mephisto in voller Tageshelle auf dem Bild; die Himmelsmächte stecken gewissermassen in den Wolken, aber für Jeden, der den Componisten überhaupt verstehen will, deutlich sichtbar. Den Sieg entscheidet schliesslich Gretchens blasses Bild. Im Hauptthema des zweiten Satzes schwebt es heran und wird nach einem langen letzten Ansturm, in dem die gesammte Teufelsmusik noch einmal durchgenommen wird zum Zauberschild, vor welchem Mephisto das Feld räumt: Die Musik geht in ruhigen Orgelton über, ein Männerchor tritt auf und declamirt in der alten knappen Weise der frühchristlichen Psalmodie „Alles Vergängliche etc.": Der Solotenor flieht in diese einfach weihevollen, kirchlichen Klänge zum letzten Male Gretchenmotive hinein, und so klingt das Werk mit einer mystisch verklärten Wendung aus.

F. Liszt Dante-Sinfonie.

Liszt's im Jahre 1856 vollendete Dante-Sinfonie hat nur zwei Abtheilungen: Inferno und Purgatorio, Namen, die uns in Phantasiegebiete führen, welche die Musik, in erster Linie die kirchliche, seit alten Zeiten oft genug aufgesucht hat. Gegen einen ursprünglich geplanten dritten Theil: „Paradies" sprach R. Wagner im Juni 1855 lebhafte Bedenken aus.[1]) Dass Liszt in seiner Schilderung von Hölle und Fegfeuer der Divina Comedia Dantes folgt, wird aus einzelnen Zügen des ersten Satzes bemerkbar, namentlich durch die süsse Scene, welche der Erscheinung des classischen Liebespaars, Francesca und Paolo, ge-

[1]) Briefwechsel zwischen Wagner und Liszt (1887). I. Band. S. 78.

widmet ist. Keineswegs aber versucht der Componist die ganze Pragmatik der Dichtung ins Musikalische zu übertragen und den Dichter auf allen Gängen zu begleiten, sondern beschränkt sich, wie in der Mehrzahl seiner Programmcompositionen, auch hier darauf, wenige hervorragende Ideen, solche, die musikalisch fassbar sind, nachzudichten und denjenigen Theil ihrer Seele blosszulegen, welchen die Töne voller und mächtiger wiedergeben können als die Worte. Das Inferno trägt eine Art musikalische Ueberschrift: eine wuchtige Melodie der Blasinstrumente, die das hier stehende Thema

unter unheimlicher Begleitung von Paukenwirbel und Tamtamschlägen in dreimaligem Anlauf höher und höher tragen. Diese Melodie soll uns die Worte vor die Phantasie rufen, die über Dante's Höllenthor stehen: „Per me si va nella città dolente etc.“ Das berühmte „Lasciate ogni speranza etc.“, von Trompeten und Hörnern in dem bekannten Stile der Opernorakel und Geistererscheinungen hingeschmettert, bildet ihren Abschluss:

Der nun folgende erste Theil gilt der Schilderung der Hölle, ihrer Schrecken und Schauer, und bestreitet diese Aufgabe mit dem Aufgebot aller düstern und furchtbaren Elemente der modernen Musik: mit chromatischen Figuren und Motiven, mit freien Nonenaccorden und zusammengeketteten Dissonanzharmonien, mit einer bald zuckenden, bald fieberisch hastenden Rhythmik, mit Instrumentencombinationen, die drohen und ängstigen, mit allen Hülfsmitteln der Tonwelt in ihrer doppelten Natur, als Kunst und als Naturerscheinung. Den Abschluss dieser Partie bildet die erneute Intonation des Themas des „Lasciate“, jetzt noch von Posaunen und Tuben verstärkt. Und nun erklingen doppelte Harfen, duftig und leicht schweben Figuren in Flöten und Violinen auf und nieder, die Bassclarinette stimmt ein Recitativ an: Clarinetten und englisch Horn lösen sich mit schmachtenden und wehmütigen Weisen ab: Das classische Paar erscheint in der Hülle eines musikalischen Dialoges. Das Cello beginnt an einen kurz vorher gehörten Zwiegesang der Clarinetten anlehnend mit:

. Die Violinen, bald von den Bläsern unterstützt, antworten:

. Aus diesem Material entwickelt sich ein breiter Satz, der zu Liszt's schönsten Erfindungen zählt und an Zärtlichkeit, Innigkeit und Wärme an das Beste heranreicht, was die moderne Oper auf diesem Gebiete aufzuweisen hat. Das Thema des „Lasciate" verscheucht dieses liebliche Bild, und die Greuel der Hölle vollführen einen zweiten Reigen.

Wenn dieser Satz im Totaleindruck Liszt vorwiegend von der Seite des unerbittlichen Charakteristikers zeigt, so ist der Purgatorio dagegen eine Idylle grössten Stils, durchaus anheimelnd und mehr als das: auch erhebend. Der erste Theil des Purgatorio beginnt wie eine Scene auf der Bergeshöhe: Leise säuselnd sammeln sich helle Accorde und umwogen uns wie leichte Wolken, anmuthig sanfte Melodien, die in Wagner's „Charfreitagszauber" passen würden, wechseln mit einer religiösen Weise:

. Mit Recitativen und einsamen Violinfiguren wird Umschau gehalten, nach dem Wege zum Himmel gesucht und leise der Erde gedacht, die mit ihren Leidenschaften unendlich weit abliegt von diesem reinen Gefilde. Den zweiten Theil des Purgatorio bildet ein Fugensatz über folgendes Thema:

. Aus diesem Fugensatze klingen Resignation und Betrübniss. Das oben angeführte religiöse Thema schliesst ihn ab und leitet zum letzten Abschnitte des Purgatorio über: einen Chorsatz. In ihm intoniren Frauenstimmen das Magnificat und führen seine frommen Themen in einer einfachen Weise durch, welche sich dem Palestrinastil nähert. Das Orchester geht in schimmernden Klängen mit; bald zart und mystisch wie eine Aeolsharfe, bald mächtig und in ruhiger Pracht dahinrauschend. Liszt hat für diesen Schluss zwei Lesarten gegeben, von denen die erste leise ahnungsvoll verhallt, die andere exstatisch und verzückt im Forte abbricht.

Es wird an anderer Stelle[1]) auszuführen sein, wie Liszt in seiner weitern Entwickelung dazu kam die mehrsätzige Sinfonie aufzugeben und sich ausschliesslich dem neuen Typus der sogenannten „sinfonischen Dichtungen", die durchaus einsätzig sind, zuzuwenden. Im Inland und Ausland ist auf diesem Gebiete Liszt's Gefolgschaft immer gewachsen, die mehrsätzige Programmsinfonie gedeiht dagegen nur spärlich.

Joachim Raff, ist der Tonsetzer, welcher sie nach Berlioz und Liszt am erfolgreichsten vertreten hat. Es kommen hier unter seinen neun Sinfonien die Sinfonie „Im Walde" (op. 153) und die „Lenore" (op. 177) als die verbreitetsten in Betracht. Raff hat in beiden Werken die viersätzige Gestalt der Sinfonie etwas unkenntlich gemacht, indem er seine Compositionen in drei Abtheilungen gruppirt; aber wenn man die einzelnen Abtheilungen näher prüft, so findet sich der vermisste vierte Satz irgendwo als blinder Passagier.

In der Waldsinfonie führt der erste Satz den Titel:

---

[1]) Im 3. Band dieses Werkes, der Concerte, Ouvertüren, Variationen und andre einsätzige Orchestercompositionen enthält.

„Am Tage: Eindrücke und Empfindungen“. Er ist originell eingeleitet durch einige präludirende Takte, in welchen die beiden Hauptthemen des Satzes verkürzt ihre Schatten voraus werfen. Das erste Thema setzt dann im munteren Wandertone ein:

J. Raff „Im Walde“.

. Der Abschluss desselben und die Ueberleitung zum zweiten Thema dauern etwas lange, dann aber kommt letzteres als ein echter Raff:

. Die Terzenbegleitung der Melodie, Nouenakkorde als harmonische Stütze der Hauptpunkte gehören zum Signalement dieses Componisten; wenn er zum Gemüthe sprechen will, kommt ihm in der Hälfte aller Fälle diese volksliedartige Weise auf die Zunge. Sie folgt ihm wie eine Erinnerung aus Heimath und Kinderjahren und fehlt fast in keinem von Raff's grösseren Werken. Die Anlage des Satzes ist die für ein erstes Allegro der Sinfonie übliche. In der Durchführung treten zu den beiden Hauptthemen noch allerhand kleine Waldteufel; auch verschiedene niedliche Kunststücke (Canons etc.) hat der Componist hier untergebracht, welche kaum Jemand beachtet. Die schönsten Stellen des Satzes liegen abseits vom Hauptwege: da wo das Orchester still den einfachen Rufen des Horns lauscht: .

Die zweite Abtheilung betitelt: „In der Dämmerung“ besteht aus zwei Sätzen: A. „Träumerei“, B. „Tanz der Dryaden“, welche dem Adagio und dem Scherzo entsprechen, wie wir sie sonst in der Sinfonie zu finden gewohnt sind. Raff hat sie dadurch enger verbunden, dass er ohne Pause in das Scherzo übergeht und an dessen Schlusse das Hauptthema des langsamen Satzes noch einmal anklingen lässt. In der „Träumerei" ist die Führung einer Melodie übertragen:

an welcher man die Kunst bewundern kann, mit welcher Raff, ein Genie der Eklektik, Beethoven'sche, Schumann'sche und Wagner'sche Elemente zusammenzuschmelzen verstand. Der in seiner Wirkung edle Gesang entspringt der Brust des Träumers. Die Traumbilder selbst, welche sich diesem zeigen, bestehen aus leichten Gaukeleien: concertirenden Figuren und Phrasen der Bläser. Der „Tanz der Dryaden" — Hauptsatz A moll, Trio A dur — ist nichts als ein Pflichttanz, eine jener rein handwerksmässigen Leistungen, die den Genuss der Raff'schen Compositionen immer wieder erschweren. Die dritte Abtheilung der Sinfonie heisst: „Nachts. Stilles Weben der Nacht im Walde. Einzug und Auszug der wilden Jagd mit Frau Holle und Wotan. Anbruch des Tages". Man muss fragen, wie kommt auf einmal die nordische Sage mit Frau Holle und Wotan in ein Tonwerk, welches sich — unbeschadet des Dryadencitats — bisher in der Sphäre einer reinen Naturdichtung bewegt hat? Indess beginnt der Satz zwar gar nicht nächtlich, aber musikalisch sehr ansprechend mit einer Fuge über ein Thema:

welches ziemlich ähnlich auch dem Componisten C. Goldmark bei seiner Sinfonie „Ländliche Hochzeit" eingefallen ist. Aber dann überkommt Berlioz's böser Geist den Tonsetzer und auf Conto der „Frau Holle" entfesselt er ein Spectakelstück, das noch hässlicher, dabei aber viel gewöhnlicher und uninteressanter ist, als die Höllenscenen der Sinfonie fantastique und die Orgien des Childe Harold. Eine Coda', welche die Fuge wieder aufnimmt und leise verklingen lässt, sucht den Endeindruck zu retten.

Die Sinfonie „Lenore" ist Raff's beste Leistung auf dem hier in Betracht kommenden Gebiete: ein edel gedachtes Werk, frei von den Auswüchsen einer ästhetischen Halbbildung, und musikalisch das Beste zusammenfassend, was Raff zu bieten hatte. Eine volle Originalität der motivischen Erfindung, wie wir sie von den Führern und Meistern unserer Kunst verlangen, ist auch in der Lenore nicht zu finden. Fast jedes ihrer Themen zeigt in einem Theile, zuweilen in der ganzen ersten Hälfte auf fremdes Eigenthum, hier sind Beethoven's Quartette die Quelle, dort tritt uns Schumann's Klavierconcert entgegen. Aber die einmal aufgestellten Gedanken sind in dieser Sinfonie zuweilen mit dem Schwung und der Wärme behandelt, die den grossen Künstler macht, und verfiele nicht Raff auch hier hin und wieder in bequeme Breite, in das rein formale „Musikmachen", so würde die „Lenore" geeignet sein, den Namen ihres Schöpfers bei der Nachwelt zu verewigen. J. Raff Lenore.

Die erste Abtheilung der Sinfonie schildert das „Liebesglück". Sie besteht aus zwei selbständigen Sätzen, die dem gewöhnlichen ersten Allegro und dem Adagio in der Sinfonie entsprechen. In dem Allegro herrscht ein erregter Geist. Die Liebe spricht in Tönen des Ueberschwangs, in Themen, die kein Ende finden wollen:

. Dem Jubel und dem still glücklichen Sinnen folgen Scenen, aus denen Sehnsucht und Dankbarkeit zugleich sprechen.

Einen der schönsten Momente des Satzes, einen Augenblick still süssen Erinnerns, zeichnet Raff wieder mit seinem Lieblingsgedanken, mit der Terzenmelodie:

. In dem Durchführungstheil dieses Allegro lassen sich Klänge banger Ahnung hören. Der zweite, der langsame Satz der ersten Abtheilung gleicht einem Gespräch der Liebenden, beherrscht von dem ruhigen Tone der des Besitzes sicheren Liebe. Naive, trauliche, herzliche Gedanken, von der Art wie das Hauptthema beginnt:

Andante larghetto.

, werden ausgetauscht; lächelnd hält der Bursche dem Kosen und Flüstern seines Mädchens still, freundlich bestimmt zusprechend beschwichtigt er die Sorgen Lenores, die in der recitativartigen Gismoll-Episode des Satzes einen erregten Ausdruck finden. Die zweite Abtheilung, betitelt „Trennung“, besteht in der Hauptform aus einem Marsch, der alten Zuschnitt hat und in manchen Wendungen direkt an den „Hohenfriedberger“ erinnert. Der Krieg ist ausgebrochen: Wilhelm muss fort, Ein Mittelsatz (Agitato in Cmoll) enthält die Abschiedsscene der Liebenden; ein Tonbild aus leidenschaftlichen, wie rathlos irrenden Figuren, wehmüthig klagenden Weisen und schmerzvollen Accenten zusammengesetzt. Dann setzt der Marsch wieder ein, am Schlusse hört man ihn wie aus der Ferne. Es ist viel poetische Kraft in dem einfachen Entwurf dieser zweiten Abtheilung. Die dritte Abtheilung behandelt die „Wiedervereinigung im Tode“ mit Grab- und Choralmusik, in welche sinn- und wirkungsvoll die Motive des Trennungsmarsches und der langsamen Liebesscene hineingezogen sind. Am Anfang der Abtheilung bringt Raff wohl im Sinne eines Citats den Abschnitt: „Wenn alle Todten auferstéh'n“ aus der grossen Scene des „Fliegenden Holländers“ in R. Wagner's gleichnamiger Oper. Den schauerlichen Geistercharakter der Situation deutet ein in den tieferen Instrumenten unaufhörlich wühlendes kurzes Motiv an. Am Schlusse lässt der Componist über den Spuck und Lärm der Gespensterscene den Vorhang fallen und spricht einen sanft wehmüthigen und ergreifenden Epilog.

Von den übrigen sieben Sinfonien Raff's gehören noch mehrere der Programmmusik an: „In den Alpen“, „Jahreszeiten“, „An das Vaterland“. Wie die unbenannten Werke der Gattung aus der Feder des Componisten, unter denen die Gmoll-Sinfonie die werthvollste ist, theilen sie unleugbare grosse Schönheiten mit unbedeutenden zierlichen Spielereien und öden Partien der blossen Routine. Die Vorzüge einer ungewöhnlichen, starken Einbildungskraft, eines warmen Gemüths, welche dieser Tonsetzer besass, wurden wett gemacht durch den Mangel an jener Sammlung und Hingabe, welche ein wesentlicher Theil der Poesie selbst ist, durch das Fehlen jener Kritik, welche Büreaudienst vom Dienste der Kunst unterscheidet.

Aug. Klughard „Lenore“.

Eine andere Sinfonie „Lenore“, die ebenfalls der Ballade Bürger's folgt, ist von August Klughardt veröffentlicht worden. Sie hat vier Sätze, unter denen ein Adagio wegen seines Reichthums an innigem, ungekünsteltem Ausdruck hervorragt. Auch in den anderen Sätzen, wo das Element der Situationsmalerei überwiegt, spricht Gemüth und Herz in fesselnden Partien. Das Werk ist leider zu wenig bekannt geworden.

Unter denjenigen neueren Sinfonien, welche in der

hergebrachten viersätzigen Form ein Programm durchzuführen suchen, ist als eine der frühesten Abert's „Columbus" zu nennen. Eine der musikalisch gehaltvollsten Programmsinfonien der vermittelnden Richtung besitzen
J. Rheinberger Wallenstein. wir in dem „Wallenstein" von Jos. Rheinberger. Der Componist hat aus der Schiller'schen Trilogie die Figur der „Thekla", die Lagerscene mit der Capuzinerpredigt und den Tod Wallenstein's zur musikalischen Illustration ausgewählt und diese drei Objecte an das Adagio, das Scherzo und das Finale der Sinfonie vertheilt. Den noch freien ersten Allegrosatz benutzt er zu einem „Vorspiel". Das letztere führt uns am Anfang mitten hinein in das frische, kräftige Lagerleben:

Allegro con fuoco.

etc.

Wallenstein steht hier noch fest und herrisch in der Menge; später zeigt ihn der Componist in seinem Schwanken zwischen düsteren Ahnungen und freundlichen Zukunftsträumen. Auf letztere bezieht sich wohl das eigenthümliche Thema der Bläser, welches mit dem langen Verweilen auf einem Tone beginnt und dann so traulich Schubert'sch schliesst. Einzelne Melodien des Vorspiels sind von einer so ausgeprägt weiblichen Schönheit, dass sie uns von Wallenstein weg an Max und Thekla denken lassen. Dahin gehört das träumerisch wiegende Thema:

welches auch in dem Adagio der Sinfonie verwendet ist. Dahin wohl auch die italienisch anklingende, direkt mit der (erst später erfundenen) „Mandolinata" verwandte Melodie:

Più moderato.

welche die Durchführung einleitet und einen grossen Theil derselben trägt. Die Nähe der Schicksalsmächte wird im Vorspiel in kurzen schwermüthigen Motiven, in Fermaten, welche den lebendig bewegten Gang der Darstellung bedeutsam unterbrechen, angedeutet. Ihnen namentlich scheint die hymnenartige Melodie zu gelten, deren Hauptmotiv folgendes ist:

Sie tritt immer in dunkler Instrumentirung auf, so oft sie in dem Satze erscheint. Beim letzten Male geht ihr eine sehr eindringliche Klage aus dem Munde der Clarinette voraus. Auch im zweiten, im langsamen Satze der Sinfonie, kehrt sie wieder.

Zu den leichtverständlichen Werken der Programmmusik gehört Rheinberger's Tongemälde nicht; am wenigsten das „Vorspiel" mit seiner Fülle von theilweise sehr vieldeutigen Themen. In der musikalischen Behandlung des Materials macht sich der Einfluss Beethoven's in einer seltenen Stärke bemerklich. Durch das „Vorspiel" blickt deutlich die zweite „Lenorenouvertüre".

Das Adagio der Sinfonie, „Thekla" überschrieben, wird von folgender schönen Hauptmelodie getragen:

Auch das zweite Thema ist in seinem mädchenhaften zarten Charakter nicht misszuverstehen. Während es die Bläser singen, begleiten die Violinen mit munteren Motiven, welche das träumerisch schwärmerische Bild der Tochter Wallenstein's mit einem anheimelnden Zusatz von Zierlichkeit ergänzen. Am Ende der Themengruppe erscheint eine kleine Episode erregter Natur, welche der Blumenscene Gretchen's in Liszt's „Faust" ähnlich ist. Sie stützt sich musikalisch auf das kleine Motiv: . In der Schlusshälfte des Satzes wird Thekla wiederholt von Gefühlen stürmischer Unruhe ergriffen. In einem derartigen Momente ist es, wo das früher erwähnte Hymnenthema des ersten Satzes beschwichtigend eintritt.

Das Scherzo „Wallenstein's Lager" wird viel einzeln aufgeführt. Es verdankt diese Bevorzugung seiner bestimmten Charakteristik, der Einfachheit seiner Form und seiner launigen Natur. Die Stütze seines Hauptsatzes bildet das Thema:

Um dasselbe herum reiht sich eine kleine Suite lebendiger Bilder, welche das Soldatenleben von seiner fröhlichen Seite veranschaulichen. Der Triangel klingt mit den Becken; ab und zu giebt auch die grosse Trommel grotesk einen dumpfen Schlag darein. Man spielt und tändelt anmuthig und gemüthlich; zuweilen werden auch die Scenen wilder, barsch und derb. Unter den vielen Nebenthemen, welche im Satze erscheinen, macht sich besonders das folgende bemerkbar:

Es ist die Melodie zu „Wilhelmus von Nassau", einem niederländischen Reiterliede, welches in der Zeit der Reformation sehr beliebt war. In versteckteren und offenen Anspielungen durchzieht dieser Volksgesang das ganze Scherzo von Anfang an. Schliesslich intoniren es die Bläser in seiner Originalgestalt zur Freude des Chorus, welcher es brausend aufnimmt. Da auf einmal: Generalpausen, Dissonanzen — ein Wirrwarr entsteht. Der Capuziner ist da! Seine Predigt vertritt das Trio des Scherzo. Ausserordentlich gelungen hat Rheinberger den bald bissigen, bald larmoyanten, bald salbungsvollen Ton nachgeahmt, welchen der Pater bei Schiller anschlägt, und die Drastik der originellen Scene wird in der Musik noch dadurch erhöht, dass hier auch die Reaction der unfreiwilligen Zuhörer zu einem treffenden lebendigen Ausdruck kommt. Der Haupttrumpf, welchen die übermüthigen Landsknechte dem Strafredner entgegenstellen, ist das Reiterlied.

Der vierte Satz der Sinfonie, „Wallenstein's Tod" hat einen kurzen Prolog (Moderato Dmoll $^{9}/_{8}$), welcher den tragischen Inhalt des Kommenden in schreckenden und klagenden Tönen kurz feststellt und dem unglücklichen Helden einen edlen Trauergesang widmet. Dann beginnt mit dem Allegro vivace (Ddur $^{6}/_{8}$) eine Schilderung der letzten Stunden Wallenstein's. Ein Tongemurmel, dem im Scherzo von Beethoven's Eroica ähnlich, sagt uns, dass die Scene in der Nähe des Soldatenlagers spielt. Wir hören muntere kriegerische Weisen:

Auch Wallenstein scheint ihnen zu lauschen, bis er allmählich in Träumereien versinkt, drückender Natur die einen, liebenswürdig entzückend die anderen:

Das Schlussbild seiner Visionen (Allegro C) gleicht einem Triumphzuge. Wallenstein erwacht. Wieder hören wir den Lärm des Lagers. Der Fortgang ist wie vorhin. Nur lenkt die Traumscene jetzt in eine wunderschöne Sehlummerscene (Adagio $^{9}/_{8}$ Hdur) über. Zum dritten Male beginnt darauf die Musik mit der Schilderung des Treibens im Lager. Wieder träumt Wallenstein. Jetzt aber werden die Motive von grellen Signalen der Posaunen und Trompeten, von wilden Figuren, von Dissonanzen und von einem grässlichen Aufschrei des ganzen Orchesters abgelöst. Die Katastrophe ist vorbei! Mit einem kurzen Epiloge, dessen Knappheit auf die Realistik der letzten Scene sehr beruhigend wirkt, entlässt uns der Componist.

Schiller hat neuerdings zu anderen Programmsinfonien Veranlassung gegeben, die im Publikum noch wenig bekannt geworden sind: M. Moszcowsky's „Jeanne d'Arc", J. L. Nicodé's „Maria Stuart" und H. Huber's „Tell".

H. Hofmann „Frithjof".

Eins derjenigen Werke, in welchem zwischen Programm und Musik nur ein lockerer Zusammenhang besteht, ist die früher vielgespielte Sinfonie „Frithjof" von Heinrich Hofmann. Der Componist beschränkt sich auf den erotischen Theil der bekannten Sage E. Teguer's, und entwirft in dem ersten, zweiten und vierten Satze seiner Sinfonie von dem Glücke Frithjof's und Ingeborg's, von ihrer Trennung und ihrem Wiederfinden, eine Schilderung, welche an und für sich beredt ist, aber sicher auch auf jedes andere Liebespaar ebenso gut passen würde. Das Localcolorit, unter welchem wir die Bilder nach dem Titel des Werkes gern sehen möchten, ist in einem eingeschobenen dritten Satze „Lichtelfen und Reifriesen" extra beigegeben. Im ersten Allegro der Sinfonie, „Frithjof und Ingeborg" überschrieben, wechseln, in der Sprache der modernen Oper geflüsterte, zärtliche Geständnisse, schmeichelnde und kosende Reden und überschwängliche, glühende Erklärungen. Die beiden Hauptgestalten sind in ihren Themen mit Motiven charakterisirt, welche im Finale der Sinfonie wiederkehren. Frithjof mit

, Ingeborg mit:

Der zweite Satz heisst „Ingeborg's Klage". Das trauernde Mädchen ist repräsentirt durch:

und durch das Schumann'sche (Cdur-Sinfonie):

, das hoffende durch:

. In der sehr kurzen Durchführung ist eine Episode der Erinnerung an Frithjof gewidmet. Sie steht auch motivisch mit dessen Thema in einem erkennbaren Zusammenhang: .

Die „Lichtelfen" des dritten Satzes („Intermezzo") werden durch folgendes Hauptthema gezeichnet:

.

Die „Reifriesen" führen über:

 einen Tanz aus, dessen wilder Charakter durch hohe Triller und durch compacte Bläsermassen noch verstärkt wird. Die Erfindung und die Entwickelung der Themen zeigt den Einfluss von Mendelssohn und Gade. Das Eigenste des Componisten liegt in der lebendigen Farbenmischung, zu deren Reizen ein Glockenspiel einen aussergewöhnlichen Beitrag steuert.

Der vierte Satz, „Frithjofs Rückkehr", beginnt mit einer anschaulichen Einleitung. Hornsignale tönen von allen Seiten, allarmirende Figuren der Violinen rufen uns, einem festlichen Ereigniss zuzuschauen. Die heimathlichen Helden kehren als Sieger zurück, wie uns das aus Wagner'schen und Weber'schen Elementen zusammengesetzte und mit einem frischen Kopfe gekrönte Hauptthema sagen will:

Allegro vivace.

ff Viol.

Die Seitengedanken und das zweite Thema:

wenden sich intimeren Herzensangelegenheiten zu. Schliesslich erscheint Ingeborg mit ihrem Thema aus dem ersten Satze der Sinfonie.

Eine kürzlich veröffentlichte Programmsuite H. Hofmann's, „Im Schlosshofe", gehört zu den besten Leistungen des Componisten.

Ebenso und noch mehr lose als im „Frithjof" sind die Beziehungen zwischen Titel und Inhalt in der Sinfonie „Ländliche Hochzeit" von Carl Goldmark. Der Gegenstand ist für ein bescheideneres Genrebild, etwa im Umfang und Stil der „Festklänge" von Liszt, sehr geeignet; aber für eine Sinfonie oder eine grosse Suite — das letztere ist die Goldmark'sche Composition eigentlich — nicht wichtig genug. Auch ist der ländliche Charakter des zur Darstellung gewählten Ereignisses nicht eben eindringlich veranschaulicht; einzelne Partien widersprechen *ihm* geradezu. Aber die Goldmark'sche Sinfonie hat ihren musikalischen Werth. Sie verbindet Reichthum der Phantasie mit einem theilweise eigenthümlichen, immer aber fertigen und sicheren Ausdruck.

C. Goldmark „Ländliche Hochzeit".

Der erste Satz besteht aus einer Reihe von 12 Variationen. F. Lachner hat diese Form für den Eingangssatz der Suite eingeführt. Von ihm unterscheidet sich Goldmark dadurch, dass er die Variationen frei durchführt. Nur wenige bringen das ganze Thema; in einzelnen finden wir nur kurze motivische Fragmente desselben, in einer dritten Gruppe herrscht nur ein ideelles Verhältniss zum Modell. Der Ueberschrift nach bedeutet dieser erste Satz den „Hochzeitsmarsch". Im technischen Sinne marschmässig sind nur der Anfang und der zu diesem zurückkehrende Schluss. Die Variationen haben wir uns als Figuren aus dem Hochzeitszug oder als Stimmungsbilder zu denken: einzelne phantastisch oder innig und beschaulich: die Mehrzahl flott, feurig und freudevoll. Das Thema selbst beginnt, in den Bässen allein, mit folgender Periode:

welcher der entsprechende Nachsatz folgt. Es schliesst mit einem freien Abgesang:

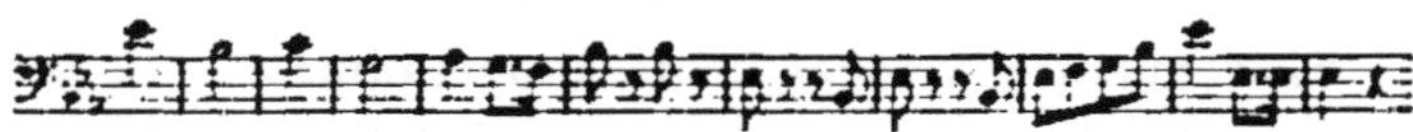

dessen lange Noten sich sehr hübsch in den Variationen bemerklich machen. Von besonderem Reize ist die Instrumentation des Satzes.

Der zweite Satz — „Brautlied" überschrieben — ist eine knappe Composition in der Form der dreitheiligen Arie. Der Hauptsatz hat reizende Elemente Schubert'scher Melodik. Sein führendes Thema ist das folgende:

Dem Mittelsatz giebt die ungewöhnliche Wahl der Tonart (Unterdominante) den Charakter grosser Wärme.

Der dritte Satz, „Serenade", hält die kunstvollere Form der Sonate ein. Seine Themen:

und das in der Durchführung bevorzugte:

sind beide leichter scherzender Natur. In der Instrumentirung, die zuweilen eine dorfmässige Einfachheit besitzt, und in der Harmonie, in welcher die liegenden Bassquinten eine grosse Rolle spielen, hat der Componist ländliche Züge sehr launig eingewebt.

Der langsame Satz der Sinfonie führt den Titel „Im

Garten". Die Einleitung dieser Scene und der mit ihr identische Ausgang wird mit Recht als der schönste Theil der ganzen Sinfonie angesehen. Das Thema, welches demselben zu Grunde liegt:

bildet in dem wilden Finale der Sinfonie dann nochmals eine kurze, zarte, träumerische Episode. Den mittleren Theil des Satzes (Ges dur, $^{12}/_{8}$ Takt) bildet ein Liebesdialog, in der glühenden Sprache von Wagner's „Tristan und Isolde" geführt.

Der Schlusssatz der Sinfonie heisst Tanz. Sein Hauptthema:

welches zunächst in der Form der Fuge ausgeführt wird, bringt kecke und volksthümliche Elemente in die Compositiou hinein. Unter allen Theilen der Sinfonie ist das Finale derjenige, welcher den ländlichen Charakter der Hochzeit am treuesten veranschaulicht und ein wirkliches Stück realistischer Programmmusik bildet. Eigenthümlich und mehrdeutig sind die nach Klang und Tonart so fremden Harfenaccorde, welche an mehreren Stellen des Satzes mitten in den stärksten Tumult hineintönen.

Richard Strauss.

Die neuesten und bedeutendsten Beiträge zur Programmmusik hat Richard **Strauss** geliefert. Aber dieser Componist hat sich bald für die Form der einsätzigen sinfonischen Dichtungen entschieden, Programmcompositionen von cyclischer Anlage, die dem Bereich der Sinfonie oder Suite zuzuweisen wären, giebt es von ihm nur eine. Sie heisst „**Aus Italien**" und scheint jetzt, nachdem der Componist in „Tod und Verklärung", in „Till Eulenspiegel", und in „Also sprach Zarathustra" kühnere die Aufmerksamkeit erzwingende Würfe gethan hat, nachträglich stärkere Beachtung und Verwendung zu finden. Mit diesem Werke vollzog der Componist, der bis dahin mit einer grossen Fmoll-Sinfonie und andren Beiträgen zur sogenannten absoluten Musik, sich als ein stark eklektisches, anlehnendes und für äussere Effecte begabtes Talent gezeigt hatte, seinen Uebergang in das Lager Liszt's und der Tonmalerei. Es ist sein opus 16. Strauss nennt die Composition mit der ihm eignen Willkür und Sondersucht, die sich auch in den oft geradezu verkehrten Tempobezeichnungen des Werkes äussert, eine „Sinfonische Fantasie". Das eigentliche Formgebiet, dem sie von aussen und innen zugehört, ist aber das der Suite. Sie ist eine Programmsuite von freundlicherer Art, wenn auch nicht immer ganz massvoll, so doch frei von eigentlichen Excessen der Phantasie und der musikalischen Ausführung und nach letzterer Richtung reich an Proben eines coloristisch, in zweiter Linie auch melodisch hervorragenden Talents.

Die Strauss'sche Fantasie oder Suite hat vier Sätze und die Hauptbilder, die er in ihnen vorführen will, heissen: Auf der Campagna, In Roms Ruinen, Am Strande von Sorrent und Neapolitanisches Volksleben. An Versuchen italienische Eindrücke wiederzugeben, ist die Musik im Allgemeinen nicht arm. Im Orchester allerdings liegen sie von der Pifferarisinfonie des Händel'schen „Messias" angefangen, nur spärlich vor und haben in Berlioz's „Harold" und seinem „Römischen Carneval" die Hauptstücke aufzuweisen. Um so reicher ist die Kammer- und Klaviermusik mit ihnen ausgestattet. Die Beiträge, die Strauss in seinem Programm zu diesem Capitel zu geben verspricht, haben die musikalische Möglichkeit für sich. Wer an die Campagna, an Rom, an Sorrent, an Neapel denkt, dem erweckt schon jedes dieser Worte eine Stimmung für sich, jede gross und jede eigen. Und wenn man die ungeheure Fülle landschaftlicher und historischer Charaktere Italiens in seiner Phantasie aufsteigen lässt, muss man dem Componisten das Zeugniss geben, dass er Hauptpunkte gewählt hat. Venedig bei Seite zu lassen, mag ihn vielleicht Liszt's Tasso bewogen haben.

Was die „Campagna" (di Roma), die den Gegenstand des ersten Satzes (Andante C, G dur) bildet, poetischen Gemüthern von Horaz bis auf Molike und Gregorovius, immer wieder eingeprägt hat, ist vornehmlich ihre schwermuthsvolle Schönheit. Hier der weisse Soracte mit den andren herrlich ragenden Bergen und das nahe Meer, dort die Lavaströme, die die Fluren verwüstet, menschliche Ansiedlungen im Thale und auf der Höhe vernichtet haben. Eine Natur, die gelockt und gemordet hat, eine Landschaft, deren Reizen die Tücke der Malaria gegenübersteht.

Strauss hat vor diesen Gegensätzen mit dem Gefühl des Räthselhaften und Geheimnissvollen gestanden. Fast scheint es als wolle er uns eine verrufene Stätte, ein verwunschnes Land schildern wenn er einsetzt:

Der hervortretende Bratschenklang, die zwischen Moll und Dur schillernde Harmonie, der schleichende Gang der Motive geben der Stelle etwas Märchenhaftes, todt Gespenstisches, etwas uralt Unheimliches. Das Leben der Gegenwart regt sich in dem bescheidnen Motiv 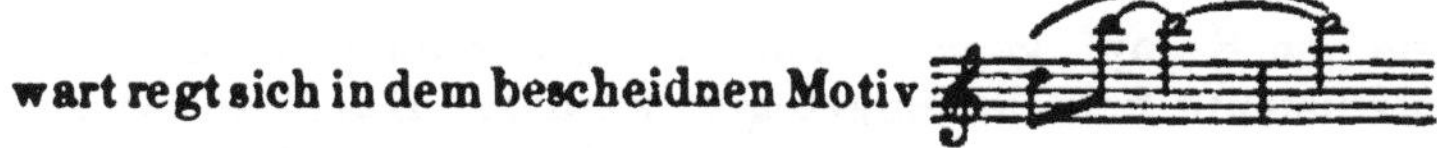 das die Flöten mehrmals leise in die Oede hineinrufen.

Der Wandrer überwindet durch diese Lebenszeichen die Fremdartigkeit des ersten Eindrucks; die Starre, die sich seiner Empfindung bemächtigt hatte, weicht einer Mischung von Neugier und Wehmuth, die die Musik in folgender Weise ausdrückt:

Darauf setzt das Octavenmotiv das die Flöten zuerst einführten, mit grössrer Entschiedenheit, rascher nacheinander und in zahlreichen Instrumenten ein; die entfachte Bewegung verlischt aber sofort wieder. Klagend steigen die Hörner die Scala hinab und der Wandrer fasst seine Eindrücke in eine Melodie, die ebensoviel von grossen wie von traurigen Erscheinungen erzählt:

In ihrem weitern Verlauf heitert sie sich mehr und mehr auf und als sie zum Es-Durschluss kommt, da setzt die Trompete mit dem lebensfrohen Motiv ein, das sie ins Thema 2 zuerst einfügte. Gleich einem Heroldssignale locken diese wenigen Trompetentöne freundliche Nebenmelodien herbei, die drängend und schwungvoll in dieses zweite Thema selbst auslaufen. Sein Endtheil, der vorhin wehmüthig klang, kommt jetzt in den Hörnern glänzend und triumphirend. Es war ein Aufleuchten der Stimmung. Noch ist der Horizont mit Gewölk bedeckt. Das elegische Octavenmotiv und das muntre Eingangsmotiv des zweiten Themas ♪ | ♫ ♪ führen in den Bläsern einen kurzen frischen Kampf gegen einander, in der auch die Streichinstrumente bald hineingezogen werden. Das Resultat ist: dass die Sonne und die Freude siegen. In einem grandiosen Fortissimo kehrt G dur — zunächst als Quartsextaccord — zurück und bringt eine neue Melodie mit sich, die, allerdings an Elemente des zweiten Themas anknüpfend, die erhabene Schönheit der Campagna hymnenartig verherrlicht. So beginnt sie:

Das ist der Glanz- und der Mittelpunkt von dem Campagnabild das Strauss uns zeigt. Es ist der musikalische Niederschlag eines jener Augenblicke wo der entzückte Blick von den blauen Linien der Küste hinübereilt nach der scheinbar oben am Himmel wie eine Vision auftauchenden Peterskuppel, wo vor dem geistigen Auge die Zeiten und die Gestalten vorüberziehen, die über diese Landschaft hinweggeschritten sind. Da wogt es in der Seele des Beschauers wohlig und auch ernst:

Thema 3

kehrt zunächst in den Cellis wieder. Ein weitres erregtes Thema tritt in den Violinen hinzu. Die Musik spricht in doppelten und dreifachen Zungen in jener feurig, oft sinnverwirrenden Polyphonie, die die jüngere Componistengeneration aller Länder von R. Wagner gelernt hat. Strauss lässt aber in dieser Suite schon merken was seine spätern sinfonischen Dichtungen unwiderleglich künden, dass er in dieser besondren Kunst den Meister zu überbieten vermag. Dieser Abschnitt des ersten Satzes seiner Suite, der ungefähr der Durchführung im gewöhnlichen Sonatensatz entspricht, endet mit einer neuen in den grösstmöglichen Glanz gekleideten Intonation von Thema 4, bricht aber mitten drin plötzlich ab. Ein geisterhafter Bläseraccord, das elegische Octavenmotiv, ein kurzer Aufzug der Hauptthemen zum Theil in umgekehrter Ordnung — Ende! Die neuere Kunst überhaupt, nicht blos die Musik, scheut ja vor keiner Unfreundlichkeit wenn sie die Naturtreue und die Lebenswahrheit für sich hat. In diesem Fall kommt aber auch zu Gunsten von Strauss eine Schönheit hinzu die ganz aus dem Charakter des Gegenstandes fliesst: Die Campagna entlässt ihre Freunde mit einem elegischen und mysteriösen Endeindruck!

Der zweite Satz (Allegro molto con brio, 6/4 3/2, C dur) führt die Ueberschrift „In Roms Ruinen“. Sie wird durch den Zusatz ergänzt: „Phantastische Bilder entschwundner Herrlichkeit, Gefühls der Wehmuth und des Schmerzes inmitten sonnigster Gegenwart“. Damit ist eine Reihe poetischer Vorstellungen erweckt, denen die Musik nicht in dem erwarteten Masse gerecht wird. Den fröhlichen

Bildern fehlt der phantastische Charakter, die Gefühle der Wehmuth und des Schmerzes, die grossen Eindrücke die sich für den gebildeten Beschauer an Colosseum, Capitol, Forum Maximum, Pantheon, Hadriansburg und die andern erhabnen Reste der Grösse des alten Roms knüpfen, kommen in diesen Tönen nicht zum Vorschein; dazu fehlt dem Satz vor Allem die Ruhe und die scharfe Gliederung. Er ist ein sehr eigensinniges, theilweise wildes Capriccio nicht ganz ohne Züge die sich auf Wesen und Charakter der ehemaligen Römerwelt deuten lassen; aber viel mehr als für das Programm für den Componisten charakteristisch, der in jugendlicher Rücksichtslosigkeit in der Wahl und Gestaltung seiner Ideen und Einfälle nur seiner subjectiven, augenblicklichen Disposition folgt und nichts nach der Fassungskraft einer unvorbereiteten Zuhörerschaft fragt. Sie muss in diesem längsten der vier Sätze auf schwierige Rhythmen und auf Hartnäckigkeit im Arbeiten und Verfolgen spröder Motive gefasst sein.

Der Satz hat wieder wie der vorhergehende eine Dreitheilung in Themengruppe, Durchführung und Wiederholung. Die Themengruppe führt mit

zunächst vor die phantastischen Bilder von denen das Programm spricht.

Es ist eine Weise mit der sich der Gedanke an fröhliche kräftige Spiele verknüpfen lässt. Ein Zug von Härte liegt in ihr, der zum altrömischen Wesen gut passt. Das Thema wird sofort in einem selbständigen Sätzchen umgebildet und erweitert, das mit einer sehr breiten, bunten Modulation — in Trompeten und Posaunenklang gehüllt — nach C dur zurückkehrt. Man erwartet einfache Wiederholung, aber die Melodie kommt grösser und kecker

 und zieht als-

bald ein Thema nach sich, das zum ersten Mal auf die Gefühle der Wehmuth anzuspielen scheint von denen die Ueberschrift redet:

Es hat einen Hang sich ins Unscheinbare zu verlieren und kommt auch bald auf einem mit ungestümer Energie erfassten verminderten Septaccord ausser Sicht, den wir wohl als Accent des programmmässigen Schmerzes aufzufassen haben. Erläutert wird er durch ein neues drittes Thema:

das auf die Kraft und die Grösse hinweisst, deren Zeugen diese Römischen Ruinen einst gewesen sind. Nun zeigt der Tonsetzer auf die sonnige Gegenwart:

und verweilt bei diesem anmuthig friedlichen Thema mit träumerischer Befriedigung. Da kommt ihn doch wieder der Gedanke an die Ruinen und die Frage warum die blühende Welt verschwunden, zu der sie gehört haben? Antwort geben die Motive:

Unfriede wars und Kleinlichkeit. Den Blick immer wieder flüchtig auf die sonnige Gegenwart gerichtet, vertieft sich der Componist in das Treiben dieser Mächte. Seine Betrachtungen gipfeln in lauten Wehklagen:

heisst es zuerst, beim zweiten Mal durchschneidet den Versuch des Stimmungsaufschwungs ein furchtbar grausam (neben G dur) hingesetzter langer As dur-Accord!

Die Durchführung verknüpft zunächst Motive aus dem ersten Thema mit solchem aus dem fünften, als sollte ein Bild von dem ethischen Prozess gegeben werden, der das Wesen der Römer verdarb. Ihren Hauptinhalt bilden Satzgebilde, denen das dritte Thema und seine Vorstellungen zu Grunde liegen. Die Grösse und Macht der alten Welt, die Trauer um ihren Untergang sind in einer noch viel stärkren und tiefer eindringenden Weise als in der Themengruppe die Gegenstände der musikalischen Darstellung in der Durchführung. Einen kleineren Antheil nimmt an ihr auch die wehmüthige Weise des zweiten Themas.

Der Wiederholungstheil führt die Bilder und Betrachtungen der Themengruppe mit den gewohnten, hergebrachten kleinen Aenderungen noch einmal vorüber. Eine kurze angefügte Coda stellt das Thema (4) der „sonnigen Gegenwart“ in den Vordergrund und kehrt von den Ruinen in das Leben der Zeit zurück.

Der dritte Satz (Andantino, $^3/_8$, A dur) ist der eigentliche langsame Satz der Suite. Strauss bezeichnet ihn mit Andantino ziemlich missverständlich; ein sehr getragnes Tempo ist gemeint. Sein poetischer Gegenstand ist Schilderung von Eindrücken, Stimmungen „am Strande von Sorrent“, die Ausführung arbeitet mit ganz ausgesucht feinen und eignen Farben, sie arbeitet lebendig und elastisch, aber vorwiegend zart.

Zuerst lässt der Componist die Natur sprechen in einem auf wesentliche Motive verzichtenden, fast rein in Accord und Rhythmus gehaltnen Präludium. Diese zweiunddreissig Takte überschütten aber den Hörer mit einem üppigen Segen vollsinnlicher Klänge. Da huschen Violinfiguren in höchsten Lagen durcheinander, Spielarten und Tonregionen, die in der Regel unberührt bleiben, werden lebendig, die verschiednen Rhythmen kreuzen sich, Triller und Verzierungen aller Art klingen von oben und unten, in Ruhe und in Eile. Das Sätzchen wirkt blendend, überwältigt wie eine Landschaft, die den Sinnen mehr bietet als sie aufnehmen können.

Dann beginnt eine Scene der Träumerei. Der Dichter spricht, die Seele voll Dank und höhrer Wonne:

Den Ueberschwang der Stimmung verrathen schon die verhältnissmässig zahlreichen Noncnaccorde auf denen die Melodie ruht. Wie warm sie auch wird, die Aussenwelt bringt sie nicht zum Schweigen, jeden Augenblick contrapunktirt eine reizende Stimme aus der Natur anmuthig hinein. Und diese Partei nimmt in dem mit

eingeleiteten Seitensatz das Wort ganz für sich in Beschlag, legt ihren ganzen Reichthum aus und freut sich ihrer Macht bis zur Leidenschaftlichkeit. Das ist wo die scharfe Dissonanz *cis-dis* im forte herausgestossen wird. Wie über den lauten Ton beschämt und erschreckt, verschwindet die Sippe der Naturgeister mit einem Schlag und der Dichter giebt sich aufs Neue der Beschaulichkeit hin

Eine auf einer liegenden Stimme festgehaltne und sonst mit Spannungsmitteln ausgestattete Begleitung hebt diese

Weise aus der populären Sphäre, der sie angehört, etwas heraus. Ohne Vermessenheit dürfen wir sie auf trauliche deutsche Heimathserinnerungen deuten. Bald lässt sich auch einer der eingebornen Südländer hören. Der Satz schlägt nun nach Amoll, das Tempo wird bewegter, in den Cellis, Bratschen und Fagotts treten raschere Figuren auf. Es ist als ob der Wind die See kräuselt. Da kommt ein Boot und ein Sänger drauf mit einer echten, aus dem Land gebornen Melodie, einem Abkömmling jener edlen Sicilianos, die seit dem Ende des 17. Jahrhunderts von jener Sorrenter Gegend her über ganz Europa gedrungen sind:

Gefährten antworten bald; so giebt dieser nur kurze Mittelsatz ein sehr willkommnes, belebendes Intermezzo. Ein dritter Theil, mit dem Tempo des ersten mischt dessen thematische Elemente frei und phantastisch; noch stärker als der Anfang steht er unter dem Zauber schwirrender, girrender, sinnverwirrender Klänge und Figuren.

Der vierte Satz (Allegro molto, $^{2}/_{4}$, Gdur) führt uns „Neapolitanisches Volksleben“ vor. Was wir hier zu erwarten haben, lässt der tolle Einsatz schon ahnen. Das volle Orchester stürzt auf einem freien Nonenaccord herein und in rasendem Lauf schwingen sich von ihm die Geigen und Bratschen unisono dem Hauptthema des Satzes entgegen:

Wer einmal zwischen Monte Cassino und Capri gereist ist, wer in der Schweiz etwa wandernden süditalischen Sängern zugehört hat, dem sind diese und ähnliche Melodien geläufig. Von den beiden Geistern der Operette und der Degeneration getrieben improvisiren die Kinder dieses musikalischen und leichtherzigen Volks derartige Weisen zu jedem Text und zu jeder Zeit; der ganze ehemals so reiche Gesangschatz des Königsreichs beider Sicilien wird heute fast ausschliesslich von ihnen vertreten. Wenn Strauss also sein Finale mit diesem Gassenhauer eröffnet, so erweckt er grosses Vertrauen in Bezug auf die photographische Treue seines musikalischen Bildes. Die Melodie fährt mit kräftigem Gliedern ihrem Schlusse zu, der zugleich das Ende des ersten Abschnitts des Satzes ist. Er kommt rascher als man vermuthet, kommt in H moll und führt zu einem Seitensatz, der über

und ähnliche lustige Motive leicht und anmuthig tändelt. Er baut klar und emsig in zweitaktigen Abschnitten auf, zum Schluss hin erhält er durch das Eingreifen chromatischer Bässe:

einen Stich ins grotesk Humoristische. Die stürmischen Einleitungstakte kehren wieder und führen zum zweiten Hauptthema des Satzes:

Es ist in südländischer Art innig, jedenfalls liebenswürdig und zeigt durch die Vertheilung auf zahlreiche Instrumente auf das echt gesellige Wesen des geschilderten Volks. Lange hält dieser ruhigere Ton nicht an. Themenreich wie Liszt stellt Strauss bald in diesen ersten Theil seines Finales noch einen vierten Gedanken, der folgendermassen bei den Flöten beginnt:

Er bringt in die Musik eine ganz eigne, halb komische, halb dämonische Lustigkeit, ein Abbild jenes temperamentvollen nervösen Wesens, das dort unten die Revolutionen macht und auch dem Spiel und dem Tanz sein Gepräge giebt. Die Abschnitte die der Componist aus diesen kreiselnden Motiven in den nun folgenden Durchführungen gestaltet hat, bestimmen die Erinnerung an seine Neapolitanischen Schilderungen am prächtigsten und am angenehmsten. Im Allgemeinen wird man von den Entwickelungen, die Strauss giebt, den Eindruck eines vielfachen Uebermasses haben. Die Darstellung ermangelt der Leichtigkeit, die dem Gegenstand natürlich ist; sie ist zu zäh im Festhalten der Motive, zu sehr in der Farbengebung von Berlioz beeinflusst. Wozu hier überhaupt Posaunen? Wohl aus demselben Grunde aus dem unsre modernsten Maler für zwei kleine Gänse eine ganze volle Stubenwand bemalen. Ein sehr guter poetischer Einfall in der Reprise ist die Einführung von Motiven aus dem ersten Satz: in dem Lärm und der Unruhe dieses Neapel der Gedanke an den Frieden der Campagna!

Den Schluss der deutschen Beiträge zu den mehrsätzigen Formen der Programmmusik bildet ein Werk, das ein würdiges und gehaltvolles poetisches Thema mit ernster Eingebung und innerlicher Wirkung aber ganz mit den sinfonischen Mitteln der classischen und romantischen Schule durchführt. Es ist die viersätzige Tondichtung „Traum und Wirklichkeit" von Philipp Scharwenka (op. 92), dem ältern Bruder des bekannten Pianisten Xaver S., der auch temperamentvolle Sinfonien componirt hat. Ihr Gedankengang verfolgt einen Lebenslauf, der freundlich, voller Hoffnungen und Illusionen beginnt und mit Enttäuschungen und in Resignation endet. Ein ausführliches Gedicht aus der Feder des Componisten giebt über die Absichten, die die Composition im Einzelnen verfolgt eingehende Auskunft. Die vier Sätze, aus denen die Sinfonie — wie wir die Bezeichnung Tondichtung ruhig übersetzen dürfen — besteht, gehen ohne Pausen einer in den andern über, stehen auch thematisch in enger Verbindung und

Phil. Scharwenka „Traum und Wirklichkeit".

behandeln das Schema der Sinfonie ziemlich frei. Was sie unter ihresgleichen auszeichnet, ist der grosse Herzensantheil und die Gemüthswärme, die aus der Musik Scharwenka's spricht. Unsre heutige Oeffentlichkeit hat für Spohr'sche Naturen nicht das volle Verständniss; denjenigen Kreisen aber welche sich zu einem harmonischen und ehrlichen Künstler, auch wenn er abseits vom Wege steht, hingezogen fühlen, kann die Arbeit nur eifrig empfohlen werden.

Der erste Satz (Allegro moderato, C, Ddur) führt mit dem Thema:

eine edle liebenswürdige aber für die rauhe Wirklichkeit unsrer Tage wohl etwas zu weiche Jünglingsgestalt ein. Diesem auffallender Weise im Verlauf der Composition nur wenig benutzten Thema folgt eine längere Gruppe zierlicher Nebengedanken, die — zum Theil in Wendungen die an Hermann Götz und an die Meistersinger erinnern — sich in kleinen Schwärmereien entgehen. Allmählich kommt nach diesem weniger gelungenen und zersplitterten Abschnitt wieder ein grosser Ton in die Stimmung und bringt neue tiefer eindringende Weisen. Unter ihnen ist die Melodie:

die wichtigste. Sie bedeutet das Herzens- oder Geistesideal unsres Helden und kommt am Schlusse der Sinfonie zu rührender Bedeutung.

Der zweite Satz (Allegretto scherzando, $^3/_4$, Fdur) ist eine Art langsamer Walzer, bestimmt die glücklichste Stunde dieses Menschenslebens einzuleiten. Mit rhythmischen Motiven in den Hörnern, melodischen Bruchstücken in Clarinetten, Flöten, Geigen verlockend präludirend gelangt er endlich zu folgendem Hauptthema:

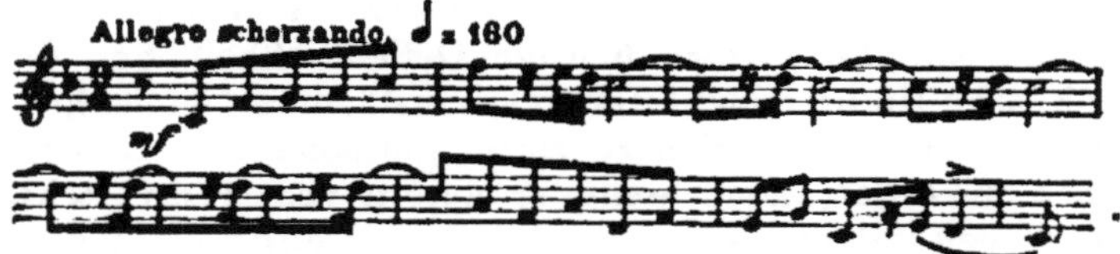

Der Jüngling schwingt sich im Reigen mit der Erwählten; heroische etwas finstre Motive künden seine stolzen Gefühle, die Wonne in seiner Brust spricht am deutlichsten aus folgender an Raff anklingender Melodie:

Dieses Thema leitet über zu der Scene des Geständnisses und der Erhörung die den Inhalt des dritten Satzes (Andante tranquillo, 3/8, Bdur) bildet. Sie folgt allerdings dem Eintritt dieses innigen Themas nicht unmittelbar, sondern die Freuden des Tanzes werden noch gründlich ausgekostet. Dann kommt endlich langsames Tempo und wehmuthsvoller Klang. Es wird Abend, das Fest muss schliessen. Die Musik bringt in einem Uebergangssätzchen die Stimmung einer gewissen Müdigkeit zum Ausdruck, es wird stiller und stiller und als es einsam um das liebende Paar geworden da setzt das schöne Thema des Andante zunächst im Horn ein:

Das ist die stille Seligkeit. Ein zweiter Theil des Satzes in Ddur, zeigt erregtere Herzen, lebhaftes Zwiegespräch von ewigem Glück, zeigt ungeduldiges Sehnen. Dann kehrt der Bdurtheil wieder von einer Coda gefolgt, in der der Ueberschwang der Stimmung sich eigens in einer Clarinettencadenz Luft macht. Unruhige Trompetensignale reissen den Zuhörer aus dieser Idylle fort. Das Leben mit seiner harten Prosa ruft. Der vierte Satz (Allegro, C, D moll) beginnt.

In seinem ersten Theil stellt er von den Trompetentönen immer wieder unterbrochne Sätze unruhigen Charakters auf. Das erste Hauptmotiv ist an ein verwandtes aus dem ersten Satz angeknüpft:

Steigend und steigernd tritt zu ihm das feste und energische:

Die Stimmen benutzen es zum Fugiren. Und bald nach der ersten Durchführung erscheint dann das (oben angeführte) schöne zweite Hauptthema des ersten Satzes, wie der gute Geist der den Kämpfer leitet, des Mühens und Ringes Preis und Lohn. Umsonst, alles umsonst! Noch einige verzweifelte Anläufe, äusserster Kraftaufwand, Webrufe mit Intonationen, Verlängerungen und Verkürzungen des letztcitirten Fugenthemas gemischt — dann setzen die Messingbläser den Choral „Herzlich thut mich verlangen" ein. Der Componist hat sich ihn mit dem Text „Wenn ich einmal soll scheiden" und somit als Grab- und Trauermusik gedacht. Diesem Ende sendet er einen Epilog nach, der dem leidenschaftlichen Schmerz, mehr noch aber der süss wehmüthigen Erinnerung an die schönsten Momente der vorausgegangnen Sätze gewidmet ist.

Von Berlin aus ist vor einem Jahrzehnt noch eine Programmsinfonie von Friedrich Koch bekannt geworden, die den Titel führt: „Von der Nordsee" (D moll, op. 4). Unter den neueren Schilderungen des Meers in der Sinfonie ist sie die bescheidenste. Nur im letzten Satz (Auf hoher See) scheint die Phantasie von einem Hauch des unergründlichen Urelements und seiner

Kraft belebt. Die andren (Friesenfahrt, Abend am Strande, Spiel der Wellen) sind im Charakter der sanften Bilder Douzettes aufgefasst: Mondschein über den glatten Wellen und Anmuth ringsum, Hoffmann'sche Schule!

Auch im Auslande tritt die Programmmusik in Sinfonie und Suite hinter den Werken zurück welche bestimmte poetische Ziele nicht angeben oder vielleicht — was schlimm ist — gar nicht einmal haben. Nur Frankreich macht, alten Traditionen folgend eine Ausnahme. Die Programmsuite ist hier geradezu die Normalform für cyclische Orchestercompositionen; eigentliche Programmsinfonien gehören aber auch hier wie zu den Zeiten von Berlioz zu den Seltenheiten. Als eins der wenigen Werke dieser Art, die die Landesgrenze überschritten haben verdient die in neuerer Zeit wiederholt auch in deutschen Concerten gebrachte Sinfonie zu Schiller's „Wallenstein" von Vincent d'Indy (op. 12) Beachtung. Der Componist nennt diese Arbeit, wohl an Schiller's Gesammttitel anknüpfend, eine „Trilogie". Das ist für Form und Inhalt des Werks etwas zu volltönend. Es sind nicht drei Sinfonien, die er vorlegt, sondern es ist eine Sinfonie, — ähnlich wie die Listzt'sche zu „Faust" — in drei Sätzen. Der erste will ein Bild des Lagers, der zweite des Liebespaars (Max und Thekla) geben; der dritte knüpft an „Wallenstein's Tod" an. Ein enger Zusammenhang besteht nur zwischen dem ersten und dritten Satz; der zweite, der auch den Untertitel Piccolomini führt, eignet sich für eine Einzelaufführung. Die Sinfonie zeigt wenn auch keine besonders tiefe, so doch eine im Ganzen sehr lebendige Auffassung der deutschen Dichtung, eine anschauliche musikalische Erfindung und einen auf breiter Bildung ruhenden, geschickten Stil. Individuelle Züge sind d'Indy nicht eigen, sondern er theilt mit der Mehrzahl der neufranzösischen und neurussischen Orchestercomponisten die Vorliebe für Nonen und Undecimenaccorde, für Orgelpunkte und ähnliche harmonische Vergrösserungsmittel, den Wagner'schen Einfluss auf die Stimmführung, die interessante, dissonanzenreiche Contrapunktik. Wie alle diese Ausländer ist auch

Vincent d'Ind „Wallenstein"

V. d'Indy ein hervorragender Colorist, allerdings starkem Farbenauftrag etwas einseitig zugeneigt.

Rheinberger hat mit vollem Recht dem Wallenstein selbst in seiner Sinfonie einen vollen Satz gewidmet. d'Indy begnügt sich dessen Gestalt ab und zu durch die Sätze schreiten zu lassen. Es war ihm nicht um die Schilderung von Charakteren zu thun, sondern darum die Eindrücke der Schiller'schen Dramen ins Musikalische zu übertragen:

Bei dem ersten Satz „Le Camp de Wallenstein" (Wallenstein's Lager) macht sich die französische Abkunft der Musik am deutlichsten geltend. Sie hat für die ernsten Figuren und Reden des Schiller'schen Lagers keine Töne und lässt nichts von der Zeit und dem Boden ahnen die dem Vorspiel der Trilogie seinen Charakter und eine gewisse Grösse geben. Das Lager d'Indy's ist ohne Unterbrechung munter, ausgelassen, kommt niemals zur Ruhe, wimmelt von Spassmachern und Jongleuren, besteht ausschliesslich aus leichten Truppen und leichten Vögeln. Seiner formellen Anlage nach ist es ein Scherzo mit etwas buntem Hauptsatz (Allegro, G dur). Es setzt mit folgendem Thema ein

das uns mitten hinein in den fröhlichen Lärm der Massen führt, fröhlich und elementar. Denn die Gebilde die der Componist aus seinen Motiven entwickelt sind unregelmässig. Hier führt er uns vor eine fünftaktige Gruppe, dort kommen zwei- und dreitaktige, hier hält er an einem Motiv fest, dort schweisst er zwei oder mehrere zu bald kürzeren, bald längern Abschnitten zusammen. Unberechenbar und frei will er uns das Leben und Treiben des Lagers sehen lassen. Der erste Abschnitt über dieses Hauptthema schliesst in H dur. Der zweite setzt in E moll ein und geht von Cdur aus ins D dur in Modulationen und mit wilden Trillern die den Walkyrenritt Wagner's für einen Augenblick vor die Phantasie rufen. Ein dritter Abschnitt über dasselbe Hauptthema beginnt in Asdur, und geht von Bmoll aus allmählich nach der Haupttonart *G* zurück die in Solopassagen der Violinen (einige Takte geht die Flöte mit) erreicht wird.

Da beginnt ein erster Seitensatz, dem das ruhigere Thema

zu Grunde liegt. Es kommt nicht weit damit. Den Augenblick wo die erste Violine sich ein Motiv zum Schwärmen aussucht, benutzt die derber gesinnte Masse um mit einem Walzer einzufallen, dessen grob einfache Weise

durch die seltsamen Humore der Begleitung — die Bässe bleiben lange auf den zwei Tönen *e* und *h* — bedenklich gestört wird. Nach einem Zwischensätzchen, in dem die Flöte das Solo hat, wird wohl die übliche Wiederholung erreicht, aber die rechte lustige Stimmung bleibt aus und am Ende haben die Störenfriede, die einen $^{2}/_{8}$ Takt hineinwerfen die Hauptstimme. Der Tanz hört plötzlich auf und wie aus der Form hören wir wieder den Lärm des Lagers mit dem der Satz begann. Wir haben es mit der üblichen Wiederholung des Hauptsatzes zu thun. Doch verschmäht es der Componist sie glatt und wörtlich zu bringen. Wie er den Hauptsatz zunächst *pp* einsetzt, hat er ihn auch in der Tonart verändert, nämlich nach Edur gebracht und auf den Quartsextaccord gestellt. Aehnlich bringt er das erste Seitenthema, das beim ersten Mal in Gdur auftrat, jetzt in Es und vertheilt seinen Vortrag taktweise auf verschiedne Instrumente. Auch jetzt kommt dieses zum Schwärmerischen neigende Thema nicht zu seinem vollen Rechte. Als es sich ausbreiten will, entsteht unerwartet Tumult. In den Bläsern treten wieder Vertreter des zweitheiligen Rhythmus ein. Ein Schreck geht von ihnen aus: von unten bis oben rufts durch das Orchester: *cis-fis*. Dann eine lange Generalpause und darauf

Zu dem einen Fagott kommt ein zweites, bald ein drittes; der Satz lässt sich zu einer Fagottfuge an und versetzt uns in die Zeiten R. Keisers der in seinen Opern Quartette, Quintette und Sextette für Fagotten schrieb. Wie hat sich die öffentliche Auffassung des Instruments seitdem geändert! Damals der Lyriker unter den Blasinstrumenten, ist es heute der unfreiwillige Komiker. Hier bei d'Indy vertritt es den Kapuziner mit seiner Predigt und der Lohn seiner wohlgesetzten Reden ist ausgelacht zu werden. Das thun zuerst die Geigen, bald die Clarinetten mit, in chromatischen Sechzehntelgängen. Dann packt aber die Oboen und die andren Holzbläser eine gewaltigere Heiterkeit, sie platzen in kurzen Zwischenrufen heraus. Das Piston setzt ein und parodirt das Fugenthema, das die Clarinette gar verzerrt, während die Violinen, die Flöten dazu, sich auf einem langen Triller vor Lachen schütteln und dem folgt ein elementarer Ausbruch von Ausgelassenheit in Motiven die auf den Walzer zurückgehen:

Vergeblich versucht die Tuba das Fugenthema dem entgegenzustellen, der Lärm wächst nur. Da plötzlich klingt's in Hörnern, Trompeten und Posaunen:

. Das bedeutet: der Feldherr, Wallenstein taucht auf. Nehmt Euch in Acht! Der unglückliche Kapuziner wird freigelassen, Alles nimmt wieder seine gewöhnliche Miene an. Das Trio das mit dem Thema des Fagotts begann ist zu Ende; der Hauptsatz des Scherzos kehrt wieder. Nicht ganz wörtlich sondern mit mehrfachen Aenderungen, deren wichtigste das Colorit betreffen. Im Walzer erscheint eine sehr pikante Episode für drei Flöten als etwas Neues. Am Schluss kommt das erste Thema des Hauptsatzes in vergrösserten Rhythmen und erweitert, als wollte es sich zu einem Hymnus ausbreiten, einem Preislied auf den Helden, den vergötterten Wallenstein, dessen Thema als einer der letzten Gedanken der Composition auftritt.

Der zweite Satz der Sinfonie (Andante und Allegro C, Esdur), Max und Thecla betitelt, lässt breite gefühlvolle Melodien mit erregten Themen wechseln und zeichnet damit die tragische Lage des Schiller'schen Liebespaares. Wie einst in Verona so haben sich hier zwei Herzen in kritischer Stunde gefunden; auch ihr Loos ist in die Händel der Parteien verflochten. Der Componist hat der Ueberschrift des Satzes noch den Nebentitel „Piccolomini" beigefügt um den Zuhörer darauf vorzubereiten, dass er hier unbewölkte, ungestörte Liebesscenen nicht zu erwarten hat. Die Musik lässt darüber vom ersten Takt ab keinen Zweifel. Die Pauke zeichnet mit dem im Satze oft und bedeutend wiederkehrenden Rhythmus: ♫ ♫ ♩ den kriegerischen Boden, der betreten werden soll; die Violinen machen uns mit dem ebenfalls durch die meisten Abschnitte der Situation klingenden Motiv

auf Trauer und Klage gefasst und die Hörner die mit einigen Takten die Einleitung vervollständigen, spielen ebenfalls im resignirten Ton. Das erste Thema, welches nun in den Bläsern (Hörner und Clarinetten) mit folgendem Anfang

einsetzt, ist sehr breit entwickelt. Dem in Gesdur schliessenden Nachsatz folgen zunächst einige Takte über das oben skizzirte Paukenmotiv, dann beginnt die Wiederholung des Themas in hellrem Klang der Violinen. Sie wird aber sofort — vom zweiten Takt ab — zur Variation, zwingt den Ausdruck zu grösserer Wärme und erreicht bald gehoben und freudig das Ende. Doch gerade bei diesem Ende lässt der Componist noch einen starken Schatten nachkommen. Es ist die Imitation die die Hörner und Posaunen tiefen und gedämpften Klangs von dem letzten Takt gaben. Auch der Paukenrhythmus tritt wieder in den Vordergrund. Die ganze Gruppe mag wohl Max und seine Sehnsucht schildern sollen. Jetzt setzt ein neues Tempo: Allegro risoluto mit folgendem Hauptthema

ein. Der Componist zeichnet die Parteien und die Wirren die den Gegenstand von Schiller's Piccolomini bilden. Dem einen Thema tritt zunächst ein klagendes zur Seite

etc. das uns um so

mehr an das Liebespaar erinnern darf als es theilweise mit Nachahmungen zwischen Violine und Cello begleitet und von langsamen, gehaltnen Episoden unterbrochen wird, in denen Bruchstücke der später zu erwähnenden Liebesmelodie (in Hdur) auftauchen. In einem zweiten Abschnitt, der in Cdur einsetzt bringt das Allegro ein zweites Thema das von Wagner's Nibelungenmusik sichtlich beeinflusst eine ähnliche Rolle übernimmt wie in der Originalquelle: Es ordnet, klärt und führt einen Aufschwung herbei der sich bei der Wiederkehr des Hauptthemas durch einen helleren, entschiedneren Klang äussert. Nun ist auch die Zeit wo die liebenden Herzen sich öffnen dürfen. Ein Andante tranquillo bringt die schöne, etwas Gounod'sche Liebesmelodie, deren Anfang folgendermassen lautet:

Die Clarinette führt sie ein, das Cello nimmt sie ihr ab. Noch ehe das Zwiegespräch zu Ende ist, hören wir versteckt mehrmals die Triolen des Wallensteinthemas. Dann tritt die Liebesmelodie mit jenem Thema des Andante, das den Satz begann, zu einem wirklichen Dialog zusammen (— jenes in den Holzbläsern dieses in den Geigen). Auch diese schliesst mit den markirt hervortretenden Wallensteintriolen in beiden Violinen und Bratschen. Und nun setzt Maestoso das Wallensteinthema aufregend in Posaunen und Trompeten ein; aber es endet in Dissonanzen und das Tremolo der Bratschen kündet nichts Gutes. Der Componist will unsre Gedanken hier auf den Anschlag gegen Wallenstein lenken. Desshalb setzt er auch das jetzt wiederkehrende Allegro risoluto in Esmoll und giebt ihm ein Ende in gedämpftem Ton. Die Liebesmelodie kommt darin noch einmal als Adagio und halb unterdrückt.

Der Intention nach ist dieser zweite Satz von d'Indy's

Wallensteinsinfonie der bedeutendste des ganzen Werks. Leider hat den Componisten im Allegro die Erfindung nicht genügend unterstützt.

Der dritte Satz der Sinfonie (Tres large, Allegro, Maestoso, H moll ₵) „Wallenstein's Tod" betitelt, beginnt mit einer langsamen Einleitung, die schauerliche Absichten mit Berlioz'schen Mitteln der Modulation (H moll und D moll nebeneinander) und Instrumentation (Geigen in den höchsten Lagen getheilt; von Bläsern nur Flöten und Posaunen) verfolgt. Natürlich tritt in ihr auch bald das Wallensteinthema auf. Nachdem so am Anfang ein Blick auf den Ausgang der Composition geworfen worden, beginnt die eigentliche Darstellung mit einem Allegro, das wohl Verschwörung und Empörung zu zeichnen bestimmt ist. Zunächst in den tiefen Instrumenten wühlend und stechend, erscheint folgendes Thema

das ersichtlich von dem Wallensteinthema abgeleitet ist. Klopfende Achtelrhythmen in Holzbläsern und Hörnern bilden die Begleitung. Mit dem Abschluss der Gruppe (in H moll) tritt ein Seitenthema ein

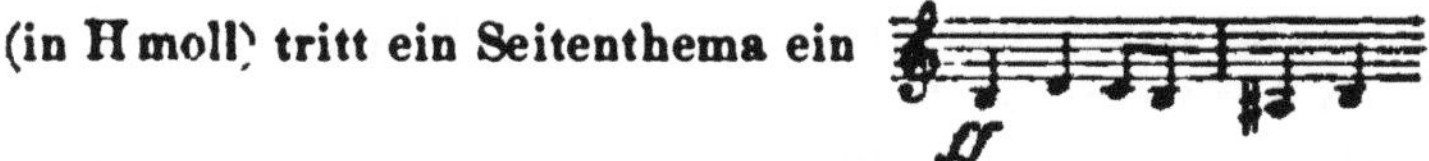

zugleich aber setzt auch die Musik ein die im ersten Satz der Sinfonie den Lärm und das frohe Treiben des Lagers schilderte. Dieses Lagerthema nimmt nun im Schlusssatz der Sinfonie einen sehr breiten Raum ein und beherrscht den Satz allein oder mit andren Motiven vereint oder wechselnd länger als es die Bedeutung, des Gegenstandes erfordert. Vincent d'Indy hat für die Darstellung des sogenannten Milieu wie das — man denke nur an Raff's Schlusssätze von Lenore und von der Waldsinfonie — den Programmmusikern sehr häufig begegnet, zuviel gethan und ohne dadurch eine ganz klare Darstellung der äusseren Hergänge zu erreichen. Niemand wird mit Bestimmtheit den Punkt bezeichnen können, an dem Wallenstein fällt.

Zu den besseren und schönen Theilen der Composition gehört der Anfang des Maestoso mit dem an Schumann's „Manfred" erinnernden Thema

Diesem Maestoso folgt eine Wiederholung des Allegro mit einigen Aenderungen: es nimmt z. B. das Maestosothema mit auf. An seinem Schluss erscheint die Liebesmelodie des zweiten Satzes und ihr folgt ein zweites Maestoso, in das der Componist aller Wahrscheinlichkeit nach die Katastrophe hat verlegen wollen. Ein Largo, das in verklärten leuchtenden Farben, die Harmonien der Einleitung wiederholt, schliesst den Satz ab.

Die zweite französische Programmcomposition auf die hier wenigstens ein kurzer Blick geworfen werden muss, ist die Sinfonie „La Mer" von Paul Gilson (ohne Opusangabe). Der Componist ist zwar Belgier, aber ähnlich wie C. Franck, Edgar Tinel und die überwiegende Mehrzahl seiner Landsleute in seiner Kunst durch und durch Franzose. H. Berlioz's Ansprüche an die Orchesterbesetzung insbesondre hat bisher Niemand mit gleicher Unbefangenheit aufgenommen und erweitert wie dieser junge Belgier. Im letzten Satz seiner Sinfonie verlangt er ausser dem schon starken Bläserchor des gewöhnlichen Concertorchesters noch eine zweite Garnitur Holzbläser und ein Dutzend Saxhörner. Dieser Aufwand und die berechtigte Furcht von den akustischen Wirkungen dieses Finale mögen der Sinfonie von Gilson den Zugang zu dem deutschen Concert wesentlich erschweren. Gekannt zu werden verdient sie weil sie als die talentvolle Leistung eines Hauptvertreters der extremen Koloristenpartei einmal ein Licht darauf wirft, was den Formen der Sinfonie unter

Paul Gilson „La Mer".

der Herrschaft dieser Richtung bevorsteht. Das ist geradeso wie in der Malerei eine collossale Verarmung des eigentlichen innren Lebens zu Gunsten einer nebensächlichen Naturtreue.

Am stärksten ist dieser Eindruck im ersten Satz (Allegretto, 6/8, Fdur) dem nach einem höchst umständlichen mit mythologischen und sonstigen Schemen arbeitenden Gedicht, dem Programme der Sinfonie, die Aufgabe zufällt den Sonnenaufgang zu schildern. Man erwartet da eine Einleitung, die der Schatten der Nacht und der Dämmerung gedenkt. Aber der Componist setzt sofort mit einem fertigen Thema ein:

das wohl die Stimme des seelenlosen Meeres bedeuten soll.

Und diese sowie so schon an Sequenzen d. h. an Wiederholungen desselben Motivs reiche Weise wird nun durch den ganzen Satz unaufhörlich wiederholt meist wörtlich und vollständig. Nur in der Mitte des Satzes, da wo sonst die ersten Sätze der Sinfonien die Durchführungspartie bringen, begnügt sich der Componist mit Bruchstücken seines Themas und fügt auch auf einige Abschnitte hin eine Bildung aus auf- oder absteigenden Achtelfiguren hinzu, die man für eine Art neuere Gedanken ansehen kann. Sonst aber bleibt er unerbittlich bei seiner Melodie wie sie steht. Keine wesentliche Entwickelung, keine Umbildung giebt ihr den Schein des Neuen und wenn es des Componisten Absicht war die Eintönigkeit des Meeres vor die Stelle seiner Zuhörer zu bringen, so hat er diese Absicht bis zu einem Grad erreicht, der ausserhalb der Grenzen der Kunst liegt.

Der zweite Satz (Allegro, 3/4 und 2/4, Adur) hat die Ueberschrift „Matrosen-Lieder und -Tänze“ und bildet einen Reigen lustiger Scenen von sehr frischen und kräftigen Grundton. Es scheint als wären für die fröhlichen Bilder Volksweisen mit verwendet. Auch in diesem Falle bleibt dem Componisten das Verdienst sichrer, klarer und wirksamer Gestaltung. In der Sicherheit mit der eine grosse Menge bunter Gestalten gruppirt ist gleicht der Satz dem Scherzo in Svendsen's D dursinfonie und in der Lebendigkeit, Unmittelbarkeit und in der freudigen Theilnahme mit der er das Glück und die Lust der untren Schichten schildert, zeigt er sich als echter Sohn der Niederlande.

Der Satz zerfällt in zwei Haupttheile. Dem ersten liegt folgendes Thema:

zu Grunde, das, von unbedeutenden Nebenmotiven gestreift, eine lange Entwickelung erfährt. An dem Schluss wird der Ton wilder: ein Presto tritt ein:

Bald aber kommt eine ruhigere Weise in ihm:

Trotz des Presto ist der zweite Theil des Satzes, in den wir jetzt gelangt sind ein Ersatz des alten Trios. Es schliesst mit einem noch mehr gesteigerten Tempo (Molto presto). Aber in ihm kommt äusserlich fürs Auge vielleicht etwas fremd: 

das Thema des Hauptsatzes wieder. Wir sind also in der Wiederholung des ersten Theils eingetreten. Als dann die Holzbläser im breiten Gesang die Melodie aufnehmen, baut der Componist seine Harmonie auf einen langen basso ostinato auf, in den scheinbar leichtesten Aufgaben die grösste Kunst entfaltend.

Der dritte Satz (Allegro moderato, 4/4 und 6/4, Des dur) Dämmerung überschrieben führt uns wieder nach der See zurück. Wir hören das gleichmässige Plätschern ihrer Wellen in Motiven, die dem Hauptthema des ersten Satzes entnommen sind. Erst kommen sie in den Bläsern muntren Schritts, dann werden sie langsam und leise in den Geigen angespielt. Die Nacht kommt, Licht und Bewegung erlischt. Wie ein Abendlied erklingt es aus dem englischen Horn:

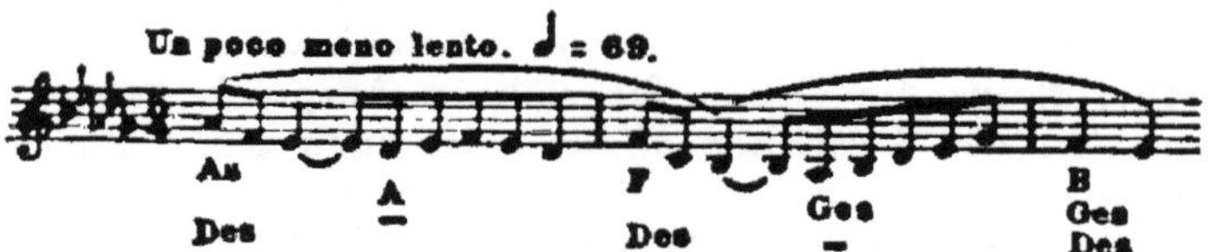

eine Idylle im Satz, Gelegenheit zum Träumen! Dann wird aber die Bewegung lebhafter. Die Motive aus dem ersten Satz kommen wieder; die dämonischen Mächte der See regen sich und messen sich eine Weile mit den Geistern des Abendfriedens. Auch Nachklänge aus der Tanzscene durchziehen den Satz.

Der vierte Satz (Allegro moderato, 3/2, 6/4, F dur) Sturm überschrieben, beschränkt sich thematisch auf den ersten Takt des Hauptthemas des ersten Satzes. Die vier Noten dieses Motivs variirt Gilson in Farben und Harmonien und wiederholt sie so unermüdlich, dass sie den Hörer noch Tage lang verfolgen ähnlich wie uns das Rauschen des Meeres noch lange auf dem Festland begleitet. Der Componist erreicht damit eine geisterhafte, gespenstische Wirkung, der Eindruck seiner Meerbilder wird ähnlich wie ihn Haydn von seiner Englandfahrt gehabt haben muss als er das Meer „das grosse Thier“ nannte. Diese Frucht fällt in Gilson's Finale nebenbei mit ab. Sein Hauptziel ist: die See in Empörung zu zeigen. Nach dem Programm geht das Schiff, dem die Matrosen des zweiten Satzes angehörten, in diesem Schlusssatz zu Grunde. Das Heulen des Sturmes, das Krachen der Wasserberge und alle die Schauer der wilden furchtbaren Natur sind in einer Sinfonie so lebensgetreu wie hier in dem Werke des Belgiers noch nicht gemalt worden. Wenn es ein Triumph der Kunst ist das Heulen des Sturmes, die schrecklichen Schläge der Wellen, das Stöhnen des Fahrzeugs, die hörbaren Aeusserungen seines Kampfes mit den Elementen mit dem grössten Grad von Täuschung vorzuführen, so hat Gilson hier eine Hauptleistung hinterlegt. Zum Theil sind die Mittel altbewährt, namentlich von Liszt und Wagner eingeführt: die chromatischen Sealen, die hohen Triller, die hereinprasselnden Accorde der schweren Bläserharmonie; zum Theil sind es Combinationen rhythmischer Natur die Gilson für sich in Anspruch nehmen kann. In den kritischen Minuten ist auch ein Männerchor zugezogen der die Matrosen darstellt ihre verzweifelte Arbeit mit „hohe" begleitend. Nachdem das Unglück geschehen, hören wir das Thema des ersten Satzes in seinem vollen Umfang noch einmal. Das Meer hat kein Erbarmen und kein Gewissen; es giebt sich so unschuldig und gleichgültig wie am Morgen, da die welche jetzt in der Tiefe ruhen, die Sonne aufgehen sahen.

Die Aufgaben, die sich die französische Programmsuite stellt, laufen in der Regel auf Stimmungs- und Situationsbilder allgemeiner Natur hinaus. Es sind im Grunde Charakterstücke wie sie die französische Orchestersuite seit Muffat gehabt hat, sie schildern Affekte deren musikalische Natur ausser allem Zweifel steht und gebrauchen den poetischen Titelzusatz nur als Sporn und Hülfe die Phantasie zu beleben und vor dem Einschlafen auf Gemeinplätzen zu schützen. Der Zusammenhang dieser Musik mit dem Ballet offenbart sich im Charakter der Sätze; ja ein Theil dieser französischen Programmsuiten bekennt auch äusserlich die Herkunft von der Bühne. Von L. Delibes z. B. haben wir eine Balletsuite aus „le Roi s'umuse", von G. Bizet zwei Suiten die aus der Musik zusammengestellt sind, die der Componist der „Carmen" i. J. 1872 zu A. Daudet's Schauspiel „L'Arlésienne" geschrieben hat.

G. Bizet L'Arlésienne I. Von diesen beiden Suiten Bizet's ist die erste in Deutschland ausserordentlich verbreitet, ist wohl mehr als irgend eine zweite neuere französische Orchestercomposition aus den Kreisen der Abonnementsconcerte hinaus in die Volksmusik gedrungen. Das ist nur natürlich, denn sie ist eine so reizende Arbeit wie wir nur wenige haben und bleibt — mannigfach gehaltvoll — leicht, klar, liebenswürdig auch da wo sie Ungewöhnliches und Ausserordentliches bietet. Eins wollen wir Bizet nicht vergessen: das ist die Knappheit seiner Entwickelungen und Ausführungen.

Die erste Nummer unserer viersätzigen Suite (Allegro, C, Cmoll) die die Ueberschrift Prélude hat, bildet in der vollständigen Schauspielmusik die Ouvertüre und hat den doppelten Zweck auf die Hauptzüge und den Charakter der Handlung vorzubereiten und uns mit Land und Leuten etwas bekannt zu machen. Das zweite Ziel verfolgt Bizet mit dem Thema das den Satz eröffnet:

Es ist eine provencalische Volksmelodie als „Marche de Turenne" in Frankreich bekannt. Bizet entwickelt sie in einer Reihe Variationen ernsten Charakters die die Phantasie seiner französischen Zuhörer mit ganz bestimmten geographischen und culturhistorischen Bildern erfüllen müssen wie wir ähnlich bei „Jetzt gang ich ans Brünnele" an Schwaben denken. Zuerst kommt die Melodie ohne Begleitung aber in mächtiger Besetzung (alle Streichinstrumente mit Ausnahme der Contrabässe, Holzbläser, Saxophon und Hörner). Dann wird sie zart von der Clarinette gesungen, von der Flöte, englischem Horn und beiden Fagotten mit schmiegsamen Harmonien begleitet. Die zweite Variation bringt das Thema von sämmtlichen Bläsern gespielt; sämmtliche Streichinstrumente begleiten ebenfalls unisono in Achtelfiguren die c als Orgelpunkt festhalten in den Nebennoten aber die Scala emporklimmen. Die Perioden setzen *pp* an und gelangen zur selben Zeit wo die Figuren sich der Octav von c nähern ins *f* und *ff*.

Die dritte Variation bringt das Thema im langsamen Tempo in Cdur vom Cello vorgetragen, Horn und Fagott begleiten. Die vierte Variation hat es wieder in der Anfangsbewegung und im grossen Glanz des vollen Orchesters. Mit einem kleinen Anhang schliesst die Variationengruppe, die dadurch ungewöhnlich ist, dass sie auf die modernen Mittel des Variirens, auf wesentliche Veränderungen des Themas selbst, verzichtet. Bizet wollte mit Rücksicht auf den Zweck seiner Musik so einfach und gemeinverständlich als möglich bleiben; er ist trotzdem nicht in Monotonie verfallen.

Die Mitte, oder den zweiten Theil des Prélude füllt fast ganz das Motiv

. Jeden zweiten Takt erhebt es seinen Klageruf. Wie auch die Musik ihre Wege wählt, durch alle Harmonien drängt es sich. Wenn je so darf hier an eine fixe Idee gedacht werden und thatsächlich bedeuten jene vier Noten auch etwas dem Aehnliches. Fréderi, der Held des Daudet'schen Schauspiels, muss das Mädchen von Arles (l'Arlésienne) aufgeben weil sie eine Unwürdige ist. Aber er hört nicht auf an sie zu denken sich nach ihr zu sehnen und an dem Abend wo seine Verlobung mit einer Andrea vorbereitet wird, stürzt er sich zum Fenster hinaus. Der mittlere Theil des Prélude malt nun mit der unaufhörlichen Wiederkehr dieses einen Motivs den Geisteszustand des armen Fréderi, der so ganz bis zur Sinnlosigkeit von dem Gedanken an die Verlorne beherrscht wird. Ein dritter Theil, in dem das Motiv

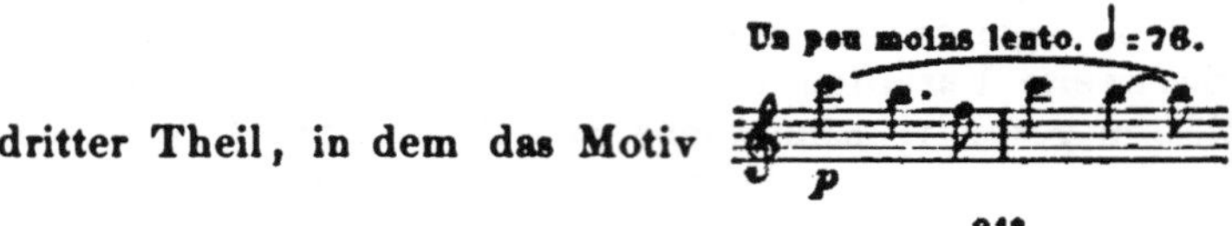

die hauptsächliche Entwickelung trägt, malt das Sorgen, das Hoffen und Ringen der Umgebung. Die letzten Takte des Satzes nehmen Bezug auf den traurigen, schrecklichen Ausgang des Stückes.

Der zweite Satz (Allegro giocoso, $^3/_4$, Cmoll) als Minuetto bezeichnet ist als Zwischenaktsmusik zur Eröffnung heitrer Secnca componirt. Er hat die alte, von Haydn her bekannte Anlage. Der Hauptsatz stützt sich auf ein Thema das bei aller Einfachheit und Beschränkung doch eine feine wählerische Hand verräth. Die Bassführung zeigt sie:

Mehr als vom Hauptsatz wird jedoch das Wesen dieses Minuetto von dem andren Theil, dem an Stelle des Trio's stehenden Satz bestimmt. Er steht in Asdur mit folgendem Thema:

Mit seinem innigen elegischen Ausdruck fesselt es an sich schon das Gemüth des Hörers; der Componist verstärkt aber seine Macht durch die sichtliche Liebe, mit der er bei ihm weit über die normale Zeit hinaus verweilt.

Der dritte Satz (Adagio, $^3/_4$, Fdur), Adagietto betitelt, ist kaum mehr als ein Lied mit einem kleinen selbständigen Mittelsatz, sonst von einfachstem Bau. Die Hauptstrophe bildet Vorder- und Nachsatz und wird soviel ausgenutzt als nur möglich ist und in ihr selbst sind die melodischen Verhältnisse so leicht gewählt als es nur sein kann. Grössere Schritte kommen fast gar nicht vor. Diese äusserste Einfachheit, die das innige Stück noch rührender macht als es an und für sich schon ist, dient hier Zwecken dramatischer Charakteristik. Es begleitet den Dialog zweier alten Leute im Stück: der Mutter Benaud und des Schäfers Balthasar, die sich um brav zu bleiben vor fünfzig Jahren getrennt haben und jetzt zum ersten Mal wieder sehen. Als die Musik der alten Leute zeigt sich das Adagietto auch in seiner bescheidnen Besetzung (Streichquartett) und im Tempo das man kaum zu ruhig nehmen kann.

Der Schlusssatz (Allegretto moderato, $^3/_4$, Cdur) „Carillon" betitelt, ist derjenige welcher den Concerterfolg der Suite unter allen Umständen sichert. Eine Harmonie gegen einzelne liegen bleibende Töne (liegende Stimme) zu führen oder gegen ein im Bass festgehaltnes Motiv (Basso ostinato) das ist nichts Seltnes. Aber ein Motiv in einer Mittelstimme ohne Unterbrechung sechzig Takte hintereinander wiederkehren zu lassen und darüber und darunter eine Musik in Fluss und Charakter zu bieten — wie das Bizet hier thut, das ist ein Kunststück. Dazu kommt aber noch, dass dieses Kunststück sich ganz natürlich giebt. Der Satz Bizet's ist wirklich ein Stück Programmmusik im eigentlichsten Sinn: Malerei. Er macht das Glockenspiel nach aber Bizet hebt den Effekt poetisch ähnlich wie er in seiner Carmen die Aeusserlichkeiten des militärischen Lebens getreu aber zugleich auch in poetischer Verklärung vorführt. Im Schauspiel setzt unser Finale in dem Augenblick ein wo die jungen Leute nahen um die bevorstehende Verlobung Fréderi's mit Vivette zu feiern. Was das Dorf nur an Mitteln besitzt um einer freudigen und hochgehenden Stimmung Ausdruck zu geben, das wird in Thätigkeit gesetzt. Natürlich müssen da die Glöckchen auf dem Thurm auch mitthun. Sie spielen:

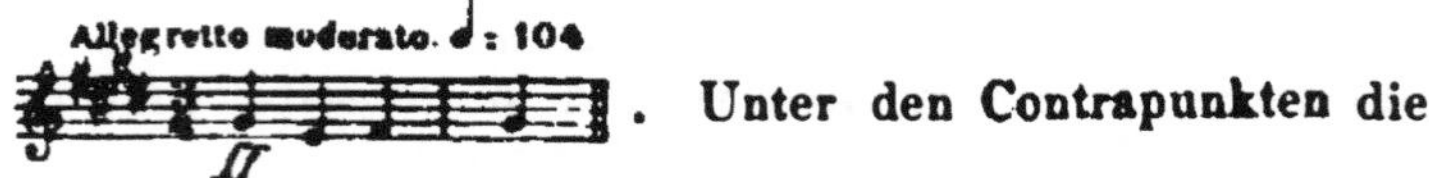

. Unter den Contrapunkten die ihnen entgegentreten ist der wichtigste der folgende:

als der Ausdruck fröhlicher, flotter Feststimmung. Unter den Klängen dieses Themas stürmt die Schaar der jugendlichen Gratulanten heran. Im Mittelsatz der über folgendes Thema entwickelt ist:

tritt das Sprecherpaar hervor und stattet sittig und herzlich den Glückwunsch ab.

Der aussergewöhnliche Beifall, mit dem Bizet's 1. Suite zu l'Arlésienne in allen Ländern aufgenommen wurde, bestimmte seine Freunde die (aus 24 Nummern bestehende) Musik zu dem Schauspiel Daudet's noch einmal nach Sätzen durchzusehen, die im Concert verwendbar wären. Seit etlichen Jahren hat uns Guirand eine zweite Suite Bizet's zu l'Arlésienne vorgelegt, die ebenfalls aus vier Nummern besteht, welche den Stücken der ersten Suite in der Wirkung nichts nachgeben.

G. Bizet L'Arlésienne II.

Sie wird mit einem Pastorale eröffnet, dessen Hauptsatz auf folgendem Thema ruht:

. In der harmonischen Stellung der Achtelnoten, in dem ländlich naiven, freundlich liebenswürdigen Ausdruck froher Stimmung erinnert es an Boieldieu's „Weisse Dame". Ein Nachsatz von *h* aus gebildet, vervollständigt es zur achttaktigen Periode, die von den Bläsern allein, mit der Flöte als Soloinstrument sofort und wörtlich aber im zarten Ton wiederholt wird. Da schon wird die ländliche Scene unterbrochen: die Holzbläser rufen einander zu als käme Jemand der noch mit will: vom

Soxophon und Horn her hören wir ein Motiv, das wie ein Halloh klingt. Man wartet auf den Nachzügler und als er da ist beginnt ein kleines Pastoralconcert, eine echte Landmusik im $^{12}/_{8}$ Takt:

wie von Dudelsackharmonien, von den Quintenbässen der Fagotte begleitet. Lange dauert sie nicht, das Adurthema setzt wieder im *ff* ein, der Zug bewegt sich weiter. Bald hat er aber sein Ziel, den Spielplatz im Schatten erreicht. Noch einmal setzt sich alles in Positur, das Messing (Posaunen mit) intonirt mit äusserster Kraft und Würde die Adurharmonie, die andern Instrumente fangen Nachahmungen des Themas an. Aber blitzschnell wird das aufgegeben, die Klänge verhauchen und wir stehen vor einem ganz veränderten Bild: vor dem zweiten Theil des Pastorale. Dieser zweite Theil ist in Fismoll und im $^{3}/_{4}$ Takt gehalten, scheidet sich also auch äusserlich scharf von dem Hauptsatz. Dem Charakter nach ist er eine Tanzscene und der Componist hat hier sichtlich darauf gerechnet, dass der Zuhörer die sinnlichen Haupteindrücke durch das Auge von der Bühne her empfängt. Denn die Musik ergeht sich in blossen Wiederholungen. Sie repräsentirt wohl mit provencalischen halb ehrwürdigen, halb drolligen Melodien ein Päärchen. Sie singt zierlich:

er ungestüm:

Ein freierer und ausdrucksreicher Abgesang schliesst die Scene und eine abgekürzte Wiederholung des Hauptsatzes den ganzen Satz, der durch das reizende Adurthema noch lange nachwirkt. Im Schauspiel contrastirt sein liebenswürdig freundlicher Klang aufs Schneidendste mit der augenblicklichen Situation. Denn der Aufzug des Pastorale erfolgt unmittelbar, nachdem Fréderi über den ernsten Charakter der Arlésienne schmerzlich aufgeklärt worden ist.

Der zweite Satz der Suite (Andante moderato, C, Esdur) Intermezzo überschrieben ist Zwischenaktsmusik elegischen Charakters. In der kurzen Einleitung, die am Schluss der Nummer wiederkehrt wechselt eine starke Unisonofigur mit zarten, geheimnissvollen Bläseraccorden. Der Hauptsatz gleicht einem Gesangstück dessen gleichmässig breiter Fluss nur durch einige Takte der Erregung unterbrochen, dem Ende zu durch Hinzutreten immer weitrer Instrumente sehr imposant anschwillt.

Auch der dritte Satz (Andantino quasi allegretto, $^3/_4$, Esdur) Menuett betitelt ist ein Stück Zwischenaktsmusik, dem vorigen aber an Originalität weit überlegen. In der Familie der Menuetts lässt es sich ebensowenig mit einem zweiten Stück verwechseln oder auch nur vergleichen wie Mozart's Menuett seiner letzten Esdursinfonie. Zu der kecken Grazie seiner Melodie, die von dem Thema:

getragen wird, kommt eine ganz ungewöhnliche Instrumentirung: den grössten Theil des Hauptsatzes spielen Flöte und Harfe allein. Um so gewaltiger klingt dann das volle Orchester im Mittelsatz, der über das feste Motiv

gebaut ist. Die Pausen füllen Sechzehntelgänge von Flöten, Oboen und Clarinetten, die durch die Betheiligung der Harfe Härte und Rückgrat erhalten.

Aehnlich wie in der ersten, so ist auch in Bizet's zweiter Suite zu l'Arlésienne der Schlusssatz (Allegro deciso, C, $^2/_4$, Dmoll, Ddur) als die Krone des Ganzen zu bezeichnen.

Bis zu den Entrées in den Ballets Rameau's können

wir die Thatsache zurückverfolgen, dass die französischen Componisten ihre besten Stunden immer bei der Schilderung von besondern Aufzügen haben. So sind auch in Bizet's Suiten der Carillon, das Pastorale und unser Schlusssatz die bedeutendsten Treffer. Denn auch dieser Schlusssatz ist eine Aufzugsmusik: Farandole, wie er überschrieben ist, bedeutet den Marsch und Tanz mit dem die Theilnehmer am Fest des heiligen Eligius (Eloi) in der Provence vor den Häusern und Höfen erscheinen, von deren Besitzern sie milde Beiträge erbitten wollen.

Bizet's „Farandole" beginnt wie das Prélude der ersten Suite mit dem Marche de Turenne. Doch beutet er die alte Melodie nicht wieder zu Variationen aus, sondern bricht sie bald ab und ersetzt sie durch die eigentliche Farandole. Das ist ein alterthümlicher provencalischer Gesang zu dem auch besondre Instrumente gehören: das lange schmale Tambourin und das Flageolett: die Melodie des Farandole ist folgende:

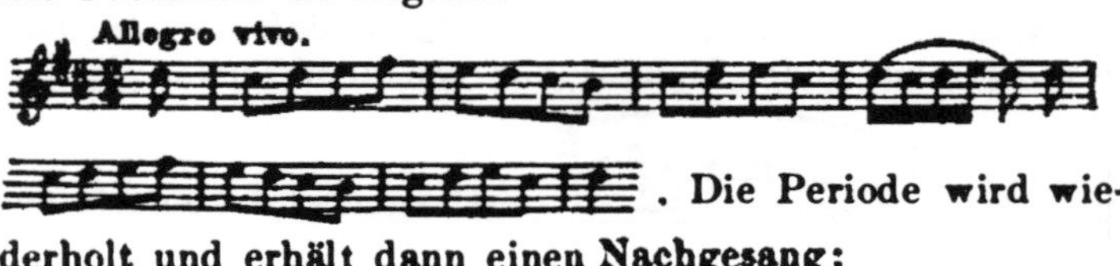

. Die Periode wird wiederholt und erhält dann einen Nachgesang:

der ebenfalls zweimal gegeben wird. Dann beginnt der ganze Reigen von vorn, zwei-, dreimal erneuert sich das Spiel aber immer lauter. Wie aus weitester Ferne *ppp* begann die Farandole, beim zweiten Einsatz war sie schon im *f* und fortwährend wächst sie an Tonstärke, zieht Instrument um Instrument in ihre Kreise und klingt mit jeder Secunde entschiedener, naturmächtiger. Nimmt man noch hinzu wie das Tambourin noch ehe die Melodie eingesetzt hat, schon seinen Achtelrhythmus begann und wie es seitdem nicht aufgehört hat die Achtel weiter zu klopfen, so kann man sich einen Begriff von der sinnverwirrenden Wirkung dieser Musik machen. Endlich kommt eine Abwechselung: der Marche de Turenne tritt ein. Aber nur für kurze Zeit. Bald macht er der Farandole wieder Platz, die bis zum Ende des Satzes nicht wieder verschwindet. Wir stehen also dieser Schlussnummer der zweiten Suite gegenüber vor einem ähnlich behandelten Variationengebilde wie es Glincka's Kamarinskaja ist. Die Russische Kunst ein unscheinbares und geistig geringes Thema durch Zähigkeit zu einer Grösse, ja zu einer Naturgewalt zu steigern hat sich Bizet mit einer Wirkung zu eigen gemacht, die nichts zu wünschen lässt.

Gleichfalls nach dem Tode des Componisten hat man eine dritte Orchestersuite von Bizet veröffentlicht. Sie führt den Titel **Roma** und gehört zu seinen ältern Arbeiten. Nach den Versichrungen Ch. Pigot's[1]) hat Bizet schon i. J. 1863 an ihr gearbeitet, damals noch mit der Absicht eine Sinfonie zu schreiben. Am 28. Februar 1869 wurde das Werk bei Pasdeloup aufgeführt mit der Bezeichnung „Fantaisie Symphonique" und dem Nebentitel „Souvenirs de Rome". Der erste Satz trug die Bemerkung „Une chasse dans la forêt d'Ostie" — das ist für eine Suite mit dem Titel Roma ein zum Verwundern harmloses Thema — der dritte war als „Une procession" angegeben, der letzte wie noch heute Carnaval benannt.

G. Bizet Roma.

Der erste Satz (Andante tranquillo, C, Cdur und Allegro agitato, 6/8, Cmoll) beginnt mit einem Hornquartett, dem folgender an den Schlüssen etwas Mendelssohnisch gefärbter Gesang zu Grunde liegt:

In derselben Sonn-

[1]) Charles Pigot: Georges Bizet et son oeuvre. 1886.

tagsmorgenstimmung wie dieses Thema, sind auch die Strophen gehalten, welche die Geigen ihm entgegenstellen. Dann geht die Erwartung in Unruhe über. Bewegtere Motive treten ein, die Geigen begleiten in sprühenden Figuren, aus den Bläsern tönen lockende Rufe. Die ganze Natur beginnt zu leben, es wird Zeit zum Tagewerk. Dessen Schilderung ist die Aufgabe des Allegro, das den zweiten Theil dieser Nummer bildet. Es ist insofern ganz ungewöhnlich angelegt als es weder die übliche Eintheilung eines Sonatensatzes noch die eines Rondo zeigt. Es hat kein bestimmtes Thema aus dem es sich entwickelt, sondern es sucht die augenblickliche Lage mit immer neuen Motiven zu zeichnen und überlässt es dem Zuhörer aus deren Charakter auf den Inhalt der wechselnden Bilder zu schliessen. Die wichtigsten dieser Motive sind folgende drei Beispiele:

. Der Satz hat einzelne wenige Idyllen, vorwiegend malt er ein lautes, froh erregtes Treiben, bei dem die Hörner eine Hauptrolle haben. Im Augenblick wo die Wogen am höchsten gehen, geht auch die Modulation aus Rand und Band, nämlich in das ganz unerwartete E dur. Dieser Abschnitt hat auch ein hervortretendes Hauptmotiv nämlich:

Als er wieder in Es geschlossen, verklingt der Lärm; mit einem Male sind die Schatten des Abends da. Noch einmal kommt ein Aufschwung aus der sanften Idylle, die das Allegro geworden ist. Dann kommen die Motive der Einleitung wieder und schliesslich das Andante selbst.

Der zweite Satz (Allegretto vivace, $^3/_4$, As dur) ist als das Scherzo der Suite anzusehen. Seinem Hauptsatz liegt folgendes flüchtige phantastische Thema zu Grunde:

Zunächst wird es zu einer Fuge benutzt, dann aber zu einer Reihe freierer leichter Satzbildungen, begnügt sich später hie und da wohl auch Begleitungsmotive und Verzierungsfiguren zu liefern, z. B. zu folgender Melodie:

Der zweite Theil, dem gewöhnlichen Trio entsprechend, ist ähnlich wie in der ersten Suite Bizet's zu l'Arlésienne sehr liebevoll ausgeführt. Das warm gesangvolle Hauptthema, das dem zarten Satz zu Grunde liegt, ist:

Der dritte Satz (Andante molto, 𝄴, F dur) gleicht mit seinem ruhigen ein Gemüth das seinen Frieden gefunden, kündenden Thema:

mehr einer Scene in der Kapelle als einer Prozession. Nur die häufigen Wiederholungen führen uns das Bild des Marsches der ausruhenden und wieder aufbrechenden Pilgerschaar vor die Phantasie. Bizet hat diesen Wiederholungen ganz im Gegensatz zu den Verfahren, das Berlioz im Harald einschlug, das Eintönige dadurch zu nehmen gesucht, dass er sie harmonisch oder in der Instrumentirung variirte. Namentlich die letzte Variation hat durch die lebendigen, interessanten Contrapunkte der ersten Violine einen grossen Reiz. Ursprünglich war dieses Andante von Roma ein Seitenstück zu dem Adagietto in der ersten Suite zu l'Arlésienne, einfach und knapp. Der Componist hat dem Satz aber nachträglich einen imposanten Charakter dadurch gegeben, dass er das zweite Thema aus dem Schlusssatz der Suite in ihn hereinnahm und ausführte.

Dieser Schlusssatz (Allegro vivacissimo, $^2/_4$, Cmoll) ist ein Rondo. Sein Hauptthema ist ein Bassrhythmus, der durch die Dissonanzen mit denen er begleitet wird eine wilde und ausgelassene Natur und die Fähigkeit erhält, die Stütze einer tollen Carnevalsmusik zu bilden:

Eine bunte Schaar von Motiven gesellt sich zu dieser Bassfigur; jedes Instrument, das an der Musik Theil nimmt, hat ein anderes. Der lustige Tag macht die Phantasie sprühen, der melodische Segen ist fast unerschöpflich. Hervorgehoben seien unter ihnen zwei die später benutzt und bedeutender werden:  und das von ihm abgeleitete: 

Unter den Gedanken der Zwischensätze erregt das Thema des ersten Zwischensatzes Interesse weil es beim Einsatz sehr an Nicolai's Lustige Weiber erinnert:

. Das eigentliche zweite Hauptthema des Schlusssatzes, dessen Bekanntschaft der Hörer schon im vorhergehenden Andante gemacht hat lautet:

Es giebt am tollen Tage edleren Gefühlen Ausdruck und wenn wir in Betracht ziehen wie dieses Thema im Satze plötzlich unvorgesehen vor uns steht, so liegt der Gedanke nicht so fern, dass der Componist damit auf eine liebe Begegnung hat hindeuten wollen. Die innige und schöne Weise, aus der schon eine Hauptstelle von „Carmen" herausblickt, klingt oft wieder und wirft in die noch folgenden ausgelassenen Scenen, von der eine Fuge über

die ärgste ist, veredelnde Lichter. Mehr und mehr dem Ende zu wird aber auch sie ihres Charakters entkleidet und in den Strudel sinnloser Lust hineingezogen.

G. Bizet
Jeux d'enfants.

In Frankreich wird noch eine sogenannte Kleine Orchestersuite (op. 22) Bizet's viel gespielt, die den Titel führt deux d'enfants d. i. Kinderscenen. Diese Kinderscenen entstanden als Klaviermusik, ein Heft 12 Nummern umfassend. Zur Eröffnung der Concerte Colonnes hat der Componist fünf davon instrumentirt und als petite Suite d'orchestre veröffentlicht. Die erste Nummer ist ein einfacher Marsch, bei dem Trompeten, Hörner, Pauke und kleine Trommel, also die Instrumente die die Aufmerksamkeit des Kindes am stärksten erwecken, sehr hervortreten. Es ist nicht zu verkennen dass der Humor der Composition im Klavier reiner wirkt. Der zweite Satz, eine Berceuse, ist die Krone des Werkchens durch die Süssigkeit der Cantilene. Alle Instrumente nehmen die schöne Melodie für eine Weile, das Cello umspielt mit wiegenden Figuren. Der dritte Satz „Impromptu" ahmt das Brummen des Kreisels mit einer Trillerfigur nach die in den untern Mittelstimmen durchgeführt wird. Die vierte Nummer Duo genannt ist ein kurzes Andantino in dem erste Violine und Cello in zärtlichen Melodien das Bild zweier Liebesleute geben sollen. Der Schlusssatz, Galop betitelt, will zeigen wie die kleinen Leute Gesellschaft haben und einen grossen Ball geben. Es geht sehr hoch her. Der Satz verarbeitet das Thema nach verschiedenen Richtungen, stellt es sogar in den Bass. Das Ganze ist ein liebenswürdiges Stück Kleinkunst.

Von Camille St. Saëns besitzen wir neuerdings C. St. Saëns
eine Programmsuite, die den Titel Suite Algérienne Suite Algérienne
(op. 60) führt und wohl als eine von mehreren musikalischen Früchten jener viel besprochnen Reise zu betrachten ist, die vor einigen Jahren das Haupt der heutigen französischen Tonsetzer seinen Pariser Freunden auf längere Zeit entzog.

Der erste Satz (Molto allegro, $^6/_8$, Cdur) beginnt geheimnissvoll mit einem leisen Paukenwirbel. Dann setzen die Celli ein:

Mit dem Eintritt der Bratschen wird aus diesen tastenden Motiven ein Thema:

und beide, Motivgruppe und Thema, reichen sich die Hand um vereint den Aufmarsch der Stimmen zu stützen. Der ganze Abschnitt hat den Charakter einer grossen Spannung: Leonorenouverture und Rheingoldvorspiel haben Theile von gleicher Anlage: eine Entwickelung die über einem Orgelpunkt aufbaut und aufthürmt und die Phantasie eifrig mit der Frage beschäftigt was wird kommen wenn die erstrebte Höhe endlich erreicht ist. Jener Augenblick nahet sich als die ersten Geigen das Thema nehmen. Da verlässt die Harmonie den lang festgehaltnen Standort auf *C* und wendet sich nach *G*. Das neue Bild aber, das sich jetzt bietet, ist das Thema

das gehegte Erwartungen nicht befriedigt sondern nur steigert. Was fremdartig an diesen Tönen ist, die wohl einen Gruss, die ersten Klänge vom afrikanischen Land bedeuten, das wird romantisch gehoben durch die Einkleidung die ihnen St. Saëns giebt. Ein Tremolo der Geigen begleitet sie und ein Freudenschauer des vollen Streichorchesters folgt ihnen. Von nun ab kommt in die Musik viel grössere Beweglichkeit; nur der Schluss des Satzes wendet sich wieder ins Zarte und erzählt von einer Seele, die sich dankbar still sammelt.

Der zweite Satz (Allegretto non troppo, $^6/_8$, Ddur) bringt nationale Musik. Die Rhapsodie mauresque, wie die Nummer heisst, zerfällt in zwei Theile. Der erste ist eine kunstreiche Phantasie über das Glockenspielthema

das durch alle Instrumente geht und mancherlei Umbildungen erfährt. Die interessanteste und wichtigste bringt es in die Form einer Sechzehntelfigur, wodurch der Satz der in beabsichtigter Monotonie gehalten ist auf eine Weile bewegter und spannender wird. Unter den Contrapunkten die diesem Hauptthema entgegengestellt werden, machen sich in den Holzbläsern einige scharf rhythmisirte Figuren bemerklich, die wohl der Maurischen Volksmusik entnommen sind. Während dieser erste Theil träumerisch gestimmt ist, bringt der zweite eine frohe und fröhliche Musik auf Grund folgender Themata:

Das erste ist in seiner Einfalt und seinem Mangel an Leittönen entschieden barbarisch. Das letzte hat St. Saëns ausserordentlich wirkungsvoll eingeführt. Als Zweck dieser Rhapsodie könnte man sich ein Ständchen denken.

Dem dritten Satz (Allegretto quasi Andante, $^6/_8$, A dur) liegt eine zwanzig Takte lange Melodie zu Grunde, deren Charakter aus folgendem Anfang

zu erkennen ist. Ihr gehen einige Takte in den Holzbläsern vorher, die sich durch den freien spielfreudigen Rhythmus als eine musikalische Gabe der Eingebornen kennzeichnen, während das hier angegebene Thema melodisch und rhythmisch die europäische Abkunft zeigt. So haben wir in den beiden Melodien zwei Culturen gegenübergestellt, Stoff genug zu einer Träumerei. Denn der Titel der Nummer lautet Rêverie du soir (à Blidah).

Jene Maurische Weise bedeutet den Gebetsruf: der Fremdling der ihn hört fühlt sich fromm gestimmt und gedenkt dankbar der Herrlichkeit die er am Tage in diesem gesegneten Ort genossen. Blidah ist ja die Gartenstadt von Algier und auch durch geschichtliche Beziehungen ausgezeichnet. Dreimal folgt den maurischen Motiven die lange abendländische Melodie, die Instrumentirung wechselt und beim dritten Male treten weitre Modifikationen ein. Die Violinen kommen nicht mit der Melodie sondern legen als Episode einen zweistimmigen dem beschaulichen Nachsinnen gewidmeten Satz ein. Als nun das Adurthema eintritt, bringen es die Bläser; erst in der zweiten Periode treten die Geigen hinzu, die in einem kurzen Nachspiel den knapp gehaltnen Satz zart verklingen lassen.

Der Schlusssatz (Allegro giocoso, ₵, Cdur) betitelt Marche militaire française ist eine Probe von den Leistungen des Componisten auf dem Gebiete französischer Volksmusik. Denn dazu gehören die Armeemärsche; ja ihre Musik pflegt ganz besonders sich durch nationalen Charakter auszuzeichnen. Deshalb tragen in Frankreich auch die ersten Tonsetzer kein Bedenken dem Marsch, der bei uns heute fast ausschliesslich den Musikmeistern der Regimentskapellen überlassen wird, ihre Kraft zu widmen. So hat auch St. Saëns eine lange Schule auf diesem Gebiete durchgemacht und eine grosse Anzahl einzelner Märsche componirt. Von der Meisterschaft die er für dieses Fach erworben, legt nun dieser Marsch, der die Algier'sche Suite schliesst, hinlänglich Zeugniss ab. Was für ein flottes Wesen sich in dem Stück entwickelt, das verräth schon das erste Thema

Ihm folgen noch eine ganze Anzahl kecker Springinsfelde.

Das Trio, das bei uns innig zu sein pflegt, ist phantastisch.

Während diese Werke von Bizet und St. Saëns die Phantasie geographisch in Beschlag nehmen, giebt es eine Reihe französischer Programmsuiten deren Vorgänge und Bilder an keinen bestimmten Ort gebunden sind, sondern sich überall und nirgends denken lassen. Zu den bekanntesten Stücken dieser Klasse gehören vor Allem B. Godard's Scènes poétiques, die seit sie Franz Wüllner hier eingeführt hat, auch in Deutschland einen grossen Freundeskreis gefunden haben. Es sind kurze pastorale Skizzen: „Im Walde", „Auf der Flur", „Im Gebirge", „Im Dorfe". Ein anmuthiger kecker Jugendgeist, der in der Naturschwärmerei nur eine Gastrolle zu geben scheint, spricht daraus. Thematisch sind die kleinen Sätze loser und leichter als die der Bizet'schen Suiten entworfen und durchgeführt. Ihr Hauptreiz liegt in der Sicherheit mit der die Form behandelt ist. Das ist eine Anmuth in jeder Wendung, eine vollendete Harmonie in den Maassen und eine Klarheit die den Genuss wesentlich erhöht. Auch die Instrumentation trägt zu dem Gefühl dass man vor einem in seiner Art vollendeten Kunstwerk steht, viel mit bei. Der letzte Satz bei dem die grosse Trommel bedeutend mitwirkt, ist der originellste und zeigt das eigentliche Schelmengesicht des Autors.

B. Godard Scènes poétiques.

Zu dieser Classe gehören auch J. Massenet's Scènes pittoresques. Von den vier Orchestersuiten die dieser als Stütze der heutigen französischen Oper bekannte Componist geschrieben hat, sind die Scènes pittoresques der verbreitetste Theil; am nächsten steht ihnen die viersätzige Suite Eslairmonde, die aus Stücken der Oper Eslairmonde zusammengesetzt ist.

J. Massenet Scènes pittoresques.

Die Scènes pittoresques beginnt ein Marsch mit folgenden pikant nüancirten Anfang:

Der Autor zeigt sich nicht als grosser Erfinder und nicht als grosser Geist, aber als ein Künstler der den Effekt versteht und aufsucht. Die Perioden sind auf Ueberraschungen hin gebildet, das Verhältniss der Sätze ist auf Contrast gestellt und um einen wirksamen Gegensatz zu bekommen wird auch ein gewöhnlicher oder sehr gewöhnlicher Gedanke mit in den Kauf genommen. Sehr hübsch ist es, wie Massenet das anmuthige Motiv mit dem der Marsch beginnt, immer wieder in den Satz einzuführen weiss. Hierin zeigt sich eine sinnige Seite seiner Begabung und ein hervorragendes formales Talent.

Der zweite Satz, Air de Ballet betitelt, besteht aus zwei Theilen: In dem Hauptsatz (H moll, $^3/_8$) trägt das Cello ein Solo vor, das als Ergänzung von Manrico's Partie dem „Troubadour" als Ständchen einverleibt werden könnte. Der Mittelsatz bringt (in G dur) eine von den bekannten Balletscenen, wo die oberen Holzbläser eine einfache Melodie in Staccatonoten hinstellen. Man hört derartige Musik nicht ohne dass vor die Phantasie die auf den Fussspitzen trippelnden Ballerinen treten. Die künstliche Zartheit dieser Töne wird etwas grob an den Schlüssen von einem starken Tuttieinsatz des Streichorchesters unterbrochen. Im Cello giebt dann und wann der Sänger Zeichen von Ungeduld. Endlich ist das Ballet aus und der H mollsatz kommt wieder.

Der dritte Satz, ein Andante sostenuto, mit der Ueberschrift Angelus ist die Glanznummer der Suite, ein Stück grosser Kunst, einfach erfunden und der tiefen Wirkung sicher. Es gleicht zur Hälfte einer Kirchenscene in der fromme Weisen vom Priester zum Volke gehen. Alles erinnert an den Gottesdienst, der feierliche Ton der Themen, der Wechsel schwacher und starker Klanggruppen. Die leicht präludirenden Motive scheinen auf die Orgel hinzuweisen. Zur Hälfte ist aber die Musik der Nummer Volksmusik, so vor allem die Motive im $^{12}/_8$ Takt. Beide Bilder schliessen sich nicht aus, sondern dass des Volkes Stimme in der heiligen Ceremonie hörbar wird, hat der Componist als den Gipfelpunkt der Scene gedacht. Der Schlusssatz

„Fête Bohéme" ist ein Balletbild, wie es Jedermann kennt. Eine grosse Menge Volks stürzt herein mit wunderlichen Sprüngen, dann tritt ein Solopaar heraus und ihm folgt der Chor wie zu Anfang. Die Erfindung zeichnet diese Musik nicht aus, ihre Wirkung sucht sie in massigen Klängen.

Von der jungrussischen Schule, deren Geist der alten Kunst nur wenig gewogen ist, hätte sich eine bedeutendere Förderung der Programmmusik erwarten lassen, als sie bisher von dort thatsächlich erfahren hat. Die wenigen russischen Werke dieser Klasse welche über den Continent verbreitet sind, rühren von Rimsky-Korsakoff und von P. Tschaikowsky her.

Rimsky-Korsakoff Schehezerade.

Von Rimsky-Korsakoff ist es die symphonische Suite „Schehezerade" (op. 35) die in letzter Zeit häufiger gespielt worden ist. Der Composition liegt als Programm ein Abschnitt aus „Tausend und eine Nacht" zu Grunde, die Erzählung von der Sultanin Schehezerade. Der Sultan Schahriar hat bisher alle seine Frauen nach der ersten Nacht ermordet. Schehezerade entgeht diesem Loos durch ihre Erzählungskunst. Tausend und einen Abend weiss sie den Sultan durch ihre Geschichten immer wieder zu fesseln und nach dieser Zeit steht er von seinem blutdürstigen Plan ab. Rimsky-Korsakoff giebt in den vier Sätzen seiner Suite vier solche Erzählungsabende, am ersten wird die Geschichte von Sindbad und dem Meer vorgetragen, am zweiten die vom Prinz Kalender, am dritten die vom jungen Prinz und der jungen Prinzessin, am vierten die von dem Fest in Bagdad und vom Schiff das an dem Felsen scheitert. Aber man versteht seine Composition nur halb oder gar nicht wenn man ihre Bedeutung in der Wiedergabe dieser Märchen sucht. Das Hauptziel, das sich der Componist gestellt hat, ist vielmehr: die Charaktere des Sultans und der Sultanin zu zeichnen und die Wandlung zu veranschaulichen in der das rauhe Gemüth des Schahriar allmählich der Grausamkeit entkleidet und mit Milde und Gesittung erfüllt wird. Rimsky Korsakoff entfaltet bei der Lösung seiner Aufgabe eine stattliche

Erfindungsgabe und ein grosses Farbentalent. Seine Arbeit hat aber zwei Mängel, die Vielen die Anerkennung ihrer Vorzüge erschweren: Masslosigkeit der Formen und der Farben. Er kann sich häufig nicht entschliessen aufzuhören wo die Geringfügigkeit des Gegenstandes schon längst das Ende erfordert hätte und er setzt einen schweren und lärmenden Orchesterapparat in minutenlange Thätigkeit, wo wir überhaupt keine Nothwendigkeit für das Auftreten rauher Stimmen einsehen können.

Der erste Satz hat eine kleine Einleitung, Largo maestoso, in der die Hauptpersonen des Märchens sich vorstellen: Schahriar gebieterisch, stolz rauh und hart:

die Sultanin behend, anmuthig, liebenswürdig und auch klug über lange Anschläge verfügend:

Dann folgt ein Allegro non troppo (6/4, E dur) das das Sultansthema zunächst durchführt. *p* setzt es ein als wenn Schahriar durch Scheherazade's Erscheinung betroffen und in seinem Wesen umgewandelt oder verwirrt wäre. Nur mühsam gewinnt er die Fassung wieder. Ein forte in E dur bezeichnet diesen Augenblick. Noch einmal durchläuft er diesen Gemüthsprozess. Den zweiten Abschluss markirt eine Modulation in G dur. Jetzt fängt die Sultanin zu erzählen an. Es ist die Geschichte von Sindbad. Dass sie aber nicht sonderlich interessirt, sehen wir an dem Thema

das etwas trocken ist; wir sehen es noch deutlicher daran, dass es nicht benutzt, weiter geführt und entwickelt wird. Das Horn macht einige Versuche dem Sultan das Wort zu verschaffen, bald aber tritt Scheherazade in den Vordergrund des Bildes. Ihre graziösen Triolen von der Solovioline eingeführt, klingen schnell aus dem ganzen Orchester. Das scheint den Sultan zu reizen. In aller Bedeutung, Wucht und Härte kommt sein Thema wieder. Ein breiter im *ff* ausgehaltner Edur-accord zeigt weithin wer Herr ist. So wechseln die beiden Themen noch öfter im Satz. Die Composition giebt das Bild eines Paars, dessen beide Theile ihre Kräfte messen. Die Sultanin greift auch einmal wieder zur Erzählung. Der Schluss bringt die Sultansmelodie zart und leise.

Den zweiten Satz leitet in einem kurzen Lento wieder Scheherazade ein. Dann folgt in einem Andantino ($^3/_8$, G dur) eine Musik die die Erzählung vom Prinzen Kalender bedeuten soll. Das Thema

zeigt was für eine Art Held dieser Prinz ist, eine komische Figur wie Eulenspiegel und Don Quixote und die Geschichten die ihn behandeln müssen lustig sein. Das Thema geht von einem Instrument zum andern, wir sind unversehends in einen jener bekannten russischen Variationensätze gerathen, die durch die Eintönigkeit so aufregend wirken, als sich Schahriar einmischt: In mehrerlei Gestalt legt er Machtsprüche ein

und

. Sie werden aber nicht sehr ernst genommen. Als die Clarinette in Form eines Recitativs die Melodie der Sultanin gebracht hat wird der Ton ausgelassen. Ein Vivace scherzando tritt ein und in ihm finden wir das Schabriarthema in folgender Form

Eine Wiederholung des Klarinetten-Recitativs bringt eine neue Wendung: Der $^3/_8$ Takt mit der Musik zur Erzählung vom Prinz Kalender kehrt zurück und mit ihr schliesst die Nummer. Kurz vor dem Ende kommt noch ein sehr schön berechnetes und gesetztes Hornsolo.

Der dritte Satz der die Erzählung von dem jungen Prinzen und der jungen Prinzessin bringt, ruht auf folgendem Thema

das für die Gabe des Componisten anschaulich zu gestalten das schönste Zeugniss ablegt. Wer den Tonfall genau ansieht mit dem in den zweiten Takt eingetreten wird, kann kaum in Zweifel darüber sein, dass es sich bei dem Prinzen und der Prinzessin um eine richtige Kindergeschichte handein muss. Das angegebne Thema ist das einzige und infolgedessen hören wir seine Motive sehr oft. Der Componist hat allerdings viel aufgeboten die Wiederholungen nicht als solche erscheinen zu lassen. Die Farben wechseln, die Modulationen; unter den Contrapunkten mit denen er Neues zu bieten sucht, sind ganz verwegne. Die zweite Flöte bläst einmal einen wahren Trommelrhythmus. Auch die Pausen bei den Periodenschlüssen sind darauf angelegt Spannung zu erzeugen. Erfrischend wirkt das Eingreifen der Scheherazade, die dem Ende zu ihre Melodie bringt und dann die Prinzenmusik eine Strecke lang in der Solovioline mit Arpeggien verziert.

Der Anfang des letzten Satzes (Allegro molto) zeigt den Sultan in heftigster Erregung. Er bietet seine ganze Kraft auf um sich Scheherazade gegenüber zu behaupten. Diese schmückt ihre Melodie mit den Künsten des Virtuosen: das Violinsolo kommt in mehrstimmigen Satz. Ein noch heftigerer Ausbruch des Sultans antwortet. Noch einmal erhebt die Sultanin ihre liebliche Stimme und beginnt dann sofort zu erzählen. Es ist diesmal die Geschichte von dem Fest in Bagdad, dessen Bild die Musik auf Grund folgenden Themas entrollt:

das sehr oft hinter einander wiederholt wird. Dann setzen Trompeten und Hörner ein aufmerksam zu machen, dass sich etwas Ausserordentliches begiebt. Die neue Erscheinung stellt sich musikalisch vor als

So gewichtig sie ist, verschwindet sie doch bald wieder und nun kommt eine sehr schöne Stelle: ein Abschnitt aus der vorhergehenden Nummer. Sind der junge Prinz und die junge Prinzessin mit auf dem Feste? Die Idylle entweicht, der Festtrubel wirbelt weiter in Bruchstücken und Umbildungen aus dem ersten Thema. Einmal (der Satz ist nach Edur gegangen) hören wir die Stimme des

Sultans wie im Unmuth über den Gang der Erzählung. Das ändert aber nichts am Plan. Das Thema bleibt, wird nur um vieles stärker vom vollen Orchester gegeben. Von einem Bdurschluss ab beginnt wieder eine Episode für die Messinginstrumente. Wieder folgt das mächtige zweite Thema, das wohl das gefährdete Schiff bedeutet. Sind der Prinz und die Prinzessin darauf? Ihre Musik folgt abermals diesem zweiten Thema und dass Gefahr vorliegt, zeigt die Trompete die ohne Unterbrechung hochnothpeinliche Rhythmen schmettert. Noch einmal geht sie vorüber und das Fest beginnt wieder. Aber als das Thema und der Festtumult am lautesten wird, da kommt die Katastrophe: das Schiff scheitert. Die Trompete bläst wie rasend und das Schlagzeug thut das Möglichste. Gemeint ist die Stelle ganz richtig, aber die Aufnahmefähigkeit des gebildeten Ohres ist vom Componisten nicht richtig geschätzt und der Märchencharakter ebenfalls nicht. Nach jener entsetzlichen Stelle setzt ein $^6/_4$ Takt ein, in dem Schahriar und Scheherazade einen Dialog aufführen. Des Sultans Stimme, die erst rauh einsetzte, wird sanfter und und zarter. Träumerisch, mit Accorden wie sie ähnlich Mendelssohn's Sommernachtstraum eröffnen, klingt die Composition so aus wie sie begonnen hatte.

Korsakoff kommt die Ehre zu als der erste Russe eine wirkliche Sinfonie geschrieben zu haben. Sie wird allerdings selbst von seinen Verehrern abgelehnt.[1]) Dagegen gelten in der Heimath des Componisten die beiden Programmsinfonien viel, welche jenem ersten Versuch gefolgt sind: Sadko und Antar, jene dreisätzig, diese viersätzig. Antar fängt in neuester Zeit an auch in Deutschland bekannt zu werden, in Russland gehört das Werk zu den allerbeliebtesten Orchestercompositionen. Es bietet Programmmusik mildester Art.

Wieder führt uns Korsakoff in die arabische Sagenwelt, in den Kreis der Fabeln, die sich im Volk um Antar den Dichter und den geliebten Helden der Wüste

[1]) César Cui: La Musique en Russie. 1880 p. 130.

gebildet haben. Antar, einsam in den Ruinen von Palmyra weilend, sieht plötzlich eine Gazelle und gleich darauf einen Raubvogel, der sie verfolgt. Er tödtet den Vogel, die Gazelle verschwindet. Antar schläft ein und wird nun im Traum nach einem prächtigen Palast entführt, wo er seine Gazelle wiedertrifft, die nichts Geringeres war als die Fee Gul-Nazar, die Herrscherin von Palmyra. Sie fordert Antar auf drei Wünsche auszusprechen und Antar wünscht sich 1) den Genuss der Rache, 2) unbedingte Macht, 3) die schönsten Freuden der Liebe. Als das Glück der Liebe den guten Antar zu ermüden beginnt, tödtet ihn Gul-Nazar mit einem Kuss.

Rimsky-Korsakoff Antar.

Es handelt sich also bei dieser Sinfonie um poetische Vorwürfe, wie sie die Instrumentalmusik überall und zu jeder Zeit unbedenklich in ihr Bereich hat ziehen dürfen. Nur wer der Musik überhaupt das Recht und die Möglichkeit des Charakterisirens abstreitet, wird sich diesem Programm entgegenstellen dürfen. Denn es handelt sich in dieser Antarsinfonie um weiter nichts als um den Versuch durch Musik-Vorstellungen vom Feenleben, vom Wesen der Rache, der Macht, der Liebe zu erwecken. Korsakoff hat sich diese vier Bilder als Träume Antar's gedacht, begegnet sich demnach mit der Auffassung in der Berlioz in seiner Sinfonie fantastique die Schilderungen aus dem Leben eines Künstlers genommen haben wollte. Korsakoff folgt Berlioz auch in der Verwendung von Leitmotiven.

Am meisten bietet die Sinfonie von Korsakoff den Liebhabern einer weichen, in zarten Tönen, süssen und schmiegsamen Harmonien schwelgenden Musik. Sie finden im ersten und vierten Satz Alles was sie erwarten dürfen und es zeigt sich auch hier wieder dass Korsakoff's Musik den schmiegsamen weiblichen Zug des russischen Nationalcharakters besonders stark und deutlich ausprägt. Auch der fast Blinde kann aus ihr sehen: was asiatischer Geist für das Czarenreich bedeutet. Die Schilderung der Rache interessirt durch Beweise guter, scharfer Seelenbeobachtung, das Bild der Macht überzeugt am wenigsten.

Der erste Satz beginnt mit einem Largo in Fismoll (3/4 Takt) das in schwer beweglichen schleichenden Motiven den ernsten, der Einsamkeit und Vergangenheit lebenden, die Menschen meidenden Antar zu zeichnen sucht. Das wichtigste Antarmotiv ist:

. Es kehrt, den schwermüthigen Grübler zeichnend, in allen Sätzen wieder. Im Sinnen und Dämmern scheint die Phantasie des Einsiedlers auf die Sage von der Fee Gul-Nazar zu stossen, die Töne suchen eine hoheitsvolle zarte Gestalt vor unser innres Auge zu stellen:

Diese Weise wird das Leitmotiv der Königin in der Sinfonie. Mit dem Eintritt des Allegro (Dmoll, 3/4) erwacht um Antar Leben: Von dem verzierungsreichen Thema

aus entwickelt sich eine breite, in einer gewissen trägen Munterkeit fortschreitende Melodie. Dreissig Takte lang liegen die Hörner dazu auf *A*, die zweite Violine giebt einen Tambourinrhythmus. Korsakoff hat sich vielleicht unter dieser Musik die Gazelle seines Programms gedacht, und dabei die Gelegenheit gern ergriffen etwas orientalisch zu malen. Das volle Streichorchester bringt Aufregung in das Bild. Ueber ein gewaltiges anwachsendes Tremolo der untern Instrumente werfen die obern Violinen das Motiv

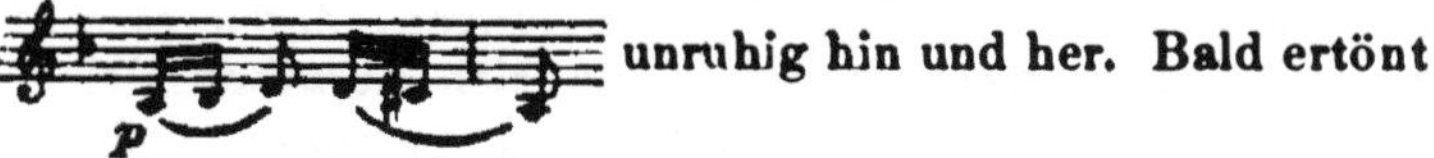

unruhig hin und her. Bald ertönt schrill in den Bläsern der Schrei des Raubvogels und treibt den ganzen Geigerchor in einem wüthenden Unisono in die Höhe. Ein kurzer Kampf, während dessen die grosse Trommel bebt, dann der entschiedne Streich in den Violinen:

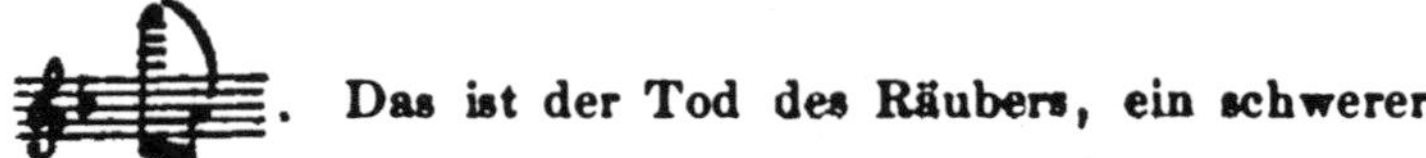

. Das ist der Tod des Räubers, ein schwerer Seufzer in den Bläsern: als wenn der Druck sich löste den die Gefahr in Antar's Brust veranlasst hat. Bald dann kommt die Stimme der Gazelle und der Königin, wie sie ja zusammengehören, dicht hintereinander; die Gestalten scheinen sich in Antar's Phantasie zu vermengen. Er schläft ein und nun tragen ihn die Träume in den Feenpalast, wo Gul-Nazar weilt und seiner Wünsche wartet. Ein zweites Allegro (Fis dur $^6/_8$) beginnt. Schattenhaft huschende Flötenfiguren, süss schneidende Geigenaccorde, das Horn mit langem liegenden Ton darunter, leiten es ein. Dann fängt der zarte weiche Reigen an, der von dem Thema

aus gebildet, den musikalischen Hauptinhalt der Nummer ausmacht. Sein melodischer Theil erinnert an das schöne Stück von den Prinzenkindern, das Korsakoff in der „Schehezerade" gegeben hat. Harmonien, Begleitungsmotive, Klangfarben — Alles strebt nach äusserster Zartheit und der Vortrag soll noch das Uebrige thun dieses Ziel zu sichern. Ein gutes Orchester kann sich hier im Piano zeigen. In der Periodenbildung macht sich das Verfahren bemerklich den thematisch melodischen Zusammenhang durch ruhende Accorde zu unterbrechen. Das hebt den phantastischen Traumcharakter des Tonbilds sehr wirksam. Die Wiederholungen, deren es sehr viele sind, reizender zu gestalten, hat sich Korsakoff kleiner Aenderungen durch Verzierungen sehr wirksam bedient. In der Mitte ungefähr, gerade als das Horn wieder das

Thema des Feenreigens geführt hat und die Harmonie ohne Weitres von *Es* nach *E* wechselt, tritt das Motiv der Königin ein. Bald darauf hören wir wieder die Figuren die den Kampf gegen den Raubvogel veranschaulichten. Das soll uns darauf führen, dass Gul-Nazar, die Königin, jetzt ihren Retter belohnt. Und er bedankt sich: das Antarmotiv folgt unmittelbar den Tönen, die die Königin bedeuten und wird immer wiederholt, während der Reigen wieder aufgenommen ist. Dann erzählt die Musik wieder nur vom Schlafen und Träumen Antar's und zeigt noch einmal wie in seinen Gedanken die Figuren der Gazelle und der Königin durcheinander laufen. Unsre letzten Blicke fallen wieder auf die Ruinen von Palmyra, wo der einsame Antar das Abenteuer hatte.

Der zweite Satz (Allegro, $^{3}/_{4}$, Edur) giebt das Bild der Rache zuerst mit leisen Motiven:

. So wühlt (in den Cellis), so (in den Fagotten, Hörnern, Posaunen): brütet der Dämon. Dann heftiges Auffahren:

. Ist das noch Antar, der Grübler? Mit gesteigertem Tempo geht die Rache nun zum Handeln über:

.

Die Energie steigert sich zur Wuth, fast bis zur Sinnlosigkeit; wild und diabolisch zischen versprengte Töne durch das Gewebe der Themen. In der Mitte des Satzes kommt das letzte Thema in langsamer Bewegung, als wenn Antar, dessen Leitmotiv ihm angehangen ist, nach Sammlung ränge. Dann wiederholt sich der ganze Process des Anwachsens der Leidenschaft in verstärkten Graden; mit Zuthat von neuen, anfeuernden Motiven giebt der Componist ein schreckliches Bild von den Qualen einer Seele, die die Herrschaft verloren hat. Der letzte Abschnitt malt Erschöpfung und Reue.

Der dritte Satz (Allegro risoluto alla Marcia, $^4/_4$, Hmoll), der Antar im Besitz der Macht zeigen soll, baut seinen Hauptttheil auf das Thema der Hörner:

das die Holzbläser mit leicht tängelnden Motiven:

umspielen. Kraft und Frohmuth spricht aus diesen Tönen, aber nicht was wir erwarten: Grösse. Das Thema macht sehr bald einem andren Platz

von dem es allmählich fast ganz verdunkelt wird. Es wird auf Individualität und Race ankommen ob man der Auffassung vom Wesen der Macht, zu der sich Korsakoff in dieser Composition bekennt, beistimmt oder widerspricht. Sicher liegt nach dieser Darstellung der Werth der Macht nicht in den Thaten, sondern im Genuss. Und um sie von dieser Seite zu zeigen hat Korsakoff das neue Thema mit Motiven des Scherzes und der Heiterkeit umgeben, die die Reize des Bildes bedeutend erhöhen. Zum Theil muss sein Charakter auch daraus erklärt werden, dass es sich um orientalische Anschauung handelt. Antar und die Königin erscheinen in einem Augenblick besonders hoher Lust, den mächtige Trillerwellen, Violinen und Holzbläsern entströmend, bezeichnen.

Der vierte Satz, der das Walten der Liebe zeichnen soll, beginnt mit einem Allegretto vivace ($^{6}/_{8}$, Ddur) in dem wieder die hinabhüpfenden Flötenfiguren (wie im ersten Satz) an das Weben des Traumgottes erinnern. Dieses Allegretto geht nach 12 Takten bereits in ein Andante amoroso über, das den Satz ausfüllt. Sein Hauptthema ist die Melodie eines arabischen Lieds mit folgendem Anfang:

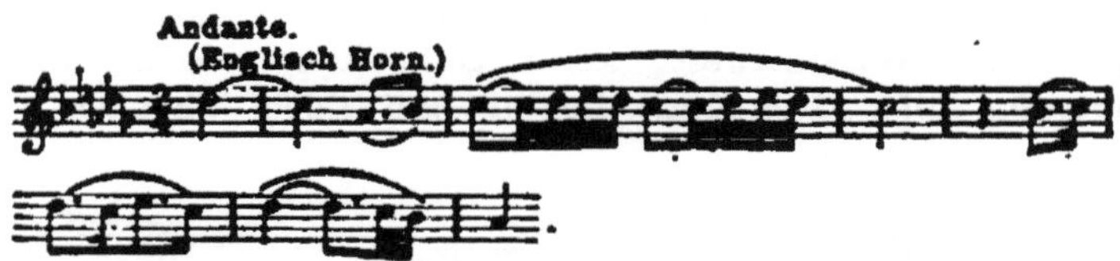

Die Clarinette schliesst mit

das ist also mit einem Anklang an das Allegro giocoso des ersten Satzes. Das Liebespaar wird dann musikalisch vervollständigt durch das zuerst von den Violinen gebrachte Thema:

Bald sagen uns auch die Leitmotive der Königin und Antar's um wen es sich bei diesem Austausch zarter Gefühle handelt. Mit dem Eintritt des Animato wird das Spiel auf einen Augenblick von Leidenschaft erwärmt, dann zögernd. Der Stimme der Königin gegenüber, ist die Antar's kaum noch zu vernehmen. Ein Tamtamschlag, ein glissando der Harfe, das ungefähr klingt als wenn ein Faden zerreisst — und mit einigen Tönen wie frommer Grabgesang aus hohen Sphären herabgehört, schliesst die Sinfonie!

Die neueste russische Programmsinfonie, die sich soeben in den deutschen Concertsälen einzubürgern beginnt ist P. Tschaikowsky's „Manfred“ (op. 58). Diese Composition will „vier Bilder nach dem dramatischen Gedicht Byron's“ bieten wie auf dem Titelblatt steht.

P. Tschaikowsky Manfred.

Im ersten Satz haben wir uns Manfred zu denken wie er im Gebirge herumirrt von Seelenqualen gefoltert, gegen die keine Wissenschaft, keine Höllenkunst, keine Erinnerung hilft. Die Musik beginnt mit einem Thema:

in das sich heroischer Stolz und Schwermuth theilen. Das ist das Bild des unseligen Manfred, der einst so gewaltig, nun gebrochen dahin wankt und klagt. Für dieses Klagen hat der Componist ein ganz bestimmtes Motiv ins Thema eingesetzt. Es erscheint da im siebenten Takt, wird aber auch frei für sich in dieser ersten Form oder auch als:

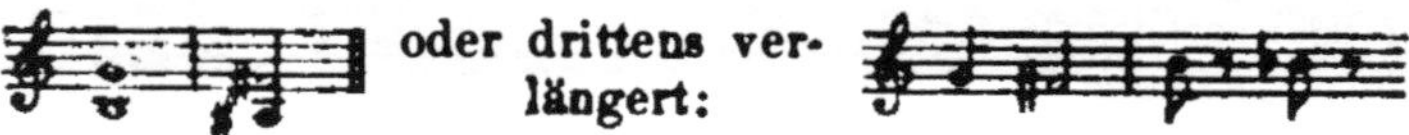

oder drittens verlängert:

oder endlich in verkürzten Rhythmen verwendet. Manfred müht sich seines Elends Herr zu werden. Das sagt uns die Fortsetzung seines Themas

die Kraft und ernstes Bestreben äussert. Und bald wird der Eifer mit dem Manfred gegen die Dämonen kämpft noch grösser. Die Celli stellen mit dem Rhythmus

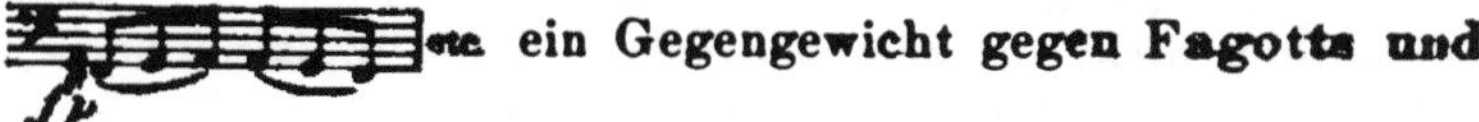 ein Gegengewicht gegen Fagotts und Clarinetten auf, in denen das Seufzermotiv haust. Diese Triolen werden von mehr und mehr Instrumenten des Orchesters aufgenommen, schliesslich auch von ersten und zweiten Violinen. Mit ihnen kommt der Abschnitt zu einem schroffen Abschluss im *ff*: Die Kraft in Manfred hat sich gegen sein Leiden aufgebäumt. Kurze Generalpause. Wieder setzt das Manfredthema ein aber mit *h*, eine Quint höher als beim ersten Male. Der ganze Vorgang wiederholt sich mit Steigerung. Das Triolenmotiv wandelt sich in eine Sechzehntelfigur, eine besondre Figur des Strebens

 tritt noch dazu; mit ihr wird die Erregung allgemein, am Ende (beim Animando un poco) ein wahrer Tumult und wieder ist das Resultat Sisyphusarbeit gewesen. Zum dritten Male setzt das Manfredthema aber wie ein Schrei der Verzweifelung *fff* (beim Piu mosso) ein. Die Trompeten führen, die Bläser stehen an der Spitze des Orchesters, die Violinen markiren mit dissonanten Tremolos einen Fieberzustand. Manfred sucht diesmal die schlimmen Geister in seiner Seele durch Kraft und Trotz zu bannen. Hart stossen die aus Liszt's „Faust" und Berlioz's „Fantastique" bekannten Rhythmen der Verwegenheit durchs ganze Orchester. Drei-, viermal: , dann gar .. Auf diesen Triolen rast die Musik einen Takt lang. Alle Instrumente schlagen diesen Rhythmus mit der äussersten Kraft an, das Tamtam fällt ein; dann zittert der Zorn sogar in einem allgemeinen Sechzehnteltakt, wohlverstanden: nur Rhythmus in allen Instrumenten. Und abermals umsonst, Manfred kann es nicht zwingen. Da ist es denn rührend, wie er nach diesem letzten grossen

Misserfolg (beim Moderato con moto) bescheiden und demüthig, nicht mit dem herausfordernden breiten Thema, sondern mit der Fortsetzung, mit den Motiven des Strebens wieder anfängt. Den Lohn erhält er aus dem Munde des Horns:

So ermuntert nimmt Manfred den Kampf gegen die innren Feinde wieder auf. Die Motive des Strebens werden energisch durchgearbeitet, in Nachahmungen in einander geflochten und zu einem lebendigen Bild von Seelenkampf entwickelt. Die ersten zwei Noten des Manfredthemas sind auch darin als leidenschaftlicher Wehruf, das Seufzermotiv kommt in den Hörnern in der Form

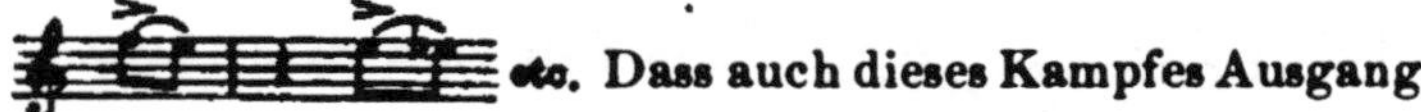

etc. Dass auch dieses Kampfes Ausgang nicht günstig, sagen uns die Motive des Trotzes und der Verwegenheit, die am Ende des Abschnittes wieder hart als ♩♩ im *fff* einsetzen.

Und nun kommen wir an die Mitte des Bildes, an die Stelle wo der Componist auf das Antlitz und in die Seele Manfred's einige freundliche Strahlen fallen lässt. Ein Andante beginnt. Sein Hauptthema

führt die Gestalt Astartens vor Manfred's inneres Auge und der Erinnerung an die Heissgeliebte gilt der ganze Abschnitt. In den Bildungen um das Thema

nimmt er den Charakter eines traulichen Dialogs an; freundlich erregte Klänge die von entzückten Herzen erzählen, tönen dazwischen. Es kommt eine Stelle (beim Poco piu animato) die mit dem Anfang

etwas an Gounod erinnert. Sie schliesst dann einfach mit Scalen:

etc. Aber diesen Gängen hat der Componist durch Gegenmotive und Harmonien eine solche Wärme gegeben, dass von dieser Stelle aus ein Glanz auf die ganze Scene fällt. Nachdem das Thema der Astarte nochmals, aber nicht innig und schüchtern wie beim ersten Mal, sondern in Pracht und im Licht der Begeisterung vorübergezogen, schliesst die Stunde schöner Erinnerung mit einem letzten Ausklang des Jubels und der Freude:

Mit dem letzten Takte kommt der erste Bote von den Qualen wieder, die Manfred's Gemüth bedrohen. Die Bratsche setzt diesen chromatischen Ton fort und der Schlusstheil des Satzes, ein Andante con duolo, das mit dem innren Gang der Musik das Tempo zuweilen etwas beschleunigt, empfängt uns mit dem Manfredthema von Geigen, Bratschen und Cellis unisono gespielt. Es klingt aber hier zunächst edel, gewissermassen unter der Nachwirkung der vorausgegangenen Scene verklärt. Als es die Hörner aufnehmen, Geigen und Holzbläser mit wilden Trillern begleiten, wird sein Charakter dämonisch und so schliesst der Satz. Manfred's Kämpfen und Mühen war vergebens. Es ist dieser erste Satz der Tschaikowsky'schen Sinfonie der bedeutendste unter allen. In Bezug auf die Form zeigt er wieder des Componisten aussergewöhnliche Gestaltungskraft. Sie erlaubt ihm sich vom Schema zu entfernen und frei neue Bildungen zu versuchen. Nichts von der Eintheilung und den Elementen des üblichen Sonatensatzes in diesem Stück, keine Themengruppe, keine Durchführung. Dafür eine schöne freundliche Scene als Mitte des Bildes, zu ihr hinführend eine Reihe von Anläufen eine dämonisch qualvolle Stimmung zu überwinden, diese Anläufe ziemlich gleich in Material und Führung. Nachdem das Bild in der Mitte verhangen worden ist, werden die Vorgänge des ersten Theils gekürzt und gesteigert noch einmal vorüber geführt und zum baldigen Ende gebracht. Auch was den Ausdruck, den seelischen Charakter betrifft, muss dieser Satz hoch gestellt werden. Wenn es sich um eine Manfredcomposition handelt, so kann keinem neuen Tonsetzer der Vergleich mit Schumann erspart werden. Denn seine Manfred-Ouverture ist ein Charakterbild, dem man nur wenig an die Seite setzen kann: Händels Agrippina, Beethoven's Coriolan, Volkmann's Richard III. allenfalls noch. Schumann's Manfred hat Züge die ihm ganz allein gehören; kein zweiter Componist hätte solche Töne wie Schumann für den Geisterverkehr gefunden. Aber im Allgemeinen behauptet sich Tschaikowsky neben seinem Vorgänger. Auch er hat ein ergreifendes Bild bedeutender Seelenzustände gegeben. Zeichnet Schumann die Leidenschaften, so enthüllt der Russe die Leiden seines Helden.

Die oft beklagte Ungleichheit in den Werken des hoch veranlagten Russen zeigt sich auch in seiner Manfredsinfonie wieder. Während uns der erste Satz eine bedeutende geistige Erfassung der Aufgabe bekundet, ist der Componist dem Gegenstand im zweiten Satze nur äusserlich näher getreten. Das Programm sagt: „Die Alpenfee erscheint vor Manfred unter dem Regenbogen des Wasserfalls" und erregt damit die Erwartung wunderbarer und in Anbetracht der Gebirgsnatur jedenfalls erhabner Erscheinungen. Sonst doch ein durchaus moderner Künstler, hat Tschaikowsky diesmal sich um das gegebne „milieu" wenig gekümmert, sondern, nur den Wasserfall und das Glitzern des Regenbogens im Kopf, im Hauptsatz eine Springbrunnenmusik gegeben. Dieser Satz von der Alpenfee ist eine Saloncomposition mit äusserst geschickter Orchestertechnik durchgeführt und einigermassen von Mendelssohn'schen und Berlioz'schen Ideen inspirirt, aber keine Tondichtung die über das Alltägliche hinaushebt. Der Form nach gleicht er einem Scherzo. Die Bläser tragen den Hauptttheil der Darstellung mit sprühenden und regsamen Sechzehntelmotiven. Sie führen auch in das Stück ein. Die zweite Flöte bringt das von andren Stimmen ziemlich verdeckte Hauptmotiv

, das in den Geigen seltsam und grotesk mit einer metrisch etwas verrenkten Octavenfigur begrüsst wird. Das Bläserthema ergänzt sich dann noch durch eine Figur, die das Phänomen des Fliessens vor die Phantasie ruft

. Den Bildern des bewegten Wassers widmet sich dann der Componist, nachdem die erste Themengruppe zweimal vorgeführt worden ist, für eine ziemliche Weile. Mit Bildungen die auf dem Motiv

ruhen zeigt er uns das Element im hüpfenden Zustand. Dann bringen die Celli vier Takte lang das Motiv

, ihnen nach die Bratschen und die andern Streichinstrumente ähnliche Figuren. Das ist die musikalische Zeichnung von den langhinströmenden und fluthenden Wellen. In der grössten Bewegung hält die Musik plötzlich ein, bricht auf einer Dissonanz (*cis-e-g-h*)

ab. Bratsche und englisches Horn halten allein *cis* aus. Dann setzen die Geigen mit einer neuen weit ausholenden Triolenfigur ein, die wie Verwunderung aussieht. Es hat sich etwas ereignet, was die Elemente stutzen macht: Manfred ist am Wasserfall erschienen. Wir erfahren das nicht aus seinem herrischen Thema, das die Sinfonie eröffnete. Nur durch das Seufzermotiv wird er vertreten. Es durchklingt in der Form *p* und immer auf denselben zwei Tönen von der Oboe gebracht einen längren Abschnitt, in dem es ziemlich still hergeht. Nur ein leichtes Tremolo der Bratschen dann der zweiten Violinen erinnert noch an das Wasserrauschen und an den Ort, an dem unsre Phantasie weilen soll. Allmählich wird die Wassermusik wieder deutlich. Der Componist wiederholt den ganzen Hauptsatz mit Acuderungen. Die Rollen sind vertauscht: die Violinen haben die leichten Sechzehntel, die Bläser die Achtelmotive.

Ein neues Motiv tritt hinzu *p*.

Es hat sich über das muntre Treiben durch die Seufzer des vorigen Abschnitts ein Schatten und eine Lähmung gelegt. So hört es denn auch früher als zu erwarten auf, oben in den Bläsern mit schrillen Tönen, unten in den Violinen vollständig erstarrt. Achtundvierzig Takte lang spielen erste und zweite Geigen abwechselnd, immer nur *fis g*; schliesslich bleiben die ersten Violinen mit ihrem *fis* allein übrig. Die Stelle macht einen ausserordentlich phantastischen Eindruck, der Einfall erregt grosse Spannung zugleich aber auch ein gewisses gespenstisches Grauen. Da setzt denn nun von zwei Harfen rauschend begleitet die erste Violine mit folgender freundlicher Melodie

ein. Es ist die Stimme der Alpenfee die Tschaikowsky mit seiner Musik als eine Gestalt zeichnet, die ganz Güte und Liebe ist. Das Lied hat einen zweiten Theil, den ebenso wie den ersten die aufschlagenden Achtel als Gebirgsmusik kennzeichnen. Der Gesang wird reichlich wiederholt und dabei immer glänzender instrumentirt. Als ihn das Fagott eben durchgeführt hat, da setzt in Horn und Bratschen das Thema des unseligen Manfred ein. Manfred erzählt ja nach Byron der Alpenfee seine unglückliche Liebe zu Astarte. Mit dem Manfredthema zusammen geht das Lied der Alpenfee immer weiter. Auch die Wassermusik wird wieder lebhafter, besonders an der schönen Edurstelle wo die Saiteninstrumente die Motive der Alpenfeemelodie in Gegenbewegung durchführen. Die Hörner haben einen weitern selbständigen Contrapunkt dazu und die Musik spricht hier mit glühender Wärme Mitleid mit Manfred aus. Die freundlichen Sorgen der Alpenfee schildert ein Abschnitt in dem die hohen Bläser die Motive des Ddurthemas mit den Bässen in Nachahmungen bringen. Es scheint aber nichts zu nützen. Der Satz setzt sich auf einen Asmollaccord fest, fängt an rhythmisch ähnlich zu rasen, wie wir es im ersten Satz erlebt und bricht wie dort im *fff* mit dem Rhythmus des Trotzes ab: ♫. Darauf in grossen schmerzlichen Regungen Manfred's Thema in Violinen und Holzbläsern und ein Ende dieses Absatzes in Dissonanzen (*G-d-e-h*) und Verlegenheit. Aus dieser Situation helfen Celli und Fagotte mit einem neutralen Einfall fort

und hinein in die Wiederholung des Hauptsatzes. Sie weicht von der ersten Ausführung am Ende ab: Englisches Horn und Clarinette bringen noch einmal im weichen Ton das Manfredthema und die letzten Takte haben nur noch einen Schimmer von Klang: Harfen und Violinen in hohen Trillern sind allein übrig geblieben. So wird der Ausgang des Satzes dem Wunderbaren der Scene noch schnell gerecht.

Wie Tschaikowsky's Manfred im Allgemeinen mit Berlioz's „Harold“ wichtige Berührungspunkte gemein hat, so erinnert der dritte Satz insbesondre an die Scene Harold's in den Abruzzen, wo die Landsleute das drollige Ständchen bringen. Das Programm zu diesem Satze giebt an: „Pastorale. Einfaches, freies und heitres Zusammenleben der Gebirgsbewohner“. Den Pastoralcharakter zu treffen brauchts vor Allem einen $^6/_8$ Takt, als Nachkömmling des alten Siciliano. Auch Tschaikowsky hat sich dieses gegebnen Mittels bedient und in ihm folgende Melodie an die Spitze seines Pastorale gestellt

Sie wird durch die begleitende Harmonie eingermassen gehoben und sucht auch des Weitren das Behagen an ihrer Sphäre durch künstliche Mittel zu steigern. Die Oboe modulirt nach ihrem zweiten Einsatz bereits nach Hdur und daran schliesst sich ein Abschnitt in dem die Stimmen um das Thema

kunstvolle Spiele (Canons und freiere Nachahmungen) führen. Der Gdursatz wird darauf mit der Melodie in den Holzbläsern wiederholt. Als das Ende des Themas erreicht ist, kommt keine Durchführung sondern das Bild des Friedens und der Unschuld verwandelt sich. Eine neue ganze Gesellschaft tritt auf bei der es aus einem andren Ton geht, nämlich:

Zu dieser Melodie muss man sich rustikale Quintenbässe (Fagotte) denken und ungenirte Reibungen in den Begleitstimmen um zu begreifen, dass es sich jetzt um eine derbre Lustigkeit handelt. Allenfalls lässt das ja schon die rhythmische Hast des Themas ahnen. Es sind gewiss herumziehende Musikanten, die das kleine Sätzchen vortragen. Die Episode entfesselt aber einen Freudensturm bei der Hirtengemeinde. In einem Hmollsatz der den Mitteltheil des Pastorale bildet, kommt er zum Ausdruck weniger in dem in einem grandiosen Unisono der Streicher gebrachten Thema

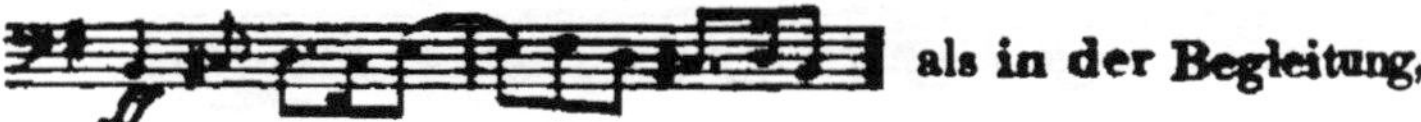

als in der Begleitung, in dem lauten Ton, in dem sie gehalten ist und in den erregten Rhythmen die immer aus einzelnen Stimmen oder ganzen Orchestergruppen dazwischenfahren. Es schliesst sich daran eine Durchführung des ersten Seitenthemas das früher in Hdur erschien nun in der Haupttonart Gdur gebracht wird. Es verliert sich in einen Schluss der ähnlich gehalten ist wie der Ausgang des zweiten Satzes; die ersten Violinen haben einen Triller auf hohem *h*, die drei Flöten umwinden ihn mit hohen Arpeggien. Der ungewöhnliche Klang soll hier auf Wunderbares vorbereiten. Das jetzt in den Cellis einsetzende Thema

hat nur dann einen Sinn, wenn es einigermassen visionär, in einer entrückten Stimmung gedacht wird. Es ist Manfred's Traum vom Glück, ein Traum zu dem er sich an den Bildern des ländlichen Friedens und Behagens berauscht hat. Schon aber als die Bläser das Thema aufnehmen, wird es getrübt und erregt und trotz gewaltsamer Anstrengungen bricht doch Manfred's verzweifelte Stimmung bald wieder und schauderhaft durch. Die Hörner bringen das Thema aber ohne den Anfang, gleich mit der resignirt herabsteigenden Wendung und dann stehen sie festgebannt auf dem schliessenden *C*, das 23 Takte hindurch unter wechselnden Harmonien immer wieder angeschlagen wird. Diese Beharrlichkeit wirkt religiös; in der That stimmt auch eine Glocke mit ein und dass der ganze Vorgang das Herz Manfred's entlastet, zeigt die Melodie die das Horn einsetzt während die Holzbläser immer noch am *C* und den dazu gehörigen Harmonien festhalten:

Sie erinnert an eine andre Hornmelodie die im ersten Satz der Scene vorhergeht, in deren Mittelpunkt Astarte steht. Auch hier folgt Sonnenschein. Die Pastoralmusik aus dem ersten Theil der Nummer kehrt wieder, in der zweiten Periode, wo die Streichinstrumente das Thema nehmen, durch die Contrapunkte der Bläser in einen bachantischen Charakter gewandelt. Der hohe Ton hält an. Nach einer Steigerung die von G dur nach E moll geführt hat, tritt das Thema von Manfred's Glückstraum hinzu ohne sich jedoch lange zu behaupten. Es wird still, das Hornthema erscheint wieder am Schlusse mit Harmonien, die wie die Schatten des Abends wirken. Noch einmal blasen die wandernden Musikanten ihr Stückchen. Nur aus der Ferne aber wird ihnen gedankt; leise und immer leiser klingen froh bewegte Figuren aus den Violinen, aus den Holzbläsern Abschiedsgrüsse — ein letztes Anspielen des Pastoralthemas wie im Einschlafen, und Alles ist aus!

In seinem S c h l u s s s a t z hat sich Tschaikowsky die Aufgabe gestellt den unterirdischen Palast Ariman's zu schildern. Manfred erscheint inmitten des Bacchanals. Der Schatten der Astarte wird beschworen. Sie verkündet ihm das Ende seiner irdischen Leiden. Manfred stirbt. Durch dieses Programm erklärt sich der Componist als einen Schüler Berlioz's, der seinen Harold gleichfalls unterirdisch und bei einem Bachanale zu Grunde gehen lässt. Und Tschaikowsky zeigt sich auch in der Ausführung dieser Idee von dem Franzosen beeinflusst namentlich darin, dass er aus seiner Darstellung die Grazien ganz und gar verbannt. Von Gluck und Wagner hätten diese Programmmusiker lernen können dass die Hölle durch ihre zarten Künste am verführerischsten ist und die grösste Gewalt über die Geister übt.

Ein gewaltsames heftig auffahrendes Thema kennzeichnet das Reich Ariman's

Es wird häufig von einem geisterhaften Nachgesang der Bläser begleitet, dem folgendes Motiv zu Grunde liegt:

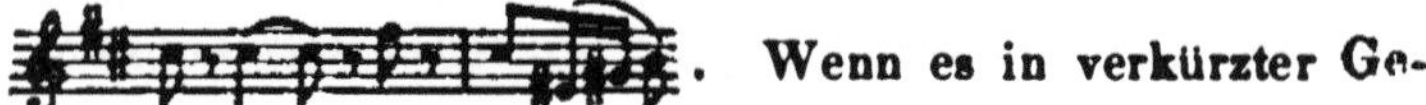

Wenn es in verkürzter Gestalt erscheint: folgen ihm in der Regel lärmende Contrapunkte, grösste Erregung hervorrufend die grimmige Bassfigur:

Für den ganzen Theil der der Schilderung der Ariman'schen Herrschaft gewidmet ist, hat der Componist Ungestüm und Heftigkeit als kennzeichnende Merkmale gewählt. Daher die immer neuen und immer kurzen Anläufe auf Grund des Themas grössere Sätze zu bilden. Bald geschehen sie in Fugenform oder in andren Arten der Nachahmung, bald mit Verlängerung bald mit Verkürzung der Anfangsnoten, bald mit gefassten, bald mit wilden Contrapunkten. Diabolischer wird die Scene mit dem Auftreten der Trompetenvariante:

Geigen und Flöten umtrillern sie wie rasend, brutale Stösse der Hörner antworten darauf. Der Lärm wächst von allen Seiten, die Trompete feuert in gemeinen Rhythmen an und

endlich macht sich das animalische Behagen dieser Gesellschaft in einem Reigen Luft, zu dem Englisch Horn, Bassclarinette und beide Fagotte folgende Weise aufspielen:

Sie wird sehr breit ausgeführt, mit Freuden gehört und begrüsst, leidenschaftlich von den einzelnen Gruppen übernommen und mit Verzierungen versehen. Plötzlich — die Violinen liegen auf *g* — bricht die Scene ab. In einer Umbildung lässt sich das Manfredthema in den Bässen hören. Das Bacchanale ist damit zu Ende. Ein Lento setzt ein. Geheimnissvoll beginnt ein leiser Satz auf chromatischem Motiv , ihm folgen feierlich schrecklich laute Bläseraccorde. Und nun tritt Manfred wirklich auf in seiner edlen Art mit den Motiven des Strebens. Ihm stellt sich Ariman entgegen mit einer Fuge über das erste Thema des Schlusssatzes dem aber ein etwas verworrener Abschluss gegeben ist. Die Musik des Bacchanale tritt dazu, bald werden beide Themen verbunden. Ariman zeigt sich in dem höchsten Glanz über den er verfügt; der Lärm ist betäubend genug. Da kommt plötzlich wieder eine jener naturalistischen Stellen, wo das volle Orchester nur Rhythmus giebt. Hier ruht es Takte lang auf Triolen. Im ersten Satz verwendete Tschaikowsky dieses Mittel um extremste Gemüthszustände Manfred's, die Augenblicke der tollsten Verzweifelung zu bezeichnen. Auch hier gilt es wieder Manfred. Die Trompete meldet ihn an und bald erscheint ein wenig beweglicher gehalten als im ersten Satz sein Thema in einem Andante, von der Gesellschaft Ariman's mit Staunen empfangen. In einem Adagio, an das wir kurz darauf gelangen, hören wir die Klänge der Liebe zart wieder, die dem Mitteltheil des ersten Satzes sein schönes inniges Gepräge gaben. Astarte wird angerufen: sie kommt und mit ihr ein grosser Theil von den besten Augenblicken des Werkes. Wir durchleben, nur gedrängter, noch einmal die ergreifende und erwärmende Scene, die dem ersten Satz der Sinfonie seine Herzenstöne gab. Auch das Andante con duolo, das dort der Scene der Erinnerung an Astarte folgte, kehrt wörtlich wieder, bis beim Allegro die Bässe ein neues Motiv bringen:

. Das ist die rauhe Hand des Todes.

Noch ein kurzer heftiger Kampf, dann fällt die Orgel ein wie in Liszt's „Faust" als Stimme des Himmels: Manfred ist erlöst. In einem feierlichen, von milder Schönheit erfülltem Largo wird ihm ein tröstliches und friedevolles Requiem gesungen. Einigermassen stimmt es im Ton mit dem Ende von Raff's „Lenore". Durch den schönen versöhnenden Abschluss unterscheidet sich das Finale von Tschaikowsky's Manfred vortheilhaft von dem des Berlioz'schen Harold.

Von dem Zeitpunkte ab, wo Haydn ihre Umgestallung begann, blieb die Sinfonie den Deutschen ziemlich allein überlassen. Nur die Franzosen stellten in längeren Abständen einzelne nennenswerthe Mitarbeiter, wie: Gossec, Méhul, Berlioz. Nach Analogie der Entwickelung, welche die Vocalmusik, zuletzt noch in der Oper, genommen hatte, war anzunehmen, dass eines Tages auch die Geschichte der Sinfonie wieder den internationalen Charakter tragen und dass der Wettstreit der Nationen sich auch dieser Kunstgattung bemächtigen werde. Nach 80 Jahren trat diese Wendung endlich ein. Doch erfolgte sie mit einer ebenso wichtigen als überraschenden Nüance. Die neuen Sinfoniker kamen nicht aus Italien, sondern aus Ländern, welche sich an der höheren musikalischen Kunstarbeit bisher nicht betheiligt hatten. Sie brachten neue Weisen, neue Klänge, einen ganzen Schatz von Naturmusik mit, für welchen die Stimmung durch die Arbeit der Romantiker aufs Günstigste vorbereitet war. Mit den Programmsinfonien theilen die nationalen das realistische

Element in der Darstellung; der pathetische und hochdramatische Zug jener ist ihnen bis auf einzelne neueste Ausnahmen russischer Herkunft fremd. Ihr liebstes und eigenthümlichstes Gebiet ist das Genre.

Das erste Interesse für die Musik der sogenannten Nebennationen erwachte schon am Ende des achtzehnten Jahrhunderts. Noch ehe Herder's „Stimmen der Völker" erschienen waren, lenkte Delaborde's „Essai sur la musique etc." die Aufmerksamkeit der gebildeten Musikwelt auf die Gesänge und die Tanzweisen der bisher musikalisch unbeachtet gebliebenen Nationen. Die Allgemeine Musikalische Zeitung verfolgte auf Anregung des Abt Vogler, des Lehrers von C. M. v. Weber und Meyerbeer, vom Anfang ihres Bestehens (1798) alle Erscheinungen auf diesem Gebiete, die Sammlungen und die Berichte. Die wesentlichste Beachtung erregten die Scandinavier. Bei ihnen nahm die Pflege der alten Nationalweisen zuerst wissenschaftliche Formen an, und sie lenkten diesen Schatz zuerst in das Gebiet der Kunst hinüber. Knutzen, Weyse, P. E. Hartmann schrieben die ersten dänischen Opern, Opern, in welchen der Stoff der Handlung und ein Theil der Melodien vaterländisches Gut waren. Hierdurch angeregt und ermuntert, componirte der junge Däne Niels Gade seine berühmte Ouvertüre „Nachklänge aus Ossian", welcher i. J. 1843 schon seine Cmoll-Sinfonie folgte. In dieser Sinfonie fanden die Kenner und die Freunde der nordischen Poesie den Geist der Frithjofsage N. Gade
und der Edda wieder. Sie erschien ihnen wie ein Cmoll-Sinfonie
nordisches Musikepos, welches von den alten, gewaltigen Recken und ihren Kriegen und Siegen, von schlichten Jägern und Hirten und ihren naiv frohen Festen, von einer Natur, welche unter unscheinbarer Hülle intimen Reiz barg und von freundlichen Elementargeistern belebt war, erzählt. Wie der Stoff neu und poetisch, so war die Darstellung liebenswürdig. Das nordische Element drang sich nirgends äusserlich auf, technisch blieb es in einigen düsteren Balladenmelodien und in kurzen Dialogen der Bläser versteckt. Im Stile der Composition begegnete

man dem romantischen Charakter der Zeit. Es war ein schöner menschlicher Zug in ihm, dass er der begeisterten Schilderung einen wehmüthigen Ton beimischte, einen Ton, welcher der Trauer darüber Ausdruck zu geben schien, dass jene Welt, die in der Tondichtung mit ihren Göttern und Helden auflebte, in Wirklichkeit längst dahin gegangen war. In diesem Sinne beginnt der erste Satz der Sinfonie mit einem klagenden Prolog: Ein melancholischer Flor liegt über der liebevollen Melodie, die wie aus der Ferne während der Einleitung durch die Instrumente zieht.

Dann aber ergreifen die Trompeten das Wort und leiten eine Scene ein, in der sich rauhe Kräfte machtvoll regen. Das Thema

durch mehrfache Wiederholungen gesteigert, bildet den Hintergrund des Bildes: Der Held tritt auf mit seiner Schaar:

Die Gestalt ist uns aus der Einleitung bekannt; nur kräftiger und fester steht sie hier vor uns. Mit diesem einen Thema hat Gade den ganzen Satz bestritten, bald rückt er ihn in die Ferne, bald in eine düstere, bald in eine freundlichere Beleuchtung, wendet ihn hier ins Träumerische, dort ins Heroische. Nur während der kurzen Durchführung, in welcher der $^{3}/_{4}$ Takt der Einleitung wieder einsetzt, tritt ein freundlich sinnender Nebengedanke ein:

Als zweiter Satz folgt ein Scherzo (Cdur $^{6}/_{8}$ Takt). Das Thema hat in der ersten Hälfte nur rhythmisches Leben: Melodielos, fassungslos vor freudiger Aufregung, rollt es in schnellen Achteln dahin — die zweite Hälfte bildet ein keckes Citat aus dem Hochzeitsmarsch der „Sommernachtstraum"-Musik. Auch im Trio begegnet sich Gade mit Mendelssohn. Seinen motivischen Inhalt bildet im vorwiegenden Theil eine jener schattenhaft dahinhuschenden Figuren, die Mendelssohn in den phantastischen Sätzen einbürgerte:

Der Nachsatz treibt ein anmuthiges Spiel mit Motiven, die der Natur abgelauscht zu sein scheinen:

Den Kern des dritten Satzes (Andantino grazioso, Fdur $^{2}/_{4}$) bildet ein freundlich ernster Gesangssatz, dessen Hauptperiode folgende ist.

Die kurzen Zwischensätze, welche die Wiederholungen dieser Hauptgruppe auseinanderhalten, haben den oben berührten klagenden Charakter und ruhen auf folgendem Motive:

Ein

Triolenrhythmus, welcher zuerst in der Cellofigur

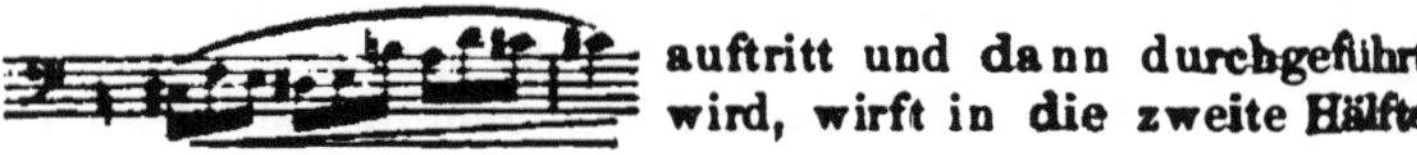

auftritt und dann durchgeführt wird, wirft in die zweite Hälfte des Satzes hellere Lichter hinein.

Der letzte Satz beginnt mit einem wahren Freudenallarm. Mit ausgelassenen Dissonanzen setzt das Tutti ein:

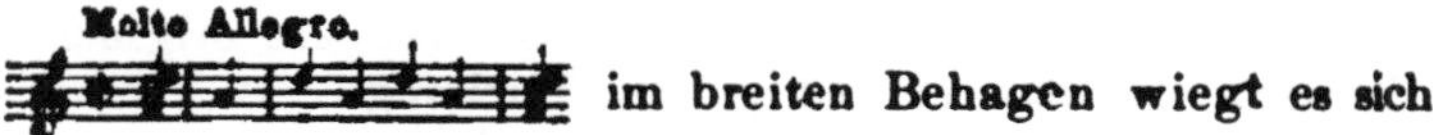

im breiten Behagen wiegt es sich

schier endlos, wenn die fröhliche, in den Eingangstakten auf den Anfang der Sinfonie zurückgreifende und ein Schubert'sches Gesicht tragende, Hauptmelodie angestimmt werden soll:

Der Satz ist an selbständigen, schönen Themen überreich. Mit besonderer Wucht macht sich folgende Melodie der Bläser geltend:

die das gesammte Streichorchester mit breit arpeggirten Accorden, wie mit mächtigem Harfenklang umrauscht. Die ausserordentliche Instrumentirungskunst, welche Gade in der ganzen Sinfonie beweist, feiert hier ihre stärksten Triumphe. Wenn die Trompeten ihre fröhlichen Signale in die glänzend kräftige Scene hineinwerfen, welche um den eben skizzirten Gesang sich bildet, da steht Bürger's „Lenore" vor uns: „Und jedes Heer mit Sing und Sang — Mit Paukenschlag und Kling und Klang — Geschmückt mit grünen Reisern — Zog heim zu seinen Häusern!" Besonders sinnig empfinden wir es, dass das Heldenthema aus dem ersten Satze der Sinfonie in das Finale hineingezogen worden ist. Dass die Menge des poetischen Stoffes in diesem Schlusssatze nicht ganz bewältigt worden ist, lässt sich nicht verkennen. Auch die anderen Sätze kann man formell vollendet nicht nennen, besonders das Scherzo ist unverhältnissmässig breit. Doch aber bleibt der Sinfonie ein mächtiger Zug in der Gestaltung, und in ihren nordischen Melodien und Motiven ein originelles Element von sicherer und grosser Wirkung.

Unter den übrigen Sinfonien Gade's — es giebt im Ganzen acht — ist die vierte (in Bdur, 1851 veröffentlicht) die verbreitetste. Ihr Scherzo — es hat einen Spohr'schen Zug im Hauptsatz und zwei allerliebste volksmässige Melodien als Trios — ist der beliebteste unter den vier Sätzen. Im ersten Allegro tritt das scherzende N. Gade Bdur-Sinfonie

Seitenthema: 

und die schelmisch liebenswürdige Episode

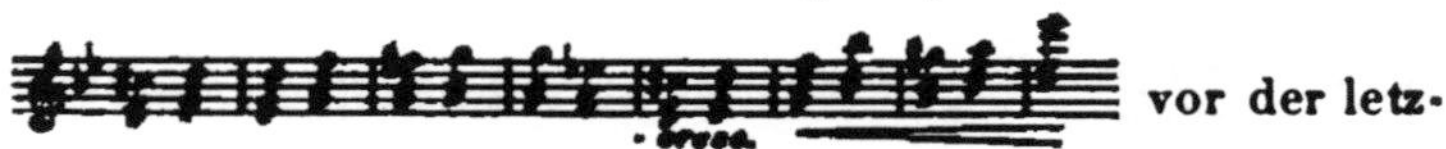

vor der letzten Intonation des kräftigen Hauptthema, im letzten Satze das recitativartig, zögernd und fragend in den Violinen beginnende zweite Thema hervor:

Es sind die wirklich eigenartig gedachten Stellen der Sinfonie. Das ganze Werk ist von dem abgeklärten Geiste milder Anmuth beherrscht und formell eine der reifsten Arbeiten der neueren Composition. Gleichwohl steht sie an geschichtlicher Bedeutung hinter der weniger abgerundeten Cmoll-Sinfonie Gade's über allen Vergleich weit zurück.

Denn in der späteren Sinfonie ist Gade ein hervorragender Vasall Schumann's und Beethoven's, in jener ersten aber erscheint er als die Spitze und der Führer einer neuen Epoche. Jene C moll-Sinfonie gab der höheren Instrumentalmusik Impulse von grösster Bedeutung. Sie lenkte mit frischer Schärfe den Blick auf die nationalen Lieder und Tänze, und bewies, dass dieser Schatz auch für die grossen Formen der Composition nutzbar gemacht werden könne. Sie appellirte an die Heimathsliebe der Tonsetzer in allen Ländern und leitete eine Bewegung ein, die jedenfalls zu den wichtigsten Erscheinungen der neueren Musikgeschichte zählt. War diese Bewegung im Liede, in der Klaviermusik (Field, Chopin), in der romantischen Oper Weber's, Boieldieu's, Auber's auch schon vorbereitet, so gebührt Gade doch das Verdienst, sie auf das wichtige Feld der Sinfonie gelenkt und da in Fluss gebracht zu haben.

Wir haben heute eine Reihe solcher auf nationalen Elementen ruhender Sinfonien und sinfonieartiger Werke, von denen einige auch im Repertoir Fuss gefasst haben. Der dänischen Schule gehört zunächst Emil Hartmann an, dessen Esdur-Sinfonie in Stil und Stoff unmittelbar an Gade anschliesst. In denselben Kreis sind auch die Nordischen Suiten von A. Hamerick zu stellen, welche allerdings mit Mendelssohn'schen, Wagner'schen und anderen Elementen stark getränkt erscheinen. Ein Positives besitzen sie in ihrem eigenen Klangleben. Dem Verständniss kommen ihre Ueberschriften entgegen. Norwegen und Schweden sind in der Sinfonie neuerdings durch S. Svendsen, in der Klaviermusik, dem Liede und der Orchestersuite durch E. Grieg speciell vertreten. Diesen beiden „Jungscandinaviern" wird zuweilen bewusste Opposition gegen Gade und seine dänische Schule zugeschrieben. Nur bis zu einem beschränkten Maasse geschieht das mit Recht. Die Verschiedenheit beider Schulen beruht auf den benutzten Quellen. Die dänischen Volksweisen haben vorwiegend einen ernsten und strengen Charakter; in ihrer technischen Structur sind sie jedoch vorwiegend abendländisch. Die scandinavischen Melodien hingegen, welche Grieg und Svendsen benutzen, weisen auf ein fremdes Tonsystem hin, das sich abseits des grossen europäischen Kunststromes entwickelt hat. Stellt man sie, wie es die genannten Tonsetzer thun, in unser bekanntes Harmoniegebäude ein, so zwingen sie zu einer freieren Behandlung der Dissonanz, zu manchem grellen Wechsel zwischen Dur und Moll und zu Accordfolgen, welche uns ungewohnt berühren. Sie repräsentiren eine eigenthümliche Empfindungswelt, in welcher das Träumerische einen breiten Raum einnimmt. Ein starker Schatten von Melancholie liegt in der Regel auch noch über den kurzen Tanzweisen, an welchen der norwegische Tonschatz besonders reich ist. Sie bilden Idyllen, in welchen zu dem ergötzlichen Moment auch ein rührendes hinzutritt. Das letztere liegt in der Beschränktheit der melodischen und rhythmischen Kreise, in welchen sich ihre Munterkeit bewegt. In diesem Punkte berühren sie sich mit der slavischen Volksmusik.

Svendsen giebt namentlich in seiner Ddur-Sin- J. S. Svendsen
fonie bezeichnende Proben von den Formen und auch Ddur-Sinfonie
von der Seele seiner heimathlichen Volksmusik. Das Hauptthema des ersten Satzes ruht in seinem Grundmotiv auf einer kurzen scandinavischen Tanzweise:

Das zweite Thema, eine suchende und sehnende Gestalt, bildet gegen die drängenden und heftigen Elemente dieser fröhlichen Melodie einen sehr starken Contrast. Es besteht nicht aus einer einfachen Melodie, sondern aus einer Gruppe melodischer Sätzchen, unter denen das Motiv  für die Entwickelung des Satzes die Hauptrolle übernimmt. In dem Entwurf dieses Satzes liegt sehr viel Genialität. Der Gegensatz zwischen froher Lebenslust und sinniger Träumerei, welchen die Themen aussprechen, tritt auch da auf, wo wir ihn nicht erwarten, z. B. in der Entwickelung des Hauptthemas selbst, und bewirkt unaufhörlich ungesuchte Effekte, kleine und grosse. Eine besondere Kunst liegt in der raschen Modulation der Stimmungen. Mit einem Schlage versetzt der Componist uns aus der Majestät der Bergwelt in die stille Schönheit der Fjords. Die dynamischen Mittel namentlich sind mit frappantem Erfolge benutzt. Das einzige, formell etwas unreife Element dieses Allegros bilden die Fugatos, welche über das erste Thema versucht werden.

Die aus der Hingabe an das Wesen der Volksmusik fliessende Neigung zu einfacher Elementarwirkung zeigt sich auch in dem Andante der Sinfonie: an der Stelle besonders, wo das zweite Thema mit den langen, leisen Accorden der Streichinstrumente eingeleitet wird, über welche die Bläser einander sanfte Hirtenmotive zusingen. Das Hauptthema dieses Satzes, ein edler breiter Gesang, welcher zuerst auf den tiefen Saiten der Violinen erklingt:

dient im weiteren Verlauf des Satzes dazu, das glänzende coloristische Talent des Componisten zu entfalten. Von besonderer Schönheit ist die Stelle, wo es als Hornmelodie von den Pizzicato-Rhythmen der Geigen umspielt wird.

Den nordischen Charakter der Sinfonie bringt der dritte Satz derselben, ein Allegretto scherzando (G dur 2/4) am entschiedensten zum Ausdruck. Zwar fängt er in deutscher Gemüthlichkeit an:

Aber schon nach 12 Takten beginnt der zweite Satz mit einem Motive:

dessen scandinavische Abkunft durch die untergelegte Harmonie noch deutlicher wird. Von derselben Natur ist das Thema des dritten Abschnitts, der in B dur einsetzt:

Ziemlich spannend klingt er lange aus. Da setzt in den Violinen mit ganz wunderbar zart belebten Tonfarben — die auf geschickter Benutzung einer seltenen Spielart beruhen — Adur ein, und darüber intoniren die Hornbläser eine neue nordische Melodie:

Sie ist von Hause aus von etwas derberem Schlage, entfaltet aber ihren ganzen schwerfällig drolligen Charakter erst dort, wo sie Bässe und Violinen im Canon durch ein gewaltiges Forte führen, das Trompeten und Hörner stürmisch genug einleiten. Schnell wie es gekommen, ist es auch vorbei. Der Componist zieht mit der ihm eigenen Raschheit einen phantastischen Schleier über die Scene, unter welchem sich allmählich das erste Thema des Satzes wieder zu regen beginnt. Es folgen nun Repetitionen in freier Folge. Die Form, durch welche die grosse bunte Menge lustiger Bilder in diesem Satze fest zusammengehalten wird, ist eine Modification des Rondosatzes. An der Wiederkehr des gemächlichen Hauptthemas hat der Zuhörer immer wieder einen Anhalt und Sammlungspunkt.

Das Finale beginnt mit einer Einleitung. Alle Themen sind nordisch. In der Durchführung überwiegt die Arbeit die Phantasie. Ein sehr schöner Moment der Inspiration ist der Eintritt des zweiten Themas. Er gebietet den Wolken, und siehe: es erscheint ein freundlicher Stern. Dass dieses zweite Thema nichts anderes ist, als die Melodie der Einleitung, nur in schnellerem Gang, hebt nur die Wirkung.

Die zweite Sinfonie Svendsen's (B dur) beruht auf J. S. Svendsen
einem tieferen Stimmungsgrunde als seine erste. In allen B dur-Sinfonie.
ihren Sätzen lauert die Schwermuth, und noch im Finale wechseln die Momente des gewaltsamen Aufraffens der

Kraft mit Augenblicken gänzlicher Verzagtheit. Am freiesten von trüben Anwandlungen hält sich der dritte Satz, eine als Intermezzo bezeichnete Pastoraldichtung, die Beethoven'sch beginnt und dann ganz in dem nordischen, neckischen und kindlichen Schalmeienton aufgeht. Auch der erste Satz hat eine ausgeprägt norwegische Melodie in seinem zweiten Thema, welches in diesem Satz die Rolle des guten, tröstenden, mit Heimaths- und Jugendbildern zusprechenden Geistes übernimmt. Im Andante, das manchen Brahms'schen Zug enthält, hat der freundliche Gegensatz in einem kurzen, immer repetirenden — oft bescheiden versteckten — Achtelmotiv einen rührend naiven, unschuldigen Ausdruck gefunden. In der Form reifer als die Ddur-Sinfonie, zeigt sich Svendsen in der zweiten Sinfonie doch weniger originell. Ausser den bereits angeführten Meistern gehören noch Schumann (im ersten Satz), Schubert (im dritten) zu den Componisten, deren Einfluss bemerkbar wird.

Ed. Grieg's „Aus Holbergs Zeit."

Von den Orchestersuiten Ed. Grieg's darf man die ältere „Aus Holbergs Zeit" (op. 40) kaum in die Classe der nationalen Musik stellen. Sie hat nur in der Musette und im Rigandon einige spärliche scandinavische Töne. Aber das Werk ist unter allen den neuen Suiten, welche den Geist des 18. Jahrhunderts heraufzubeschwören suchen, eins der liebenswürdigsten. Es wählt die copirenden Mittel mit allzuviel Beschränkung, es entfernt sich in seiner Leidenschaftlichkeit vom Wesen der alten Kunst; aber es ersetzt das Alles durch die poetische Kraft, welche die knappen Formen erfüllt.

Ed. Grieg's „Peer Gynt" I.

Zwei Suiten Grieg's sind der Musik entnommen, die er für den Versuch einer Bühnenaufführung von Ibsen's „Peer Gynt" geschrieben hat. Diese beiden Orchestersuiten zu Peer Gynt haben somit einen ähnlichen Ursprung wie Bizet's Suiten zu l'Arlésienne; sie können sich mit ihnen auch an künstlerischer Bedeutung sehr wohl messen, sind ihnen an Stärke des Nationalklangs und an Einfachheit sichtlich überlegen. In letzter Beziehung darf man diese Grieg'schen Compositionen sogar für ein

Ideal vornehmer Orchestermusik erklären. Was das nordische Colorit betrifft, so sind in diesem Falle die eignen starken Anlagen und Neigungen des Componisten noch durch die Dichtung befruchtet worden. Lebt doch im Peer Gynt die ganze nordische Natur; ja: in dem mit überreicher Phantasie ausgestatteten Helden hat Ibsen dem norwegischen Volk ein Spiegelbild vorhalten wollen.

Der erste Satz der ersten Suite (op. 46) heisst Morgenstimmung und soll wohl den zweiten Aufzug des dramatischen Gedichts einleiten, in dessen erster Scene Peer mit der geraubten Ingrid bei Tagesanbruch ins Gebirge schreitet. Die Composition hat durchaus Pastoralcharakter. Ihr Hauptthema:

wechselt lange Zeit zwischen Flöte und Oboe mit veränderter Harmonie. Die beiden Instrumente gemahnen an die Hirten des Hochgebirgs die von Höhe zu Höhe sich musikalisch unterhalten. Mittlerweile ist die Sonne höher gestiegen und nun kommt die Melodie in dem vollen Glanze, den das Unisono des gesammten Streichorchesters (Bässe ausgenommen) geben kann, wenn forte vorgeschrieben ist. Ein kleiner Zwischensatz, der in Cis moll einsetzt, lässt über das Cellomotiv

gewissermassen die Lichter auf dem Morgenbilde wechseln: es dunkelt, es hellt sich wieder auf, es herrscht reges Leben am Himmel und in den Farben der sonnentrunknen Flur. Mit dem Horn, das das Pastoralthema wieder intonirt (in F dur) kehrt die ruhige Stimmung des Anfangs zurück; nur ein wenig reicher fühlt sich das Herz. Die voll dahinströmenden Contrapunkte in Bläsern und Geigen sagen es. Knapp vor dem Schluss legt der Componist noch eine zart muntre Episode ein. Die neuen Motive der Hörner, die Triller der Holzbläser skizziren eine intime Scene aus dem Thierleben.

Der zweite Satz illustrirt Ases Tod. Die Mutter Peer Gynt's stirbt einen schönen sanften Tod: mitten im Aufbau von Luftschlössern schläft sie schnell und ruhig ein. Das deutet die Musik die nur für Streichorchester bestimmt ist wohl an. Der erste Theil bringt das freundlich sehnsuchtsvolle Lied

in einem crescendo das über Fis moll nach H moll zurück und ins fortissimo führt. Er giebt gewissermassen ein Bild von dem letzten Glück der Todten, die in Träumen ihre schönsten und immer kühneren Wünsche befriedigt sah. Der zweite Theil leitet mit einer Umbildung der Liedweise

in den Ton der Trauer ein.

Der dritte Satz, „Anitra's Tanz" betitelt, bringt uns nach Marokko, wo Peer Gynt in der Oase, im Zelte eines Araberhäuptlings weilt, dessen Tochter Anitra mit andren Mädchen den für den Propheten gehaltnen Fremdling durch Tänze und Spiele zu ehren und zu erheitern sucht. Die knapp gehaltne und wieder nur für Streichorchester componirte Nummer hat einen Hauptsatz über das Thema

das nach einigen Takten Accord gebender Einleitung in der ersten Violine zierlich trippelnd und mit bestrickend anmuthiger Bewegung einsetzt. Die Melodie geht schon am Schluss der ersten Periode in ein verwirrendes Figurenspiel über und diesem Abschnitt folgt der zweite Theil mit

. Mit diesen schmachtenden Motiven wechseln prickelnde pizzicato-Stellen. Dann kommt der Hauptsatz wieder aber mit gesteigerten Reizen. Seine Melodie wird zum Kanon zwischen erster Violine und Bratsche. So giebt der Componist ein Bild von den immer stärker wirkenden Künsten der raffinirten Beduinentochter, an die ja im Drama Peer Gynt sein Herz ernstlich verliert um Hohn und Spott zu ernten.

Der vierte Satz mit dem Titel „In der Halle des Bergkönigs“ ist eine Variationenreihe über das Thema:

Es kommt zuerst ganz leise in den Contrabässen, geht von ihnen an die Fagotte, wechselt in veränderter Tonart längre Zeit zwischen beiden Instrumenten; dann betheiligen sich die Violinen und lösen sich mit den obern Holzbläsern ab. Der Tanz wird lauter, schneller und giebt das Bild eines Behagens, das bis zum Fanatismus anwächst. Die Variationen entwickeln sich mit einem Minimum von Kunst: es sind nur Wiederholungen. Aber gerade dieses Einerlei erhöht die Wirkung der Dynamik, die Beharrlichkeit rückt wie leibhaftig und beängstigend auf uns los und schliesslich ist der Eindruck elementar und beängstigend. Grade mit dieser Art von Kunst haben die Scandinavier und Slaven ein frappantes neues Element in unsre europäische Musik eingeführt und ihren Vorrath an Naturalismus gewichtig, vielleicht auch gefährlich vermehrt. Grieg kann hier, wie auch bei seinen norwegischen Tänzen fürs Klavier für sich das Verdienst in Anspruch nehmen ein interessantes, nicht gewöhnliches Thema gewählt zu haben und mit den Wiederholungen nicht übers Maass gegangen zu sein. Mit genialem Takt hört er zur rechten Zeit auf.

Ed. Grieg „Peer Gynt“ II

Die zweite Suite Grieg's zu Peer Gynt (op. 55) bringt als ersten Satz eine Composition die überschrieben ist „Der Brautraub“. Peer Gynt hat als der Tollkopf, der er ist, als er das Elternhaus verlassen aus dem ersten Dorf in das er kam bei einer Bauernhochzeit die Braut geraubt und ins Gebirge entführt. Die Musik zeigt uns nun das Entsetzen, die Wuth der Hochzeitsgesellschaft als sie bemerken dass Ingrid verschwunden ist in einigen Takten wilden Allegros. Dann rufen sie wohl nach ihr; aber nur dumpfe Horntöne, Laute unempfindlicher Natur kommen zurück. Ein Andante doloroso führt uns darauf zu der Geraubten, die eine lange Klage singt. In den tiefen Saiten der Violinen gespielt haben diese Klagemelodien ein ausserordentlich individuelles Gepräge, sie lassen an ein stolzes Gesicht denken und zugleich sind sie in einzelnen Wendungen sehr rührend.

Der zweite Satz, Arabischer Tanz überschrieben, führt uns noch einmal in die Scene, zu der in der ersten Suite Anitras Tanz gehörte. Während sich aber in diesem die Häuptlingstochter allein in den Künsten der Coquetterie erging, haben wir hier eine ganze Mädchenschaar vor uns und zwar mit ausgeprägten Racenzügen, die sich namentlich in den Rhythmen der Musik äussern. Der Anfang des Themas vom Hauptsatz giebt davon mit den Schlussnoten eine kleine Probe:

Zur Melodie gehört in diesem Falle nothwendig der schrille Klang des Piccolo um den anmuthigen Theil des Bildes auch mit dem abstossenden zu vervollständigen. Mischcharakter ist dem ganzen Satze eigen: den weichen Tönen treten fortwährend wilde auf den Fuss. Sehr schön zeichnet der Mittelsatz, den das Streichorchester allein spielt (nur Triangel kommt noch dazu) wie aus dem Kreis der Mädchen eine Schöne heraustritt und mit Tönen des Gemüths, mit Geberden der Innigkeit den Helden lockt. Diese Scene wird auf einen Augenblick durch den Chor unterstützt der sich in zierlichen und reizenden Balletweisen bewegt.

Um den dritten Satz zu verstehen muss man das Ibsen'sche Gedicht kennen. Die Ueberschrift der Nummer: „Peer Gynt's Heimkehr“ erklärt nicht den Charakter der Musik. Heimkehr gilt gewöhnlich für ein freudiges Ereigniss; Peer Gynt wird aber hier schlimmer empfangen als der verlorne Sohn: mit einer düster erregten, mit einer tobenden Musik. Ibsen lässt seinen Helden als Schiffbrüchigen heimkehren und Grieg malt den Seesturm dem das Fahrzeug an der heimischen Küste zum Opfer fällt. Der Composition liegt darnach ein ganz ähnliches Programm zu Grunde wie R. Wagner's Ouverture zum „Fliegenden Holländer". Mit ihm begegnet sich Grieg auch thematisch, namentlich der Quintenfall in seinem Hauptmotiv bildet eine für Jeden bemerkbare Aehnlichkeit:

. Das kommt daher, weil der Gehöreindruck des durch die Segel und Taue pfeifenden Sturmes für alle Musiker nahezu derselbe ist. Das ist ein Klang der unten ansetzt und springend sich nach oben immer mehr zuspitzt. Dann grollt und wühlt es an einer andren Schiffsseite wieder, scheinbar ruhiger:

So spielen die Elemente lange mit dem armen Fahrzeug ihr grausames Spiel. Dann wird die Lage verschlimmert. Das Wetter heult in langen Zügen, in bösartigem Zischen:

Diese greuliche Figur klingt in allen Registern; nach den Flöten durchläuft sie die Contrabässe. Erst dann und wann auf eines Viertels Pause absetzend, nimmt sie sich im weitren Verlaufe gar keine Zeit mehr, wüthet ärger und ärger; schliesslich saust sie in ganzen chromatischen Chören einher. Einige starke (*fff*) Accorde Takte lang ausgehalten bedeuten die Katastrophe, den Untergang des Schiffes. Noch eine Zeit lang setzt sich das Toben fort, dann wird es schwächer und schwächer. Stille tritt ein und nachdem die Schilderung beendet ist fügt der Componist als Dichter eine kurze, aber ergreifende Klage hinzu, die den Holzbläsern gegeben ist. Was Realistik und Naturtreue betrifft, so wird man den Satz unter den neueren musikalischen Gemälden vom Meer mit den Arbeiten Gilson's zusammen die hervorragendste Stelle einräumen müssen.

Der vierte Satz der Suite heisst „Solvejg's Lied“. Solvejg ist die Jugendgeliebte des Landfahrers — als alter, verkommner Mann trifft er sie nun wieder. Das Lied, das sie ihm singt, hat ausgeprägt norwegischen Charakter in den Schlüssen des Mollsatzes und ist sehr ernst. Soll es doch nach des Dichters Ansicht symbolisch den Tod bedeuten. Mit dem Hauptsatz (in A moll) wechselt ein Nebensatz (A dur) von freundlich anmuthigem Charakter, an Jugend und an Tanz erinnernd. Die Composition hat auch als Lied für eine Singstimme mit Klavierbegleitung weite Verbreitung gefunden.

Ed. Grieg Sigurd Jörsalfar“.

Die nächste Veröffentlichung Grieg's die dieser zweiten Suite zu Peer Gynt folgte, war wiederum eine Orchestersuite aus Stücken zusammengestellt, die ursprünglich zu einer Schauspielmusik gehören. Dieses opus 56 enthält drei Stücke: Vorspiel, Intermezzo, Huldigungsmarsch aus einer Composition zu Björnson's Schauspiel: Sigurd Jörsaifar. Das Vorspiel und das Intermezzo sind beide sehr kurz und einfach. Jenes, das noch den Nebentitel hat „In der Königshalle“ ruht im Hauptsatz auf einem Motiv

dessen humoristischer Charakter noch dadurch wesentlich verstärkt wird, dass an seinem Schluss die Bässe wie verlegen und versehentlich ins Leere nachschlagen. Mit dem Eintritt der Violinen nimmt der Satz aber einen sehr glänzenden, ungefähr den Charakter eines Hoffestes an. Die Mitte der Nummer füllt ein Dialog zwischen Flöte und Oboe, dann zwischen Clarinette und Fagott, in dem mit elegischen, sinnigen Gedanken kunstvoll gespielt wird. Das Intermezzo giebt

Einblick in eine edle Seele zu kritischer Stunde. Es besteht aus einem Andante, das nachdenklich über ernste Motive brütet und einem düster aufgeregten Allegro, in dem der Schrecken haust. In veränderter Form kehrt nach ihm das Andante wieder.

Der **Huldigungsmarsch** setzt gleich ungewöhnlich ein: die Trompeten holen fröhlich und munter das Orchester herbei und dies fällt mit einer Dissonanz ein, die sich natürlich gleich auflöst, aber doch einen Augenblick das festlich gestimmte Gemüth in Verwirrung bringt. Als Hauptthema seines Marsches giebt Grieg folgende Weise

die zuerst von einem Quartett von Cellis gebracht und dann mit manchen überraschenden Wendungen entwickelt wird. Ausserordentlich belebend ist der Eintritt des Zwischensatzes. War die Musik bis dahin kräftig, so springen jetzt ganz plötzlich die Bässe wie Riesen auf und führen eine Weile das Orchester, das gleich darauf von den Trompeten und Hörnern in einen ausserordentlich fröhlichen und volksthümlichen Allarm gebracht wird. Die Stelle wirkt wie der Anblick einer unwillkürlich in Jubel ausbrechenden Menge. Und wie nun das Hauptthema wieder aufgenommen wird, hat Grieg noch eine Ueberraschung: Es setzt als Maestoso mit verlängerten Rhythmen ein, ähnlich wie Dvořák zuweilen seine Motive in Vergrösserung bringt. Das Trio hat bei aller Einfachheit der Melodien durch die Harmonie viel Tiefe, so dass der Marsch als Ganzes als eine der gehaltvollsten neueren Arbeiten seiner Gattung angesehen werden muss.

Von den jüngren scandinavischen Componisten hat am meisten **Christian Sinding** die Aufmerksamkeit auf sich gelenkt mit einer Dmoll-Sinfonie (op. 21), die an einigen der ersten deutschen Concerte bereits zur Auf-

Chr. Sinding
Dmoll-Sinfonie

führung gelangt und vielleicht zu noch grösserer Verbreitung bestimmt ist. Der bisher namentlich durch ein Quintett für Klavier und Streichinstrumente bekannt gewordne Componist legt mit dieser Sinfonie seine reifste und selbständigste Arbeit vor. Der Einfluss Richard Wagner's ist an und für sich in richtige Grenzen zurückgetreten, wird aber vielen Hörern ausserordentlich stark erscheinen weil er sich durch markante Aeusserlichkeiten, Harmonieführungen namentlich, geltend macht. Beethoven wird insbesondre mit seiner fünften Sinfonie bemerklich. Die nordische Abkunft zeigt die Sinfonie in eigenthümlichen Melodiewendungen, denselben die auch Svendsen liebt, und im Taktwechsel; hauptsächlich aber in dem Fühlen und Denken des Componisten, das aus der Musik spricht. Der Zeiger von Sinding's Phantasie und Empfindung ist fast zu fest auf Kraft gestellt und ein hübscher Zusatz freundlicher Züge würde der Composition nur zum Vortheil gereichen. Der Ideengehalt einer Musik hängt aber wie von Phantasie und vom Charakter des Componisten auch von seiner Methode und Schule ab. Und in diesen Punkten theilt Sinding mit vielen Musikern der Gegenwart den Irrthum, der die Entwickelung über die Erfindung, die Arbeit über die Eingebung stellt. Dieses Prinzip passte für die philosophische und geistreiche Zeit Haydn's und Beethoven's; heute sind gute und viele Originalideen das Wichtigste. Gute Gedanken sind allerdings Himmelsgaben; aber auch Himmelsgaben empfängt man nicht ohne Wünschen, Wollen und Bemühen oder wie Hesiod sagt: ἄνευ πόνων οὐδὲν ἔδωκαν οἱ θεοί. Es muss jedoch dem Componisten nachgerühmt werden, dass er in der Arbeit und in der Entfaltung seiner Künste Maass hält. Auch an die gewohnten Sinfonieformen schliesst Sinding an; nur durch harmonische Härten und verwickelte rhythmische Verhältnisse erschwert er es seinen Zuhörern oftmals. Den stärksten individuellen Zug hat seine Musik in dem dramatischen Ton des Vortrags; namentlich wenn es gilt im Lauf eines Satzes ein neues Bild einzuführen wird sie schwunghaft und setzt in ungeduldige Spannung. Auch in der Anlage der Sinfonie zeigt sich ein ernster und bedeutender künstlerischer Charakter. Die Sätze stehen sichtlich und auch äusserlich erkennbar im Zusammenhang. Die Grundidee des Ganzen ist ungefähr in einem Tonbild zu zeigen wie eine gesunde, selbstbewusste Natur den Lebenskampf führt und gewinnt.

Der erste Satz schildert Kampf. Sein Hauptthema, dessen Vordersatz folgendermassen lautet:

spricht reckenhaften Trotz aus. Am stärksten äussert er sich am Ende, das auf einem der von Sinding sehr, namentlich in der Gestalt des verminderten Sextaccords, geliebten Trugschlüsse erfolgt. In der Gruppe die um diesen Hauptgedanken gebildet ist, fällt namentlich die Stelle auf in der das Thema *p* (auf dem Undecimenaccord auf c) einsetzt. Sie wirft einen Schatten ins Bild, der vor dem letzten gewaltigen Anlauf sehr wohlthut. Ihm folgt ein Abschnitt der Sammlung. Die Streichinstrumente bringen im grossen Unisono das Zwischenthema

das darauf hinweist, dass noch ein grosser Fond von Kraft im Innren des Helden dieser Dichtung ruht. Der Schluss giebt in der ohne viel Umstände erzwungnen Modulation eine Probe seiner Kühnheit. Die Holzbläser nehmen den Gedanken in zartrem Ton auf, gewissermassen vertrauensvoll und still beglückt. Und nun folgt das zweite Hauptthema des Satzes. Sein Anfang

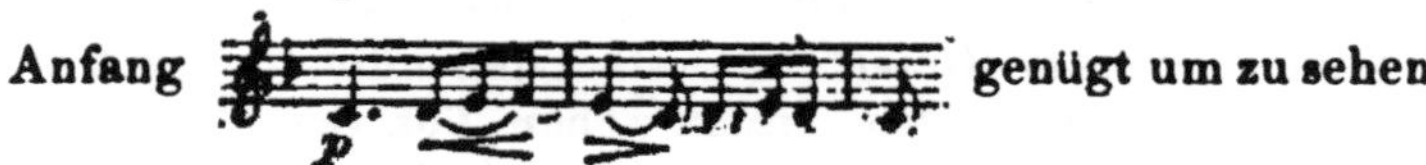

genügt um zu sehen was es ausdrückt: das Gefühl und die Gewissheit glücklicher Zukunft. Die Stimmung wird längre Zeit festge halten, sie schäumt, als die Geigen sich des Themas bemächtigt haben, brausend auf. Wie im Schrecken über das Uebermass bricht die Darstellung mitten im höchsten Jubel (auf *b-d-f-gis*) ab. In den Bläsern hört man warnende Stimmen und es beginnt ein Besinnen und die Durchführung. An ihrem Anfang bringt Sinding seine beiden Hauptthemen zugleich, das erste in den Violinen, das zweite in den Bläsern; beide leise. Dann gewinnt aber die Kampfesstimmung, die im ersten Hauptthema liegt die Oberhand und äussert sich in einer Reihe äusserst energischer Bildungen; schliesslich arbeitet sie fast nur noch mit Rhythmus. Eine Stelle an der alle Instrumente auf dem Ton *f* pochen und verschnaufen, bezeichnet die Umkehr. Das zweite Thema lässt sich noch einmal begütigend vernehmen, hinter ihm her das Motiv des Zwischensatzes wie es in der Themengruppe die Bläser brachten

, dann tritt die sogenannte Reprise, die Wiederholung des ersten Theils des Satzes ein. In ihr zeichnet sich der Eintritt des zweiten Themas, das jetzt in D dur steht, merkbar aus. Sinding schickt ihm vier Takte Einleitung voraus, in der erst die Bläser, dann die Geigen gewissermassen um Ruhe bitten. Athemlos erwartet, klingt es geheimnissvoll dahin. Mit dieser Wendung ist der Endeindruck des Satzes bestimmt: er spricht Siegesgewissheit aus. Sie zu betonen führt der Componist in einem Schlussanhang noch einen neuen Gedanken ein, der sich von dem Anfang

aus in einer jener mächtigen Steigerungen ergeht, die wir bei Sinding häufig und bewundernd treffen. Bezeichnender Weise schliesst der Satz mit den Motiven des Zwischensatzes der dem zweiten Thema vorhergeht. Das ist der Hinweis auf inure Kraft, der stolze und ruhige Ausdruck des Selbstvertrauens.

Der zweite Satz (Andante, $^3/_4$, G moll) ist der Ruhe,

dem Frieden, dem behaglichen Träumen gewidmet. Er hat eine zutrauliche Weise als erstes Thema, die folgendermassen anfängt

und in der Fortsetzung etwas redselig, dringlich aber auch warm wird. Schon bald wird sie durch einen (am Ende) weiterblickenden Gedanken abgelöst, der zuerst im Horn auftritt:

und vom Chor der Instrumente mit unverkennbarem Wohlgefallen begrüsst wird. Aber auch er füllt das Herz in der Feierstunde noch nicht aus, sondern das ist dem Thema vorbehalten das nach kurzer Wiederholung der Eingangsweise durch hohe Klänge in Geigen und Flöten angekündigt von der Clarinette gebracht wird:

Es ist als wäre mit dieser Melodie der Ton der in den vorhergehenden beiden Themen gesucht wurde, wirklich gefunden. Es ist aber diese Melodie eine Volksweise und indem er sie in den Mittelpunkt der der Ruhe, der Erholung gewidmeten Scene seines Heldengedichts stellt, will der Componist etwas Aehnliches sagen wie das was Schiller mit den Worten ausspricht „Ans Vaterland, ans theure schliess' Dich an". Die Darstellung hält lange Zeit an diesem Gedanken fest. Sie giebt ihm im Laufe der Entwickelung einen glühenden Ausdruck, einmal auch einen seltsamen. Es handelt sich um die Stelle wo, nach einer langen Reihe von Sequenzen über das von den ersten zwei Takten gebildete Glied, der verminderte Septimenaccord (*cis-e-g-b*) dem Ausbruch der Freude und Begeisterung ein plötzliches Ende macht. Da blasen zunächst die beiden Fagotte sehr gefühlvoll allein. Und dann folgt ein Abschnitt in dem nur von der Pauke und den Contrabässen begleitet die Tuba und zwar *pp* das Thema vorträgt. Die Stelle hat etwas mystisch Groteskes. Der Componist bleibt aber nicht blos bei der Betrachtung und Bewunderung von Volksthum und Heimath: er steigert ihren Ausdruck. Es tritt zu der elegischen Weise die die Clarinette brachte ein andres nordisches Motiv stürmisch fröhlicher Natur:

springt allein übermüthig daher und wird zur Begleitung jener Weise verwendet. Auf Grund dieses Materials bildet der Schluss des Tonbilds eine Scene der Freude. Ganz am Ende wird es aber plötzlich stille und wir hören nochmals, wie verschleiert, jenen übergreifenden, in die Zukunft, in die Ferne hinausweisenden Gedanken, den das Horn zuerst zwischen die beiden Hauptthemen des Satzes schob.

Das erste Thema des dritten Satzes (vivace, $^3/_4$, F dur) zeigt den jungen Recken, dessen Schicksal die Composition schildert, nach der Idylle des vorhergehenden Satzes erfrischt, erheitert, ermuthigt und ermuntert. Nach acht Takten Accordeinleitung setzt es so ein:

Namentlich die letzten beiden Takte mit den punktirten Rhythmen äussern ein übermüthiges Kraftgefühl und sie sind es die der Componist in den Ausführungen des Themas vor Allem benutzt. Bald stehen wir vor wohlbekannten Klängen: vor dem ersten Hauptthema des ersten Satzes. Diese Reminiscenz bedeutet: „wieder Kampf“. Aber es handelt sich nicht so um die Noth des Kampfes als um die Lust und die Freude daran. Die innerlich zufriedne, beglückte Stimmung zeigen die Themen des folgenden Seitensatzes: das von den Bässen eingeführte:

das die Hörner mit

beantworten und die erst von den Holzbläsern etwas ungeschickt und eigensinnig probirte, bald von den Hörnern in Ordnung gebrachte Weise:

Mit letztrer entwirft Sinding eine längre Reihe kleiner Bildchen: vom Sonntag und züchtigen ländlichen Freuden die einen, von dem ausgelassnen Treiben und der lauten Lust der männlichen Jugend die andren. Dann wird der Hauptsatz noch einmal vorübergeführt. Die Composition hat also die einfache Anlage, die wir schon vom Haydn'schen Menuett her kennen; nur sind die Formen etwas vergrössert. Auch das nach der Wiederholung des Hauptsatzes übliche Trio kommt an der erwarteten Stelle: Sinding giebt ihm eine derb launige Volksmelodie:

die sich besser lesen würde, wenn sie im $^2/_4$ Takt notirt wäre. Nach einer Weile, durch Wiederholungen ausgefüllt, erfährt sie eine Fortsetzung in folgender von den Trompeten eingeführten Melodie:

mit der sie sich nun in den Platz zu theilen hat. In der Ausführung dieser Motive ergeht sich der Componist mit breitem Behagen wie denn alle die Vertreter jener neu in die Kunstmusik hereingekommnen Völker nichts lieber wiedergeben als die Scenen heimischen Volkslebens. Ist es doch mit den Dichtern und Malern der Scandinavier ebenso! Nach dem Trio wird der ganze erste Theil wie gebräuchlich wiederholt. In dieser Wiederholung hat Sinding eine Episode mit erst zögernder, dann in verblüffenden Läufen hinstürmender Musik eingelegt um den Eintritt des zweiten Seitenthemas glänzend zu gestalten. Es erscheint dadurch als die Krone des Ganzen; mit ihm geht auch der Satz schnell zu Ende, zuletzt noch über eine ungewöhnlich drollige Fagottstelle geführt. Mit dieser Betonung der nordischen Tanzweise kommt der dritte Satz in nähere geistige Berührung mit dem vorhergehenden. Auch hier wird ein Bekenntniss zu Volk und Vaterland ausgesprochen.

Der **letzte** Satz (Maestoso, 4/4, Dmoll) beginnt mit dem Thema in den Bässen

etc. — die Violinen sämmtlieh immer *d* dazu als liegende Stimme — sehr ernst, feierlich und auch fromm gestimmt, wie Jemandem zu Muthe ist, der vor einer wichtigen Entscheidung steht. Nachdem das Thema — vor der Wiederholung ist ein kurzer Abschnitt eingelegt, der gespannte, verlegne Erwartung ausspricht — das zweite Mal verklungen ist, künden heftige Geigenfiguren etwas Besondres an: Es lässt sich der Ton des Wunderbaren, Ausserordentlichen vernehmen — leisestes Triolenrauschen auf einem Orgelpunkt — und darüber setzt wieder eine Volksweise eine Art Wanderlied ein:

Es erregt grosse Freude und wirkt gewaltig belebend wie gleich darauf der Chor bekundet:

etc. Doch wird erst noch einmal in eine gehaltene, ruhige, dankbare Stimmung eingelenkt, der das zweite Thema gewidmet ist:

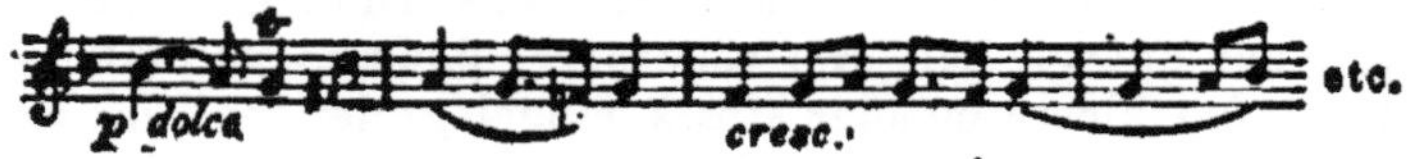

etc.

Die bald darauf folgende Durchführung wirft sogar einen Rückblick wie aus der Erinnerung, aus der Ferne auf zurückliegende trübe Stunden. Mit stechenden Dissonanzen setzt das erste Thema ein. Der Rhythmus vom ersten Takt des zweiten Themas ♩. ♪ 𝅗𝅥 und ein Motiv aus dem Endtheil dieses Themas übernehmen es aber aufzuhellen, sie ziehen vorübergehend auch das Wanderlied mit in ihre Kreise und bringen es bald zu einer glänzenden Wendung nach D dur. Dieser Durtheil beginnt mit einem Hymnus, der an das zweite Thema des Satzes anknüpft und dann zum ersten Thema übergeht, das nun die dunkle Farbe ablegt. In der sogenannten Reprise wird besonders lange beim zweiten Thema verweilt, das eine der interessantesten Bildungen in der Sinfonie bedeutet. Melodisch sehr einfach erhält es seinen zwischen Glück und Leid schillernden interessanten Charakter durch Harmonie und Contrapunkte. Hier nun im Schlusstheil seines Finale zieht es der Componist ganz in freudige Sphären, ihm nach am letzten Ende das Hauptthema das aus dem Munde der sämmtlichen Blechinstrumente Heimkehr in Jubel und Triumph meldet.

F. Cowen Scandinavische Sinfonie.

Auch der Engländer F. Cowen hat vor einigen Jahren eine „Scandinavische Sinfonie" veröffentlicht, welche von der Mehrzahl der deutschen Concertinstitute mit Beifall aufgeführt worden ist. Diese Sinfonie gehört jedenfalls unter die bedeutendsten Instrumentalcompositionen, welche seit Jahrzehnten jenseits des Canals entstanden sind. Wäre der erste Satz, dessen melancholisches Hauptthema

schliesslich zum Quälgeist wird, etwas reicher an Ideen, und der letzte ein total anderer, so würde diese Sinfonie unter die hervorragendsten neueren Nummern ihrer Gattung einzureihen sein. Die einfachen Ideen des Andante mit dem Titel „Sommernacht am Fjord", in welchen ein (im Nebensaal zu versteckendes) Hornquartett die Träumerei der Violinen mit derben Tanzweisen unterbricht, die ganz wie aus der Ferne herüberklingen, haben die Poesie und den Effekt für sich. Ebenso ist das Scherzo in anderer Art wirksam und frappant: ein freundliches Gespensterstück, in welchem der flüchtige, schattenhafte Charakter mit einer genialen Consequenz durchgeführt wird. Die Geigen hinter Sordinen mit einem eiligen Motive huschend

Allegro molto.

, der Mittelsatz, ein Nebel aus zitternden Rhythmen und mysteriösen Modulationen, in den die Bläser nichts als Accordnoten hineintropfen: das Ganze getrieben vom hellen Klang des Triangel. Es ist seit der „Fee Mab" von Berlioz in dieser eigenen Art von Phantastik vielleicht kein so runder und gelungener Satz componirt worden!

Gade's Weckruf fand aber auch weit über die scandinavischen Länder und Kreise hinaus seinen Wiederhall. Verwunderlicher Weise ist das, was aus Ungarns grossem originellen Musikschatz für die grossen Formen der Orchestercomposition fruchtbar gemacht wurde von wenig Belang. Wir registriren hier einfach die Ungarischen Suiten von H. Hoffmann, von Raff und verweisen auf die Rhapsodien Liszt's, auf die Versuche von J. Brahms und andren in Oestreich lebenden Componisten, hie und da in grösseren auf der Sonatenform ruhenden Compositionen einen Satz auf ungarisches Musikmaterial zu stützen. Gelegentlich sind ja transleithanische Melodien bekanntlich schon in der Zeit der Classiker verwendet worden. •

Auch Franzosen, Engländer und Italiener sind infolge der durch Gade entfachten Bewegung nach langer Pause an die Mitarbeit in der höhern Instrumentalcomposition vom frischen herangetreten. Hier handelt es sich jedoch nur um Werke die aus nationalem Musikborn schöpfen, in den Themen entweder durchaus oder theilweise Volkslieder oder Volkstänze bringen und so der sinfonischen Kunst durch neue und originelle Ideen bisher ungegangne Wege anweisen, ihr Richtungen erschliessen, die die weitre Entwickelung bedeutend bereichern und beleben.

Von diesem Gesichtspunkt aus kommen neben den Sinfonien und Suiten der Skandinavier nur die Beiträge in Betracht, welche auf diesem Gebiet in neuerer Zeit von den Slaven, insbesondre von Böhmen und Russen geliefert worden sind.

Das Böhmerland hat vom achtzehnten Jahrhundert ab Dank in erster Linie seinem Adel, der das vom kaiserlichen Hofe gegebne Beispiel der Musikliebe und Musikpflege mit Eifer, Opferfreudigkeit und Geschick aufnahm die Tonkunst aller Staaten mit so zahlreichen und vorzüglichen ausübenden Kräften versorgt, dass man — es war wohl Burney der das that — von Böhmen als dem Conservatorium Europas sprechen konnte. Merkwürdiger Weise steht aber der Antheil den das schöne Land an der Composition nahm, quantitativ und qualitativ hinter der Bedeutung sehr zurück die es als Bezugsquelle von Instrumentalisten aller Art, von den einfachen hausirenden Spielbanden über die Kapellmitglieder hinauf bis zu den grossen Virtuosen gehabt hat. Insonderheit kommt die böhmische Composition in der Sinfonie und den ihr verwandten Formen nur wenig in Betracht. Mit F. Benda, L. Kozeluch, Mysliweczeck, Reicha, V. Mascheck sind die Namen erschöpft, die auf diesem Gebiete vor hundert Jahren ausserhalb ihrer Heimath bekannt geworden sind; zu ihnen kommt noch der bereits erwähnte D. Zelencka als Meister in der Orchestersuite und

Fr. Dusack als Concertcomponist. In einem längren Abstand folgt dann W. J. Tomaschek mit einer Esdursinfonie, die in ganz Deutschland fast ein Jahrzehnt lang gespielt und mit grosser Achtung beurtheilt wurde. Sie hat im dritten Satze, der für jene Zeit noch aussergewöhnlich als Scherzo betitelt ist eine durch einen ausgesprochnen Hang zum Trübsinn ungewöhnliche Nummer und zeigt einige tiefe Regungen in der Einleitung des ersten Satzes. Im Allgemeinen waltet aber in ihr nur ein kleiner Geist, der von fremden Tischen, insbesondre von den Mozart'schen Opern genährt wird. Die Arbeit zeigt Vorliebe für die kleinen Künste der Kontrapunktik, wie denn Tomaschek als eine Grösse in der strengen Form und auf Grund seiner Kirchencompositionen, namentlich des Requiems, mit Recht, betrachtet wurde.[1]) Das schliesst jedoch ein grosses auf Ungeübtheit beruhendes Ungeschick im Orchesterstil nicht aus. Fast unablässig schnörkelt die erste Violine in schematischen Figuren dahin, während die andren Instrumente in träger Ruhe so lange daliegen bis sie zu einer Nachahmungsparade befohlen werden. Was uns jedoch am meisten an dieser Sinfonie interessirt, ist ihr Verhältniss zu böhmischer Nationalmusik. Tomaschek hat Lieder aus der Königinhofer Handschrift componirt, lässt also Liebe für die Stammeskunst seiner Heimath erwarten. Doch bietet seine Sinfonie hierin nichts als eine Vermuthung, nämlich die: dass das erste Thema des Finale von alter böhmischer Volksmusik stammen könnte. Wir theilen es hier mit:

Tomaschek 's dur-Sinfonie.

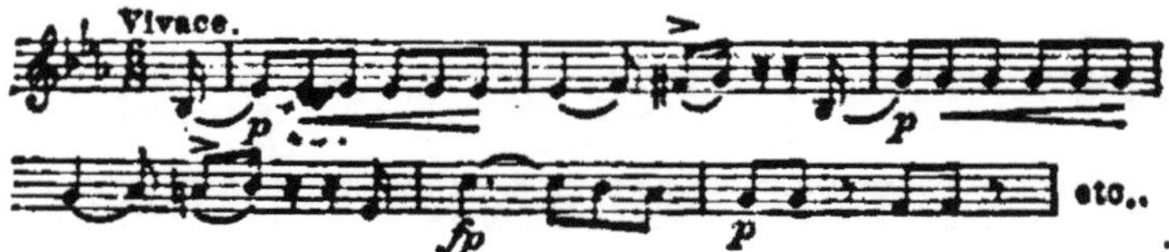

und überlassen es Berufenen den Sachverhalt festzustellen. Gesetzt: es ist slavisch, so würde doch in der Tomaschek'-

[1]) Rudolph Freiherr Prochazka: Arpeggien 1897. S. 66.

schen Sinfonie das nationale Element einen immer noch weit geringeren Antheil haben, als es sich in der Suite Zelencka's ergab.

Auf Tomaschek folgt als der nächste böhmische Sinfoniecomponist von Bedeutung Joh. Wenzel Kalliwoda. Er ist bereits in einer andren Gruppe behandelt worden und kann unter die Vertreter einer spezifisch böhmischen Musik nicht gerechnet werden, da er nur nebenbei Volksmelodien anklingen lässt.

Anders verhält es sich mit einem Schüler Tomaschek's mit Joh. Friedrich Kittl, der vom Anfang der vierziger Jahre ab auch mit mehreren Sinfonien hervortrat, unter denen die „Jagdsinfonie" besonders verbreitet war. Es ist ein Beitrag zur Programmmusik; die vier Sätze heissen: 1) „Aufruf und Beginn der Jagd", 2) „Jagdruhe" (Andante), 3) „Gelage" (Scherzo), 4) „Beschluss der Jagd". Als Jagdmusik weicht die Sinfonie von allem früheren Brauch, wie er in der Zeit von Stamitz, Haydn und Méhul und weiter zurück sich feststellen lässt dadurch ab, dass sie nicht in Ddur sondern in Esdur steht. Auch das ist ungewöhnlich, dass sie nicht blos Hörnersignale und Fanfaren, sondern im ersten Satz ein ganzes Jagdlied giebt. Es eröffnet die Sinfonie in der Form eines Hornquartetts und hat folgende Melodie

J. F. Kittl Jagdsinfonie.

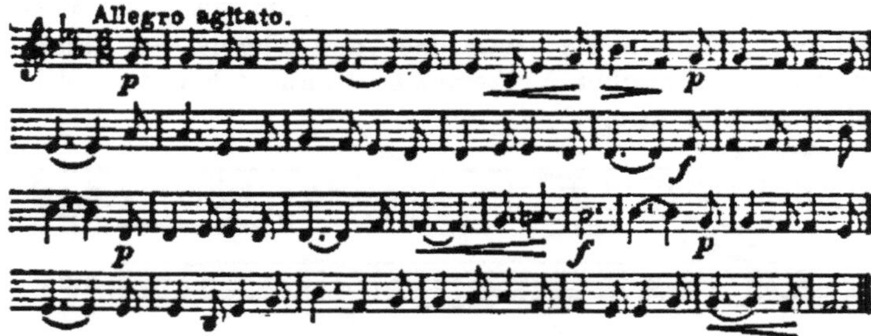

die ihren Taktgruppen nach wohl von slavischer Abkunft sein könnte. Jedenfalls ist die ganze Sinfonie mit — gleichviel ob originaler oder nachgebildeter — Volksmusik durchtränkt wie keine andere seit Haydn. Ueberall klingen uns die kurz angebundnen, heitren und frischen Weisen entgegen, die der böhmischen Musik eigen sind. Auf ihnen beruht der lebendige, temperamentvolle Charakter der Sinfonie, die mit Ausnahme einiger äusserlichen Uebergänge von Gruppe zu Gruppe im ersten Satz sehr sicher und auch eigen gestaltet ist. Namentlich im Kleinverkehr innerhalb der Perioden bewegt sich der Componist flott, rasch und reich in seinen Wendungen und zeigt ein ungewöhnliches Talent. Mendelssohn nahm die Widmung der Sinfonie an, Schumann hob sie unter den Neuerscheinungen des Winters 1840 nachdrücklich hervor[1]), R. Wagner schätzte den Componisten hoch genug um ihm ein eigenes Operngedicht („Die Franzosen vor Nizza") zu überlassen. Um Kittel's Sinfonie aber in ihrer nationalen Bedeutung, in ihrer Ideenrichtung voll zu würdigen, war, als sie entstand, die Zeit noch nicht gekommen. Weder bei Deutschen noch bei den Böhmen selbst. Denn diese hatten sich bisher, wenn sie Sinfonien schrieben, um ihre Volksmusik doch nur sehr wenig gekümmert und auch Kitti wird den Weg seiner „Jagdsinfonie" mehr zufällig und instinctiv eingeschlagen haben. Erst als nach den achtundvierziger Wirren die nationalczechischen Bestrebungen auf socialem, politischem und literarischem Gebiet mit verstärktem Eifer aufgenommen wurden, begannen allmählich auch die böhmischen Tonsetzer über die Eigenthümlichkeit ihrer Volksmusik und über ihren Zusammenhang mit dem Wesen und der Begabung des Stammes klar zu werden. Heute ist in dem Neuhussitenthum, das sich in Böhmen gesammelt und zum Sturm bereit gestellt hat, die musikalische Gruppe eine der von Glück, natürlicher Kraft und Talent begünstigsten, einflussreichsten, wohl auch der Ueberhebung und der Verblendung am stärksten zugeneigten. Ihr Vater war Fr. Smetana, ein Künstler, dessen seelischer Reichthum, dessen klare, einfache Gestaltungskraft nationaler Stützen und Hülfen gar nicht be-

---

[1]) Neue Zeitschrift für Musik. 1840, S. 139.

durft hätten. Sein E moll-Quartett bezeugt das. Smetana hat in seiner Jugend eine Sinfonie nach Beethoven'schem und mehrere sinfonische Dichtungen nach Liszt's Muster geschrieben, dann aber seine volle Kraft auf die Composition von zahlreichen Opern gelenkt, die alle keinen Zweifel darüber lassen, dass die heimische Volksmusik mit dem Herzen dieses Tonsetzers verwachsen war. Erst als sich der Weg ins Weite für diese Bühnenwerke vorläufig als verhauen erwiesen hatte, als Taubheit Smetana zwang dem Taktstock für immer zu entsagen, wendete er sich wieder der Instrumentalcomposition zu. „Um sich die Mittel zur Consultirung berühmter ausländischer Specialisten zu verschaffen“ — sagt Wellek[1]) — gab Smetana ein Concert am 4. April 1875, in dessen Programm zwei „Sinfonien“: — „Vysehrad“ und „Ultava“ hervorragten. Das sind die ersten beiden Stücke eines Cyklus von sechs sinfonischen Dichtungen, die dem für die Schönheit und den Charakter der heimischen Volksweisen empfänglichen, schlicht gestaltenden Künstler und dem für die Vergangenheit, für die Geschichte und die Natur seines Geburtslands begeisterten Patrioten gleich viel Ehre machen. Denn es war Smetana bei seinem Cyklus nicht blos um eine erfreuende, heimisch anklingende, Phantasie und Gemüth bewegende Composition zu thun, sondern es sollte ein musikalisches Epos, eine monumentale Verherrlichung von Böhmens grössten Helden und Zeiten, ein Kranz schwärmerischer und inniger Gesänge zum Preis von Land und Leuten werden. Von diesem Gesichtspunkt aus wählte er den Gesammttitel Mà Vlast d. i. Mein Vaterland und den Inhalt der einzelnen Stücke. Der Form nach sind diese Stücke einsätzige Compositionen. Smetana hat sie als symphonische Dichtungen bezeichnet obwohl sie sich mit der Natur dieser von Liszt eingeführten Gattung nur theilweise begegnen. Sie sind viel einfacher angelegt. Sie hier in den Verband von Sinfonie und Suite mit einzureihen veranlasst und berech-

F. Smetana: „Mà Vlast“.

---

[1]) Bronislaw Wellek: Friedrich Smetana. 1895.

tigt der Umstand dass sie ein zusammenhängendes, durch gemeinsame Themen verbundnes Ganzes bilden. Die ersten vier sind 1874 und 1875 entstanden, die beiden letzten erst drei und vier Jahre später hinzugefügt, alle zusammen erst nach der Wiener Theater- und Musikausstellung weiter bekannt geworden. Wohl mit Recht ist dieser Cyklus als Smetana's Hauptwerk bezeichnet worden. Man darf bei diesem Urtheil die vaterländischen Absichten des Componisten ganz bei Seite lassen und sich auf den musikalischen Werth beschränken. Da bleiben allerdings, wie überall, die von Polka, Marsch und heimischen Tanzweisen abgeleiteten Abschnitte die anheimelndsten, vom stärksten, mächtigsten innern Strom getragnen. Aber Smetana's Talent wird hier doch auch in seinem weiten Umfang offenbar und zeigt sich in dem weiten Bereich von der Schilderung des heimlichen Naturlebens, phantastisch luftigen Elfentreibens bis zum Ausdruck der feierlichsten Stimmungen und grosser Welt bewegender Ideen sicher und ergiebig. Freilich bleibt darum zwischen ihm und Mozart immer noch derselbe Abstand wie zwischen Dvořak und Beethoven. Der neuste Biograph des böhmischen Tonsetzers hätte sich dieses Vergleichs besser enthalten, schon deshalb weil unsre Zeit weder eines Haydn, noch eines Mozart's, noch eines Beethoven's fähig ist.

Bei der Composition seiner Tongemälde hat sich Smetana in die Rolle eines Rhapsoden alter Zeit hineingedacht der seinen Zuhörern von grossen geschichtlichen Begebenheiten erzählt und sie dazwischen hinein vor liebliche Idyllen führt. Zu der ersten Classe gehören I Vysehrad, III Sarka, V Tabor und VI Blanik; zur zweiten: II Ultiava (Moldau) und IV Z českých luhův a hájův d. i. Aus Böhmens Hain und Flur.

Zu dem Cyklus giebt es kurze Programme von V. Zelený, die deshalb beachtet werden müssen, weil sie (nach Wellek) Smetana selbst beglaubigt hat. Darnach ist der Inhalt des ersten Stückes: „Vysehrad" folgender: Der Dichter hört beim Anblick des Vysehrader Felsens im Geiste die Klänge der Leier des sagenhaften Sängers Lumir. Vor

F. Smetana Vysehrad.

seinen Blicken erhebt sich der Vysehrad im Glanze seiner glorreichen Vergangenheit wieder. Auf dieser Hochburg, wo der Thron der Herzöge und Könige aus dem Geschlechte der Přemysliden stand, versammelte sich die Ritterschaar zu Ding- und Heerfahrt. Die Feste dröhnte in ihren Gründen vom Tritt der einziehenden Krieger und ihrem Triumphgesang. Bald sieht der Dichter aber den Untergang der alten Glorie. Wilde Kämpfe wüthen und die herrlichen Hallen des Königssitzes zerfallen in Schutt und Trümmer. Auch diese gewaltigen Stürme verstummen, der Vysehrad steht öde und verlassen da, ein Bild vergangnen Ruhms. Aus seinen Ruinen hallt klagend das Echo des längst verstummten Saitenspiels Lumir's nach.

Nach dieser Angabe haben wir in der Composition drei Haupttheile zu erwarten, die nach einander den Glanz der Burg, den Kampf der um sie geführt wird, und ihr Ende, ihren Verfall schildern. Sie finden wir auch in der Musik und bemerken dabei sofort, dass Smetana seine Schilderung durch Einfügung begleitender und bereichernder Züge sehr wirksam zu beleben weiss. Zu jenen drei Theilen tritt noch anhangsweise ein vierter, in dem aus den Augen des heutigen Geschlechts noch einmal ein Rückblick auf die vorgetragnen Begebenheiten geworfen wird. Dabei tritt naturgemäss die Zeit des Glanzes wieder hervor und die Perioden des Unglücks bleiben im Dunklen. Die etwas künstliche Vermittelung der Schilderungen durch den altböhmischen Orpheus, den Sänger Lumir, hat Smetana wahrscheinlich nur der Harfeneffekte wegen ins Programm genommen. Bei den spätern Stücken des Cyclus fällt sie weg. Hier in Vysehrad giebt sie Gelegenheit zu einem romantischen stimmungsvollen Eingang: Von Harfen vorgetragen hören wir den wichtigsten Melodiekern des Satzes

den Smetana in verschiedener Weise zu Perioden weiterbildet. Die erste Harfe rauscht in die Pausen des schrittweise langsam aufsteigenden, sich aufbauenden Themas Arpeggien hinein. Bei Harfenklängen denkt Jedermann gern an den König David, an den blinden Homer und an die von Klopstock geschilderten Barden. Sie führen die Phantasie unwillkürlich in alte Zeiten und der Balladengeist des Themas thut das Weitere sie da festzuhalten. Nachdem die Melodie, die von vornherein schon elegisch gestimmt ist und auf verschwundne Herrlichkeiten hinweist, zweimal durch die Bläser gezogen ist, spielt die Musik ganz kurz auf Ritterthum an mit

, wozu die Trompete noch ein ausdrückliches Heersignal beisteuert und fügt diesem neuen aus der laterna magica gesehnen Bildchen gleich ein weitres, sofort breiter ausgeführtes Motiv zu, das in seiner Zusammensetzung aus einfachen Dreiklangsnoten

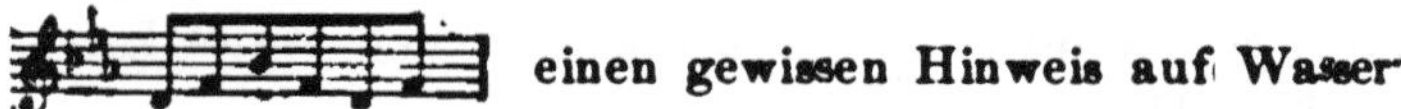

einen gewissen Hinweis auf Wassermusik bietet. Es ist wohl kaum zu bezweifeln dass Smetana mit diesem Motiv zunächst auf die Wellen der Moldau hat hindeuten wollen, die noch heute den Prager Stadttheil bespülen, der an der Stelle entstanden ist, wo ehemals die stolze böhmische Fürstenburg lag. Doch hat sich der Begriff des Stroms, den diese Töne zuerst trugen, unwillkürlich zu dem des Landes und der Landeskraft erweitert. So kommt es dass Smetana wenn die Melodie des Vysehrad im begeisterten Ton erklingt, in der Regel den grössten Schwung der Stimmung in Bildungen überleitet, die aus diesem Wassermotiv hergenommen sind. Bald kommen wir an eine solche Stelle. Nachdem das bisher beschriebne Material aufgestellt ist bringen die Streichinstrumente den Gesang vom Vysehrad in Bdur. Am Schluss dieser Periode fängt es an zu fluthen und nun nimmt das volle Orchester im glänzendsten Klang, die Melodie in der Haupttonart durch. Die Melodie klingt jetzt vollständig folgendermassen:

Trompeten und Hörner schmettern darein — das im vierten Takt zuerst neu eintretende durch das Sechzehntelpaar bemerkbare Motiv drängt sich hervor und theilt sich mit dem Wassermotiv in eine Fortsetzung, die bis zu Lauten höchsten, trunknen Jubels führt. Als er abbricht, hören wir still wie mahnend die Klänge vom Vysehrad und von der Moldau, die eine lange Strecke immer leiser mit einander wechseln. Und als die Wellen kaum noch sich bewegen — da setzt der zweite Theil ein: die Schilderung der bösen Zeit, der Zeit der Kriege und Kämpfe.

Das Mittel um diesen Kampf um Vysehrad zu schildern nimmt Smetana aus dem ersten Theil seines Gemäldes, indem er das Burgmotiv in der geistreichen Weise Liszt's folgendermassen umbildet:

Diese verzerrten Rhythmen genügen schon allein den hässlichen Streit zu malen; den wachsenden Kampfeseifer bezeichnen lange Figuren, in denen das Streichorchester sich verworren windet um einstimmig, athemlos und wuchtig nach der Höhe zu stürzen. Dann beginnt ein contrapunktisches Spiel, das den Fortgang des Kampfes sehr gut veranschaulicht. Das aus dem Burgmotiv abgeleitete — soeben angegebne — Streitmotiv wird in Engführungen vorübergeführt an denen alle Stimmen so theilnehmen, dass wir Viertel auf Viertel die schneidigen Accente hören, so als ob Streich auf Streich herniedersauste. Die steigende Kampfeshitze malen Streicherfiguren wie

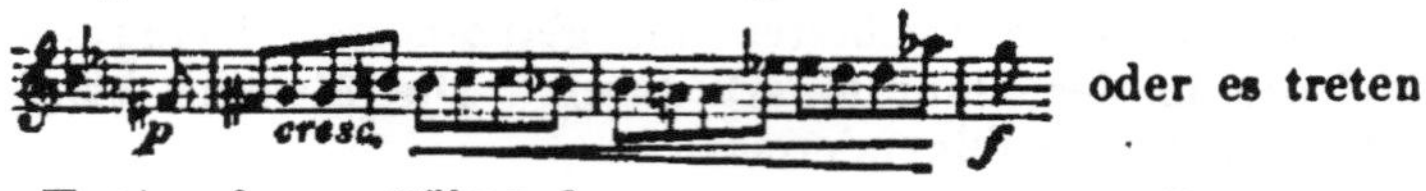

oder es treten

wieder die chromatisch verworrnen Unisono-Gänge dazwischen, die sich dem Streitmotiv gleich beim ersten Erscheinen anschlossen:

An einem Höhepunkt dieser Schilderung erscheint das Burgmotiv in folgender Form:

Das sind die frohlockenden Vertheidiger: der Angriff scheint abgeschlagen. Da stürmen — und wie der Anfang des Themas zu schliessen erlaubt — vom Moldauthale her frische Schaaren an:

Wie das langsamere Tempo zeigt wird der Sturm jetzt besonnener, kräftiger, wuchtiger geführt. Die Folge hören wir in:

Das ist das Burgmotiv in die Form einer leisen Klage, einer Warnung gebracht. Es ist die Stimme des ahnenden, erschreckten Hausgeistes. Sie spricht zuweilen sehr dringlich, aus offner Gefahr heraus; aber in der Hauptsache so freundlich bittend dass man aus ihr das Lied des Herolds, der den Frieden verkündet, hören könnte wenn nicht die kriegerischen Signale der Trompete uns überzeugten, dass der Kampf fortgeht. So treten denn auch die neuen Schaaren die sich unter dem Moldaumotiv gesammelt haben, bald zum letzten Sturm an. Kurz darauf erscheint das Vertheidigermotiv wie in grösster Noth, in kurzen Wiederholungen die an Hülfe und Angstgeschrei gemahnen. Daran knüpft sich ein Zurückgreifen auf den Anfang des Allegros! Die Motive des Streits und der Verwirrung tauchen in potenzirter Bedeutung auf und im selbigen Augenblick fällt die Entscheidung. Der Klagegesang den wir vorhin nur wie eine leise, vereinzelte Stimme hörten kommt (beim Piu Mosso Cdur) *fff* vom ganzen Orchester. Wir sind damit in den dritten Theil des Stücks eingetreten. Er wird zu einer leidenschaftlichen, heissen Siegeshymne. Aber an ihr Ende reihen sich die Sturmmotive noch einmal; sie haben jetzt den Charakter von Verwünschungen, klingen äusserst heftig und stechend und führen zu einer in breiten Noten und auf Tremolos aufbauenden Klage. Das bedeutet den Fall von Vysehrad und damit schliesst der 3. Theil. Mit Piu lento setzt der Anhang ein. Er zeigt in leisen Tonfarben wie „in der Ferne längst vergangner Zeiten" uns wesentlich verkürzt die Bilder, die eben lebendig an uns vorübergezogen sind. Zunächst knüpft er an den Klagehymnus an, dessen Motive er zwischen Dur und Moll wechseln und schillern lässt, dann führt er das Burgmotiv in der ernst elegischen Fassung vor, in der es die Composition eröffnete. Sehr schön fügt nun der Componist diesen ruhigen Betrachtungen noch einige Zeilen aus glühenden Herzen hinzu. Die Musik wallt auf in langen Triolengängen und nimmt noch einmal in Schwung und Begeisterung die Burgmelodie auf. So freut sich das neue Geschlecht der herrlichen Vergangenheit seines Volkes und hofft. Drauf wird es still. Leise rauschen wieder die Wellen der Moldau, wie im Traum klingt nochmals Rittermusik und Burgmotiv an und die Harfe breitet einen Schleier über alle die Scenen aus Vergangenheit und Gegenwart.

Wie diese Untersuchung ergiebt, ist die ganze Composition nicht blos sehr klar sondern auch poetisch reich entworfen und durchgeführt. In ihrem musikalischen Wesen spiegelt sich neben dem Einfluss des Volkslieds, den der Klagesang am deutlichsten zeigt, am stärksten der von Beethoven wieder.

Das zweite Stück des Cyclus „Ultava" betitelt, ist vor allen den andren am frühesten und weitesten bekannt geworden obwohl es viel weniger Geist enthält als z. B. F. Smetana. Ultava.

„Vysehrad". Es verdankt diesen Vorzug seinem heiter romantischen Charakter und der leichten verständlichen Form in der es seinen Inhalt entrollt. Dieser besteht aus einer Reihe von Bildern, die einfach aneinander gereiht sind; nur einzelne sind durch ein gemeinsames musikalisches Motiv verbunden, eine munter dahin gleitende Sechzehntelfigur, die das Spiel der Wellen in ähnlicher Weise wie das schon seit Jahrhunderten geschehen ist, veranschaulichen will. Denn der Gegenstand des Programms dieser zweiten sinfonischen Dichtung die „Ultava" ist die Moldau, der Hauptstrom des böhmischen Landes. „Zwei Quellen — sagt die von der Verlagshandlung veröffentlichte Inhaltsangabe — entspringen im Schatten des Böhmerwaldes; die eine warm und sprudelnd, die andre kühl und ruhig. Die lustig in dem Gestein dahin rauschenden Wellen vereinigen sich und erglänzen in den Strahlen der Morgensonne. Der schnell dahin eilende Waldbach wird zum Flusse Ultava, welcher immer weiter durch Böhmens Gaue dahinfliessend zu einem gewaltigen Strom anwächst; er fliesst durch dichte Waldungen, in denen das fröhliche Treiben einer Jagd immer näher hörbar wird und das Waldhorn erschallt, er fliesst durch wiesenreiche Triften und Niederungen, wo unter lustigen Klängen ein Hochzeitsfest mit Gesang und Tanz gefeiert wird. In der Nacht belustigen sich die Wald- und Wassernymphen beim Mondscheine auf den glänzenden Wellen, in denen sich die vielen Burgfesten und Schlösser als Zeugen vergangner Herrlichkeit des Ritterthums und des geschwundnen Kriegsruhms vergangner Zeiten abspiegeln. In den Johannisstromschnellen braust der Strom durch die Katarakte sich durchwindend und bahnt sich mit Gewalt, mit schäumenden Wellen den Weg durch die Felsenspalte in das breite Flussbett, in welchem er mit majestätischer Ruhe gegen Prag weiter dahinfliesst, bewillkommt vom altehrwürdigen Vysehrad, worauf er in weiter Ferne den Augen des Dichters entschwindet."

In diesem Programm ist zu dem was der Componist wirklich bietet, Einiges hinzugedichtet. Smetana hat in der Partitur selbst über seine Absichten knappe Auskunft gegeben: sobald ein neues Tonbildchen eintritt, wird es durch eine Ueberschrift vorgestellt. Der erste Abschnitt heisst darnach „der erste Strom" damit ist gemeint: der Anfang des Stromes. Folgendes Thema

liegt ihm zu Grunde. Mit spärlichen und kurzen Tönen der Harfe und der Violine begleitet tragen es zuerst die beiden Flöten vor, denen sich von dem Trugschluss auf Cdur ab die Clarinetten gesellen. Ob diese beiden Instrumente wirklich auf Zweiheit der Moldauquellen, die in dem angeführten Programm betont wird, Bezug haben sollen, kann bezweifelt werden. Die Tonfarben der beiden Holzbläser scheiden sich doch nicht wie warm und kalt; ausserdem hat der Componist ersichtlich an viel mehr kleine Wässerchen gedacht die zum Bach und zum Flüsschen zusammenlaufen. Es rauscht in vier Bläserstimmen, die Bratsche murmelt ihren langen Triller dazu, es mehrt sich unermesslich als das Streichorchester die Wellenmotive mit aufnimmt. Die Wasserpoesie Smetana's hat nicht den träumerisch ruhigen Charakter der uns an M. v. Schwind's Melusinenbilder fesselt. Sie nähert sich dem musikalischen Stil von Mendelssohn's Hebridenouvertüre, unterscheidet sich aber von ihr durch die viel mantrere Natur der Motive. Sie stellen die junge Moldau als ein frisches Gebirgskind dar, das es eilig hat. Der kleine Fluss gleitet allmählich etwas gleichmässiger dahin und dieser Abschnitt seiner Entwickelung wird von einer Melodie dargestellt, die, wenn sie nicht Volkslied wäre, zur Hälfte von Mendelssohn stammen könnte:

. Holzbläser führen diese Moldaumelodie mit den ersten Violinen ein, in den andren Geigen rauschen die Wellenmotive stärker und mit kräftigerem Anlauf. In den Hörnern klingt es frühlingslustig darein. Mächtiger wird der Schwung dieses Gesanges als er nach Cdur tritt: er schwillt zum *ff* an und findet — als träte er in die volle Sonne und in das blühende, reiche Land hinaus — einen mächtigen, mit seiner Schönheit ergreifenden und doch einfachen, im volksthümlichen Stil bleibenden Abschluss in Edur. Merkwürdig wie dieses Dur einschlägt, obwohl Smetana das *gis* nur streift und zum *g* zurückkehrt. Dem nächsten Abschnitt hat Smetana die Aufschrift „Waldjagd" gegeben. Dass er am Strom weiter spielt, hören wir aus den Geigen, in denen die Wassermotive fortgeführt werden. Die Bläser aber, natürlich die Hörner voran, entwickeln eine neue Musik aus Fanfaren. Das neue Bild bringt in die Composition ein kräftiges Leben, das zu der vorhergegangnen Wasserstimmung an sich schon eine Steigerung bildet, aber durch die Entwickelung der Jagdthemen, die auf folgendes Motiv

zurückgehen, noch viel mächtiger wirkt. Denn Smetana führt sie in den scharfen Wendungen der Modulation von Periode zu Periode, (von *C* nach *G*, nach *F*, nach *E*), die uns Allen aus dem ersten Satz von Beethoven's Pastorale in Erinnerung sind. Es ist das wieder eine Stelle die den böhmischen Componisten in Beethoven tief eingedrungen und von seinem innren Wesen gefördert und geleitet zeigt. Die Jagdscene verklingt auf einem langen Eduraccord wie in weiter Ferne und nun kommt „die Bauernhochzeit", die vielleicht unter den kleinen Bildern aus denen „Ultava" besteht, am meisten bestrickt. Diese Musik deren Grundstoff auf den vier Takten

ruht, könnte unmittelbar aus einer der Opern Smetana's genommen sein. Es ist eine polkaartige Tanzweise, ein Stück Volksmusik, wie es in seiner naiven Anmuth und mit dem kleinen Beisatz von Derbheit bei den Böhmen allein vorkommt. Liebenswürdigere Kunst als sie in dieser kleinen Dorfscene vorliegt giebt es nicht; gern trägt man so ein Stückchen für alle Fälle mit sich durchs Leben. Auch dieser Satz verklingt ganz leise; wieder schiebt der Componist eine kleine Leiste ein und dahinter zieht er das nächste Bild auf mit der Ueberschrift: „Mondschein, Nymphenreigen". Es ist mit der Wasserscene, die die Composition einleitet nahe verwandt, wie es denn auch am Schluss in die Moldaumelodie ausläuft, die die zweite Hälfte jenes Abschnitts bildet. Bis dahin entwickelt sich die Musik auf Grund eines Naturmotivs

das bald in folgender bestimmteren thematischen Form

von den Flöten durchgeführt wird. Die Clarinetten begleiten in sanften Triolen, die Violinen hauchen einen breiten Gesang in die zarte Farbenstudie hinein, auch die Harfe macht sich mit glänzenden Klangtropfen bemerklich. Soviel das Mondlicht auch wechselt: immer bleibt das Spiel unverändert zierlich, die Bewegung der Nymphen fein bis zum Unerkennbaren. Die Dynamik des ganzen Abschnitts hält sich im *pp*; nur an einer Stelle, wo die Musik nach Hdur tritt kommt ein crescendo, das decent nach einem *p* und in die Wassermusik des ersten Abschnitts von „Ultava" zurückführt. Schon aus dieser Wendung lässt sich vermuthen, dass der Composition die Rondoform zu Grunde liegt. Das Moldaulied ist ihr Hauptsatz, die andren Ideen haben die Bedeutung von Episoden, Zwischensätzen. An den

Abschluss des Lieds reiht sich ein neuer Abschnitt, den Smetana „St. Johann-Stromschnellen“ überschrieben hat. Die Gewalt des Wassers, das Toben, Wüthen des Elements ist auf Grund folgender Motive

und … veranschaulicht, die von den Geigen bis zu den Cellis durch das Streichorchester unaufhörlich erklingen. Ruht die eine Stimme auf einer Achtelpause, rauscht's in einer andren. Die Contrabässe spielen mit immer gleichem Eifer wieder und wieder die wuchtige Figur

. Sie ist aus Motiven der Moldaumelodie gebildet, die auch während der ganzen wilden, realistisch aufregenden Scene in leibhaftigen Bruchstücken in den Bläsern anklingt. Auch in andren kurzen Motiven und sprechenden Klängen äussert sich Hülfs- und Angstgeschrei und verzweifelte Verlegenheit. Endlich (nach einem *fff* des vollen Orchesters) ist die böse Stelle überwunden. Ein decrescendo und ein crescendo der Geigen — und nach wenigen Takten sind wir wieder beim Hauptsatz des Rondos, bei der Moldaumelodie die im glänzenden E dur und mit der Ueberschrift: „Der breiteste Strom“ einsetzt und drängend wie zum Ausdruck freudigster Erregung variirt wird. Ihr folgt als der letzte Abschnitt, als Schluss der Composition ein in E dur gehaltner, zu zwei Dritteln auf dem Accord der Tonica liegender Satz, der das Vysehradmotiv in breiten Rhythmen zum Thema nimmt und in der Art der Weber'schen Jubelouvertüre umspielt. Die Moldau fliesst ja an Prag und an der alten Fürstenburg vorbei.

Wenn die dritte Nummer des Cyclus „Sarka“ wenig bekannt geworden ist, ja es noch nicht einmal zu einer gedruckten Partitur gebracht hat, so liegt der Grund in der Composition. Sie ist wohl dramatisch geplant, aber sie bleibt zu vorwiegend hart und grausam und was die Hauptsache: in der musikalischen Erfindung ist sie mit Ausnahme von zwei Stellen nur mässig gut und ohne die Reize der Volksthümlichkeit. Das Programm — vielleicht aufgedrungen — scheint Smetana nicht erwärmt zu haben.

F. Smetana Sarka.

Sarka, nach deren Namen auch ein Thal im Norden von Prag benannt ist, war eine der Anführerinnen in dem langen Krieg, den die böhmischen Jungfrauen unter dem Oberbefehl der von Karl Egon Ebert besungnen Wlasta gegen die Männer des Landes führten. Der Ritter Ctirad findet sie im Walde an einen Baum gebunden und löst, die List nicht merkend, mitleidig der Todfeindin die Fesseln, führt sie in sein Lager und feiert mit den Genossen den Liebesraub. Als aber die Ritterschaar trunken im Schlaf gefallen ist, ruft Sarka die Amazonen herbei und Ctirad wird mit den Seinen niedergemacht.

Der erste Abschnitt der sinfonischen Dichtung schildert Krieg und Kämpfe auf Grund des Themas:

sehr energisch, an einer Stelle dramatisch aufregend. Es ist wo den Fluss der wilden Triolengänge plötzlich die stockenden Rhythmen

unterbrechen. Deuten sie auf einen ungeheuren Entschluss, auf das Wagniss zu dem Sarka bestimmt wird? Noch eine andre Stelle fällt durch ihre Weichheit aus dem Ton dieser Amazonenmusik:

Soll in ihr des Weibes eigentliches Wesen die Amazonenmaske durchbrechen? Der zweite Abschnitt ist eine Marschmusik die auf das folgende liebenswürdige Thema gestellt ist:

Mit ihm schildert Smetana die Ritter als gutmüthige, sorglose Leute; etwas fester treten sie in den Bläsermotiven auf, welche mit dieser Geigenstelle zusammengehen:

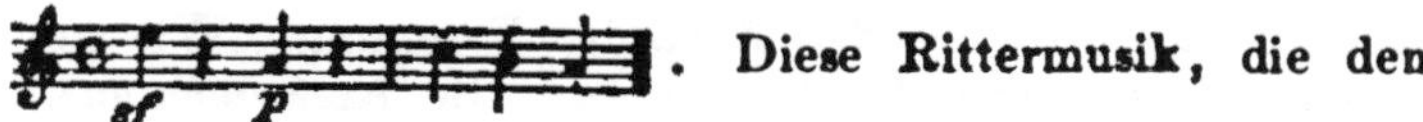

. Diese Rittermusik, die den ersten von den musikalisch glücklicheren Abschnitten in „Sarka“ bildet, erhält plötzlich durch eine klagende Melodie der Klarinette einen Gegensatz. Wir haben uns darin die Stimme der an den Baum hängenden Sarka zu denken. Endlich wird sie von den Rittern entdeckt. Der Marsch pocht viermal *ff* und mit Nonenaccorden auf dem Rhythmus ♩. ♪ ♩. Dann folgt ein Dialog zwischen Clarinette (Sarka) und Cello (Ctirad) in beweglichen Recitativen und ihm der dritte Abschnitt. Er ist ein A dursatz über das Thema

gebildet, den wir als Liebesscene zu denken haben und der am Schluss grosse Gefühlswärme entwickelt. Das Gelage der Ritter löst ihn ab. Diese Scene, die von Hörnern, Trompeten und Posaunen ziemlich tumultuarisch eingeleitet und in ihrem Charakter bezeichnet wird, ruht musikalisch wesentlich auf rhythmischer Wirkung und erinnert hierin, sowie in der Gestaltung ihres Grundmotivs sehr lebhaft an eine der besten Scenen in Smetana's „Kuss“. Hier ist die Figur

etc. die mit

der Entschiedenheit, die die böhmische Volksmusik auszeichnet, aufpocht und aufschlägt. Der eindringliche Charakter des Motivs an sich stellt diesen Abschnitt von Sarka unter die eindringlicheren und musikalisch werthvolleren. In der Ausführung bietet er nichts Bemerkenswerthes. Ein diminuendo und ein *pp* veranschaulichen wie die Ritter müde werden und schlafen. Da klingt erst laut dann leise ein Hornruf: die Geigen malen mit tremolirenden und dissonirenden Accorden Erregung. Wir sind in den Schlussabschnitt eingetreten. Die Amazonenmusik aus dem Anfang der Composition kehrt wieder, zunächst allerdings nur leise und zögernd wie aus der Seele der schwankend gewordnen Sarka heraus; dann aber wilder und wilder, zuletzt wie ein Siegesrausch. Als es zu Ende geht versuchen sich die Gestalten der Ritter noch einmal in recitativartigen Bassstellen zu erheben. Aber gnadenlos fegt der wilde Sturm über sie dahin.

Das vierte Stück des Cyclus „Aus Böhmens Hain und Flur“ (Z českých luhův a hájův) nähert sich im Charakter etwas der Dichtung über die Moldau. Es ist eine Naturschilderung, ein musikalischer Spatziergang durch das gesegnete Land an einem schönen Sommertage. Die Composition, die als frei variirtes Rondo angelegt ist, zeigt im Allgemeinen, und im Besondren in der Umbildung und Ausnutzung der leitenden Motive grosse Kunst. Am glücklichsten ist sie in den Theilen wo ausgesprochnermassen Volksmusik angestimmt wird. F. Smetana Aus Böhmens Hain und Flur.

Ueber den Inhalt der ersten Abschnitte dieser sinfonischen Dichtung hat Smetana selbst sich dem obengenannten Zelený gegenüber geäussert.[1]) Darnach soll der Eingang den mächtigen Eindruck darstellen der den Wandrer beim Eintritt in die Landschaft erfasst. Ohne diese Erklärung würde man die Musik dieses Eingangs kaum im Sinne des Componisten verstehen. Sie beginnt mit:

---

[1]) Wellek a. a. O. S. 60.

wie die Umdrehungen eines grossen Mühlrads von dem das Wasser schallend herabrieselt. Sämmtliche Streichinstrumente, die Contrabässe eingeschlossen, sind in dieser Sechzehntelbewegung begriffen, ebenso der ganze Chor der Holzbläser, die Hörner, Posaunen und Trompeten geben Glanz und Strahlen drein. Gedacht hat der Componist an die berauschende Wirkung die ein grosses Landschaftsbild von der Sonne beleuchtet, von einem schönen Punkte aus erblickt, auf ein empfängliches Gemüth üben kann. Darum wühlt seine Musik mit soviel Klang, so nachdrücklich und mit der Beharrlichkeit, die Smetana bei Tonmalereien häufig liebt, auf demselben kleinen kreisenden Motiv. Während in der ersten Hälfte der Satz doch noch mit den Harmonien wechselt, die Lichter vermindert und verstärkt — einmal bis zu einem Nonenaccord auf *A* — liegt in dem Schlusstheil der G moll — Dreiklang 27 Takte lang fest, vom *fff* zum *pp* abschwellend. Als es stille geworden ist, erhebt sich endlich über diesem Farbenrausch ein Gedanke. Die Clarinetten haben ihn aus dem Sechzehntelmotiv entwickelt und sprechen in dem Augenblick, wo das Bild entschwindet, Behagen und Dankbarkeit über die genossene Schönheit aus:

Ueber den an diesen kurzen gemüthvollen Gesang sich unmittelbar anschliessenden zweiten Abschnitt in G dur hat Smetana bemerkt: er gleiche dem Spatziergang eines naiven Dorfmädchens. Sein Thema

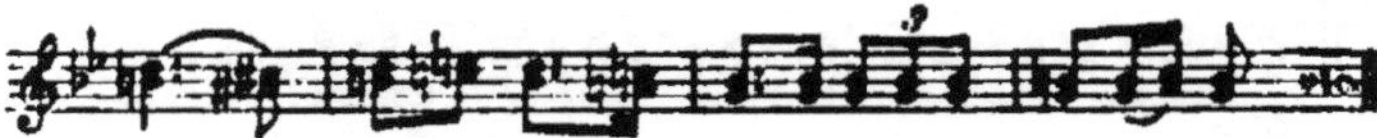

löst den letzten Druck, den die pathetische Pracht des Eingangs in der Seele des Hörers etwa zurückgelassen hat. Zu der kindlichen Fröhlichkeit, die mit ihm in der Oboe laut wird, tragen die Flöten Elemente der Ausgelassenheit hinzu. Sie contrapunktiren das hübsche Sommerliedchen mit Figuren die aus den Motiven des ersten Abschnitts geformt sind. Da das Sommerliedchen selbst aus der gleichen Quelle hervorgegangen ist, stehen wir also an dieser Stelle vor einem Beweis von Stoffbeherrschung und einheitlicher Gedankenkraft, der dem Componisten Ehre genug macht. Auch dieses zweite Bild versinkt langsam und wird, wie es Smetana in diesen sinfonischen Dichtungen so häufig thut, durch eine Pause, also sehr scharf und mit deutlichster Benachrichtigung des Zuhörers von dem folgenden getrennt. Dieser folgende dritte Abschnitt der Composition ist ein Fugato über das Thema

Es steigt von dem hier angegebnen Ende immer noch höher, erinnert damit an eine Stelle in Wagner's „Siegfried“, wo die Violine ebenfalls in die letzten Lagen klettert und zwar in dem Augenblick wo der Held sich zur Ausschau auf den Brünhildenfelsen begiebt. Smetana hat hier andre malerische Absichten. Die Scene soll an die Mittagszeit, an die Stunde erinnern, wo die Sonne am höchsten steht, wo Pan schläft. Daher die hohen Klänge, das Glitzern und Trillern, die wirre Beweglichkeit, mit der ab und zu eine Todtenstille tauscht. Dass es des Tonsetzers Absicht war einzelne Züge aus dem eigenthümlichen Leben, das die Natur um Sommermittagszeit führt, in das Bild hineinzubringen, hat er selbst mitgetheilt: mit dem Motiv

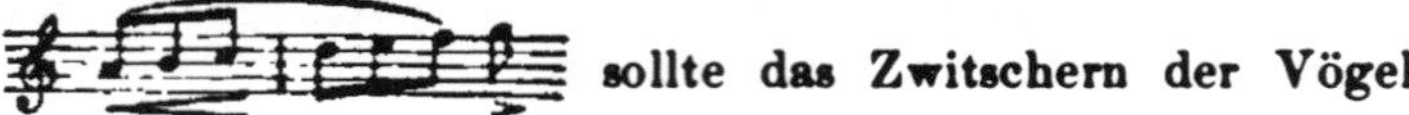 sollte das Zwitschern der Vögel

dargestellt werden. Man kann sich dem Ganzen gegenüber nicht des Eindrucks erwehren, dass die Erfindung in diesem Abschnitt auf scharfer Naturbeobachtung mit beruht. Aus dem Zwitschermotiv und seinen Umbildungen, aus dem Fugatothema oder Bruchstücken von ihm windet das Streichorchester noch lange mannigfache und verschlungne Gewinde, während die Bläser, voran Clarinetten und Hörner längst zu einem neuen Thema übergegangen sind, das nach Form und Charakter in den böhmischen Choralschatz passen würde und unter dessen Klängen man sich gut eine fromm dahinschreitende Wallfahrerschaar denken kann. Es kommt erst in Fdur dann in Desdur. Dazwischen liegt eine neue Schicht des Fugato, das auch weiterhin fortspielt während der Choral schweigt, bis er endlich vom vollen Orchester in Adur aufgenommen wird und mächtig und glänzend wie im Krönungszug daherbraust. Kaum lässt sich der Gedanke abweisen, dass Smetana mit diesem Tonbild dem frommen kirchlichen Sinn seiner Landsleute hat ein Denkmal setzen wollen. Dass das Thema auch im weitren Verlauf der Composition wiederkehrt, bezeugt seine poetische Bedeutung. In dem Adursatz jedoch, den es so glänzend beherrscht, wird es jählings durch einen Ausbruch unbekümmertster Lebenslust unterbrochen:

. Es setzt einmal, zweimal wie verschüchtert wieder ein; jedes Mal drängt sich die übermüthige Tanzweise wieder dazwischen. Sie behauptet auch den Platz und nun entwirft Smetana auf Grund dieses Themas und in der Form einer wuchtigen und doch beweglichen böhmischen Polka eine jener Schilderungen herzhafter Weltlust, die er als Sohn seiner Heimath stark liebt und mit grösster Meisterschaft beherrscht. So verwegen diese Tanzscene unmittelbar in die frommen und kirchlichen Klänge hereinbricht, so schön und sinnig ist sie durchgeführt. In der Mitte steht eine

Idylle, die von dem Thema 
getragen wird. Auch diese ruhige Weise ist von dem Sechzehntelmotiv abgeleitet, das den Grundstock der Eingangsmusik der Nummer bildet. Ebenso ist aber mit diesem Motiv das Polkathema verwandt, das während der Idylle immer leise weiter spielt. Wir haben es hier also mit demselben Fall kunstvoller Arbeit zu thun, der uns bei dem Gdurabschnitt im ersten Theil unsrer Nummer entgegentrat. Das Thema der Idylle wird nun die Hauptfigur der Composition, die Bilder die sich darum entwickeln sind ihre Hauptsätze. In der Fortsetzung der Tanzscene kommt es zunächst noch in einem Gdursatze vom Polkathema begleitet, dann aber in einem zweiten Gdursatze (Piu mosso) selbständig und im Charakter etwas verwandelt: heissblütiger. Da unterbricht der Wallfahrtsgesang noch einmal leise und in fremder Tonart (Asdur), ohne weitren Einfluss. Eine rauschende Coda bildet den Schluss und giebt Gefühle der Freude kund. Ihre Motive nimmt sie aus kurzen Anklängen an das Eingangsmotiv; ganz zuletzt kommt es in einer grandiosen Umbildung

noch einmal gewissermassen in eine lapidere Formel die Eindrücke des Tages zusammenfassend.

F. Smetana Tabor.

Die fünfte Nummer von Smetana's böhmischen Nationalfantasien „Tabor" ist wieder wie Vysehrad und Sarka ein musikalisches Geschichtsgemälde; es hängt als solches eng mit dem folgenden Stück, mit „Blanick" zusammen. Beide sind sehr charaktervolle Compositionen und kehren den Ausdruck der trotzigen Kraft hervor.

Jedermann weiss von den Taboriten, von Tabor, von ihrem Ziska und von ihrem Trutz- und Kampflied, dem Choral: „Die Ihr seid die Kämpfer Gottes" („Kdož jste Bože bojovnici"), der für die Hussitenkriege eine ähnliche

Bedeutung hat, wie für die Reformation Luther's „Ein' feste Burg ist unser Gott".

Smetana giebt in seiner Composition ein Bild aus der hussitischen Bewegung und er thut das in der Form einer Choralbearbeitung, die nicht in allen Theilen gleich werthvoll, doch nirgends die Würde und den künstlerischen Ernst vermissen lässt und an einzelnen Stellen sich zu einer ausserordentlichen Höhe des Ausdrucks und der Wirkung erhebt. Die Choralbearbeitung hat nicht etwa die strenge Form, die wir von ältern Orgelmeistern gewöhnt sind, sondern sie ist mehr als eine freie und elastische Fantasie gehalten, bei der der Choral nur an wichtigen Punkten in seiner vollen Gestalt erscheint, an andren nur mit einzelnen Gliedern benutzt wird. Im ersten Abschnitt (Lento, $^3/_2$, D moll) schildert der Componist wie sich die Bewegung im Lande vorbereitet und entwickelt. Ein langer Orgelpunkt auf tiefem *D*, chromatische Motive in tiefen Bläsern deuten auf Gähren und heimliche düstre Unruhe in den Gemüthern. Drohend klingt dazu aus den Hörnern das Anfangssmotiv des Chorals und

sein kraftvollstes fanatisches Glied:

wandert durch das ganze Orchester, wie ein Signal der Empörung das von Ort zu Ort durchs Land geht, die Geister in Bewegung zu setzen, die Schaaren zu sammeln. Auch die weibliche Stimme der Milde, des Gebets, der Glaubenszuversicht lässt sich dazwischen hinein vernehmen:

Aber sie entfacht nur den endlichen Ausbruch des Sturms, der sich in Scalenfiguren äussert, die hoheitsvoll durch zwei Octaven schreiten und uns zu dem Punkte führen, wo der Bund der Genossen auf Tod und Krieg geschlossen und zum ersten Mal das Trutzlied angestimmt wird:

Es ist nur die erste Hälfte von ihm und auch in ihr sind Vorder- und Nachsatz dramatisch getrennt. Abermals kommt die weiche Gebetsmelodie — die ständig in den Holzbläsern liegt — dazwischen, ihr folgt die Fortsetzung und der Abschluss des Chorals mit

Nun giebt Smetana in einer Reihe von lebhaften Sätzen die alle ein Molto vivace vorgeschrieben und als thematische Hauptunterlage das aus dem dritten und vierten Takte des letzten Beispiels bestehende Motiv haben und in ein Più mosso auslaufen das Bild eines im Kämpfen aufgebenden starken, gewaltigen Geschlechts. Der Kampf wird in vielen Wendungen vorgeführt: etwas kleinlaut beginnt er, nimmt aber bald den Charakter entschiedner, rücksichtsloser Entschlossenheit an. In den Bläsern stehen gewissermassen die Thaten, in den Violinen die Stimmungen: die Erregung, das Treiben und Schüren. Der Kampf hat seine stürmischen und hitzigen, seine verwickelten, auch seine müden und verlegnen Augenblicke, längre Zeiten der Gefahr und des Unterdrücktseins wo die Instrumente nur auf Rhythmen leise stöhnen und stammeln. Der Wille ist nicht gebrochen das Terzenmotiv: hört nicht auf anzufeuern und im Più mosso kommt es zu einem neuen und letzten Ansturm von furchtbarer Gewalt mit frischen endlosen Schaaren. Seinen Erfolg erzählt das Lento maestoso ($\frac{3}{2}$), in dem der Choral als heisses Dankgebet im Jubelrausch zum Himmel klingt. Ein schliessendes Più animato fügt nochmals drohend und in finstrer Kraft das Glaubensbekenntniss daran, wirft einen Rückblick auf das Vollbrachte in dem wohl still auch der geopferten Genossen gedacht ist. Dann sprechen die Führer aus dem Munde der Bässe noch ein stolzes und rühmendes, anfeuerndes Wort und herrisch, zuversichtlich und begeistert antworten die Schaaren.

In ihrer harten gedrungenen Kraft erinnert diese Composition über den Taboritenchoral an altes Römervolk und Nibelungenlied; aus der gleichzeitigen Musik wäre ihr ausser R. Wagner's „Walkürenritt" allenfalls noch die eine oder andre Stelle aus R. Volkmann's Dmoll-Sinfonie an die Seite zu stellen. Unter den Dichtern die mit Smetana lebten, findet sich eine verwandte Natur in Fr. Hebbel, unter den bildenden Künstlern keine.

F. Smetana Blanick.

„Blanick" die letzte, sechste Nummer des Cyklus verbindet die zweite Folge der vaterländischen Tondichtungen Smetana's mit der ersten poetisch und musikalisch. Es verschmilzt schliesslich die Motive der Taboriten und der alten böhmischen Fürstenburg und es ist auch in seiner dichterischen Bedeutung das Gegenbild zu Vysehrad: es umschliesst ebenfalls versunkne oder schlummernde Herrlichkeit und Grösse, es ist die Stätte stolzer nationaler Erinnerungen. Blanick heisst ein bei Tabor gelegner Berg, der dem Salzburger Untersberg, oder dem Kyffhäuser der Deutschen ungefähr entspricht. Hierher zogen sich einst die Helden der Hussitenkriege zurück und warten der Zeit, da die Träume von der Wenzelskrone in Erfüllung gehen, wie Barbarossa gewartet hat.

Smetana empfängt uns in seiner Composition mit einem Allegro moderato ($^{2}/_{4}$ Dmoll) in dessen ersten Takten der Kampfchoral in aller Herbheit nochmals anklingt, das aber bald zu einer freudigeren und heiteren Schilderung jener kraftvollen Hussitenzeit übergeht. Es klingt darin wie von flotten Reiterschaaren und das Taboritenmotiv tönt, aller seiner Schrecken entkleidet, frisch und freundlich dazwischen. Nur am Ende, das Smetana wie so oft, etwas lange hinausschiebt, wird der Ton etwas düster. Das Thema welches diesem ersten Theil von „Blanick" zu Grunde liegt

steht mit der Originalfassung der ersten Strophe des Taboritenchorals im Zusammenhang. Smetana liebt es die einzelnen Gruppen in seinen Tongemälden scharf abzugrenzen und zu sondern. So lässt er auch das Bildchen das er hier von dem Lebensabend der alten Taborhelden entworfen hat im Dunkel verschwinden, ehe er weiter geht. Die zweite Scene beginnt (Andante non troppo) mit folgenden Takten

sehnsuchtsvoll und elegisch. Es ist als wenn ein Wandrer an den Berg herantretend im patriotischen Schmerz der alten grossen Zeiten seines Landes und ihrer Männer gedächte. Schnell aber verscheucht die Gegenwart alle Beklemmung: er findet am Berg ein Idyll: Heerden und Hirten die sich im Tonspiel ergötzen: Smetana lässt uns einen Kanon hören der zunächst zwischen Oboe und Horn, später zwischen Oboe und Clarinette läuft und folgendermassen beginnt:

Seine immer muntrer werdenden Melodien begleiten erst lediglich Blasinstrumente, dann legen ihnen die Geigen träumerisch einen langen, leisen Fduraccord unter. Aus diesem Frieden reisst ein Più mosso. Wir sind auf den Abschnitt in gewohnter Weise allerdings etwas vorbereitet worden durch ein diminuendo. Nun fangen die Geigen an zu tremoliren, dann heftige Figuren auszustossen; in Vorhalten, in Dissonanzen, in fassungslosen Rhythmen spricht sich höchste Aufregung aus und nach dem gewaltigen Anlauf setzt nun der neue Hauptsatz mit:

ein. Er giebt ein Bild des Irrens und der Rathlosigkeit, die auf Augenblicke in Verzweiflung übergeben will. Schon bald erheben sich dagegen Regungen der Zuversicht; in Hörnern und Clarinetten hören wir

. Endlich dringt die freundliche zuversichtliche Schlusszeile des Taboritenchorals durch und von seinem Ende wird ein Marsch

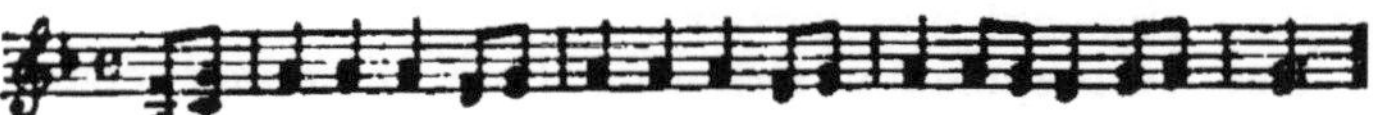

abgeleitet und mit ihm verbunden, der die Erinnerung zu den alten Helden zurückführt die im Berge schlummern, ihr kräftiges Wesen ähnlich wie der Anfang der Compositiou, das Allegro moderato, aufleben lässt. Und bald ist es auch, als wenn sie leibhaftig wieder da ständen. Mit dem Grandioso (D dur) kehren wir in den glänzendsten Theil der fünften Nummer des Cyklus, in das Tongemälde über „Tabor“ zurück. Noch einmal wird die Stimmung wieder etwas trübe: es tritt wieder D moll und eine Durchführung des in der Stimmung etwas zwiespältigen Motivs,

ein. Wieder wird sie durch das Choralthema überwunden. Das Grandioso kehrt zurück und führt zu einem Largamento maestoso (D dur, $^3/_2$) und zum Burgmotiv aus Vysehrad. So reichen sich Ende und Anfang des Cyclus die Hand. Der Tondichter schliesst mit der begeisterten Mahnung an seine Landsleute der grossen Zeiten ihrer

Geschichte der Zeiten von Vysehrad und Tabor immer zu gedenken!

Die vaterländischen Compositionen Smetana's haben für Anton Dvořak, das reichste böhmische Musiktalent, den Weg gebahnt, sie haben ihm die Anregung zu seinen „Slavischen Tänzen" gegeben, für seine „Slavischen Rhapsodien" auch die Form. Von der internationalen Strömung der gegenwärtigen Musik, oder besser gesagt von dem immer noch fortwirkenden gewaltigen Geist des achtzehnten Jahrhunderts ergriffen, ist Dvořak jedoch bald von den Exakten zu den Philosophen übergelaufen, ist unter die Sinfoniker gegangen, hat unter den lebenden Vertretern der Beethoven'schen Methode sich heute den ersten Platz errungen und dabei in seinen Sinfonien so gut es ging immer noch für böhmisches Wesen und böhmische Musik Zeugniss abgelegt und gewirkt.

Der ausgesprochen nationale Satz in seiner ersten, seiner Ddur-Sinfonie (op. 60) ist das Scherzo. Es unterscheidet sich in Form und Charakter kaum von den bekannten und bedeutenden „Slavischen Tänzen" dieses Componisten und soll wohl auch durch den überschriebenen Titel: „Furiant" dieser Gattung zugewiesen werden. Ein wildes Blut wallt in diesem Satze; zu der Frische, mit welcher sein Hauptthema herein stürzt, gesellt sich auch ein querköpfiges Element, eine eigensinnige Ausgelassenheit, die in einem aus Beethoven's vierter Sinfonie bekannten Wechsel von Zweiviertel- und Dreivierteltakt und in den dissonirenden Vorhaltsnoten deutlich zum Ausdruck gelangt: A. Dvořak Ddur-Sinfonie

Presto. [1] etc.

Der Hauptsatz ist nur sehr kurz, der Mittelsatz

[1]) Statt *d* lies: c.

dagegen im Beethoven'schen Stile breit ausgeführt und mit einem neuen Thema bereichert. Es ist folgendes:

Das hier mit *b*) bezeichnete Schlussglied ist dasjenige, welches in der jetzt beginnenden Durchführung beider Themen bevorzugt wird. Die im Anfangstheile der neuen Melodie liegenden weicheren Elemente bleiben im Hintergrunde. Das Trio dieses Scherzo entwickelt sich in seinem ersten Theile ziemlich zögernd: Sein Thema baut sich stückweise auf und schliesst fragend und unentschieden:

Der Klang des Piccolo bringt darin das national slavische Element sehr drastisch zur Geltung. Von der zweiten Hälfte des ersten Theils und durch den anderen Theil des Trios regt sich's dann freundlicher: durch die Bläser und die Celli streifen ruhige Gänge, die nach Melodie zu suchen scheinen. Einen ausgesprochenen wirklichen Gesaugton vermeidet der Componist, der in seinem Scherzo weniger einen heiteren Satz, als ein musikalisches Charakterbild geben wollte: das Gemälde einer mit unwirschen Elementen kämpfenden Fröhlichkeit. Das Scherzo ist in der Form der einfachste und übersichtlichste Satz der Dvořak'schen Sinfonie. Die anderen Sätze stellen in Betreff der Gedankenentwickelung und der durch sie bedingten Form dem Zuhörer durchschnittlich schwere Aufgaben, und es scheint uns durchaus nicht ein blosser Zufall zu sein, wenn das Publikum dieser Sinfonie etwas kühl gegenüber steht. Namentlich durch den ersten Satz und durch das Finale geht ein unsteter Zug. Die Phantasic hat die Menge der Gesichte nicht bewältigt; die Ideen durchkreuzen und verdrängen einander, die Episoden vergewaltigen die Hauptgedanken, und die ganze Darstellung macht das Folgen und Verstehen zu einer harten Arbeit.

Der erste Satz hat in seiner Themengruppe nicht weniger als sechs verschiedene Ideen, welche um die Führung ringen.

Die wichtigsten davon sind:

Diese vier Takte bilden die vordere Hälfte des Hauptthema, dessen erster Abschluss bereits bedeutend hinausgeschoben wird. Nach einer etwas stürmischen Unterbrechung im beschleunigten Tempo kehrt das Thema im glänzenden Forte-Klang, aber nur auf einen flüchtigen Augenblick zurück. Vor dem Eintritt des zweiten Thema passiren wir noch eine Reihe von Nebenmotiven, aus denen das folgende als das für die Satzentwickelung wichtigste hervorzuheben ist:

Das zweite Thema (in Hdur gestellt) gelangt zu keiner Bedeutung, dagegen nimmt der ihm folgende Nachsatz:

im Ideenkreise des Allegro eine hervorragende Stellung ein. Der ganze Satz gewährt das Bild einer um freundliche Ziele kämpfenden Stimmung, und enthält in seinen heiteren Partien eine Menge liebenswürdiger Züge, blühende musikalische Einfälle pastoralen und idyllischen Charakters. In ihnen ist ein leichter Einfluss Schubert's zu bemerken, während für die pathetischen Excurse, die den weniger gelungenen Theil des Satzes bilden, Beethoven und noch mehr Brahms augenscheinlich zum Muster gedient haben.

Das Adagio (Bdur $^{2}/_{4}$) wird von folgendem Hauptgedanken beherrscht:

Als zweites Thema folgt ihm ein schwärmerisch zärtlicher Gesang:

dessen Einführung durch eine kurze selbständige Episode, von freudigem Aufschwung beherrscht, wunderschön vermittelt wird. Der ganze Plan des Satzes ist noch leicht zu übersehen: Nach dem Abschluss des Seitenthemas repetirt die Hauptmelodie, und die eben erwähnte Episode leitet zu einer kurzen Durchführung über. Letztere setzt mit leidenschaftlicher Bewegung ein, geht aber sehr bald in den milden träumerischen Ton über, der dem ganzen Adagio seinen Charakter giebt. Auch durch seine melodischen und modulatorischen Wendungen erweist es die Verwandtschaft mit dem langsamen Satze von Beethoven's Neunter. Im Finale seiner Sinfonie steht Dvořak wieder auf dem Boden, auf welchem seine dichterische Kraft das Eigenartigste und Beste giebt. Die Themen dieses Satzes, von denen wir als die hauptsächlichsten folgende zwei citiren:

sind echt böhmische Melodien, die uns an die alte Wiener Sinfonie, an Wenzel Müller, an lustige Sonntags-Nachmittage und an vergnügte Menschen erinnern. In der Durchführung verlässt Dvořak die in diesen Weisen gegebene Sphäre, zögert und scheint über die Berechtigung der fidelen Motive in Bedenken zu gerathen. Dieser Theil enthält sehr viele humoristische Züge von grosser Wirkung. Ausserordentlich drastisch ist der wilde Einsatz, mit welchem die Hörner das Motiv in das *pp* des Orchesters hineinwerfen. Jedoch nimmt das capriciöse Element das Interesse des Zuhörers etwas zu lang und zu kühn in Anspruch. Der Satz schliesst mit einem Presto über das Thema *a*).

Auch in der zweiten Sinfonie Dvořak's (D moll, A. Dvořak
op. 70) wird man vergeblich nach der unbedingten Lebens- Zweite Sinfonie
freude suchen, die seine Slavischen Rhapsodien zu einer Wohlthat für die neue Musik gemacht haben. Sie ist ein Stimmungsbild für das die Ueberschrift „Aus trüber Zeit" nicht übel passen würde. Ohne im höhren Sinn originell zu sein, fesselt das Werk durch eine klare, planvolle Anlage, durch ein reiches, bewegliches Empfindungsleben, durch natürliche, meistens aus dem Vollen fliessende musikalische Durchführung. Diese Vorzüge krönt Einheit und Strenge des Charakters. Selbst auf den üblichen, immer dankbaren „glücklichen Ausgang" im Schlusssatz hat Dvořak diesmal verzichtet.

Der erste der vier Sätze (Allegro maestoso, **C**, D moll) beginnt folgendermassen:

. Man kann diese von Cellis und Bratschen unisono vorgetragne Melodie in zwei Hälften theilen. Die vordere, in gleichen Achteln gehalten, klingt wie das leichte Murren eines Unwilligen, die zweite, mit dem durch das verlängerte Viertel schwer accentuirten Motiv, zeigt dass hier ein Gemüth tiefer getroffen worden ist, bis zur Verwirrung getroffen. Das sagt uns der an den Schluss gestellte verminderte Accord. Er kommt ganz plötzlich, bleibt aber für die Dauer einer achttaktigen Periode. Drüber wiederholen die Clarinetten von $\bar{\bar{a}}$ aus das Thema. Ihr Schmerzensmotiv ♫ | ♩. ♩ beantwortet das zweite Horn gewissermassen in vergrössertem Echo mit *fis fis* | *c* und lockt damit eine Reihe von Stimmungsäusserungen hervor die den klagenden und vorwurfsvollen Ton immer heftiger hervorkehren. Technisch sind sie als Fortsetzungen des oben angeführten Themas zu betrachten. Denn die neue und neueste Sinfonie begnügt sich nur ausnahmsweise mit solchen knappen Hauptgedanken wie sie bei den Wiener Classikern die Regel bilden; sondern sie arbeitet am liebsten mit einer langen Themenkette. Die erste dieser Fortsetzungen des Hauptthemas knüpft an den Sechzehntelauftakt der zweiten Hälfte des Eingangsthemas an und modulirt im achten Takt nach Amoll. Die zweite wird von demselben Sechzehntelmotiv als Bass begleitet und setzt in der Hauptstimme mit breiten Vierteln *a* | *es* ‖ *b a* ein. Dieses Viertelmotiv erlangt seine Bedeutung im Verlauf des Satzes. Zuerst von der zweiten Violine, Oboe und Fagotten vorgetragen, wird es zwei Takte später von der ersten Violine als *g d* | *f e* aufgenommen und schnell zu einer langen Dmollcadenz geführt, die uns eine sehr stürmische Wendung erwarten lässt. Das Natürlichste würde Wiederholung des oben aufgezeichneten Themas im Tutti des Orchesters und im *ff* sein. Sie kommt auch; aber erst 22 Takte später. Vorher bringt der Componist erst noch einen jener erweiternden und belebenden Abstecher an die namentlich Liszt die modernen Sinfoniker gewöhnt hat. Er legt eine Ausweichung ins Gebiet der Ruhe und des Seelenfriedens ein. Sie führt mit einer etwas beabsichtigten Gewaltsamkeit nach Esdur und vor eine sehr eindringliche Hornstelle, die mit einer raschen Scalenfigur beginnt und dann in die Rhythmen des nachher folgenden zweiten Themas des Satzes einlenkt. Bei dem nach dieser Verzögerung doppelt wirksamen Eintritt des Hauptthemas ist es zu bedauern dass das Thema, weil nur den Holzbläsern gegeben, von dem starken Begleitungsapparat übertönt wird. Merkwürdiger Weise ist der in der Instrumentation so sicher und ausgezeichnete Componist hier in einen Beethoven'schen Fehler verfallen, den intelligente Dirigenten wohl stillschweigend verbessern dürfen, wie es Dvořak beim Eintritt der Reprise selbst gethan hat. Hier spielt das erste Horn das Thema mit. Wie schon bei seinem ersten Eintritt mit dem verminderten Accord, so nimmt unser Hauptthema jetzt wieder ein seltsames Ende. Noch viel verwunderlicher und aufregender als dort bricht es in einer verzweifelt wirkenden Dissonanz ab: — *f es b* c *ges* — der naturgemäss eine Reaction folgen muss: Die Holzbläser, dann die Geigen mit, führen ein zwölf Takte langes Ueberleitungssätzchen, auf weich gleitende Motive gebaut, aus: Nach seinem Ende hin spielen die Mittelstimmen kurz einmal das Achtelthema (der Celli und Bratschen) an, mit dem der Satz begann.

So wird also das zweite Hauptthema des Satzes

sehr schön und gewissermassen dramatisch eingeführt. Seine poetische Aufgabe: sanft und freundlich zuzusprechen, erfüllt es auf eigenthümliche Art. In tiefen Flötenklang gehüllt, leise vom Tutti umschwebt, hat es etwas Geheimnissvolles, wirkt wie ein Bild im Zauberspiegel, wie ein Gast aus der Geisterwelt. Ganz besonders schön und rührend ist das zögernde Verschwinden der Vision: Volle acht Takte haftet die Melodie an dem verzierten *es*, ehe die Auflösung ins *d* fällt. Dieses Zögern, Aufhalten und Schwanken ist ein Zug, der in unserm Satz immer wiederkehrt. Die Wirkung dieses zweiten Themas greift ungewöhnlich tief in den formellen Plan und in das Wesen des ersten Satzes ein. Der nächste Abschnitt, den es beherrscht, wiederholt es wörtlich in den Violinen, knüpft daran versuchsweise und schnell wieder abbrechend Motive der Aufheiterung und des Aufschwungs. Er endet aber in B moll und in seinen Schluss mischen Oboen, Clarinetten und Hörner das Unmuthsmotiv mit dem die Sinfonie begann. Der ganze Schluss der Themengruppe wird zu einer äusserlich knappen, aber innerlich bedeutenden Auseinandersetzung zwischen den beiden Hauptthemen. Das zweite scheint, in Bdur, seiner Tonart, fortissimo vorgetragen, die Oberhand zu bekommen als sich wieder jenes schon berührte, dem Gang unsres Satzes wesentliche Element des Schwankens und Abbrechens geltend macht. Diesmal in der Form von Sequenzen über den Rhythmus , welcher aus einem der Nebenmotive (Motiv der Aufheiterung) des zweiten Themas stammt.

Die sehr kurz gehaltne Durchführung wendet den Stimmungsprozess wieder zu Gunsten des ersten Hauptthemas. Sie beginnt in H moll mit einer achttaktigen Periode, die die ersten zwei Takte des zweiten Hauptthemas nacheinander durch Geigen, Celli, Flöten und Contrabässe führt. Ihm folgt ein wilder Aufzug seines Antipoden, des ersten Hauptthemas. Trotzig springt es auf den verminderten Septimenaccord *c-dis-fis-a* und stellt sich in voller Breite hin. Der Effekt dieser Ueberrumpelung ist vorerst Rathlosigkeit der Seele. Nach dem E durschluss, mit dem sich das Hauptthema verabschiedet, wird es still: kleine Brocken des Gehörten flattern herum. Das Wichtigste an der Musik sind hier die Pausen. Nur leise ausgehalten klingt da ein Ton des Horns oder der Bratsche in sie hinein. Die Modulation rückt plötzlich von *E* nach *f-a-c-es* die Stimmung sammelt sich. Ueber einem *ppp* der in B moll tremolirenden Streichinstrumente stimmen die Clarinetten leise das vollständige erste Hauptthema an, Flöten, Oboen, greifen mit ein; mit einem raschen crescendo gelangen wir vor einen Abschnitt in dem das Motiv des Unmuths, nun zur Wuth gesteigert aus den Bässen dröhnt; es kommt in die Geigen von Dissonanzen der Bläser durchschnitten, holt mit dem

Rhythmus ♩ ♩ ♩ ♩ aus und gelangt nach D moll zum *fff* und zu einer Reprise, die mit der des 1. Satzes von Beethoven's 9. Sinfonie eine Charakterähnlichkeit theilt, wie sie gleich stark sich ein zweites Mal nur in dem D moll-concert von Brahms aufdrängt.

Die Wiederholung der Themengruppe verläuft nach den bekannten Regeln. Nur das ist besonders an ihr, dass das Gebiet des ersten Hauptthemas gekürzt wird. Durch dieses einfache Hülfsmittel übt die Musik eine unvergleichlich mächtigere und leidenschaftlichere Wirkung aus als im ersten Theil des Satzes. Die sehr ausgeführte Coda, die höchste Leistung im Ausdruck gewaltiger und grosser Ideen, die bis dahin sich in Dvořak's Werken gezeigt hat, markirt noch einmal unumstösslich hart und mitleidslos den Sieg des ersten Hauptthemas und seiner dämonischen Elemente. In Resignation verklingt sie. Auch hier steht Dvořak, der früher sich gern von Brahms'schen Vorbildern leiten liess, unter dem Einfluss Beethoven's. Der Basso ostinato auf *f d es f* zeigt nach dessen siebenter Sinfonie.

Wie als wenn nach finstrer stürmischer Nacht der helle Morgen aufzieht, beginnt der zweite langsame Satz (Poco Adagio, C, F dur) folgendermassen:

Breit und feierlich abschliessend legt das volle Orchester den F dur-Accord über das Ende dieses kleinen Präludiums und das eigentliche erste Thema des Satzes tritt, von Flöte und Oboe vorgetragen, ein

. In Sequenzen über das letzte Motiv senkt es sich tiefer und tiefer und athmet dann noch einmal gross auf um plötzlich im Halbschluss zu verlöschen. Es ist als flöhe es vor dem Motiv

 das eine kleine Scene der Unruhe einleitet, die uns die aufregenden Augenblicke des ersten Satzes in die Erinnerung zurückruft. Das Horn sucht mit kühnen Figuren zu beschwichtigen. Noch einmal schlägt Schrecken in kurzen Motiven dazwischen, dann aber behält das Horn mit der schönen Melodie

 das Wort.

Sie nimmt ungefähr die Stelle ein, die sonst das zweite Thema zu haben pflegt. Aber wie Dvořak sich im Allgemeinen den Formen der Sinfonie gegenüber die Freiheit der Ideen und ihrer Bewegung wahrt, so hat er dieses zweite Thema hier ungewöhnlicher Weise in die Haupttonart F dur gesetzt und ihm auch nur einen geringen Einfluss auf Gestalt und Wesen des Satzes zugewiesen. Unser Adagio hat gar keine Durchführung in dem Sinne einer Auslegung und Verarbeitung bisher gebrachter Themen. Sondern nach dem Schluss des zuletzt angeführten Gedankens setzt ein ganz selbständiger Mitteltheil ein zunächst in F moll und von einem scharfen rhythmischen Motiv geführt. Mit ihm wechselt ein Motiv des Sehnens von folgendem rhythmischen Charakter und kommt mit ihm, oft jäh und erschreckend in heftige Conflikte. Nach einer solchen Stelle, — das fortissimo auf *e-fis-ais-cis* macht sie leicht kenntlich — tritt die Reprise, die Wiederholung der Themengruppe, ein. Das Hauptthema kommt jetzt in den Cellis. Ihm folgt das erste Seitenthema wie beim ersten Mal in den Violinen, aber jetzt mit Contrapunkten die bald beschwichtigen, bald anfeuern, in den Holzbläsern versehen. Alle Elemente der Aufregung die in dem Abschnitte vorhin bereits vorhanden waren, erscheinen ins Gespenstische und bedrohlich gewachsen. Das Fdurthema des Horns taucht jetzt nur angedeutet in den Violinen auf und von Trompeten und Hörnern merkwürdig umschmettert. Ganz zuletzt kommt auch die Melodie des kleinen Präludiums des Satzes und zwar in der Oboe nochmals zu Wort.

Der dritte Satz, das Scherzo (Vivace, 6/4, Dmoll) zeigt den Zusammenhang mit dem ersten Satz der Sinfonie nicht so stark wie das Adagio aber immer noch deutlich genug. Es erstrebt die an dieser Stelle übliche Fröhlichkeit, aber es besitzt sie nur im geringen Grade. Das Hauptthema

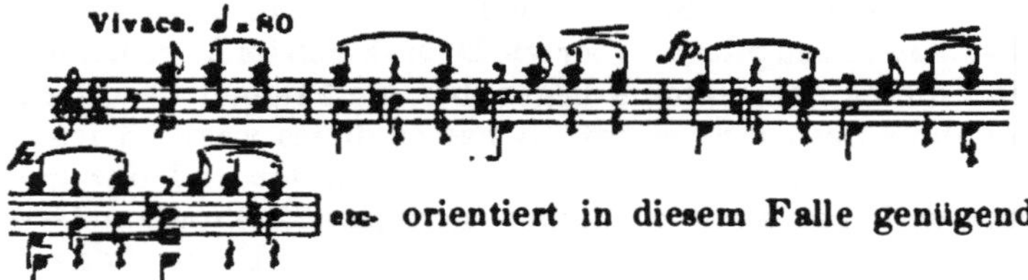

orientiert in diesem Falle genügend über das Wesen des ganzen Satzes: Die Rhythmen der Violinen treiben vorwärts, aber hinkend, als schleiften Ketten mit. Die „schlotternden Lemuren" Goethe's treten vor das geistige Auge und die in den Mittelstimmen (Cellis und Fagotts) dazwischen schluchzende Melodie giesst noch mehr Wehmuth über das an und für sich schon grau gehaltne Bildchen. Mit dem achten Takt, dem Abschluss der einfachen Periode geräth die Darstellung schon ins Stocken. Wir stehen wieder vor dem schwankenden, unentschlossnen Zug der auch in den andren Sätzen als wesentlich sich bemerkbar macht. Mit einem Motiv ♩. ♪♪♪ ♩. das bis dahin in der zweiten Violine Begleitungsdienste verrichtet hat bildet der Componist einen 10 Takte langen Zwischensatz und wiederholt dann das Hauptthema mit der Aenderung, dass die Holzbläser die Hauptstimme, die Violinen aber den Contrapunkt der zuerst in den Cellis gebrachten gebundnen Melodie übernehmen. Nach einem breiten Abschluss tritt folgendes Seitenthema

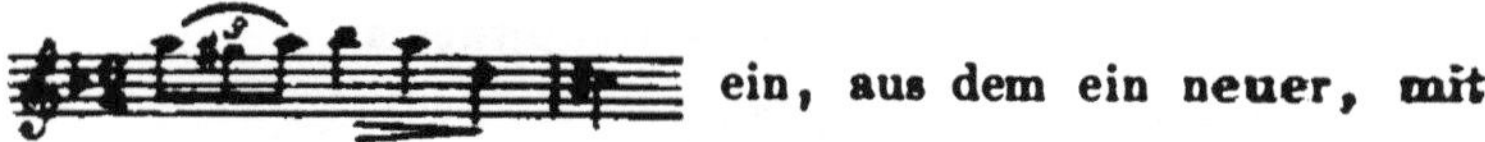 ein, aus dem ein neuer, mit grossem Tumult und Kraftaufwand geendeter Zwischensatz (14 Takte lang) gebildet wird. Und nun wird vom Anfang des Satzes an wiederholt. Bei Haydn und Mozart, in den meisten Beethoven'schen Sinfonien steht hier das blosse Repetitionszeichen, die Musik kehrt wörtlich wieder. Bei Dvořak ist die Wiederholung zugleich Variation. Die Instrumentirung ist wesentlich geändert und zwar nach einem Muster, das viele Hörer angenehm an die Concertouvertüre (in *A*) von Julius Rietz oder an A. Rubinstein's „Lichtertanz" aus „Feramors" erinnern wird: Von Abschnitt zu Abschnitt wechseln die Streicher und die Bläser zwischen Haupt- und Nebenstimme, lösen sich im Vortrag des von Pausen durchsetzten Themas und der gebundnen Melodie ab.

Diesem Hauptsatz steht ein Trio gegenüber, das in der Hauptsache von dem zuerst in der Oboe gebrachten Gedanken 

getragen wird.

Den Schluss der zwölftaktigen Periode, die das vollständige Thema bildet, machen die Violinen mit Ruhe athmenden, freundlichen Wendungen. Das Bild des Friedens, welches das Trio entwerfen will, wird etwas durch einen Seitensatz gestört, aus dessen spärlichen Motiven der Rhythmus ♫ ♩ stechend hervortritt. Das ganze Trio ist unter sämmtlichen Theilen der Sinfonie derjenige, bei dem die Erfindung den Componisten am wenigsten unterstützt hat. Gleichwohl erreicht es durch die musikalischen Elemente, durch den Rhythmus insbesondre, doch die beabsichtigte Wirkung und das Scherzo als Ganzes ist der Satz, der in seiner eigenthümlichen Mischung von Melancholie und Beweglichkeit auf viele Hörer den nachhaltigsten Eindruck ausübt.

Das Finale der Sinfonie (Allegro, ₵, D moll) erinnert mit den ersten drei Noten seines Hauptthemas

an ein Seitenmotiv, das in trotzigen Vierteln bald sich nach dem Eingang der Sinfonie zeigte. Jedenfalls weicht es dem gewöhnlichen Schluss der in Moll einsetzenden Sinfonien aufs entschiedenste aus und hat mit dem grossen Kreise der sinfonischen Paradigmen zu dem Motto „per aspera ad astra" nicht das Geringste gemein. Am nächsten steht die Dvořak'sche Arbeit in diesen Verzicht auf ein frohes, versöhnliches Finale der Cmoll-Sinfonie Draeseke's. Wenn man den Inhalt von Dvořak's Sinfonie in die Form einer Erzählung fassen wollte, würde das Ende lauten: „Die Lage unsres Helden ist noch widriger und gefährlicher geworden, als sie am Anfang der Geschichte war; aber auch seine innre Kraft ist immer mehr gewachsen. Er braucht sich nicht zu beugen". Es geht ein starker Zug von Trotz durch dieses Finale und in ihm liegt vielleicht die einzige Spur für die nationale Abkunft des Werkes, das sich motivischer Anleihen aus der böhmischen Volksmusik vollständig enthält. Das Bild von Kraft und Entschlossenheit, das unser Finale entrollt, wird dadurch liebenswürdiger und reicher, dass ihm weiche Wendungen, die wie Sehnsucht nach Ruhe, wie Neigung zur Ergebung, wie leise Klagen erscheinen, eingemischt sind. Jedermann erkennt eine solche wohl in den drei letzten Takten des oben gebrachten Notenbeispiels, als dem Schluss des von Cellis und erstem Horn gebrachten Hauptthemas. Mit diesem Motiv der Ergebung setzen die Violinen zunächst leise ein Sätzchen von 14 Takten ein, das in seinem jähen, aufgeregten Abbrechen uns wieder lebhaft an den Anfang der Sinfonie, nämlich an jene Stelle zurückversetzt, wo das erste Thema des ersten Satzes in den plötzlichen verminderten Accord auslief. Derartige Wendungen gehen durch die ganze Sinfonie als Symptome eines aufgeregten, fieberischen Seelenzustandes. Hier folgt dem Trugschluss zunächst eine Wiederholung des Themas in den Holzbläsern, die sich ins Unhörbare, ins Reich des Schlummers verlieren will. Vergeblicher Versuch! Mit aller Leidenschaft, die ein modernes grosses Orchester ausdrücken kann, nimmt es gleich drauf das Hauptthema im stärksten forte auf. Dazwischen meldet sich in Flöten und Oboen der Anfang eines Themas

das bald in seiner Vollständigkeit seinen Platz als Fortsetzung und Steigerung des Hauptthemas einnehmen wird. Es folgt ihm eine einfache Periode mit Verwandlungen des Hauptthemas gefüllt. An sie knüpft eine gleich kurze an, der ein chromatisch aufsteigendes Scalenthema zu Grunde liegt. Sie giebt sich ziemlich wild und heroisch und vermittelt technisch die Modulation nach E dur. Sie thut das aber sehr ausdrucksvoll, dringend und auf das zweite Thema in der Stimmung vorbereitend. Dieses zweite Thema steht regelrecht iu A dur, der Oberdominant der Haupttonart des Finale und bildet — ebenso nach bekanntem Sonatenbrauch — einen innren Gegensatz zum Hauptthema:

Zuerst bringen es die Celli, gleich drauf Flöten und Oboen mit einem Abschluss in Fis dur. Ihm folgt ein 14 Takte langes Nachspiel über das aus dem Anfang genommene Motiv

♩ ♩ ♫ | ♩. Und darauf zieht das Thema im vollen

Glanze des Tutti fortissimo noch einmal vorbei. Zu einer Macht im geistigen Getriebe wird es nicht; die Durchführung des in der Sonatenform gehaltnen Satzes nimmt gar keine Notiz von seiner Existenz. Es bezeichnet einen flüchtigen und trügerischen Augenblick des Hoffens. Unsern Componisten hat diese kurze Minute des Sonnenscheins in die Sphäre Franz Schubert's geführt, mit dem er ja unverkennbare Verwandtschaft besitzt. In dem Abschnitt der den Bereich des zweiten Themas abschliesst, spricht Dvořak in Schubert'scher Zunge. Es sind Motive der grossen Cdursinfonie, die uns in den Anfang der Durchführung hineingeleiten und auch die berühmten Posaunen aus dem ersten Satz dieses Monumentalwerkes klingen in Dvořak's Finale hinein. Dieser Zufall nimmt aber dem Werth der Durchführung nichts. Ihre bedeutendsten Theile liegen am Anfang und am Schluss, besonders im erstern an der Stelle, wo das Hauptthema zweimal staccato gewissermassen versuchsweise und ganz leise kommt. Beim dritten Mal (in H moll) tritt es vollständig auf. Die Geigen entwickeln das schliessende Ergebungsmotiv zu einem längren Sätzchen, bei dem auch Dvořak der modernen Unsitte des überflüssigen Contrapunktirens durch fleissige aber mehr störende als unterstützende Bläsermotive gehuldigt hat. Den Mitteltheil der Durchführung füllen Variationen über die Fortsetzung des Hauptthemas, ihr still einsetzendes Ende Umwandelungen des Hauptthemas selbst. In der Reprise ist der Uebergang zum zweiten Thema besonders ergreifend. Den im Grunde doch pessimistischen letzten Ausklang zu veredeln, setzt Dvořak die schliessenden 10 Takte in ein gehaltnes Tempo: Molto Maestoso.

Hatte die Ddursinfonie sofort Dvořak's grosses Talent, die zweite seine Reife festgestellt, so gab der Componist nun in einer dritten, vierten und fünften Sinfonie auch diejenigen Beweise von Fleiss und Fruchtbarkeit, die von jedem Künstler verlangt werden, der eine hervorragende Stellung behaupten will. Um den Umfang von Dvořak's Begabung, seine ganze künstlerische Bedeutung zu beurtheilen wird unter den vorhandnen Sinfonien später einmal die zweite die wichtigste sein. Er schien mit ihr, ähnlich wie früher Gade, der Pflege nationaler Musikbestrebungen abspenstig zu werden. Diese Erwartung ist jedoch nicht eingetroffen, seine dritte und vierte Sinfonie bringen wieder reichlich böhmische Musik.

In der Fdursinfonie ist das nationale Element mit der Reserve benutzt, die für die Sinfonie nothwendig ist, wenn sie nicht zu einer blossen Ausstellung von lustigen oder phantastischen Genrebildern herabsinken, wenn sie auch ferner noch dem Componisten gestatten soll seine Persönlichkeit mit ihren Lebenserfahrungen und ihren Talenten zu entfalten. Die böhmischen Melodien sind in dieser Sinfonie nicht absichtlich herbeigeholt, sondern sie sind im geeigneten Augenblick in die Architektur der einzelnen Sätze eingestellt worden wenn sie zufällig dem Tonsetzer in die Hand liefen.

A. Dvořak Dritte Sinfonie. Diese dritte Sinfonie Dvořak's (Fdur, op. 76) zeigt vielerlei Verwandtschaft mit ihrer Vorgängerin in den Einwirkungen Beethoven's und Schubert's; Schumann bringt sie neu hinzu. Sie steht ihr an Einheit, an Kunstwerth überhaupt sehr nahe, hat vielleicht durch die frappanten poetischen Einfälle, mit der sie die Formen behandelt, noch etwas vor ihr voraus. Sie gleicht ihr auch darin, dass sie als ein weitrer musikalischer Beitrag zur Biographie des Componisten erscheint. Sie erzählt von seiner Jugendzeit, von Idealen, von Herzenserlebnissen, von wohlbestandnen Kämpfen, von Läuterungen. Der Componist sucht in diesem Werke die Freude:

„Auf dem saatbekränzten Hügel,
An des Teiches klarem Spiegel,
Auf der Au, im Buchenwald
Ist ihr liebster Aufenthalt.“

Dvořak's Fdursinfonie ist zum guten Theil eine Pastoralsinfonie. Besonders trägt ihr erster Satz (Allegro ma non troppo, $^2/_4$, Fdur) den Charakter einer derartigen Tondichtung. Es ist die Stimmung eines Ausmarsches am schönen Sonntagsmorgen, mit dem sein erstes Thema einsetzt: munter im ersten Theil, fromm am Schluss

. Die Flöte singt es der Clarinette nach und führt die Melodie zu einem Cdurschluss. Mit ihm beginnt ein Abschnitt der freudigen Spannung: Die Instrumente nehmen einander Motive des Themas ab, bald dies, bald jenes, bis sie sich in einer mächtigen Triolenfigur vereinigen. Diese bringt uns vor das eigentliche Hauptthema des Satzes:

eine jener zahlreichen Tanzweisen kraftvoll freudigen Ausdrucks an denen die böhmische Volksmusik so reich ist. Ihre Wiederholung giebt Dvořak, wie er das liebt, den Holzbläsern und Hörnern allein, — die Streichinstrumente machen nur mit einem urwüchsigen Zurnf: ihre Anwesenheit bemerkbar — und diese schliessen in A moll ab.

In dieser Tonart beginnt sofort eine Durchführung. Sie heftet sich zunächst — acht Takte lang — in launigem Eigensinn ausschliesslich an den siebenten Takt des soeben gegebnen Themas. Celli und Bratschen haben sich seiner bemächtigt, die Violinen möchten es gerne zu sich herüberziehen. Dann wandelt sich die Scene. Als wäre der Wald dichter und der Schatten dunkler geworden, tritt Ruhe im Orchester ein. Nur ein lange liegender leiser Accord (A moll) tönt in Hörnern und Fagotten; über ihm flattert noch ein melodischer Rest in den ersten Geigen. Jetzt nehmen die Contrabässe *pp* das Motiv des ersten Taktes in F dur, die Violinen antworten mit dem bisherigen Synkopenmotiv. Wir denken uns hier unsren Wandrer ruhend, rastend und träumend. Im Traum rückt das Entfernte aneinander. So hier Anfang und Ende des Themas, des Gedankens den er zuletzt im Kopfe trug. Die Musik ergänzt das Stimmungsbild an dieser Stelle noch durch Schilderung der äussren Natur: In den Clarinetten schlagen leise Triolenterzen an, leibhaftig dieselben wie im ersten Satz von Beethoven's Pastoralsinfonie. Es flüstert in den Bäumen, es zirpt im Grase. Und weiter noch: Genau wie bei Beethoven rückt die Harmonie schroff von vier zu vier Takten von *F* nach *Es*, von da nach *Des* um gewaltige Ueberraschungen anzudeuten. Von letztrem Punkt ab dringt wieder Licht und Glanz in die Landschaft und in die Seele des Schwärmers. Wir gelangen rasch nach Adur und vor das zweite Thema

Es verhält sich zum Hauptthema wie Dank zum Genuss. Musikalisch ist zu beachten dass es an das Hauptthema durch den Synkopenrhythmus seines zweiten Taktes gewissermassen unwillkürlich anknüpft. In seinem jugendlichen Drang und in dessen technischen Ausdruck trägt es die Züge Robert Schumann's.

Der ganze noch übrige Theil der Themengruppe wird mit Phantasien über dieses zweite Thema ausgefüllt. Eigen ist ihm ein durchgehender Triolenrhythmus als Begleitungsfigur, der zum Schluss melodisch wird und motivische Bedeutung erhält. Zweimal werden die Variationen über das zweite Thema durch ein Solo von Flöte und Clarinette, das freundlich und behaglich in Sechzehnteln die Scala hinauf und hinab trällert, unterbrochen. Ihm folgt beidemale ein ebenfalls aus Beethoven's Pastorale bekanntes Freudeschütteln des ganzen Orchesters auf einen zwei Takte gehaltnen Accord im *ff*. So giebt der Componist bald im Zarten, bald im Starken dem Glücke das er schildern will, reich aus Eignem erfindend und geschickt an Vorhandnes sich anlehnend, immer neue Wendungen.

Die Durchführung beginnt geheimnissvoll beschaulich mit dem Triolenmotiv, das die Themengruppe schloss. Ihm gegenüber, dem Vertreter der einschläfernden Zaubermächte, stellen die Bässe mit den gleichmässig klopfenden Rhythmus ♩ 𝄾 ♪ | ♩, die Violinen mit einen in Accordnoten abwärts steigenden neuen unwesentlichen Thema den weitren Thatendrang, und die Lust zu neuem und mehrerem Genuss dar. Diese Motive führen uns bald vor das erste Thema, mit dem die Sinfonie präludirend begann. Die Flöte bringt es in G dur. Ebenfalls in höchster Tonregion wiederholen die Violinen die langsamen Schlussnoten mit Modulation nach H dur. Und nun folgt eine lange Strecke, in der immer wieder in sehr regelmässigen Abschnitten die erste Hälfte dieses Themas vorüberzieht. Es hat gerade in dieser ersten Hälfte den Charakter einfachster Signale, besteht hier nur aus Accordnoten, gewissermassen aus musikalischen Naturlauten und schlägt damit eigentlich in ein Kunstfach, das die Russen und solche Männer der äussersten Linken in der neuesten Sinfoniecomposition für sich beanspruchen, von denen Dvořak in Ansprüchen und Zielen weit entfernt steht. Wie sehr er aber im Betrieb dieser künstlerischen Spezialität seinen Mann stellt, beweist dieser Theil seiner Durchführung. Wir haben da eine mit siebrer, leichter Meisterhand gebildete Stelle: ruhig und regelmässig in gleichen Abständen folgen die kleinen Bilder, die sich gleichen, denn sie sind alle lieblich und doch jedes anders. Mühelos fügen sie sich zum Ganzen und streben den Höhepunkten zu: das sind die Takte, wo die Freude nach lauten Tönen greift. Besonders treten die Messinginstrumente hervor. Von ihnen gebracht wirkt die Sechzehntelfigur aus dem Anfang unseres Themas äusserst wohlgemuth und frisch; namentlich die Stelle wo die Trompete — auf *b-c-e-g* — damit einsetzt ist ein hinreissendes Gemisch von Stolz und Heiterkeit. Die Harmonie rückt nun von A dur aus von zwei zu zwei Takten immer einen Schritt weiter und gelangt allmählich auf den verminderten Septimenaccord — *f-as-h-d* als den Gipfel in der Entwickelung romantischer Gefühle. Denn darin ist der Satz sehr modern, ganz und gar ein Product des 19. Jahrhunderts, dass er der „höchsten Lust" auch einen Stich „hohen Leids" beimischt. Merkwürdig: alle die Instrumente, die von Natur beweglich sind, die Violinen, die Holzbläser bleiben an diesem Punkt vier Takte lang auf einem Tone im *ff* liegen und sind in der Höhe erstarrt und unten in der Tiefe tummeln sich die schwerfälligen Bässe mit dem lustigen raschen Motiv! Es handelt sich hier aber um einen gewaltigen Aufschrei der Freude, gewaltig und von einer Leidenschaft getrieben, die nach Ordnung nicht frägt. Nach diesem Augenblick tritt die Reaktion in ihr Recht: Das zweite Thema erscheint: die Oboe intonirt es, die Clarinette nimmt es auf und führt es vollständig vor. Damit ist es aber auch abgethan. Das Tutti schiebt es demonstrativ mit einem *ff* Einsatz des eigentlichen Hauptthemas, der kräftigen slavischen Tanzmelodie bei Seite, die von den Violinen nach den Bässen wandert. Wie keck der Ton gegen den ersten Eintritt in der Themengruppe geworden ist, das lässt sich aus der Pauke ersehen. Die schwieg damals; jetzt stimmt sie beim Synkopentakt mit einem Sechzehnteltremolo ein. Dieser mit dem Synkopentakt beginnende Abschnitt bleibt nun für den Schluss der Durchführung; sechsmal kehrt er mit denselben Tönen von *g b* aus wieder. Ein Ruck von *Es* nach *Des*, eine Periode über dasselbe Motiv gebildet und im *pp* gehalten, dann der Quartsextaccord *c-f-a* und auf ihm im Horn das präludirende Thema mit dem die Sinfonie beginnt. Die Phantasie klammerte sich an die letzten schönen Bildern der Durchführung gewaltig fest. Nun ist die Trennung doch geschehen: unvermerkt sind wir in die Reprise gelangt, die Kunst des Componisten hat den Schritt der zum Rückweg führte zu dem entzückendsten Augenblick der bisherigen Wanderung gemacht.

In dem Verlauf der Reprise fordert die Erweiterung des Umkreises des eigentlichen Hauptthemas gesteigerte Aufmerksamkeit, noch mehr die schöne Combination in der beim Beginn der kurzen, feurig einsetzenden Coda die Einleitungsmelodie des Satzes und sein zweites Thema zusammenklingen. Trompeten, Violinen, Flöten, Clarinetten stehen auf der ersten, Posaunen, Fagotte, Celli und Contrabässe auf der andern Seite. In Abendroth und zartem Mondenschein geht der schöne Tag, in den uns die Tondichtung versetzte, zu Ende.

Der zweite Satz (Andante con moto, 3/8, Amoli) ist ein interessanter Absenker des Allegrettos in Beethoven's Adursinfonie. Die Aehnlichkeit liegt hauptsächlich in dem ethischen und tonalen Verhältniss der beiden Theile, in welche die Composition zerfällt. Sie entwickeln sich um folgende zwei Themen:

Die zweite Hälfte des ersten, von den Cellis eingeführten Themas modulirt nach Amoli zurück. Sein Schlusstakt ist der Anfang der von den Violinen aufgenommenen Wiederholung mit Schluss in *D*. Daran knüpft sich ein Zwischensatz, der das Sechzehntelmotiv des Einsatzes durchführt und ihm folgt als Fortsetzung und Abschluss des Satzes die bisher gehörte Musik mit den Bläsern (zuerst Flöte und Fagott gemeinsam voran) als Hauptstimmen.

Zu den schönen Gedanken und Erlebnissen des ersten Satzes der Sinfonie stellt sich dieser erste Theil des Andante in einen gewissen undankbaren Widerspruch; als Niederschlag aus dem trüben, an seelischen Kämpfen reichen Stimmungskreis der zweiten Sinfonie ist der ernsten Zufriedenheit, die in seiner Melodie sich ausspricht, ein kleiner Zusatz von Schwermuth beigemischt. In den Zwischensätzen, die aus dem Sechzehntelmotiv herauswachsen, ringt das Gemüth nach Befreiung von dem dunklen Rest und nach vollständigem Licht. Der Adursata bringt es. Eine Weile tragen die Bläser allein den zwar nicht neuen, aber an dieser Stelle wie ein Original wirkenden, Himmelsruhe athmenden Gesang vor. Mit dem Eintritt von H moll nehmen es die Violinen auf und zugleich tritt an dieser Stelle eine gewisse Stockung der Empfindung ein. Die Modulation geräth ins Schwanken, es ist als ob eine ungesehne Macht den Weg versperrte, es bedarf eines gewaltsamen Anlaufs. Dieser führt nach Cdur. Von da aus wiederholt sich die schöne Scene, die mit Schumann'schen Material die Weihe Beethoven'scher Gebetsmomente erreicht. Die dramatische Wendung, die im ersten Theil dieses Mittelsatzes mit der Modulation nach Hmoll begann, setzt jetzt mit dem Eintritt des Themas in die Septimenharmonie *g-b-d-f* ein, es kommt zu einer grössern Kraftäusserung und zu einem verzweifelten energischen Abschluss in dem fernen Edur. Ihm antworten wie warnende Stimmen, zweimalige Bläsersignale, die wie Recitative wirken. Kleinlaut und resignirt tritt der vermessne Himmelsstürmer den Rückzug an nach der heimischen Sphäre in die engre und bescheidne Beschaulichkeit des Hauptsatzes in A moll, der nach einem langen Nonenaccord auf *E* in veränderter Instrumentation einsetzt. Die Holzbläser haben das erste Wort, die Celli erst das zweite. Nachdem die Doppelperiode harmonisch genau wie im ersten Theil des Satzes verlaufen ist, nimmt die Musik einen neuen sehr erregten Charakter an. Ein Trugschluss nach Bdur markirt den Anfang der Stelle. Sie endet damit, dass von den ersten Violinen tumultuarisch begrüsst, in den Holzbläsern wie ganz von fern das Thema des Mitteltheils des Adursatzes noch einmal erscheint. Unter dem Eindruck dieser Vision endet der Satz ohne innerlich zur Ruhe und zum Abschluss gekommen zu sein. Am deutlichsten geht das aus dem unvermittelten Nebeneinander von *pp* und *f* hervor in dem sich der Anfang des Amollthemas verabschiedet. Es wäre denkbar dass der Satz und namentlich sein Schluss auf abergläubische und hysterische Zuhörer beängstigend wirkt.

Dvořak trägt dem ganz ungewöhnlichen Ausgang seines langsamen Satzes noch dadurch Rechnung, dass er dem dritten Satz (Allegro scherzando, $^3/_8$, B dur) eine Einleitung vorausschickt, die an die Recitative erinnert, mit dem das Finale von Beethoven's Neunter beginnt. Nur eine ganz kurze Pause, die Zeit lässt einmal aufzuathmen, soll dem Andante folgen. Dann setzt sofort das Achtelmotiv, das in A moll schloss, auf dem Dominantsextaccord *F-a-c-es* wieder ein. Es veranschaulicht wohl das Klopfen des erregten Herzens. Und nun beginnen die Cellis eindringlich zur Ruhe und Besonnenheit zu ermahnen. Das Tutti giebt den Wiederhall der Worte erst einsilbig, immer noch zagend und erschreckt, schliesslich, als das Cello auf *es* schliesst, gefasster in einem längren Sätzchen von vier leisen Takten. Da schliesst sich an die Fermate, die hier einem Fragezeichen gleicht, ganz unvermuthet ein hübscher — wohl böhmischer — Walzer, von dessen Liebenswürdigkeit der Anfang

eine genügende Probe giebt.

Diese humoristische Ueberrumpelung führt glücklich über eine gespannte und peinliche Situation hinweg. Gewiss bieten die Formen der Beethoven'schen Sinfonie häufig Gelegenheit zu sinnreicher Modifikation und poetischer Belebung. Aber erst in neuester Zeit bemühen sich die Componisten merkbarer sie zu benützen, insbesondre die ausländischen. Das hier von Dvořak gegebne Beispiel ist eins der auffälligsten und wirksamsten. Die Weiterführung dieses Themas ist zunächst ganz regelmässig. Den Flöten und Clarinetten nehmen es die Violinen ab. Es modulirt nach D moll und geht mit den Bläsern nach B dur zurück. Sofort nach diesem B durschluss nimmt aber die froh gemüthliche Tanzweise einen schwankenden Charakter an:

der ganze Mitteltheil des Hauptsatzes verläuft stockend: durch Generalpausen, verlegne Wiederholungen versprengter Motive unterbrochen, in Fugenansätzen die offne Rathlosigkeit verkündend. Das Seitenthema, das sonst üblicher Weise dem Hauptthema Gesellschaft leistet, bleibt aus. Es senken sich über die Scene die Schatten des Abends und der Bangigkeit. Der lange Abschnitt endet mit einem gewaltsamen, plötzlichen Uebergang der Harmonie von Dmoll nach Bdur, der Nüancirung von *p* zum *ff*. Noch einmal eine irrende und suchende Geigenfigur und dann: Wiederholung des ersten Theils des Hauptsatzes im *ff*, demonstrativ mit Kraft und Glanz angethan. Nach acht Takten aber schon beginnt das Abschiednehmen, das Schliessen und Verklingen. Dann ein kurzer Uebergang im *pp*, merkwürdig durch die Entschiedenheit, mit der er in fremde Tonart (nach Desdur) führt und in dieser: das Trio auf Grund folgenden Themas

Es ist dieses Trio eine neue Idylle, ein verschwiegenes Plätzchen, das sich von dem Festplan des Hauptsatzes abzweigt, in Park und Bäumen gelegen, für die Zwiesprache von Liebenden geschaffen. Die Musik ist in diesem Satz der Ausdruck intimster Schwärmerei, freudig ruhiger und inniger Gefühle. Er verläuft in drei Abtheilungen. In der ersten spielen Bläser und Streicher nur zart um Rhythmen wie das Schumann gern thut. In der zweiten (mit dem Septimenaccord *des-f-as-ces* setzt sie ein) erweitert sich das Motiv durch Anfügung des Rhythmus ♩♩♩ | ♩ zum Gesang. Mit dem Eintritt in Adur und ins forte des vollen Orchesters nimmt er einen Hymnenton an, der uns ganz an die correspondirende Stelle in Schubert's grosser Cdursinfonie versetzt. Sehr schön ist es wie diese Abtheilung mit dem neuen Achtelmotiv von dieser Stelle des glühenden Ausdrucks zurücklenkt in den Ton stiller Seligkeit. Die dritte Abtheilung markirt mit ihrem ersten Schmerzensaccord: *des-f-as-ces-d* den Augenblick des Abschieds, der Trennung, die der Componist in neuen Tönen der Innigkeit schildert. Nach dem letzten leisen Klopfen des Des-dur-Rhythmus setzt sofort laut und mitleidlos der übermässige Dreiklang *des-f-a* ein und treibt zurück in die ländliche Tanzscene.

Das Finale (Allegro molto, C, F dur) setzt in A moll ein, so wie der zweite Satz der Sinfonie, das Andante. Ebenfalls ähnlich wie in diesem Andante hören wir zuerst nur Bassinstrumente. Es sind diesmal Celli und Contrabässe, die — natürlich in tiefer Lage — die ersten 3 Takte des Themas

vortragen. Eine Wendung in schwer accentuirten Vierteln führt nach G moll und in dieser Tonart fällt das Tutti *ff* ein und erst über diesen Umweg gelangen wir zu der Lesart in der hier das Thema angeführt ist. Auch sie bedeutet noch nicht die endgültige Form für den Hauptgedanken des Satzes. Dem Componisten war eben daran gelegen auch hier Schema und Schablone zu vermeiden und uns das thematische Material, mit dem er arbeitet, in seiner Entstehung und als ein Produkt einer Stimmungskrise zu zeigen. Aus diesem Grunde beginnt er mit den Bassrecitativen, mit Unmuth und Empörung mit den harten an Beethoven erinnernden Unisonostreichen des gesammten Orchester auf den Oktaven von $\bar{\bar{c}}$ und $\bar{\bar{e}}$, die dem oben gegebnen A molleinsatz des Tutti vorausgehen. Er bildet eine Scene der Verwirrung und Verzweifelung, die ihren Charakter am bedrohlichsten in einem hinabstürzenden Achtelunisono äussert. Seinem *ff* folgt ein piano, der Eile ein Zögern und nun kommt eine merkwürdige Stelle, die Jedermann an Schubert und an das Horn im Andante seiner grossen Cdursinfonie erinnern wird. Auch hier bei Dvořak liegt die Vorstellung einer Wundererscheinung, eines „deus ex machina" zu Grunde, der die wilden Wogen sänftigt und bändigt. Die musikalische Gestalt, die der Componist dieser Vision giebt ist die einer liegende Stimme die zehn Takte lang, — nach jedem Ton eine kurze Pause — immer wieder *g* angiebt. Die Bässe steigen drunter von $\overline{e}$ bis ins grosse *g* und stützen eine Modulation, die von *e-g-b-des* aus tastend und seltsam schliesslich nach *a-cis-e-g* gelangt. Darnach ein Sammeln und Ausholen in den Stimmen und nun erst der eigentliche, der formal richtige und nothwendige Anfang des Satzes: das oben angegebene Thema in Fdur, natürlich mit einigen Aenderungen in den Motiven: vom zweiten Takt ab in Achteln, bei der Wiederkehr — die sehr spannend eingeleitet wird durch ein mächtiges Signal auf *b h* — in Vierteln. So schliesst die Themengruppe, die düster und schwer begann triumphirend, freudig kraftvoll. Aber dieser Siegeston wird schnell abgedämpft, der Platz für das zweite Thema

zurecht gemacht.

Dieses führt uns in die Sphäre des Adursatzes im Andante zurück wenn das auch technisch noch nicht so gleich zu ersehen ist. Den freien Wiederholungen der hier mitgetheilten Periode folgt zunächst ein sehr einfacher Nachgesang aus Accordnoten

diesem aber die auf dem Nonenaccord ruhende Musik, mit der in jenem Andante die Vision des Adurthemas verschwand. Ganz natürlich also, dass diese Stelle, als sie geendet — zunächst einen Allarm erregt.

Die Durchführung des Satzes beginnt damit. Das Hauptthema tritt in Cmoll auf. Bald tritt das Motiv mit den punktirten Achteln — siehe den zweiten und dritten Takt des Hauptthemas — in den Vordergrund. Es fügt sich — beim Eintritt nach Asdur — zu einem Sätzchen, das an Wiener Tanzweisen köstlich erinnert. Jener oben angegebene Nachgesang des zweiten Themas und die wehmüthige Abschiedsmusik aus dem Andante treten an seine Stelle. Wiederum grosser Aufruhr als sie geschlossen, das hüpfende Motiv sucht sich vergeblich durch den dramatischen Lärm des vollen Orchesters durchzukämpfen. Die Hörner schleudern ein Machtwort drein und durch die erzwungene Stille zieht langsam, (tempo Andante), von Oboe, dann von Clarinette geblasen, der Anfang des Hauptthemas dahin. Im Trauergewand nimmt der Dichter den letzten Abschied von seinem schönsten Ideal, von der Erinnerung an jene Himmelsgestalten des Andante. Die Reprise beginnt mit einer geistreichen Variation. Ein einfaches gestossenes Achtelmotiv mit dem von Tonart zu Tonart rüstig fortgeschritten wird, ist das neue Element. Dann kommt das Hauptthema wieder wie im ersten Theil des Finale, endlich in der Haupttonart: Fdur. Die Gruppe des zweiten Themas ist einigermassen erweitert, sie schliesst wieder mit Nachgesang und mit der aus dem Andante entnommenen Trennungsmusik. Aber diesmal bricht kein Tumult aus, sondern es schliesst sich das fromme Ende des Einleitungsthemas des ersten Satzes an. Immer freudiger wird nun der Ton, in dem das Hauptthema (in F) wieder aufgenommen wird, immer pastoraler und in den zwölf letzten Takten stehen wir vor dem Anfang der Sinfonie. Glänzend intonirt die Posaune das erste Thema des ersten Satzes.

A. Dvořak Vierte Sinfonie.

Dvořak's vierte Sinfonie (Gdur op. 88) ist in England erschienen und vielleicht schon aus diesem Grunde weniger bekannt geworden. Es stehen ihrer Einbürgerung und Verbreitung jedoch auch innere Schwierigkeiten gegenüber: Sie ist den Begriffen nach, an die die europäische Musikwelt seit Haydn und Beethoven gewöhnt ist, kaum noch eine Sinfonie zu nennen, dafür ist sie viel zu wenig durchgearbeitet und in der ganzen Anlage zu sehr auf lose Erfindung begründet. Sie neigt zu dem Wesen der Smetana'schen Tondichtungen und dem von Dvořak's eignen slavischen Rhapsodien. Die wahre Freude an dem Werk bleibt den Landsleuten des Componisten vorbehalten, die in dieser und jener an sich nur bescheidnen Melodie ein Stück theuerster Cultur erleben.

Der erste Satz (Allegro con brio, C, G dur) wird von einer elegischen Weise in G moll eingeleitet, die durch den vollständig Schubert'schen Schluss mit der Auflösung nach Dur am meisten fesselt. In der Mitte drängt sich ein Marschmotiv:

𝅗𝅥 ♩ ♩ | 𝅗𝅥. ♫ | ♩ ♩ ♩ ♩ | 𝅗𝅥. hervor. Dieser Einleitung, die sich hauptsächlich auf Cello und Horn stützt, folgt die Flöte mit einem Thema in G dur

das unter den zahlreichen Ideen, die dem Componisten während dieses Satzes durch den Kopf ziehen, die erste Stelle einnimmt. Nächst ihm gelangt das Marschmotiv zur grössten Bedeutung. Nachdem das zweite Thema mit seinem Gefolge vorbei ist, kehrt die Einleitung in Moll wieder. Diese Stelle ist die bemerkenswertheste im Satze. Ihr folgen Durchführung und Reprise ohne nennenswerthe Beweise von Inspiration oder künstlerischer Energie.

Der zweite Satz (Adagio, 8/4, C moli) ist der originellste der Sinfonie und einer der eigensten überhaupt, die wir auf diesem Gebiete haben. Feierliche Kirchenmusik, Serenaden, von fern her kecke Marschklänge — ganz disparate Elemente schliessen sich da höchst glücklich zusammen.

Der dritte Satz (Allegretto grazioso, 3/8, G moll) hat zum Hauptthema eine Melodie von sehr breitem Wurf und einem Charakter, der sich ganz für den Hausschatz der älteren Romantik eignen würde. Als Seitenthema folgt ihr eine chromatisch beginnende Weise, die in einem etwas halsstarrigen Canon durchgeführt wird. Der beste Theil des Satzes ist das Trio in G dur. Seine Melodie hat Kinderaugen. Das Finale (Allegro ma non troppo, 2/4 G dur) wird von einem sehr anspruchsvollen Trompetensolo eingeleitet, das uns wohl zu einem Nationalfest ruft. Volksspiele in Gestalt von Variationen über eine Paraphrase des Hauptthemas vom 1. Satze — siehe das erste Notenbeispiel — füllen es zum grössten Theil aus.

Eduard Hanslick fasst in seinem Neuesten Buche: „Fünf Jahre Musik" einige Kammercompositionen Dvořak's als des Componisten „Amerikanische Musik" zusammen. Das Hauptstück dieser Abtheilung zu sein darf Dvořak's neueste, seine fünfte Sinfonie (E moll, op. 95) beanspruchen. Sie führt offen den Titel „Aus der Neuen Welt". Ein Programm will diese Bemerkung wohl kaum bieten, die Sinfonie malt und schildert nur sehr bescheiden. Sie sollte den Freunden Dvořak's ein Lebenszeichen bringen, die Fragen nach seinem Thun und Ergehen nach echter Künstlerart nicht mit Reden und Worten, sondern mit einem Stück seines besten Lebens beantworten. Da kann sich Jeder überzeugen ob er noch der Alte im fremden Lande geblieben. Spärlich und nicht gerade imposant kommen einige neue Eindrücke zum Vorschein, die die New-Yorker Zeit in Seele und Phantasie verursacht hat; mächtiger schlägt aus dem originellen Künstlerbrief die Sehnsucht nach der alten Heimath, die Liebe die ihn an der Väter Sitte bindet, hervor.

A. Dvořak Fünfte Sinfonie

Einen äusserlich greifbaren Niederschlag des Amerikanischen Aufenthalts bietet die Sinfonie in einer Handvoll aus der Volksmusik der Neger oder der Indianer stammenden Originalmelodien, die in den einzelnen Sätzen des Werkes verstreut und versteckt sind. Der amerikanische Neger hängt mit der Musik fast ausschliesslich durch den

Rhythmus zusammen; bei weitem höher stehen die Indianerweisen. Ihnen begegnen wir deshalb auch häufiger in Instrumentalcompositionen der jungen amerikanischen Schule; auch Heinrich Zöllner hat in einem seiner letzten Chöre, dem „Indianischen Liebesgesang" eine sehr hübsche Probe davon gebracht. Dass ein Vertreter nationaler Elemente in der Kunstmusik wie Dvořak Volksweisen überall wo er sie findet theilnehmend und liebevoll behandelt, versteht sich ohne Weitres. Wenn wir trotzdem sehen, dass aus dem amerikanischen Material in dieser Sinfonie nicht viel geworden ist, so führt diese Thatsache zu der Vermuthung: dass die Natur dieses Materials dem Wesen der Sinfonie zu fremd gegenüber steht.

Der erste Satz beginnt in einer langsamen Einleitung (Adagio, 4/8, E moll) mit nachdenklichen durch Syncopenrhythmus gezeichneten Motiven, die leise von den Cellis zu den Flöten ziehen. Plötzlich setzt das Streichorchester, an das Syncopenmotiv anknüpfend, unisono im *ff* ein, die Pauke dröhnt, scharf fahren die Bläser auf, die Harmonie ist von E moll nach B dur gesprungen. Es muss etwas Bedeutendes vorgefallen, eine grosse Wendung eingetreten, ein wichtiger Entschluss gefasst sein. In der neuen Tonart treten neue Motive auf: die Bedenklichkeit (in den Holzbläsern) wird vom Wagemuth (Celli, Bratschen, Hörner) vertrieben. Die aufsteigenden Töne dieses zweiten Motivs künden das Hauptthema des Allegros (2/4, E moll) an, das nach wenigen Takten eintritt. Seine vollständige Gestalt

ruht in der ersten Hälfte auf dem Klang des zweiten Horns, in der zweiten auf Clarinetten und Fagotten, spricht in jener grosses Sehnen und Erwarten, in dieser Behagen und Befriedigung aus. Die nächste Wiederholung, an der Spitze die Oboe, führt nach G dur, und sofort mit Trugschluss nach H dur. Von da an setzt es mit der ersten Hälfte allein zu neuen Sätzen an; die Stimmung schwingt sich auf und es kommt zu einer neuen Wiederholung des Hauptthemas in seiner Originaltonart, im *fff.* Im Triumphe zieht es vorüber, gefolgt von einer Kette froher Gefühle über das leitende Motiv der zweiten Themenhälfte gebildet. Ehe man es erwartet, wird abgebrochen; der freudige Ton wird schwächer, zögert und schwankt. Wir stehen vor einem psychologischen Vorgang wie ihn Jeder jeden Tag erlebt: Eine Fülle innerer Gefühle schwindet plötzlich vor einem Eindruck der das äussere Auge getroffen hat. Die kleine Barbarenmelodie

ist in Sicht gekommen. Alles was Dvořak bisher gegeben hat, konnte in Europa heimisch sein; diese Tanzweise führt uns zum ersten Mal in die neue Welt, wenigstens auf einen der Kultur entrückten Boden. Das sagt uns vor Allem das *f* an Stelle des *fis.* Wo der Leitton aufhört, da beginnt das Naturvolk oder das Alterthum. Der fremdartige Charakter der Weise wird aber durch Nebenumstände noch unterstützt. Da ist das Horn, das die ganze Zeit *d* in Vierteln giebt. Auch in den Violinen zittert und schillert dieses *d*. Als das amerikanische Thema zum ersten Male erscheint, da hat der Componist noch nicht die Absicht sich ihm gefangen zu geben. Die Flöten und Oboen bringen es als Contrapunkt, als Begleitstimme; die geistige Führung liegt, wenn auch nur leise, noch in der Clarinette. Aber schon nach 8 Takten ist das anders. Da kommt die Melodie der Wilden in die zweite Violine und bringt ihren ganzen aus der Heimath gewohnten Musikapparat mit: die liegenden Stimmen und die Quintenbässe. Und nun ist auch die Phantasie des Tondichters auf eine weite Strecke ganz von diesen drolligen Motiven in Beschlag genommen. Er sucht sich ihrer mit einer ernsten Bassweise zu erwehren aber drüber spielen die Sechzehntel weiter und in den Holzbläsern kommen gar neue Motive dazu, die mit Pralltrillern und kecken Rhythmen des Abendländers zu spotten trachten. Die lustige Weise war nur ein Vorläufer; in das eigentliche amerikanische Musikwasser kommen wir erst mit dem zweiten Thema das die Flöte in G dur bringt

Mit ihm schliesst auch der ganze erste Theil des Satzes, die Themengruppe sofort ab.

Die Durchführung beginnt, indem sie an das Ende des zweiten Themas anknüpft, auf dem übermässigen Dreiklang *g-h-dis*, der 12 Takte lang immer leiser gehalten wird: Der Dichter, von den neuen Eindrücken überwältigt und verwirrt, schlummert ein. Wie im Traum tritt nun in seiner Seele das Entlegenste zusammen: der Anfang des zweiten Themas und der Schluss des ersten. Dann kommt dieses zweite Thema — jetzt in A dur und A moll — in einer närrischen Verkürzung und zerrissen, die erste Hälfte in den Cellis, die zweite in den Holzbläsern, unaufhörlich nach vorn. Die Combination von erstem und zweiten Thema kehrt wieder. Dann stellt sich der Anfang des Hauptthemas mit ein und sobald es sich gezeigt ist der Traumcharakter für eine Weile preisgegeben. Jedes der aus seinem Zusammenhang gerissenen Elemente sucht sich durchzusetzen und mit Gewalt zu behaupten. Das giebt eine Art Rüpelscene mit grossem Lärm. Erst am Schluss der im Ganzen knappen Durchführung wo das Hauptthema entschieden die Oberhand gewinnt, tritt wieder Ruhe und Klarheit ein.

Die Reprise verläuft regelmässig bis auf den unwesentlichen Umstand, dass das zweite Thema in As dur steht. In der Coda lässt Dvořak zweites und Hauptthema gleichzeitig spielen: jenes in den Trompeten, dieses in der Altposaune. Der ganze Schluss ist in Farbe und Harmoniehaltung sehr glänzend und rühmt den Freunden in der Heimath die „Neue Welt“ im Superlativ.

Der zweite Satz (Largo, C, Des dur) ist wohl derjenige,

der bei den meisten Zuhörern der Sinfonie einen dauernden Platz in ihrer Erinnerung erobert. Er ist von der eigenthümlichen, ruhigen und träumerischen Schönheit, durch die uns zuweilen Bilder der Wüste, der Steppe, der Pussta so mächtig ergreifen. Die Stille und die Grösse der Sehfläche und der unbestimmte Glanz der drüber liegt, wirken gemeinsam Phantasie und Sinne zu nähren und noch mehr zu reizen. In der Musik finden wir die Seitenstücke zu dem Satze Dvořak's am nächsten bei Borodin und Rimsky Korsakoff. Es handelt sich um einen neuen Ton, dem sich von den Aelteren nur Liszt in seinen Ungarischen Rhapsodien nähert. Dvořak hat vielleicht Eindrücke der Prairie in seine Largo gemischt.

Der Satz beginnt „wie Orgelton und Glockenklang" mit feierlichem, breiten Accordenvorspiel der Messingbläser. Darauf setzt das englische Horn zu folgendem Gesang an:

Das ist die Stimme des Gottesfriedens, der heitern Andacht, der kindlichen Unschuld, erhebend und lieblich zugleich. Der Satz wird unter Mitwirkung von Clarinetten, dann Fagotten zu einem bescheidenen Lied von 16 Takten erweitert. Da kehren die einleitenden Accorde, jetzt in den Holzbläsern, zum Abschluss wieder. Darauf nehmen die Violinen das Thema zu einem kleinen Satz der dem Mitteltheil des dreitheiligen Liedes ungefähr gleicht und das Schlusswort hat das englische Horn. Ihm nach giebt, wie im fernsten Echo, das Horn con cordini die Motive des ersten Taktes noch einmal. Dieser bis hierher reichende erste Theil des Largo ist in Des dur geblieben. Der zweite setzt in Cis moll ein. Sein thematisches Material besteht aus mehreren Stücken.

Das erste Stück wird vom folgenden Thema gebildet:

Es bringt von aussen her, ähnlich wie die Gmoll-Melodie des ersten Satzes der Sinfonie, Bewegung in die bis dahin feierlich ruhige Scene. Als zweites Stück folgt ihr ein langsamer Gesang in den Clarinetten

Ersichtlich ziehen Schatten durch ihn. Glich das Des dur-Thema einem Dankgebet, so dieses einer Bitte um Schutz vor Gefahren. Ziehen wir aber die Erregung mit in Betracht, die sich in den Rhythmen der begleitenden Streichinstrumente ausspricht, ferner den leisen Ton in dem der Satz gehalten ist, drittens den deutlichen nationalen Anklang in der Melodie, so dürfen wir den Abschnitt wohl auch auf Heimathserinnerungen des Componisten deuten. Das eine schliesst in diesem Fall das andere nicht aus. Was der Poesie versagt ist, verschiedne Vorstellungen und Empfindungen mit einander in der gleichen Sekunde zur Anschauung zu bringen, — die Musik kann es.

Die von diesen beiden thematischen Stücken gebildete Gruppe wird, und zwar in derselben Touart, wiederholt. Der Hauptunterschied ist, dass jetzt die Violinen führen. Zu dem Triolenthema bringen die Holzbläser nachahmende und verstärkende Contrapunkte. Wie das bei Wallfahrten häufig vorkommt, dass sich an die religiösen Ceremonien ein bunter Jahrmarkt anschliesst, so folgt jetzt dem Cis moll-Theil ein dritter Abschnitt unsres Largo in Cis dur, dessen Charakter durch das ihm zu Grunde liegende Thema

genügend gekennzeichnet wird. Es läuft erst durch die obern Holzbläser, dann nimmt es das Streichorchester auf und treibts mit ihm zu einer wilden, bachantischen Lustigkeit, die sich mit der Schnelligkeit entwickelt, in der nur Naturvölker ihre Empfindungen wechseln. Die Trompeten setzen das Tüpfelchen auf das i des tollen Spucks. Sie sind es aber auch, die schon im nächsten Augenblick der aus Band und Band gerathnen Gesellschaft der Instrumente wieder den ernsten Zweck der Versammlung zu Gemüthe führen. In einem unerwarteten Adur (unmittelbar auf die Cisdur-Accorde) bringen sie den Anfang des Hauptthemas des Largos, des Desdur-Themas. Es folgt in seiner Originalgestalt und vom englischen Horn gesungen diesem Appell auf dem Fusse. Als es die Geigen aufnehmen, macht sich — in drei Fermaten — ein wundersames Stocken bemerkbar. Der Satz verklingt poetisch als wenn sich Nacht übers Land breitet. Ganz nahe am Schlusse hören wir auch noch einmal die feierlich langsamen Bläseraccorde.

Das Scherzo der Sinfonie (Molto vivace, $^3/_4$, Emoll) entfaltet in seinem Hauptsatz einen harten Humor. Diese Härte beruht weniger auf dem melodischen Thema des Satzes

als auf der Einkleidung, die ihm der Componist giebt. Mit einigen erschreckenden Schlägen meldet es sich in den einleitenden Takten, lässt seine ersten Achtel befremdend, zügellos durch die Streichinstrumente sausen, erscheint dann endlich vollständig aber auf einem gänzlich unbefriedigenden Accord, (auf der Dissonanz *h-d-e-g*), so wie es die russischen Melodien zu thun pflegen. Als es zum zweiten Male seinen Weg sucht, stellt sich ihm die Clarinette rechthaberisch und ungeberdig entgegen. Dann hat sich wieder das Tutti des Streichorchesters in einem übermässigen Dreiklang verfizt und als es endlich in die richtige Harmonie gekommen ist und im *ff* die Unglücksmelodie durchdrückt, stellen wieder die Hörner mit ganz querköpfigen Tönen alles Erreichte in Frage und finden leider bei den sämmtlichen Holzbläsern Unterstützung. Nur die Bässe führen unter diesen Umständen die Absicht mit dem Scherzothema durch. Aber nachdem der Form soweit genügt ist, lässt man es allgemein fallen. Ganz wieder allen Brauch tritt schon jetzt das Trio ein, ein etwas langsam gehaltner Satz in E dur mit folgendem Hauptthema

Seine beiden ersten Noten erklären uns warum der Satz bisher so wunderlich verlaufen, warum der Scherz in einen Streit ausgeartet ist. Der zweite Satz, das schöne Largo beherrschte noch die Phantasie und was hier in diesem Trio in den Holzbläsern, später im Cello gespielt wird, ist ein Anklang, ein Nachklang seines Des durthemas, der Melodie des englischen Horns. Doch lange dauert der Frieden dieses Trios nicht. Dem Cello wird die übliche zweite Periode gar nicht vergönnt. Das Thema des Hauptsatzes setzt wieder ein im dreifachen *p* und in E dar. Aber bald wird das Wetter schlecht: ein verzweifelt vorwärts schiebender Uebergangs- und Modulationssatz, bei dem die Trompete eine sehr wichtige Rolle spielt bringt uns wie im Flug wieder nach E moll und gleich an die Stelle wo die Hörner das *ff* des Hauptthemas so heftig bestritten. Sie haben jetzt auch die Bässe auf ihrer Seite und es kommt zu einem schnellen Schluss, oder vielmehr einem Abbrechen. Es ist still geworden. In den Bläsern hören wir wie einen Wehruf wiederholt: c *h*, die Geigen intoniren dazu wie stumpf und mechanisch das Quintmotiv, mit dem das Thema des Hauptsatzes beginnt. Da werfen die Celli und nach ihm die Bratschen in die allgemeine Rathlosigkeit das Hauptthema des ersten Satzes der Sinfonie hinein, auf das vor dem letzten Sturm, wohl unbemerkt, die Bässe schon einmal angespielt haben. Jetzt thut es seine Wirkung. Es beginnt ein friedliches Spiel um folgende einfache Tanzweise

die uns wieder in die deutsche Volksmusik, wieder in die Nähe von Dvořak's grossem Ahnherrn Franz Schubert führt. Dem C dursatz, mit dem dieses neue Thema beginnt folgt eine Fortsetzung in *G* mit weitern hübschen Motiven als zweiter Theil und dann kommt der C dursatz wieder. Es handelt sich also in der Composition unseres Scherzos um die Einschiebung eines dreitheiligen Liedsatzes an die Stelle einer etwaigen Durchführung. Durch diese Einschiebung, weiter durch die Vorschiebung des Trios, durch die Aufnahme von Themen aus dem zweiten und ersten Satz hat aber Dvořak seinem Scherzo einen ganz ausserordentlich individuellen Charakter gegeben. Das hergebrachte Formenschema ist zwar benutzt worden, aber die Formen haben eine ganz unerwartete Bedeutung und Stellung erhalten. Der eigentliche geistige Hauptsatz ist der C dursatz geworden, den wir eben verlassen haben. Dvořak hat seine wiederholt gerühmte Kunst der poetischen und dramatischen Belebung Beethoven'scher Formen wiederum glänzend bewiesen. Man kann nur wünschen, dass dieser Beweis auch als Muster dienen möge!

Die Coda des Satzes ist vorzugsweise dem Hauptthema aus dem ersten Satz der Sinfonie gewidmet; ganz am Schlusse spielt die Trompete noch einmal auf den eingeschobnen C dursatz an und bekräftigt damit die Wichtigkeit die er in dem nun beendeten Satz gehabt hat.

Das F i n a l e der Sinfonie (Allegro con fuoco, 𝄴, E moll) beginnt in einem ähnlichen Balladenton wie der Schlusssatz von Gade's C moll-Sinfonie. Auch thematisch fühlt man sich an dieses Werk erinnert wenn das Hauptthema wie folgt einsetzt:

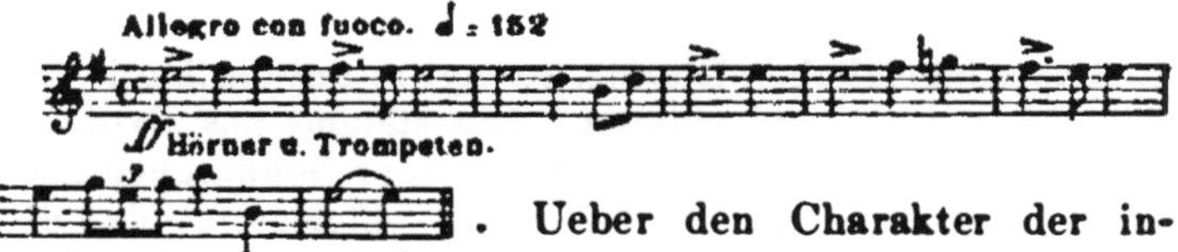

. Ueber den Charakter der indianischen Kriegsmelodien wie sie etwa Baker mittheilt[1]), geht es mit grossem Schwung hinaus. Es könnte ein Kampflied der Puritaner aus den Unabhängigkeitskämpfen sein. Nachdem das volle Orchester die Melodie abgeschlossen hat, findet ihr Siegesmuth einen weitern, nicht mehr feierlichen, sondern kräftig weltlichen Ausdruck im folgenden Thema, das seine fremdländische Abstammung durch dreitaktiges Metrum kundgiebt

Zum zweiten Male in der Haupttonart, E moll, gebracht verliert es sich auffällig schnell. Die Harmonie sitzt auf dem verminderten Septaccord *cis-e-g-b* fest; zu den vielen allarmirenden Elementen die an der Stelle zusammenkommen, steuert auch das Schlagzeug bei. Wie geisterhaft tritt als zweites Thema des Finale der Gesang der Clarinette ein

Er bedeutet Heimweh, Sehnsucht nach Vaterland und Freunden, den Entschluss zur Rückkehr in die alte Welt. Wenn wir es aus dem Thema selbst nicht verstehen sollten,

---

[1]) Th. Baker. Ueber die Musik der nordamerikanischen Wilden. Leipzig 1882.

aus dem schmerzlichen Einsatz, so sagt es uns das Motiv das im 6. Takt begleitend einsetzt. Das stammt aus Dvořak's letzter Sinfonie, aus seiner vierten, seiner böhmischen Sinfonie. Diesem elegischen Thema der Clarinette, das die Violinen bald aufnehmen, schickt Dvořak einen fröhlichen Nachfolger hinterdrein

Sein letzter Takt trägt in übermüthiger Färbung langhin die Fortsetzung, bis ihn zuletzt der Fagott mit dem Cello vereint, leise aufnimmt und das Motiv ins humoristische wendet. Ein wenig klingt es ja auch an den Mitteltheil des Cdursatzes im Scherzo an.

In der Durchführung wechselt zunächst dieses Motiv der Heimkehr — wie wirs wohl nennen dürfen — mit Bruchstücken der amerikanischen Themen des Finale. Dann setzt in Fdur die schöne Hauptmelodie des zweiten Satzes der Sinfonie, das Largo ein, tritt glänzend und glänzender heraus. Daneben stellt sich dann der Anfang vom Hauptthema das Finale, plötzlich tritt das Hornthema herein mit dem die Sinfonie begann: das Motiv der Erwartung. Jetzt gilt es wohl der Heimreise. Noch eine Weile streiten sich im Gemüthe des Componisten und in der Durchführung Alte und Neue Welt. Dann erscheint im Meno mosso des Hauptthema das Finale piano von der Oboe in tiefer Lage und vom Horn geblasen, bald darauf das zweite Thema, das Thema des Heimwehs in Edur. Der Abschied ist genommen, der Entschluss zur Rückkehr gefasst und entschlossen, freudig wird er ausgeführt.

Unter den weitern böhmischen Beiträgen zu Sinfonie und Suite erregen die Arbeiten von Zdenko Fibič deshalb das Interesse, weil dieser Componist durch Ouverturen und ähnliche einsätzige Werke ein starkes, in der Erfindung hervorragendes Talent bewiesen hat. Von seinen zwei Sinfonien ist nur die zweite (in Esdur) in Deutschland bekannt geworden, hat sich jedoch nur wenig verbreitet.

Zdenko Fibič Sinfonie in Es.

Das liegt wesentlich an ihrem ersten Satz. Dieser setzt mit einem breiten Thema ein:

das den Ton einer erhabnen Naturode anschlägt, an Wagner's Vorspiel zum Rheingold und an ähnliche Ton- oder Wortdichtungen erinnert, die auf langgeschwungnen schönen Wegen zu einem mächtigen, unvergesslichen Höhepunkt führen. Wir sind in einer Stimmung wie in der Morgendämmerung. Der Sonnenaufgang kommt aber nicht in dem Satze. Es fehlt ihm eine grosse, klare Entwickelung, sogar in der äussren Gliederung bleibt er etwas verwischt — hat nur präludirenden Charakter und ist für seine Natur zu lang. Dass die Absichten des Componisten weit gingen, ist daraus zu ersehen, dass er nicht blos das erste Thema des Satzes, sondern auch das an und für sich nicht bedeutende, vom folgenden Anfang aus

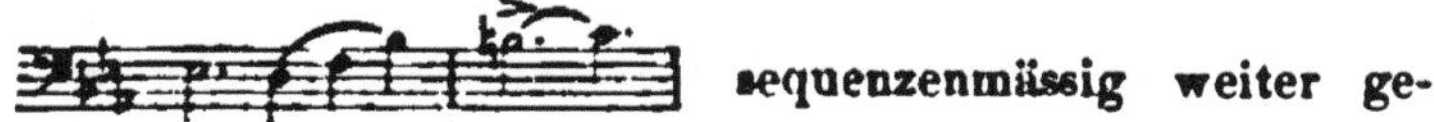 sequenzenmässig weiter geführte zweite Thema in die spätern Sätze hineinzieht. Diese enthalten sehr viel Frische, Kraft, Poesie und Kunst und lassen es bedauern dass der Anfangssatz der Sinfonie nicht besser gelungen ist. Das nationale Element tritt bei Fibich in diesem Werke gänzlich in den Hintergrund; nur das Scherzo enthält in dem Cmollabschnitt einen Theil, der auf Volksmusik zurückgeführt werden kann. Deutlicher verräth seine Sinfonie die Einflüsse Beethoven's, Mendelssohn's und Wagner's. Das im Entwurf hervorragende Adagio der Sinfonie, das durch Einfügung eines mit der „Götterdämmerung" verwandten Marschmotivs aus

dem Elegischen ins Grossdramatische wächst, stellt diese drei Meister dicht zusammen.

Stärker als in anderen Ländern hat sich der Cultus nationaler Musik in Russland entwickelt. Es ist erst durch die nationale Bewegung an die Pflege der höhren Instrumentalmusik herangeführt worden und hat in wunderbar schneller Zeit, obwohl ihm Orchester, Concerte und eine Menge der wichtigsten Vorbedingungen zu fehlen schienen, in ihr sich eine hervorragende Stellung errungen, aus der vielleicht eine Führerschaft sich entwickelt. An Fruchtbarkeit und Charakter ist die russische Schule schon heute die erste. Insbesondre geht ihre Orchestercomposition vollständig in volksthümlicher Arbeit auf und selbst diejenigen Componisten, deren Bildung eine entschieden westliche und internationale ist, können sich jener nationalen Strömung nicht entziehen. Der allgemeine europäische Musikschatz ist durch die Russen stark mit Temperament bereichert worden; weniger mit Ideen. Denn die Mehrzahl ihrer Tonsetzer bewegt sich in den nationalen Extremen von Weichheit und Ausgelassenheit. Für Contrapunkt und Instrumentation bringen sie eine ausserordentliche Bildung und Begabung mit, die ihrer Musikschule grosse Ehre macht. Ihre Leidenschaft für das aus den Volkstänzen der Heimath gewohnte naturalistische Variiren muss jedoch auf die Dauer die Form der Sinfonie zerstören und bedroht folglich auch den Geist dieser Gattung wie kein zweites unter den neuen Elementen. Das patriotische Streben der jungen russischen Tonsetzer wird durch den Reichthum an heimischen Weisen begünstigt, über welche das vielstämmige Riesenreich verfügt. Augenscheinlich sind es die der Cultur ferner stehenden Völkerschaften, zu deren musikalischen Schätzen sich die Schule besonders hingezogen fühlt. An Gedankengehalt bieten die Weisen dieser Naturvölker durchschnittlich wenig: zum kleinen Theil sind es langsame, auch innerlich wenig bewegte Melodien, aus denen die Melancholie und die Unendlichkeitsstimmung der Steppe spricht, vorwiegend aber kurze Tanzweisen, welche sich durch fortgesetzte Wiederholungen desselben Motivs weiter fristen. Sie halten in Bezug auf melodischen Werth keinen Vergleich aus mit dem, was die Ungarn und Böhmen auf diesem Gebiete aufzuweisen haben, und selbst die Melodien der Skandinavier sind ihnen an Reichthum der Phantasie, an Freiheit und Mannigfaltigkeit der Form überlegen. In dieser Beziehung bieten die russischen Allegrothemen der künstlerischen Behandlung grosse Schwierigkeiten. Aber diese Nomadenmusik hat andere Seiten, von welchen aus sie auf die kunstmässige Composition sehr belebend einwirkt. Sie neigt zu dramatischen Formen und bietet im rein Klanglichen die erstaunlichsten Originalerscheinungen. Das Tonleben jener russischen Stämme, welche an den Ufern der Wolga, an den Küsten des Schwarzen Meeres und in den Thälern des Kaukasus dem Krieger- und Hirtenberuf obliegen, nährt sich von den Klängen der Natur; ihre Harmonien bilden sie nach dem Vermögen der am liebsten glissando ansprechenden Balalaïka und nach der Gnade von Instrumenten, welche der sanglustige Reitersmann zu Pferde handhaben kann, ihre Accorde werden nicht von gebuchten Künstlergesetzen geregelt, sondern vom Zufall, von der praktischen Bequemlichkeit und dem Streben, sich Gehör zu schaffen, ihre Rhythmen und Metren wechseln wie die Launen des Naturmenschen. Von daher kommt in den Orchesterwerken der jungrussischen Schule der bukolische Grundton, die häufige Verwendung einfacher und doppelter liegender Stimmen, von daher kommen die elementaren Ausbrüche ungezügelter Lust, von daher der Eifer und auch das Glück, mit welchem diese Tonsetzer ungewohnten instrumentalen und harmonischen Combinationen nachgehen, die naive Freude an dem Wechsel der Klangfarben, das Behagen, mit welchem sie lange Strecken ein unbedeutendes Motiv von einem Instrumente zum andern wandern lassen. Von der künstlerischen Seite, in Bezug auf Phantasie und Form geprüft, sind diese nationalrussischen Orchestercompositionen im Durchschnitt erfreulich, theilweise im höchsten Grad fesselnd — immer dabei vorausgesetzt dass hinter dieser Russischen Musik noch mehr als hinter der Russischen Litteratur eine von der unsren wesentlich verschiednen Welt steht. Wie jede in der Bildung begriffene Schule, hat auch die jungrussische barocke und unreife Werke auf ihrem Conto stehen: ungeheuerliche Versuehe, Stoffe aus der russischen Sage und Geschichte musikalisch zu bewältigen. Aber die Mehrzahl der Componisten hält sich ungefähr an den Typus, welchen M. Glinka, der Vater jener Schule, in seiner Kamarinskaja, die Europa zuerst mit russischer Instrumentalmusik bekannt machte, aufgestellt hat: die Stimmung naiv, heiter, drollig, ausgelassen, von grotesker oder träumerischer Poesie, die Form besonders gern durch wörtliches Wiederholen und leichtes Variiren entwickelt. In Deutschland beginnen jetzt die Arbeiten der nationalen russischen Schule mehr und mehr Eingang zu finden. Fremd sind uns Dargomijsky und Balakireff geblieben, dagegen hat Rimsky-Korsakoff neuerdings Boden gewonnen; in unsrer Kammermusik ist der jüngste Nachschub der Schule bereits mit Arensky zu Worte gekommen. Am stärksten hat P. Tschaikowsky für die russische Orchestermusik in den deutschen Concertsälen gewirkt. Seine ersten hier in Betracht kommenden Werke sind die Serenade für Streichinstrumente (op. 48) und zwei Suiten. Die Serenade enthält in ihrem einleitenden, ersten Satze eine interessante Verbindung von alter (Händel'scher) und neuer (Schumann'scher) Musik. Ihr zweiter Satz, ein gut imitirter deutscher Walzer, weist namentlich in den zweistimmigen Solostellen der Violinen naiv liebenswürdige Züge auf, und ihr dritter, Elegie betitelt, zählt in seiner schönen Abendstimmung zu den poetisch hervorragenden Stücken der Gattung. Russisch ist nur das Finale, eine Burleske über ein kurzes Tanzthema. Sie geht in ihren Scherzea über das Mass hinaus und streift die Trivialität, ein Fehler, in welchen der durch Begabung und Bildung übrigens ausgezeichnete Componist hin und wieder verfällt. Die erste Suite bringt das nationale Element viel entschiedener zur Geltung. Der erste Satz durch einige russische Themen und durch einen geistigen Charakterzug der ganzen Schule: die

P. Tschaikowsky Serenade.

P. Tschaikowsky 1. Suite.

Hartnäckigkeit im Verfolgen kleiner Einfälle. Bald naturalistisch, bald gelehrt, versuchen die Instrumente, wie weit sie es mit dem aufgesetzten Motive wohl treiben können. Der Walzer unterbricht mit vielen Stringendos und Ritardandos die behagliche Grundstimmung seines Hauptthemas. In der Mitte veranlasst das Erscheinen einer gewöhnlichen Achtelfigur einen wahren Tumult. Specifische russische Melodien hat der Satz nicht, aber mehrere der reinen Freude am Klingen von Accord und Ton gewidmete, schöne Stellen. Namentlich der Ausgang des Ganzen gehört in diese Kategorie. Der dritte Satz ist eine echt russische Burleske, welcher fast von Anfang bis zum Ende ein und dasselbe rhythmische Motiv zu Grunde liegt ♪♬ ♪♬ | ♩. . Mit wahrem Fanatismus feiern es die Instrumente. Der vierte Satz ist eine gut gedachte Träumerei, in der Form eines Alternativs. Die beginnende Melodie in A moll ist national, der Gegensatz in A dur freie und für die Länge nicht recht ausreichende Erfindung. An Klangeffekten, Solis von englischem Horn, Piccolo, Harfe, hohen Harmonien, rauschenden Mischungen des Rhythmus ist dieser Satz sehr reich. Der letzte Satz mischt ein russisches, kurzes rhythmisch gleichförmiges Tanzthema mit freien Stellen, deren musikalischer Gehalt wesentlich auf Accord- und Instrumentationseffekten beruht. Nicht blos dieser Satz sondern die ganze Suite entfaltet nach dieser Seite hin eine unverkennbare Originalität und äussert eine nachhaltige sinnliche Wirkung.

P. Tschaikowsky 2. Suite. Eine zweite Suite Tschaikowsky's (op. 53) verfolgt die in der ersten schon hervortretende Richtung aufs Aeusserliche noch bedeutend weiter, bis zu Punkten, wo man an dem Geschmack des Componisten irre werden muss. Ein solcher Punkt ist die Nr. 4 der Suite, ein „Marche miniature“, in dem mit den Mitteln des Orchesters die Effekte einer Spieldose nachgeahmt werden.

Die Gegner des Componisten hätten nach diesen Suiten sicher nicht den Sinfonien die er hat folgen lassen die Wirkung zugetraut, die sie nach Ausweis der Statistik in den letzten Jahren ausgeübt haben; sie hat wohl auch die Erwartungen seiner Freunde übertroffen. Erst durch diese Werke ist die volle Bedeutung und die Eigenthümlichkeit Tschaikowskys ganz klar geworden. Wenn jene Suiten Skizzen und Studien auf dem Gebiete der Stimmungsmalerei und der Schilderung heimischen Volksthums gleichen, so sind seine Sinfonien ausgeführte Lebensbilder die sich um seelische Gegensätze fesselnd, frei, zuweilen dramatisch entwickeln. Tschaikowsky ist diesen höheren Aufgaben gegenüber in den meisten Punkten der Alte geblieben: ein Componist ohne eigentliche musikalische Originalität im strengeren Sinn, wenig wählerisch, zuweilen gewöhnlich, niemals neu in seinen Ideen, aber eine immer offne und ehrliche, häufig in ihrer Wärme und Herzlichkeit grosse Natur. Was aber erst diese Sinfonien an ihm zeigten, das ist die ausserordentliche stilistische Begabung, die Fähigkeit in dem alten Formenbezirk der Sinfonie sich ganz ungezwungen zu bewegen und jederzeit und nach jeder Richtung auch ungegangne Wege zu finden, die den ins Auge gefassten poetischen Absichten gut entsprechen. Die Anregungen, die auf diesem Gebiete Fr. Liszt gegeben hat, sind von keinem Zweiten so geschickt, so freisinnig und doch ohne alles herausfordernde Wesen aufgenommen worden. Zugleich versteht sich Tschaikowsky in seinen Sinfonien auf die Nietze'sche Kunst alten Gedanken, auch wenn sie Gemeinplätze sind, durch den Ton des Vortrags und durch die Einstellung auf den günstigsten Platz einen Schein von Eigenthümlichkeit und besonderer Tapferkeit zu geben. Auch die Reichhaltigkeit und die stets überdachte Regsamkeit des Orchesterklangs trägt zu der lebendigen Wirkung von Tschaikowsky's Sinfonien mit bei. In der Gegenwart waltet der Componist als unbedingte Grösse; ob ihm spätere Zeiten diesen Platz belassen oder ob sie ihn auf eine ähnliche Stelle verweisen werden wie sie die Sudermann und Raupach im Drama einnehmen, wird wesentlich davon abhängen ob mehr die Freiheit seines Wesens oder mehr dessen Ungleichmässigkeit, dessen Durchsetzung mit vulgären Elementen ins Auge gefasst wird.

Tschaikowsky's erste Sinfonien scheinen im Dunkel bleiben zu sollen; zuerst ist seine letzte, die sechste (aus dem Nachlass) bekannt geworden und hat rückwirkend die fünfte und die vierte nach sich gezogen. Von dieser vierten, der Manfred-Sinfonie ist bei den zur Programmmusik gehörigen Werken geredet worden. Auch die fünfte Sinfonie könnte mit einem gewissen Recht in diese Abtheilung gestellt werden. Denn auch sie führt ein Programm, oder wie Haydn zu sagen pflegte, einen Charakter durch und bekennt auch äusserlich dass ihre Sätze inhaltlich enger verbunden sind; ja ihr ästhetischer Werth ruht hauptsächlich darauf dass diese Musik den Stempel des wirklich Erlebten und Empfundenen trägt. Aus dieser Eigenschaft ist auch die Freiheit und theilweise neue Führung der Form entsprungen. Tschaikowsky ist in der Weise originell geworden, wie Goethe es empfohlen hat.

P. Tschaikowsky fünfte Sinfonie.

Das Hauptthema der Sinfonie das wie ein getreuer Eckart, wie ein Mentor der seinen Telemach begleitet, durch alle ihre Sätze mitgeht, treffen wir schon an ihrem Eingang. Der erste Satz beginnt mit:

wie mit einem Mahnwort, das ein besorgter Vater freundlich und ernst dem in die Welt ziehenden begabten aber leicht gerichteten Sohn zum Abschied giebt. Es klingt noch eine Weile in der Seele des jungen Wanderers fort; dann tritt es zurück gegen neue und heitere Eindrücke, die mit dem ersten Thema des der Einleitung (Andante) sehr bald folgenden Allegro erscheinen

In seiner Vollständigkeit bildet dieses Thema ein ganzes Lied, dem sich ein lebenslustiger, nach allen Seiten gefassten Sinn bekundender Text mit Leichtigkeit anpassen liess. An seinen Schluss heften sich sogar einige Schösslinge einer wilden Stimmung, die den Charakter des ganzen Allegro wesentlich mit bestimmen. Es ist das keck, mit rauhem Humor hinabschlagende Motiv: 

und noch mehr sind es Figuren, die sich ihm unmittelbar anschliessen , die schon zuerst übermütig genug klingen und sich später immer stärker über Gleichgewicht und Ordnung hinwegsetzen. Der oben angegebene Anfang des Wanderliedes wird nach russischer Art zunächst freigebig wiederholt, klingt stärker und stärker und steigert seinen fröhlichen Ausdruck bald bis an die Grenze der Ausschreitung, stockt da lange Zeit auf dem Rhythmus , geht in einem *fff* in die höheren Grade der Ausgelassenheit über, würzt sie durch Nachahmungen zwischen Hörnern und Geigen, durch Gegenbewegungen zwischen letztren und Posaunen und erreicht so, wie das Tschaikowsky's Musik gerne hat eine Stufe des unverkennbaren Naturalismus. Hinter ihr erhebt sich aber sofort die Stimme der guten Sitte, der inneren Einkehr in einem an seiner Stelle sehr schön wirkenden Gedanken, der noch das für sich hat, dass er zu dem lustigen munteren ersten Thema in einem formellen Verwandtschaftsverhältniss steht, dass er wie das Bild der Schwester hereintritt:

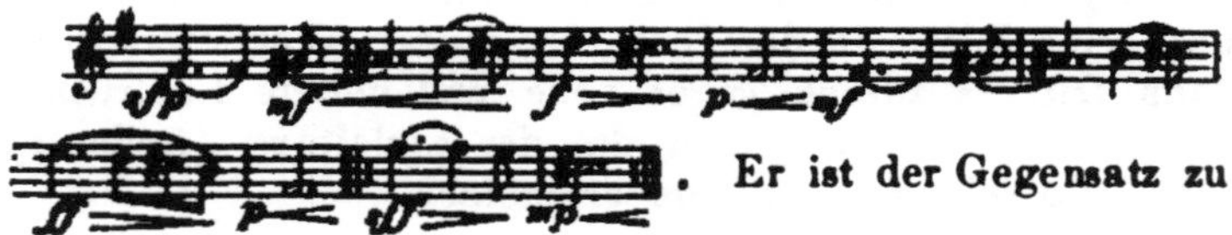

. Er ist der Gegensatz zu jenem; aber er ist nicht das eigentliche zweite Thema des Allegro's im üblichen Sinne. Wir stehen hier vor Tschaikowsky als Meister der Form, der überkommne Ordnungen nicht bricht, aber weiterbildet. Der freundliche Klang des neuen Themas wird schwächer, stockt und verlischt. Ungestüm tritt wieder die laute Lust hervor, zu der die Fröhlichkeit des ersten Themas sich entwickelt hatte: Es ruft herausfordernd . Des ersten Themas steigende Motive folgen im stürmischen Schritt. Die Fortsetzung aber kommt anders als man erwartet: eine lebhaft, aber edel schwärmerische Weise

Sie zieht das vorher angeführte Rufmotiv wieder an, verbindet sich mit ihm und verklärt sein Ungestüm zum Ausdruck der Begeisterung. So gleicht der Schluss der Themengruppe gewissermassen dem Jubel mit dem der Jüngling seiner Kraft und seines Glückes sicher, die Zukunft begrüsst, die er vor sich liegen zu sehen glaubt.

Die Durchführung führt schnell aus dem hellen D dur, das das Ende des vorausgehenden Abschnitts beherrschte, hinweg. Das Rufmotiv wendet sich in fernere Tonarten, es klingt dunkler und nimmt bald den Anfang des Wandrerlieds, des Hauptthemas des Allegros, als Gesellschafter an seine Seite. Der Weg wird etwas dichter und einsam. Da kommt mit einem Male wie ein Ueberfall im *fff* eine Reminiscenz an die ausgelassne Stelle am Schlusse des ersten Themas, wo das volle Orchester auf dem Rhythmus tobte. Auch hier wird dieser Ausbruch ungezügelter Empfindung wieder durch das schwesterliche Mittelthema zurückgewiesen, jedoch nicht endgültig. Zwar versuchen die Instrumente mit dem Anfang des Wandrerlieds einen wohlgeordneten und in Nachahmungen kunstvoll geführten Gedankenaufbau. Aber in andrer Form schlägt eine elementar erregte, bacchantische Empfindung immer wieder durch, nämlich in Wiederholungen des Zukunftsmotivs das das eigentliche zweite Thema eröffnete. Sie werden reichlich und mit äusserster Kraft geboten. In ihren Sturm braust gelegentlich auch das Wanderlied einmal hinein. Im ganzen giebt die Durchführung noch mehr als die Themengruppe das Bild einer durch eine Ueberfülle von Kraft gefährdeten, einer wenig gebändigten Natur. Sehr eigenthümlich setzt der dritte Theil des Satzes, die sogenannte Reprise, nach dem schönen, breiten diminuendo, in dem die Durchführung zu Ende geht, mit dem Wanderthema im Fagott ein. Dieses Instrument scheint hier den Philister zu verkörpern; seine halb ungeschickte Munterkeit wirkt wie ein Hohn auf die Scene des gewaltigen, erschreckenden Aufschwungs, die eben vorherging. Dem wird nun ein ehrbares Spässchen, der Genialität wird die Banalität gegenüber gestellt. Klanglich wirkt der Eintritt der Reprise, weil eine Strecke lang die Holzbläser allein musiciren wie ein Gespräch in der Nebenstube. Im Allgemeinen verläuft der dritte Theil des ersten Satzes ziemlich gleichlautend mit der Themengruppe. Das freundlich, weiblich gestimmte Mittelthema tritt diesmal ein, ohne vorher vom Toben und Aufschlagen harter Eisenfäuste geschreckt zu sein. An die Gruppe des zweiten Thema knüpft sich eine kleine Episode, die sich scheinbar wie eine nochmalige Durchführung anlässt; sie dient aber nur zur Pause vor einen letzten glänzenden Aufzug des ersten Themas, das allmählich aus der höchsten Extase in die äusserste Ruhe zurückkehrt und sich endlich ins Geheimnissvolle, ins Unhörbare verflüchtigt. Wie hier, so fällt auch an andren Schlüssen des Satzes und an den Uebergängen die Gelassenheit und die ruhige Breite auf, mit der sie ausgeführt sind. Das ist in dieser hastigen Gegenwart ein Zeichen innrer Sicherheit und Gesundheit des Componisten.

Der zweite Satz der Sinfonie (Andante cantabile, $^{12}/_{8}$, D dur) steht zum ersten in einem Verhältniss wie die Rast, wie die Idylle zur Ausfahrt. Die schöne Hornmelodie, die nach einigen stillen an Orgelklang und Kirche erinnernden Accorden einsetzt

gehört zu jenen Gesängen, die wir unwillkürlich auf innerstes Herzensglück, auf Jugendzeit und Liebe deuten. Sie paart die Zartheit des geheimen Sehnens, des ersten Ahnens mit heisser, drängender Leidenschaftlichkeit und ist in den weichen Vorhalten, die den entscheidenden Zug ihrer äussren Erscheinung bilden, ein Abkömmling von Beethoven's Andante der Neunten Sinfonie, in der Schule Schumann's erzogen und weiter gebildet. Die Dieterich und Raff waren lange die Meister in solchen Tongedichten. Die Weiterführung jener oben angegebnen Periode dringt in noch höhere Wärmegrade der Empfindung; der

Nachsatz kehrt mit dem Motiv 

zu einer beglückten Verschwiegenheit und Selbstbeherrschung zurück. Sehr bald folgt diesem Hauptthema, dem Ausdruck des Sehnens und Begehrens eine Scene, die der Erfüllung gleicht. Sie beginnt wie ein Dialog

Das Motiv, das hier zur Zwiesprache dient, finden wir, nachdem das Hauptthema des Satzes sich im Cello noch einmal fast ungestüm hat vernehmen lassen, erweitert zu

. Das ist also eine Melodie, die beschwichtigt und zugleich verheisst. Hier wirkt sie wie die Antwort, die Erhörung, die der Werbung folgt; sie wird bei jeder Wiederholung glühender im Ausdruck.

Dem eigentlichen Gegensatz zum Hauptthema begegnen wir in:

In diesem Thema spricht der Zweifel, die Sorge vor der Zukunft und dem Schicksal. Es wird mit diesen trüben und kleinlauten Gedanken sehr ernst genommen, Stimme nach Stimme trägt sie steigernd vor. Als sie eine fast drohende Gestalt angenommen haben, da erscheint plötzlich das Hauptthema des ersten Satzes, das ja wie schon erwähnt, das Leitthema der ganzen Sinfonie ist, das die Stelle des guten Geistes im Hause einnimmt. Hier tröstet es, ermuthigt, hellt wundervoll auf und führt zu einer Wiederholung der beiden Hauptmelodien des Andante im glänzenden und triumphirenden Ton, einem Ton der den Charakter des Rausches, des Selbstvergessens annehmen will. In diesem Augenblick erscheint das Leitthema der Sinfonie wieder: ernst, auf einem Septimenaccord, mit einem Anflug von Unwillen und Verwunderung, als Warner. Es geht in einen halb klagenden Ton aus, wie im eignen Bedauern über die unvermeidliche Strenge und führt zu einem schnellen, ganz in Abschiedsstimmung gehaltnen Schluss der Liebesscene.

Der dritte Satz (Allegro moderato, $^3/_4$, Adur) sagt uns durch seine Ueberschrift: Valse, was er darstellen will. Tschaikowsky ist merkwürdiger Weise ein Freund der Walzer, ohne für diese Gattung deutscher Vergnügungen eine besondre, ohne auch nur die ausreichende Begabung zu haben. Dieser Walzer seiner fünften Sinfonie tritt merkwürdig hinkend und stockend auf, wie die Metren des Hauptthemas

allein schon zeigen. In dem dichterischen Plan der Sinfonie hat diese Tanzscene wohl die Bestimmung eine Stunde der Verführung vor unsre Phantasie zu rufen. Der Mittelsatz der Nummer, der über das Motiv

entwickelt wird, schildert die

Verwirrung, die sich der Seele des Jünglings nähert; ihren bedrohlichen Charakter markirt die Pauke mit aufregenden Schlägen. Dieser Mittelsatz hat die Bedeutung des Trio im gewöhnlichen Menuett und Scherzo. Als der Hauptsatz wiederkehrt, zieht er die Motive des zweiten Themas noch eine Weile mit sich. In einer F dur stelle, die kurz gehalten ist, aber sich durch den starken Klang und den überraschenden Eintritt geltend macht, kommt Kraft, Aufschwung, Befreiung und das Ende des Tonbilds.

Das Finale beginnt mit demselben über das Leitthema der Sinfonie gebildeten Andante, das ihren ersten Satz eröffnete. Doch steht es jetzt im hellen Edur, klingt glänzend und feierlich. Den feierlichen Ton verstärken besonders einige Takte in breiten Accorden, aus denen man Glockengeläute zu hören glaubt. Diese Umbildung der Einleitung der Sinfonie will sagen, dass das in Aussicht gestellte Ziel nahezu erreicht ist, dass das für die Zukunft gegebne Versprechen nun eingelöst wird. Doch gilt es noch einen letzten Kampf, den der Componist in einem Allegro vivace (₵, Emoll) darstellt, dessen erste Themengruppe mit dem Motiv

anfängt. Es wird mit seiner Umbildung zu gross ausholenden Perioden verbunden, durch schattirt und durch den ruhigeren und friedevolleren Gedanken

ausgelöst, den die Instrumente zeitweilig als Canon festzuhalten suchen. Als eigentliches Gegenthema im Allegro dient eine Weise, deren Zusammenhang mit dem zweiten Satze der Sinfonie, mit deren Hauptthema, nicht zu verkennen ist:

etc. Die Vorhalte bezeugen die Verwandtschaft und die Meinung des Tondichters ist, dass die Liebe den Kämpfer leitet und stärkt. Er schliesst die um dieses Liebesthema gebildete Gruppe damit, dass das Leitthema der Sinfonie in triumphirenden Ton einsetzt und knüpft daran einige freie, ausgeprägt heroische Worte der Posaunen und Trompeten. Sie haben zur Folge dass die Hauptmotive der beiden Allegrothemen noch einmal im kräftigsten und stolzesten Ausdruck durchphantasirt werden; dann folgt die sogenannte Reprise, die Wiederholung des Thementheils des Allegros, neu eingeleitet mit der muthig ausblickenden Zeile:

Nach dem rein musikalischen Werth, gehört dieses Allegro im Schlusssatz von Tschaikowsky's fünfter Sinfonie zu den Sätzen, die uns vor der Ueberschätzung dieses Componisten behüten können. Die Erfindung ist gewöhnlich, die Ausführung lässig breit und bequem nach der russischen Methode des unbeschränkten Wiederholens gehandhabt, die bei Schilderungen aus dem Volksleben, aber nicht hier am Platz ist. Doch muss man auch hier wieder die Klarheit und wohlberechnete Wirkung der künstlerischen Anlage, des Formenaufbaus anerkennen; die dichterischen Absichten sind vortrefflich und treten deutlich genug hervor. Der Endzweck war das gute Ende des Finales vorzubereiten und durch einen Gegensatz zu heben. Dieses Ende selbst ist nichts andres als der Anfang des Finale, das Andante in E dur, hier als Maestoso bezeichnet. Im

Stile der Jubelouvertüre behandelt, schliesst es die Sinfonie und erhält ein Presto, in dem Themen aus dem Allegro noch einmal vorüberrauschen, als Anhang und Krone.

P. Tschaikowsky sechste Sinfonie. (Pathétique.)

Seine sechste Sinfonie (H moll) hat Tschaikowsky pathetisch genannt. Sie ist das im ersten Satz; im zweiten und dritten ruhen Leid und Leidenschaften, der Schlusssatz stimmt wider Vermuthen ein schweres Wehklagen an.

Wie der erste Satz am meisten dem Programm getreu wird, so ist er auch der Arbeit und der Anlage nach der bedeutendste und von starker Wirkung namentlich durch klare Gegensätze. Er sucht darzustellen wie sich eine edle Natur von schwerem Gemüthsdruck durch Kämpfen, durch Erinnern und Hoffen zu befreien sucht und bedient sich dazu einer Form, die im Wesentlichen den hergebrachten Verhältnissen des Sonatensatzes entspricht. Die Eintheilung in Themengruppe, Durchführung und Reprise ist beibehalten, ein sehr geschickter Tempowechsel giebt ihr jedoch den Charakter der Ursprünglichkeit. Der Satz beginnt mit einem kurzen Adagio in Trauerklang: Das Fagott hält die Rede, und tiefe Instrumente umstehen es allein; erst am Schluss hört man von den Oboen einen kurzen Seufzer. Der Spruch der dem Satz zu Grunde liegt ist das Motiv:

. Aus ihm wird folgende Melodie:

gestaltet, sie wird wiederholt; ein Anhang von 6 Takten, den die Bratsche abschliesst, folgt und damit ist die Einleitung beendet, eine Situation gegeben, die nicht ohne Klärung bleiben kann. Das Allegro übernimmt sie und wendet sich ohne Weiteres dem Motiv zu, das den Gegenstand der Klagen in der Einleitung bildete. Es formt aus ihm folgendes Thema:

Die Bratschen haben es aufgestellt, Flöten und Clarinetten übernehmen es: es bleibt ihm also zunächst der belegte Klang, der gedrückte, traurige Charakter. Das wird mit dem Augenblick anders wo es in die Hände der Violinen kommt. Die tragen es im Nu nach Dmoll, eilen mit ihm von Tonart zu Tonart und ins Forte und zur Höhe. Sie gehen dem Grund der Trauer in höchster Erregung nach und machen es jedem Hörer schnell klar: warum der Componist seine Sinfonie pathetisch genannt hat. Wie aber Tschaikowsky gern die schwere Rüstung bei erster Gelegenheit mit einem leichteren Gewand vertauscht, so giebt er auch jetzt, eben in dem Augenblick wo seine Musik ernstlich leidenschaftlich wurde, diesen Ton zunächst wieder auf. Mit

beginnen die Instrumente für eine Weile zu scherzen; die Wendung in den Violinen, die von den Clarinetten abgekürzt und gemildert wird in dient zu einem längeren Tonspiel, in dem die heiteren, neckischen Grazien von der Tondichtung Besitz nehmen und die Grenzen leidenschaftlicher Empfindung nur ganz flüchtig berühren. Beim „un poco animando“ findet aber der Componist an der Hand der Trompete, die mit zum Sturm ruft, den Weg zur eigentlichen Aufgabe des Allegros sehr schnell zurück und entwirft ein kurzes, aber gewaltig wirksames Bild einer Leidenschaft, die den Gegner fest packt und nicht vom Platze weicht. Die Harmonie lässt nicht von ihrem Bass; immer wiederholen sich die beiden Tone e und es, die Melodieinstrumente rütteln über zwölf Takte immer nur an demselben Motiv: . Endlich bleibt von dem Aufgebot an Kraft, das das ganze Orchester in aufregende Thätigkeit gesetzt hatte, das Cello allein übrig und wird ruhiger und ruhiger. Die Bratschen, die diesen Abschnitt des ersten Satzes begannen, schliessen ihn mit einer leisen bangen Frage: Die Antwort kommt in einem Andante, das in dem ersten Satze dieser Sinfonie die Rolle des zweiten Themas und seines Kreises einnimmt. Die Wortführer der Russischen Schule haben es Tschaikowsky übel vermerkt, dass er bei elegischen Aufgaben seine Nationalität vergisst. So spricht er auch hier, wo er trösten, erwärmen, beglücken will, ein unverfälschtes musikalisches Deutsch. Die Melodie die sein zweites Thema bildet, könnte wie der Anfang

etc. beweisst, ganz gut in Schumann's „Paradies und Peri“ stehen; sie fängt so an wie das Vorspiel dieses Werkes. Auch ihr Mittelsatz bleibt in diesem Ton:

. Aehnlich wie

es mit dem ersten Thema des Satzes geschah, wird auch dieses zweite zunächst unterbrochen und durch einen Gedanken ersetzt, der sich mit dem Programm an diesem Punkte ebenfalls verbinden und als eine Steigerung der von dem zweiten Thema eröffneten freundlichen Aussichten deuten lässt. Er giebt dem Componisten erwünschte Gelegenheit sich in dem geliebten Gebiete anmuthigen Tonspiels zu ergehen. Wir hören das neue Thema vielfach in nachahmenden Formen; zunächst führen Flöte und Fagott das Gespräch. Der Zusammenhang mit dem Hauptgegenstand dieses Theils wird dann bald dadurch hergestellt, dass die Holzbläser das Mittelstück des zweiten Themas in der Form:

aufnehmen und fleissig wiederholend zu dem neuen spielerischen Seitenthema in einen Gegensatz bringen. Sie verdrängen es und führen zu dem Trostgesang der das Andante eröffnete zurück. Er kommt jetzt im Glanz des vollen Orchesters siegessicher und schläfert Sorgen und Leiden ein. Der Componist theilt das in einem kleinen Anhang mit, der von dem Einsatz:

aus ganz still entzückt verlöscht. Ganz zuletzt stimmt die Clarinette noch einmal die schöne Trostmelodie im Adagio an; sie hört mit *pppppp* auf. Das ist so, dass sich der Spieler kaum selbst noch deutlich hören darf! Generalpause. Und darauf im *ff* ein Allegro vivo das mit der Dissonanz *c-es-g-a* und mit dem wüthenden Ausruf:

hereinstürzt.

Das ist ein Aufwachen mit Entsetzen, wie wir es ähnlich vom Schlusssatze der Neunten Sinfonie her kennen; nur stossen Himmel und Hölle hier bei Tschaikowsky ganz unvermittelt und hart auf einander.

Wir sind mit dieser Stelle in den Durchführungstheil des ersten Satzes eingetreten. Er hat zwei Abschnitte. Der erste, dem Anfang entsprechend in äusserster Aufregung gehalten, setzt zweimal mit dem Hauptthema des Allegro (von D moll und E moll aus) zu einer wilden Fuge an, an der sich jedoch nur die ersten Violinen und die Bässe betheiligen. Die zweiten Violinen und Bratschen treiben einander in die Leidenschaft mit dem Thema:

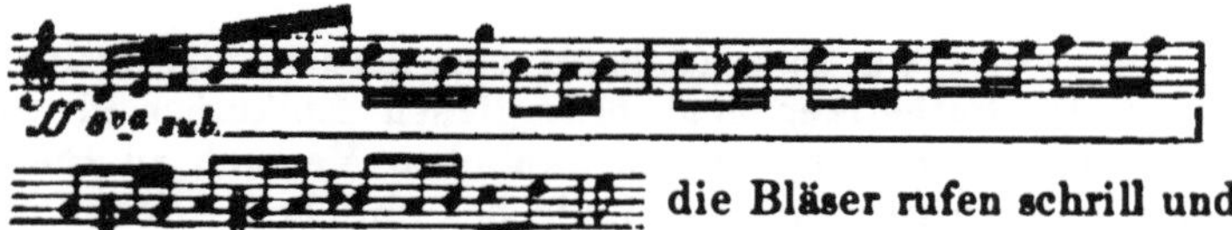

die Bläser rufen schrill und heftig in kurzen Motiven und in liegenden Stimmen dazwischen. Als die Erregung die Spitze erreicht hat, bringen die Trompeten die mittleren Takte aus dem zweiten Thema jetzt in der Form:

und im verzweifeltsten Ton. Der Anlauf endet erfolglos und vergeblich, die Posaunen und Tuben stimmen ein Sätzchen an, das einem Grabgesang ähnlich sieht. Als sich Trompeten und Hörner ihnen anschliessen, wird das Feuer noch einmal entfacht und es kommt zu einem zweiten leidenschaftlichen Ausbruch. Auch dieser zweite Abschnitt der Durchführung erregt und ergreift, aber in einem andern Sinn als der erste: Dort Ringen, hier Klagen. Er endet in Resignation und führt so sehr natürlich in den Trauerton zurück mit dem das Allegro und das erste Hauptthema des Satzes begann. Die Reprise setzt zunächst im regen Anschluss an das Ende der Durchführung in B moll ein. Als sie die Haupttonart erreicht, schlagen die Wogen der Leidenschaft schon wieder hoch; das Hauptthema wird Silbe für Silbe in Nachahmungen wiederholt, es klingt gewissermassen mit solcher Gewalt hinaus, dass es die Wände widerhallen. Die abschweifende Episode die im ersten Theile dem Hauptthema folgte, fällt in der Reprise weg. Das zweite Hauptthema (jetzt in Hdur) gelangt dadurch zu grosser Bedeutung und giebt dem Ende des Satzes sein hoffnungsvolles Gepräge. Ein kurzer Anhang (Andante mosso) über das Thema

bildet den zarten Schluss.

Im zweiten Satz (Allegro con grazia, 5/4, Ddur) macht der Pathetiker dem behaglichen Epikuräer Platz. Wir haben es hier mit einem ähnlichen Versuch zu thun einen heiteren Satz an die Stelle des üblichen Adagio zu bringen, wie ihn Beethoven in seiner achten Sinfonie unternommen hat. Die Wirkung hat auch hier dem Componisten Recht gegeben. Der Zuhörer verzichtet nach dem durchlebten Stürmen des ersten Satzes gern auf hohe Gedanken und tiefste Gefühle und freut sich über das trauliche Stillleben, das ihm hier geboten wird. Es fügt zu seinem Werth als Erholungsstück noch den Reiz einer musikalischen Seltenheit: es führt den sonst im Wesentlichen nur für die Gelehrten existirenden 5/4-Rhythmus praktisch durch und löst diese Aufgabe ganz anmuthig. Die Anlage der kleinen zierlichen Composition ist höchst einfach. Der Hauptsatz hat als erstes Thema die Melodie

Sie kommt viermal hintereinander. Darauf folgt ein Seitensatz mit dem von der Hauptmelodie abgeleiteten Thema:

das ebenfalls viermal durchgespielt wird. Darauf kehrt die Hauptmelodie zurück und erst als sie zum dritten Vorbeizug ansetzt, wendet sie sich aus D dur hinweg und lässt in den sittsam und artig gleitenden Reigen einige kräftigere Töne herein:

Die vielen Wiederholungen beruhen ebenso wie der 3/4 Takt dieses Satzes auf Einflüssen russischer Volksmusik. Es muss dem Componisten nachgerühmt werden, dass er in der Umkleidung der einfachen Figuren mit neuen Klängen ausserordentlich erfinderisch gewesen ist. Die Wiederholungen sind ebensoviele Variationen in der Instrumentirung. Ausserdem liegt aber in der Einförmigkeit, in dem Festhalten an demselben Phantasiekreise in diesem Falle nicht blos ein gewisser Balsam, der nach dem ersten Satz heilend wirkt; es liegt darin auch die Poesie des kleinen Tonbildes. Denn es ist gedacht als eine Musik aus Väterzeiten, gewissermassen als eine altrussische Menuett, als ein Stück friedlichster und befreiender Erinnerungen. Der Mittelsatz hat einen absichtlichen ländlichen Beiklang: Sein Thema

und die zu ihm gehörenden Umbildungen und Ergänzungen ruhen alle auf demselben Orgelpunkt: *d* im Bass. Es ist als wenn die Leute aus dem Dorf Besuch auf dem Schlosse machten. Zierlich wie die ganze Nummer gedacht, verklingt sie in der zartesten Weise.

Der dritte Satz (Allegro molto vivace, 12/8, G dur) hat die äusserst starke sinnliche Wirkung für sich: Für den Klang dieser Composition sind alle Register gezogen vom leisen Säuseln, von den niedlichsten Elfenstimmen bis zum förmlichen Orchesterorkan; die Form entwickelt sich durch die immer grössere Anhäufung gleicher Glieder und Bestandtheile nach dem Muster des Heerwurms zu einem bedrückenden Phänomen. Es hat unstreitig an diesem Satz ein gewöhnlicher Naturalismus einen starken Antheil; gleichwohl ist er auch nicht ohne Originalität und diese liegt darin dass die Gattungen des Scherzos und des Marsches in ihm sich verbinden. Als Scherzo beginnt er mit einem Thema:

das einem Mückentanz oder irgend einem Freudenfest flüchtigster und heimlichster Lebewesen zur musikalischen Unterlage dienen könnte. Man hat seine Freude an diesen hin und herhuschenden Tönen und merkt darüber lange nicht, dass sich ihrem Spiel bald nachdem es begonnen hat, ein fremder Gast beigesellt hat: . Die Bässe fahren wie in Mendelssohn's Sommernachtstraum mit langen Tönen plump drollig dazwischen. Auch Berlioz'sche Geister kommen in pizzicato-Noten und andren Instrumentenfeinheiten aus der „Fee Mab" zum Besuch. Es ist ein reizendes Stück freundlichster Gespenstermusik, für das der Componist reiche und belebende Einfälle jeglicher Art zur Verfügung zu haben scheint. Wir hören Gemüthsklänge als es zur ersten Wiederholung kommt

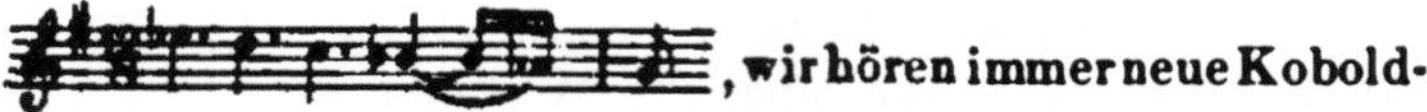, wir hören immer neue Koboldlaute namentlich von den Bläsern her. Wir hören aber

auch wie das flotte Marschmotiv, das sich zuerst so unbemerkt und klein hereingestohlen hatte, anwächst und sich nach vorn drängt. Die Violinen bringen es als:

Gleich darauf antworten die Hörner:

Es fängt an anhaltend mit seinem flotten Rhythmus durch die Bläser zu ziehen und nicht lange dauert es nun mehr da sind die Elfen auf die Seite gedrängt, müssen ganz fliehen und die Musik zieht daher wie ein lustiges französisches Bataillon: Ein unverfälschter Geschwindmarsch ist in neuer Tonart (E dur) eingetreten, dies ist sein Hauptthema:

Er ist leichtfüssig und leichtherzig, macht aber zur Abwechselung auch grimmige Geberden z. B.:

und mit

und zeigt sich barsch und kraftvoll mit:

Zunächst benimmt er sich aber im Ganzen so massvoll, wie es dem Trio im Scherzo geziemt. Er zieht sich zur rechten Zeit zurück und die Elfen kehren wieder. Doch bleibt es nicht dabei, sondern der Marsch drängt ein zweites Mal auf den Hauptplatz und entwickelt nun ein Beharrungsvermögen, dessen Ungebührlichkeit sich weder mit der Berufung auf die russische Volksmusik, noch mit dem Hinweis auf die glänzenden Toiletten die das Orchester anlegt verdecken

lässt. Auch mit dem Programm der Sinfonie lässt sich diese Marschmusik nicht in Verbindung bringen. Sie ist nicht pathetisch, und auch nicht heroisch wie man behauptet hat, sondern in ihrem Grundcharakter einfach gewöhnlich, ungefähr von der Art die Raff einhielt, wenn er reitende Hexen schildern wollte. An Raff erinnert der Satz thatsächlich wie Tschaikowsky's allgemeine Verwandtschaft mit diesem Componisten eigentlich Niemandem entgehen kann. Nur ist die Naturfrische des Russen bedeutender und mit ihr hängt das Farbentalent zusammen, von dem er hier eine Probe gegeben hat, die die meisten Concertbesucher zu berauschen und zu überwältigen pflegt.

Mit einem ungeheuer grossen Gegensatz der Stimmung setzt darauf das Finale (Adagio lamentoso, $^3/_4$, H moll ein). In den trauernden Motiven des ersten Satzes barg sich Kraft und Streben: hier aber erfahren wir aus dem Einsatz der Geigen:

dass es sich um ein Unglück handelt, an dem nichts mehr zu ändern ist. So hat denn Tschaikowsky den ganzen Satz dem Charakter einer Todtenklage, eines Requiems genähert und damit wieder einmal gezeigt, dass die alte Spohr'sche Idee eines ernsten, verhaltnen Schlusssatzes in der Sinfonie die ja eigentlich aus Beethoven's Pastoralsinfonie stammt, an und für sich sehr wirksam sein kann und nicht einmal einer tieferen poetischen Begründung bedarf. Es mag Zufall sein, das Tschaikowsky sich mit Spohr auch unmittelbar in diesem Finale berührt. Denn der schöne elegische Gesang den die Bläser zum Mittelpunkt des Satzes machen

etc. wird von den Geigen in einer Melodie begleitet, die mit dem Hauptthema im Finale der „Weihe der Töne“ nicht blos den Charakter sondern auch die Anfangsnoten gemeinsam hat.

Der Typus der Sinfonie mit langsamen Schlusssatz ist an und für sich ja älter als Spohr und Beethoven und hat ein Jahrhundert hindurch, von Lully bis Gluck, bei den Franzosen seine Brauchbarkeit und seine Bedeutung bewährt.

A. Borodin Es dur-Sinfonie.

In neuerer Zeit ist in Deutschland mehrfach die Es-dur-Sinfonie von A. Borodin aufgeführt worden und hat weniger beim Publikum, aber ganz entschieden in den musikalischen Fachkreisen grosses Interesse erregt. Diese Sinfonie gehört nach ihrem Stoffe der jungrussischen Schule inniger an, als dies bei den Arbeiten Tschaikowsky's der Fall ist. Sie zeichnet sich durch künstlerische Reife und Abklärung aus und scheint deshalb besonders geeignet, die Bekanntschaft mit dieser für die Zukunft vielleicht nicht unbedeutenden Richtung zu vermitteln und ein Bild von dem zu geben, was die Jungrussen wollen, was sie heute schon leisten und was ihnen noch fehlt. Diejenigen Sätze, welche den Nationalcharakter am schärfsten ausprägen, sind der erste und dritte; der zweite ist zur Hälfte russisch und der vierte ganz germanisch.

Der erste Satz beginnt mit einer schwermüthig träumerischen Einleitung. Die Bässe stellen die Hauptmelodie auf:

welche von den Holzbläsern und Geigern mit aufmunternden Motiven beantwortet wird. Die Harmonie deckt die Formen des Gesanges mehr zu, als sie dieselben hebt. Da wendet sich die Phantasie mit einem energischen Rucke einer heiteren Sphäre zu; unvermuthet stehen wir im Allegro. In den Hörnern und Holzbläsern beginnt ein helles, munteres Klingen, das nur auf Rhythmen gestützt ist. Die anderen Instrumente probiren dazu jetzt zart, jetzt kräftig brausend, Motive die zu dem neuen Tone passen, und endlich ist Alles zur fröhlichen Fahrt bereit. Die ersten 26 Takte des Allegro, welche der Feststellung von Tonart und Thema vorhergehen, sind für das Wesen der russischen Kunstmusik charakteristisch: sie zeigen uns ihre Liebe zu den Elementarkräften der Musik, ihre Freude am blossen Rhythmus und am Accord, ihre Neigung, ohne bestimmten Gedankenpfad, ohne die Stütze fest erkennbarer Motive durch die klangliche Wildniss zu streifen, den Punkt, welcher sie mit der Natur verknüpft und von der gesitteten älteren Kunst des Abendlandes unterscheidet, den Punkt, in dem ihre Stärke und zugleich ihre Schwäche liegt. Das Thema, welches Borodin nach dem Abschluss dieser tumultuarischen Scene aufstellt, ist aus der Melodie der langsamen Einleitung abgeleitet und hat folgende Gestalt: *a)*  Allegro molto. [Notenbeispiel] Auf gewichtige Gegenthemen hat der Componist fast ganz verzichtet. Ein einziges, das öfter erscheint: *b)*  [Notenbeispiel] nimmt seinen Abschluss identisch mit dem des ersten Thema's. Die anderen — unter denen das Geigenmotiv [Notenbeispiel] durch seinen festen Schritt bemerkbar — treten nur episodisch auf. Dem jugendlichen, treibenden Elemente des Hauptthema wird nur vorübergehend durch eine sentimentale Wendung Halt geboten. Alles ist in diesem Satze Bewegung und sprossendes Leben, aber von einer grossen Gleichförmigkeit der Gestaltungen. Denn diese ruhen bis auf wenige Ausnahmen alle auf der kurzen Form jenes mit *a)* bezeichneten Thema. Es herrscht Poesie in dem Satze: aber es ist die Poesie der Steppe, welche uns an den Wechsel von Höhen und Thälern gewöhnte, stille Plätzchen für's Gemüth liebende Deutsche zunächst etwas befremdet. Sehr anzuerkennen ist die Kunst, mit welcher Borodin das führende Motiv immer wieder in neue Orchesterfarben kleidet und den Satz ohne

Stockungen immer leicht im Fluss erhält. Besonders schön ist der Schluss des Satzes, ein Andantino mit Abschiedsstimmung, durch rhythmische Verlängerungen der beiden Themen *a* und *b* gebildet.

Der zweite Satz, ein Scherzo (Prestissimo $^3/_8$ Esdur) hat zum Hauptthema folgende Melodie:

die aber in Violinfiguren versteckt und auch wegen ihrer auf die Symmetrie verziehtenden Periodisirung schwer zu verfolgen ist. Als Trio bringt dieses Scherzo eine Art Dudelsackmusik, in der folgende drollige Melodie durch die Instrumente wandert:

Der Satz, welcher als Bild aus dem musikalischen Volksleben verstanden sein will, ist mit viel Humor durchgeführt, namentlich das Fagott trägt viel zu einem heiteren Effekte bei.

Der dritte Satz (Andante $^3/_4$ Ddur) zerfällt in drei Abschnitte. Der erste beginnt mit einem breiten Gesang

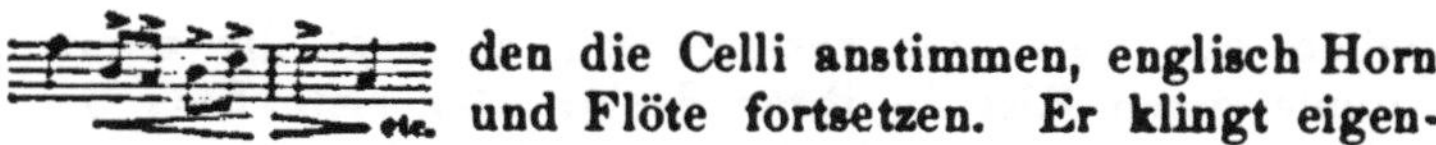

den die Celli anstimmen, englisch Horn und Flöte fortsetzen. Er klingt eigenthümlich melancholisch, und die Verzierungen, die er enthält, deuten auf orientalische Abkunft. In der Harmonie, die in Dissonanzen still liegt, herrscht ein merkwürdig dämmernder Charakter, eine Beklommenheit, der am-

Schlusse dieses Abschnitts ein plötzlicher starker Aufschrei Luft macht. Der zweite Abschnitt wird lebendiger, die Violinen betheiligen sich am Gesange, und in den Bläsern zunächst erhebt sich ein rhythmisches Motiv, das bald näher, bald ferner zu klingen scheint. Es verschwindet wieder, lebt nur noch in den Schlägen der Pauken fort, tritt dann wieder stärker auf, wächst bis zur Macht tönender Glocken und erregt einen allgemeinen Aufschwung. Das Tutti stimmt — wir sind in den dritten Abschnitt eingetreten — die Melodie, mit welcher der Satz begann, im Stile einer feierlichen Freudenhymne an, und mild und sanft klingt das Andante aus. Der scenische Charakter dieses Satzes ist nicht zu verkennen und lässt verschiedene Deutungen zu. Der Schlusssatz der Sinfonie, zu dessen Hauptthema

Allegro.

Schumann, zu dessen Durchführungstheile Mendelssohn die Muster geliefert hat, verlässt den heimathlichen Boden.

A. Borodin Zweite Sinfonie

Weil sie der russischen Nationalität treuer bleibt, haben seine Landsleute Borodin's **zweite** Sinfonie (H moll) seiner ersten vorgezogen; vielleicht ist ihr auch deshalb die grössre Liebe zugefallen, weil sie als nachgelassnes Kind erst nach dem Tod ihres Vaters (ohne opus-Zahl) vor die Welt trat. Rimsky-Korsakoff und Glazunoff haben sich der Waise als Redactoren und Herausgeber angenommen.

Von einer bedeutenden Zwiespältigkeit ist jedoch auch diese Sinfonie nicht frei und sie geht diesmal tiefer hinunter in das Wesen des Kunstwerks. Waren in der ersten Sinfonie Borodin's die Sätze nur nach den Bildungsquellen des Verfassers verschieden, so zeigt die zweite Sinfonie einen Riss in ihrer Seele: Der erste Satz der Sinfonie stellt Ideen und Ziele auf, die später unbeachtet bleiben und höchstens noch einmal äusserlich berührt werden: Ein Heros tritt auf und verschwindet spurlos in den Wäldern. Sie ahmt mit Uebertreibungen den verwunderlichen Gang von Freytag's „Ahnen“ nach, beginnt mit Weltbildern und Seelenschilderungen gewaltigen Charakters und verläuft dann ganz und gar in Dorfgeschichten.

Der Anfang des ersten Satzes (Allegro, H moll) beginnt herculisch mit einem Thema:

das mit dem Anfangs- und Hauptthema von R. Volkmann's D moll-Sinfonie innre und äussre Aehnlichkeit theilt. Auch der Gedankengang beider Sätze ist verwandt: Finstre, ernste Entschlossenheit soll milderen Stimmungen weichen. Bei Borodin treten die weicheren freundlicheren Gedanken aber wie seine andre Hälfte an das Hauptthema heran: suchen engste Verbindung mit ihm. Schon im elften Takte

hören wir: 

etc.

Das heroische Thema thut einige stolze Gänge durch die Tonarten, immer folgt ihm der freundliche Berather auf dem Fuss. Im Zögern und Drängen wird A dur erreicht und da setzt das eigentliche zweite Thema des Satzes in D dur pastoral in seinem Wesen, zuerst vom Cello gebracht, ein:

Die Holzbläser nehmen die sehr lebendig metrisirte Weise auf, Geigen folgen; die Lustigkeit wächst, aber auch die Heftigkeit des Widerspruchs. Die Bässe führen die Sache des Hauptthemas ganz entschieden, die ländlichen Versuchungen sind abgeschlagen. Mit einer gewissen Feierlichkeit, in breiten Accorden, lang verklingendem Ton schliesst die Themengruppe.

Die Durchführung wird im ersten Theil vom Hauptthema ausgefüllt. Nur hat es seinen Charakter verloren: Ein $^{3}/_{2}$ Takt hat sein Wesen verwandelt, ins Leichtfertige und Wirre gezogen:

Man treibt mit ihm entwürdigendes Spiel, zwingt es den lächerlichen Aufmarsch zu wiederholen, die Geigen machen seine Schritte spottend nach. Bald treten dann auch das Freudenthema, das Arm in Arm mit dem Hauptthema in die Sinfonie hereinschritt und das eigentliche zweite Thema im Triumph *ff* auf. Doch kämpft sich endlich das Hauptthema im letzten Theil der Durchführung von den Trompeten, Posaunen, Hörnern und den Holzbläsern aus allmählich wieder nach oben. Die Durchführung im Ganzen kommt zu keiner bedeutenden Entwickelung, begnügt sich mehr äusserlich und spielerisch mit immer erneuten Ansätzen und russischen Wiederholungen. Doch ist sie in den Absichten klar. Die Reprise bringt die Themengruppe verkürzt wieder und mit stärkerer Betonung des Hauptthemas, das als Sieger das letzte Wort breit und donnernd spricht. Die Gegensätze des Anfangstheiles haben sich in Plänkeleien verflüchtigt, deren Darstellung den Componisten zu Verkürzungen und andren interessanten Umbildungen der ursprünglichen Themen veranlasst hat.

Der zweite Satz, ein Scherzo in Fdur, dessen Hauptsatz im Prestissimo (𝅝 = 108) verläuft, ist einfach, knapp und doch auch originell. Seine Originalität liegt in dem Humor des Hauptthemas der Spässe treibt, wie die, mit denen man Kinder erst schreckt und dann ergötzt. Es setzt auf einem freien Nonenaccord fürchterlich ein wie das Finale der Neunten Sinfonie; dann regt es sich erwartungsvoll in den Hörnern, aus der Tiefe tappt ein Marsch heran als kämen Gespenster. Mit dem Eintritt der Holzbläser löst sich die doppelte Spannung in eitel Anmuth, Zierlichkeit und gute Laune:

In der Fortsetzung finden sich herumspringende Modulationen, versprengte und verirrte Solostimmen. Als dann As dur erreicht ist, kommt die phantastische Bewegung zum Stehen und bahnt einer Gemüthlichkeit die Gasse, wie sie Schumann in seinen jüngren Jahren liebte: In Synkopen schiebt sich das Thema

launig träge hin. Der Satz kehrt in beiden Gruppen wieder, das Seitenthema, diesmal in der Haupttonart, dient zum Abschluss des ganzen Hauptsatzes und vermittelt mit romantischen, abendlichen Abschiedsklängen den Uebergang zum Trio.

Dieses Trio ein Allegretto (6/4, D dur) gleicht einem Stück Erzählung aus dem Orient. Es hat den bukolischen Charakter den die russische Volksmusik liebt. Wie es Hirtenweisen thun, gleitet seine Hauptmelodie von Instrument zu Instrument über wiegende Harmonien und einen Orgelpunkt den der Componist wunderbar poetisch belebt hat. Er klingt, in einzelne Glöckchentöne zerlegt, aus der Harfe her, Hörner und Triangel fallen mit ein. So ist der Anfang dieses Theils

Er geht dann aber ausschweifend sofort nach Desdur und — irren wir nicht — begegnet da einer leisen Warnung vom Hauptthema des ersten Satzes in einem Pizzicato-Motiv der Contrabässe. Es wird infolgedessen etwas dunkel über der anmuthig unschuldigen Pastoralmelodie. Doch bald kommt Ddur und voller Sonnenschein zurück. Wir bedauern dass nicht länger Weilens ist. Mit einer gewissen Rücksichtslosigkeit bricht der Componist ab und kehrt zum Scherzo zurück. Es verläuft so wie wir es aus dem ersten Theil kennen; nur wird dem Seitenthema, als es zum zweiten Male erschienen ist, der ganze Schluss übertragen, — ein schwärmerisches Verklingen!

Der dritte Satz (Andante, C, Desdur) bietet uns ein Stückchen Kunst, wie es zur Zeit nur in der Russischen Musik zu finden ist und wie es von russischen Musikern wieder nur Borodin in der Gewalt hat. Nur einer von den Lebenden hat sich ihm auf diesem Gebiet einmal beträchtlich genähert. Das ist Dvořak im langsamen Satz seiner letzten Sinfonie „Aus der Neuen Welt“. Etwas von der Schwermuth, der Traumkunst und Resignation, die in dieser Musik liegt ist den Slaven allen als Erbe aus der gemeinsamen Heimath zu Theil geworden. Es spielt aber auch in diese ethnographisch und allgemein menschlich gleich stark fesselnde Musik der Orient stark hinein mit seinen schillernden und verschleierten Farben, mit der verlassnen, versteckten Schönheit und der Unendlichkeitsstimmung, die wir auf Möckel'schen Bildern finden und auch mit seiner heissen und doch züchtigen Sinnlichkeit. Ein Theil des Phantasie- und Gemüthsgehalts dieser Musik kommt aber auf eigenste russische Rechnung, auf Puschkin'sche Landschaft und orthodoxe Religiosität. Sicher ist, dass wenn einst Herder'sche und Rückert'sche Geister die Summe Russischer Poesie und Kunst ziehen, derartige Sätze wie dieser Borodin'sche die Hauptwerthe bilden werden.

Wenn wir unter den dichterischen Elementen die sich hier zu einem Ganzen gruppiren, nach dem bestimmenden fragen, so wird kaum eine Meinungsverschiedenheit darüber bestehen, dass das religiöse überwiegt. Wir haben es mit einer Art Abendandacht zu thun: draussen in der weiten Natur, unter freiem Himmel empfiehlt sich, zur Nachtruhe gerüstet, die Karawane dem Schutze Gottes. Gleich die vier präludirenden Takte (Harfe und Clarinette) haben einen feierlichen Charakter. Dann setzt das Horn ein mit einer Melodie:

aus der Dank und Frieden nach des Tages Mühen klingen. Die Clarinette nimmt sie auf. Wir erwarten sie nun auch im vollen Chor zu hören. Doch dieser natürliche Verlauf wird dramatisch hinausgeschoben. Die Geigen tremoliren: ein beängstigender Zwischenfall. Das Horn ruft das Anfangsmotiv im warnenden Ton: wie aus der Ferne, die Bässe nehmen es ernst und entschieden auf. Als würden Wachen und Vorposten abgehört, melden sich aus allen Richtungen Stimmen mit dem beruhigenden Thema, das nun auch im Tutti beschwichtigend wirkt. In breiten, wie Orgel und Kirchenmusik klingenden Accorden schliesst dieser erste Abschnitt des Satzes in Cdur. Der nächste setzt mit einem Thema ein: das die Stimmung wieder in das tägliche Geleise führen will. Es begegnet in den Begleitstimmmen bereits einer Reibung, in Gestalt eines chromatischen Motivs

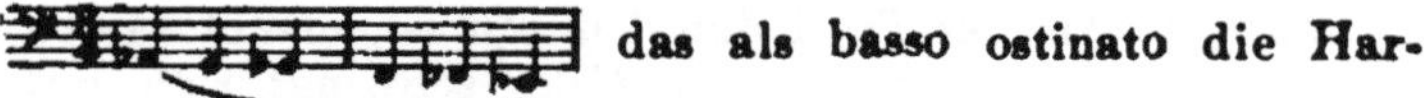

das als basso ostinato die Harmonie beherrscht, bald in der Mitte, bald in der Höhe durchklingt. Der Gedanke an die Gefahr wacht noch und lebt auch noch einmal in seiner ursprünglichen Form auf und wird in ihr, sogar erweitert:

zum Träger der allgemeinen Empfindung, die am Schluss mit dem chromatischen Motiv (in Adur *ff* und *fff*) wieder zum Vertrauen und Gefühl der Sicherheit und zu einer lauten Anrufung der göttlichen Gnade zurückkehrt. Nach einigen in stiller Sammlung überleitenden Takten, in denen zuletzt wieder die Wächterstimmen erscheinen, ist die Episode die am Anfang die Fortsetzung der Desdur-Melodie unterbrach, zu Ende und der Chor fällt in sie ein und der Satz geht mit leichten Anspielungen auf den kritischen Augenblick zu Ende. Das Präludium rundet die Scene als Nachspiel schönstens ab.

Das Finale (Allegro, ³/₄, Hdur) setzt sehr überraschend ein: Die zweiten Geigen halten *des-as* von dem langsamen Satz herüber in den neuen als *cis-gis*; drunter setzen die Bässe mit *fis* ein. Wir haben also wieder eine der humoristischen Dissonanzen mit denen die Neurussische Musik die ganze abendländische Harmonielehre aus dem Sattel zu werfen droht. Auf diesem Accorde probiren alle Instrumente erst den Rhythmus, in den Violinen huschen flüchtige Motive durch, dann stürmen Figuren durchs ganze Streichorchester, wilde Triller setzen in den Bläsern ein. Die lustige Spannung dauert 17 Takte; dann erst kommen wir zur Klarheit, zum Hauptthema des Finale:

Es ist echt russisch naturfrisch und ausgelassen, auch in der Form durchaus nationale Tanzmusik mit gemischtem Rhythmus (³/₄ und ²/₄). Als das Tutti damit durch ist, macht es den Platz für Solokünste frei. Das Cello schwingt sich mit dem Thema hin und her, während die Oboe eine Gegenfigur dazu aufstellt:

die im Verlauf des Satzes mehrmals unsre Aufmerksamkeit in Anspruch nimmt. Das eigentliche zweite Thema bringt die Clarinette:

. Durch die Begleitung wird es als ein Abkömmling des Dudelsacks als echte Bauernmusik gekennzeichnet. Der Componist legt ihm die verschiedensten und sehr reizende Frisuren an durch Instrumentirungs- und Harmoniekünste, er weiss es sogar majestätisch kommen zu lassen. Die seltsamste Verwandelung, die im Finale vorkommt, erfährt aber das oben angegebene Oboenthema, das beim Eingang der Durchführung von den Posaunen im breiten $^3/_2$Takt und lento als Busprediger, wie Wallenstein's Kapuziner auftritt, natürlich nur um einen Sturm von Heiterkeit zu erregen. In vieler Beziehung, in der innren Freiheit und Lebendigkeit sowohl, wie in gleichen motivischen Bildungen erinnert dieses Finale an den ersten Satz von Borodin's Es dur-Sinfonie und darf mit ihr als ein Hauptbeispiel fröhlicher russischer Sinfonik betrachtet werden.

A. Borodin Dritte Sinfonie. Glazunoff hat aus dem Nachlass Borodin's noch ein Bruchstück einer A moll-Sinfonie instrumentirt, das aus zwei Sätzen, einem Moderato und einem Scherzo besteht. Beide sind im Wesentlichen Variationsarbeiten vielleicht aus einer frühern Zeit, in der der Componist sich noch vollständig unter dem Einfluss Glincka's bewegte. Wenn sie in Deutschland unbenutzt geblieben sind, so liegt das in ihrer Schwierigkeit. Diese besteht bei dem Moderato in den grellen Gegensätzen der Stimmung, zwischen denen es humoristisch schwankt, bei dem Scherzo im Rhythmus, einem kaum verständlichen $^5/_8$ Takt.

Alexander Glazunoff ist mit eignen Compositionen bei uns bis jetzt noch so wenig bekannt, dass die Lexica seinen Namen übergehen. Nachdem aber in letzter Zeit seine vierte Sinfonie (in *Es*) und nach ihr auch die fünfte (in *B*) mehrmals aufgeführt worden sind, kann es kaum ausbleiben, dass man diesem Tonsetzer mindestens eine gleiche Stelle in den deutschen Concertsälen einräumt wie seinen bereits eingebürgerten Landsleuten. Mit seinem sichren und gleichmässig guten Geschmack steht er auf Seiten Borodin's und über Tschaikowsky und Korsakoff; doch ist er nicht ein so treuer Russe wie dieser. Wird ihm elegisch, so äussert er sich in jenem überschwänglich schwärmerischem und weichem Ton, der in die neuere Musik mit Schumann eingedrungen ist, stimmt also in diesem Fall mit Tschaikowsky überein. Nur ist ihm niemals so wie diesem in der Fremde dauernd wohl. Erfassen ihn tiefere Gefühle, so zeigt er die Macht der slavischen Natur, die Lust am Wechsel, den Segen einer optimistischen Lebensanschauung. Für sie hat kein Schopenhauer und keine Griesgrämerei überhaupt existirt, geschweige dass sie gar, wie billiger Witz an der Neurussischen Musik oft bemerkt haben will, nihilistischen Einflüssen unterstünde. Diese Musik Glazunoff's ist der praktischste Patriotismus, der sich aufstellen lässt, sie fördert Heimathsliebe und Lebensfreude. Diese Frische, dieses naive Talent fürs Geniessen, für die Freude am blossen Dasein, an seinen einfachsten Gütern, an Gesundheit und Sonnenschein — das sind Tugenden, auf denen die Mission der Russischen Kunst und ihrer Sinfoniker voran, beruht. Denn die verstehen sich unbefangner darauf als ihre dichtenden und malenden Landsleute. Glazunoff's Sinfonien beweisen ebenso wenig eigentliche musikalische Originalität wie die von Tschaikowsky, sie stehen hinter dieser auch an künstlerischer Originalität zurück. Das Alles muss bei ihm der nationale Gehalt seiner Kunst ersetzen. Aber in einem Punkte übertrifft Glazunoff seine Collegen. Ihnen allen muss eine

A. Glazunoff Vierte Sinfonie

Achtung gebietende Herrschaft über die Technik der Composition zugestanden werden und zwar nach allen Richtungen hin. Glazunoff übertrifft sie sämtlich als Contrapunktiker noch weit; es wimmelt bei ihm nur so von Nachahmungen und Engführungen, angefangnen und durchgeführten Canons, Umbildungen in der Verkürzung und Verlängerung, Verbindungen von verschiednen Themen und andern die Form belebenden, den geistigen Gehalt vermehrenden und vertiefenden Künsten. In der Instrumentirung liebt er humoristische Verwendung der Trompete besonders. Gute Laune und Munterkeit scheinen überhaupt die stärksten Züge in Glazunoff's sanguinischem und grosser Weichheit fähigem Temperament zu bilden.

Die vierte Sinfonie (op. 48) hat die üblichen vier Sätze, da aber das Adagio mit dem Finale zusammengezogen ist, erscheinen äusserlich nur drei.

Sie beginnt mit einem Andante in Es moll über ein vom Englischen Horn vorgetragnes Thema, das sich auf Grund folgenden Anfangs

etwas bequem entwickelt. Als es auf der Dominante schliesst, stellt sich ihm ein Gedanke entgegen, der die freundlichen, friedevollen Zukunftsbilder dieses Themas mit leisen Zweifeln und Fragen beanstandet. Den Reden und Gegenreden wird ein rasches Ende bereitet durch das Allegro das ohne alle Vermittelung die Durtonart durchzwingt. Als erstem Hauptthema begegnen wir in ihm einer Melodie, die sich abermals etwas breit, unterm Antheil verschiedner Instrumente entwickelt:

Sie spricht Worte der Hoffnung aus, in Reimen die der Componist fertig vorgefunden hat und kommt in der Fortsetzung in einigen Eifer, den sofort mit Tönen der Ruhe ein Seitengedanke zu beschwichtigen unternimmt:

. Das Hauptthema kehrt wieder, verklingt aber als schliefen alle Sorgen ein und an seine Stelle tritt ganz scherzenden Tons das Thema der Einleitung, bei der Verwandelung die es aus Moll nach Dur und in ein fröhlich, flottes Tempo geführt hat, kaum wiederzuerkennen:

.

Damit sind wir ins Volksthümliche und in die ländlichen Kreise und ihre Freuden eingetreten. Die Melodie beherrscht diesen Abschnitt eine Zeit lang, wörtlich und übertragen. Unter ihren Variationen ist eine im ruhigen Tempo für Horn hervorzuheben. Dann führen ausgelassnere Scenen nach dem ersten Thema des Allegro zurück und der Schluss der Themengruppe erhält als Anhang noch einige kurze fröhliche Motive. Statt der erwarteten Durchführung folgt aber eine Wiederholung dieses ersten Theils, eben der Themengruppe, mit etwas verändertem Modulationsgang und auch mit verändertem Charakter. Es wird etwas länger bei dem ersten Thema verweilt, es erhält einen sorgenvollen Ausdruck, der sich laut leidenschaftlich und wieder still seufzend äussert. Diese Stelle führt nach der Einleitung zurück: dem Andante mit dem Pastoralthema in Esmoll. Die Freude die vorhin durch seine Umbildung in die Gestalt eines scherzenden Durthemas in das Allegro hineinkam, war verfrüht. Noch ists nur Zeit zu hoffen. Dies spricht ein letztes kurzes Zurückgreifen auf das Hauptthema des Allegro aus. Die im ersten Sinfoniesatz üblichen Wege des Sonatenschemas hat Glazunoff zum grossen Theil umgangen und doch eine verständliche Darstellung seelischer Vorgänge geboten, ein Bild vom Kampfe edler Triebe mit den Versuchungen der Alltäglichkeit.

Die andern Sätze führen dieses Bild weiter: der Schauplatz wechselt, es wechseln die Charactere. Das Scherzo beginnt mit Quinten, die ungeduldig erregt in den Fagotten repetiren:

etc. Das sagt Tanz an und bald stimmen auch die Clarinetten einen Reigen an, dessen Melodie:

in ihrer Mischung von Lustigkeit und Demuth an Rubinstein's „Bräute von Kaschmir" erinnert. In der Durchführung dieses Themas tritt im Ganzen sein lustiger, munterer Character mehr hervor. Er steigert sich bei dem ersten Tutti zu Kraft und Ausgelassenheit:

an andern Stellen wird der Nachdruck auf die beweglichen Elemente des Themas gelegt:

Der Hauptsatz zerfällt in zwei klar geschiedene Theile: der erste bringt die angegebnen Themen vorwiegend in B, der zweite in F. Als in diesem zweiten Theile die aus dem Eingang des Scherzos bekannten Bassquinten wieder erklingen kommt ein neues Thema:

in den Hörnern, das aber am Schluss die freundlichen Lockrufe des alten Hauptthemas aufnimmt, während die Violinen mit:

dazu contrapunctiren. Es ist als wollte der Componist eine andre Seite ländlicher Freuden, die Jagd und ihr aufregendes Treiben im Schattenriss wenigstens vorführen. Da kommt aber sehr bald das Trio mit seiner fast in die Farben der Aeolsharfe gekleideten Musik, deren Eintritt man zu den schönsten Stellen der Sinfonie rechnen muss. Die Melodie, die an ihrer Spitze steht, und zuerst von der Clarinette gebracht wird:

ist zwar an und für sich einfach, aber in ihrem Gegensatz zum Wesen der vorangehenden Scenen wirkt sie wie aus höherer Welt gekommen. Das bunte Treiben des Tags und seiner Lust liegt weit hinter dem Hörer. Er denkt an den Sternenhimmel und an die ewigen Fragen vom Menschlichen und Göttlichen. Im dritten Theil des Scherzos, am Schluss der Reprise klingt die Himmelsmelodie des Trios noch einmal an.

Auch der dritte Satz knüpft mit seinem einleitenden Andante an die Stimmung des Trios an. Es leuchten über dieser Einleitung in den tremolirenden Violinen zauberhafte Lichter und der Gesang der durch die Bläser zieht:

versucht wenigstens die Töne des Friedens wiederzufinden, die in jener Abendscene klangen. Der Versuch stösst auf zu grosse Erregung, die in dem plötzlichen Fortetakt über:

gewissermassen elementargewaltig hervorbricht. Ihr folgt auch bald eine jener langen, dem russischen Sinfonikern eignen Uebergangsstellen, in denen auf liegendem Bass kleine Motive in die Höhe dringen und wie Wässerchen zu Wässerchen kommend zum Strom anschwellen, der den Damm durchbricht. Dieser Wandel in der Stimmung tritt bereits im Andante ein, den stürmischen Charakter nimmt sie mit den ersten Tönen des Allegro an. Da setzen die Trompeten ein:

und allarmiren das ganze Orchester so, dass es ins Zittern geräth. Der ganze erste Theil des Allegro äussert wirklich seine Energie und seine Freude vorzugsweise rhythmisch, was sein Hauptthema melodisch bietet, das erscheint noch nicht geklärt: die Violinen schwingen sich mit dem Motiv

im Kreise und in die Höhe, in den Klarinetten scheint die meiste Bestimmtheit zu herrschen:

Das freudig verworrene Treiben endigt feierlich mit einem Desduraccord und diese Stelle führt edlere Geister herbei. Zuerst hören wir

ein Thema in dem ganz fremden Edur. Wie sie eingeleitet war so schliesst diese Episode auch wieder feierlich, geheimnissvoll mit langen Klängen, lang liegenden Accorden (As, Ces) und nun folgt ein zweites Thema friedlicher Natur, von der Oboe eingeführt:

Es beendet die Themengruppe des in Sonatenform gehaltnen Satzes. Sein Einfluss äussert sich in der Durchführung dadurch, dass zunächst die wilden Motive des Allegros ganz verwandelt erscheinen. Das erste kurze Violinenthema z. B. kommt in den Posaunen als:

Bald erwacht ihre eigentliche Natur, sie ringen und kämpfen gegen die edleren Regungen, die mit ihnen den Weg wiederholt kreuzen. Ueberraschend erscheint am Ende dieser Durchführung das Hornthema aus dem Scherzo gewissermassen als Bundesgenosse für die Geister der äusseren Fröhlichkeit; den milderen Mächten kommt Hülfe durch die schöne elegische Melodie, die den ersten Satz der Sinfonie eröffnete. Dann folgt bald die Reprise die die edleren Themen in grössrer Bedeutung zeigt, ausserordentlich kunstvolle Arbeit enthält und freudig rauschend schliesst.

A. Glazunoff Fünfte Sinfonie

Glazunoff's fünfte Sinfonie (in B dur) die die Opuszahl 55 hat, ist ein Werk der Heiterkeit und Kraft, das sich ohne die modernen Hebel der Leidenschaft und Romantik entwickelt, aber Phantasie und Gemüth des Hörers festzuhalten und zu beschäftigen vermag. Denn es verräth überall Geist und eine adlige Natur. Der Verlauf und Charakter der beiden letzten Sätze scheint die Sinfonie der Programmmusik zuzuweisen. Doch hat der Componist nicht verrathen was ihm vorschwebte — vielleicht ein besondrer Lebenslauf —, da anorganische Einzelheiten, die im Zusammenhang unerklärlich wären, nicht darin vorkommen. In der Form zeigt die Composition verschwindend geringen russischen Einfluss, in der Stimmung äussert er sich in wohlthuendster Art als Naturfrische und Lebenslust.

Der erste Satz beginnt mit einer Einleitung über das Thema:

Sie führt zu einem Allegro, das an diesem kräftig fröhlichen Grundgedanken festhält. Nur im andren Rhythmus tritt er hier auf und etwas erweitert:

Gegensätze im Sinne eines Widerspruchs oder einer Ableitung treten ihm nicht in den Weg, nur Versuche den frohen Muth, der aus ihm spricht, noch zu steigern. Darunter fällt durch seine Entschiedenheit der folgende am meisten auf:

Auch das eigentliche zweite Thema des Satzes bedeutet Zustimmung, Freude — nur im zartren Ton:

Weiter bemerken wir noch Motive des Scherzes, Motive

aufwallenden Frohsinns. Alle diese grossen und kleinen Einfälle werden variirt, umgebildet und in einem lebendigen Spiel zusammengebracht, das Humor und Witz beherrschen. Die Durchführung, die nur kurz gehalten ist, stellt sich auf einige Augenblicke grimmig. Die Reprise in der das zweite Thema geheimnissvoll spannend vorbereitet wird, schiebt den Schluss geflissentlich und fesselnd weit hinaus.

Das Scherzo schlägt mit seinem Hauptthema:

die flüchtigen Töne heimlicher Beweglichkeit an, mit denen wir seit Mendelssohn den Begriff von Elfenmusik verbinden. Das Stück gleicht einer Stunde aus der Kinderzeit, wo Abends Märchen erzählt werden von schönen Feen und kleinen Geistern der Luft. Dann poltert ein grober Riese herein: ,

der nach den tollen Dissonanzen zu schliessen, die diesem Abschnitte eigen sind, Alles auf den Kopf zu stellen scheint. Nach diesem Zwischenfall, kehrt der Hauptsatz wieder. Der Mitteltheil, der die Stelle des Trios einnimmt, führt mit einer hübschen Volksmelodie hinaus ins Freie:

wo sich Tänze und Spiele und gemüthliche Zwiesprache:

in zum Theil sehr eigenthümlich schönen Klang entwickeln. Vor dem Schluss wird dieses Trio nochmals kurz angespielt.

Der langsame Satz der Sinfonie, ihr dritter, wird mit einigen Takten eingeleitet, in denen die Accorde wie schwere, trübe Wolken langsam hinziehen und schleichen. Dann aber treten wie Wandrer, die vom innren Glück erfüllt, nicht auf Himmel und auf Wetter achten, die Gesangsthemen ein, schwärmerischen Tons wie ein Liebhaber in seiner Sehnsucht das erste:

reinster wärmster Zärlichkeit voll

das andere:

Das zweite insbesondre breitet sich aus, steigert seinen schönen warmen Ton, wird hervorgejubelt und gelispelt und bildet die Grundlage für die Stimmung des Satzes. Doch besteht eben dieser Satz nicht ausschliesslich aus Stimmungsschilderung und verläuft nicht ungetrübt. Die Einleitung war eine Warnung. Mitten in den schönsten Augenblick der Composition fällt ein brutales Stück Dramatik, ein vielerlei Deutung freistehendes Ereigniss, das aus allen Himmeln reisst: Posaunen und Trompeten sind die Vertreter der Schicksalswendung und dies das musikalische Motiv, das sie veranschaulicht:

Das Finale der Sinfonie hat einen militärischen Charakter. Sein Hauptthema ist folgendes und sein wichtigster Theil der Berlioz'sche Schluss:

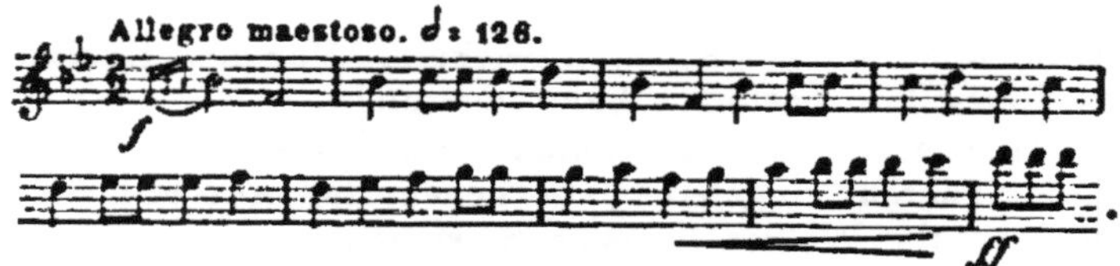

Es wird ergänzt durch das leichtherzigere:

Unter den wesentlichen Motiven des Satzes darf besonders der wiederholte Anklang an die rauhe Trompetenstelle des dritten Satzes nicht übersehen werden. Allem Anschein nach giebt der Satz das Bild eines wirklichen Kampfes. Es kommen neue Hülfstruppen, originell in den Bässen angemeldet

es giebt Augenblicke der Niedergeschlagenheit, der Klage, der Trauer und auch des Trostes, die aus dem letzten Thema sich entwickeln:

etc. Dieses zeigt in weitern Umbildungen seine immer grössre Wichtigkeit und seinen Zusammenhang mit Volksmusik. Es wird allmählich zu einer Kriegs- und Siegeshymne, die am Schlusse auch dem ersten Hauptthema des Finale eine glänzende Rückkehr vorbereitet.

Zuweilen liest man von deutschen Aufführungen einer Suite miniature von César Cui dem Sprecher der Neurussen. Das ist ein halbes Dutzend einfachster Stücke

C. Cui
Suite miniature

in Lied- und Tanzformen, die an Schumann's Kinderscenen, an Bizet's jeux d'enfants erinnern. Die russische Herkunft verrathen sie in keiner Zeile, sondern gehören nach Geist und Form zu den besten Früchten der französischen Schule und verdienen wegen der liebenswürdigen Phantasie und der feinen Züge in der Gestaltung weiteste Verbreitung.

V.

Die moderne Suite und die neueste Entwickelung der classischen Sinfonie.

Die Werke der Nationalen und der Programmmusiker bilden einen wichtigen Theil in der sinfonischen Production der letzten Jahrzehnte und werden vielleich die Zukunft der Gattung bestimmen. Jedoch repräsentiren sie heute noch nicht die Hauptströmung. Diese hält vielmehr immer noch an den Traditionen fest, welche in den Werken Beethoven's und der Romantiker niedergelegt sind. Ja, mitten in der bewegtesten Zeit des Streites, welcher sich um den Werth und Berechtigung der neuen Programmmusik erhob, um das Jahr 1860, lebte plötzlich eine Kunstgattung wieder auf, deren Blüthezeit noch hinter den Tagen der Wiener Classiker zurückliegt. Es ist die schon im vorhergehenden Capitel wiederholt berührte Suite.

Die Wiedereinführung der Suite entsprach dem praktischen Bedürfnisse nach einer einfachen musikalischen Naturkost, dem Verlangen nach grösseren Orchestercompositionen, welche sich, wie die Symphonie, in gebildeten Formen bewegen, den Geist aber mit schwerer Gedankenarbeit und den Strapazen unserer hohen Cultur verschonen sollten. Dass man mit dieser humanen Mission gerade die alte Suite betraute, war eine weitere Wirkung jenes historischen Sinnes, welcher seit dem Vorgehen Mendelssohn's die Musikwelt stärker zu durchdringen begann und welcher in den Gesammtausgaben und Einzelausgaben von Werken älterer Meister, in der Gründung und Thätigkeit der Tonkünstlervereine immer mehr Ausdruck und zugleich Förderung fand. Es war ein Jahrzehnt lang der Hauptfehler der modernen Suite, dass man ihr das historische Studium und die Abhängigkeit von alten Mustern zu deutlich ansah. Die alte deutsche Orchestersuite bildete den Sammelplatz, auf welchem sich die charakteristischen Tanz- und Liedweisen aller Nationen zusammenfanden. Davon ausgehend hätten die modernen Suitencomponisten sich in erster Linie darnach umsehen müssen, was das 19. Jahrhundert an künstlerisch verwendbaren Elementen der Volksmusik bietet. Und dass es solche bietet, hatte Chopin bewiesen. Statt dessen copirte aber die Mehrzahl die Sarabanden, Giguen, Couranten, Allemanden, der Bach'schen Claviersuite, trug aus der neueren Zeit ein Scherzo, wenn es hoch kam, einen Marsch herbei und vervollständigte das Ganze mit Variationen und Fugen. Der oft missverstandene contrapunktische Stil der Alten wurde ersichtlich höher angeschlagen, als das volksthümliche Princip ihrer Suite.

Das Verdienst, als der Erste nach hundert Jahren wieder Suiten geschrieben zu haben, hat Joachim Raff für sich in Anspruch genommen.[1]) Der Hauptantheil an der Neubelebung und Einführung der alten Kunstform muss jedoch Franz Lachner zugeschrieben werden. In der Sinfonieperiode der dreissiger Jahre von den Preisrichtern, nicht aber vom Publikum ausgezeichnet, fand dieser Tonsetzer noch spät in der Suite einen Wirkungskreis, auf welchem er viele Freude bereitet und seinem Namen ein bleibendes Andenken erworben hat. Auch Lachner gehört der contrapunktischen Richtung der modernen Suite an. Aber die wirklich volksthümliche Natur seines Talents äussert sich bei ihm auch, gerade wie bei den Alten, in der strengen Form. Seine Fugen sind frisch und kräftig, frei und effektvoll. Lachner hat sogar

---

[1]) Siehe M. Hauptmann, Briefe an F. Hauser II, 249.

für die moderne Weiterbildung dieses ebenso schwierigen als interessanten Stils werthvolle Fingerzeige und Anregungen gegeben. Lachner spricht echten Suitenton: auch wo er gelehrt wird, bleibt er klar und verständlich; wenn es nicht anders geht, ist er lieber trivial als gekünstelt, und der Undeutlichkeit geht er so sehr aus dem Wege, dass er sich darüber oft ins Redselige und Breite verliert. Eine besondere Specialität in seinen Suiten bilden die Märsche. Sie zeichnen sich aus durch eine einfach kernige Rhythmik und durch eindringliche Melodien, welche oft mit aparten, blühenden Figuren gewürzt sind. Oft sind diese Märsche gar nicht declarirt und segeln unter der Flagge von Ouvertüren und Intermezzos. Aber auch an traulichen Idyllen sind die Lachner'schen Suiten reich. Eine, im besten Sinne des Wortes, gut bürgerliche Poesie beherrscht die Mehrzahl seiner Menuetts und Andantes. Die Sprache, welche er in ihnen vorzugsweise spricht, erscheint aus den Idiomen der alten Wiener Schule, speciell dem F. Schubert's, dann denen Spohr's und Mendelssohn's als ein neues Viertes hervorgegangen.

F. Lachner Suite Nr. 1 (D moll).

Unter den sieben Suiten Lachner's ragt die **erste** (D moll) durch Werth und Popularität hervor. Ihr erster Satz besonders, ein „Präludium", in welchem das Thema:

mit Kraft und Kunst durchgeführt wird, ist einer der effektvollsten Sätze in der neueren Suitenlitteratur: naturfrisch und mit manchem kecken Harmoniesprung dahinfliessend, originell und individuell in seiner Mischung von Derbheit und Anmuth. Der zweite Satz, Menuett, ist eins der liebenswürdigsten Rococcobilder in romantischer Färbung. Der Hauptsatz tänzelt auf folgender Melodie hin:

Das Trio hat dieselbe Grazie, aber mehr Chorcharakter:

als ob Massen anträten. Sein Thema wird von einer Art von Basso ostinato gravitätisch begleitet:

Der dritte Satz besteht aus einem Cyclus von Variationen, welchen folgendes Thema zu Grunde liegt:

Die Bratschen begleiten es in der oberen Octave. Die Variationen — 23 an der Zahl — sind vorwiegend im älteren Stil gehalten und entfernen sich niemals weit vom Thema, welches in andere Tempi und Taktarten gesetzt, mit wechselnden Figuren umkleidet, aber einschneidenderen Umbildungen nicht unterzogen wird. Die grosse Hälfte der Variationen übt trotzdem die tiefere Wirkung von Charakterstücken aus; ein Theil ist als virtuoses Spielwerk zu betrachten. Den Cyclus beschliesst ein Marsch, welcher über den Verband der Suite, zu welcher er gehört, und aus den Concertsälen hinaus in die Volkskapellen gedrungen ist. Sein direkt an A. Eberl's Ddur-Sinfonie erinnerndes Thema, welches zuerst wie aus weiter Ferne hörbar wird, genügt allein, um diese Popularität zu erklären:

---

[1]) Lies: *ces*.

 Luise von Kobell hat neuerdings erzählt wie die hübsche Sechzehntelfigur, die dem Thema seine Eigenthümlichkeit giebt, von einer Vogelstimme stammt, die Lachner einen Sommer lang auf seinen Münchner Morgenspatziergängen begrüsste. Das Finale der Suite, ihr vierter Satz, besteht aus einem wehmüthigen Andante als Einleitung und einer sehr streitbaren Fuge über folgendes Thema:

Allegro moderato.

Contrabässe Celli Fag.

F. Lachner Suite Nr. 2 (E moll).

Die zweite Suite Lachner's (E moll) hat unter ihren fünf Sätzen zwei Fugen, welche beide durch eigenthümliche Anlage interessiren. Die eine in der Gigue durch die eingelegten homophonen Partien und die dramatisch schwungvollen Steigerungen am Schlusse; die andere, im ersten Satze durch die poetische Verbindung, welche sie mit der melancholischen Introduktion eingeht: In dem Moment, wo der Satz abschliessen könnte, taucht das leidenschaftliche Anfangsmotiv der Einleitung

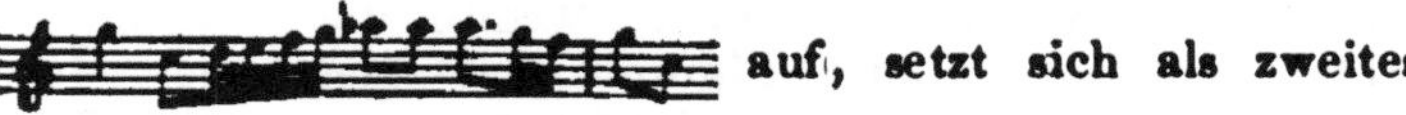 auf, setzt sich als zweites Thema fest, und die Fuge wird zur Doppelfuge. Der Menuett dieser Suite, dessen Trio ein graziöser Canon zwischen Violine und Bratsche ist, nähert sich dem Charakter der Mazurka, das Intermezzo, namentlich im Mittelsatze, dem Marsch.

F. Lachner Suite Nr. 3 (F moll).

Die dritte Suite Lachner's (F moll) beginnt mit einem „Präludium“ im müden Ton. Ihr zweiter Satz, Intermezzo, überdeckt eine tief elegische Stimmung, aus welcher zuweilen pathetische Klagen hervorbrechen, mit einem leicht tändelnden Motiv. Die Sarabande bildet eine ähnliche Verbindung von gefühlvoll weichem Gesang mit behaglichen Tanzmotiven. Zwischen den beiden Sätzen steht wieder ein längerer Variationencyclus, dessen Thema mit dem Allegretto von Beethoven's siebenter Sinfonie in naher Verwandtschaft steht. Auch dieser Satz klingt mild aus. Unter seinen energischeren Partien ragt diejenige Variation hervor, in welcher die Holzbläser unisono sich auf der chromatischen Scala tummeln. In den Schlusssätzen der Suite, einer Courante mit einem Schumann'schen Violinthema und sehr hübschen Klangeffekten, und einer modernisirten, balletmässigen Gavotte wirft die Composition alles Trübe ab und wendet sich kräftigen Geistes dem Frohsinn zu.

F. Lachner Suite Nr. 4 (Esdur).

In der vierten Suite Lachner's (Esdur) ist das contrapunktische Element wieder stärker vertreten. Der erste Satz, Ouvertüre benannt, fugirt am Schlusse, der fünfte, eine sehr kräftig einsetzende, modernisirte Gigue, durchaus, und beide Male ist die Fugenform wieder in interessanter, freier Weise mit einfach melodischen, anmuthigen Episoden durchzogen. Der erste Satz ist nur dem Namen nach eine Ouvertüre, nach dem Charakter ein Marsch mit ausserordentlich populärem Thema. Er gleicht einem Festzug, der von Jungfrauen eröffnet und von Militär geschlossen wird. Zwischen den beiden Gruppen bildet ein energisch, frohes Thema, dessen Heimath in Weber's Euryanthe liegt, den Uebergang. Der wirkungsvollste Satz der Suite ist das Scherzo pastorale mit einem reizenden Cellosolo im Trio.

F. Lachner Suite Nr. 5 (Cmoll).

Die fünfte Suite Lachner's (Cmoll) weicht von den vorausgehenden wohlthuend durch die Knappheit der Sätze ab. Ihre hervorragendsten Partien sind der Mittelsatz des Andante, ein sehr klar wirkender Canon zwischen Solovioline und Bratsche, und das Trio im Scherzo, ein edler Gesang, auf welchem Schubert's Geist ruht. Im Finale, welches in der Form des Sonatensatzes gehalten ist, taucht als zweites Thema eine bekannte Oberongestalt auf.

F. Lachner Suite Nr. 6 (Cdur).

Der poetische Plan von Lachner's sechster Suite (Cdur) steht mit dem deutschen Kriege in den Jahren 1870—71 im Zusammenhang. Schon die Gavotte, welche hereinführt wie „Zieten aus dem Busch“, erinnert an soldatische Elemente. Das Finale ist einer der bedeutendsten patriotischen Tribute, welche die Musik jener Zeit dargebracht hat. Es vereinigt die Trauerfeier mit Siegesjubel und Dank. Klagende Recitative im Spohr'schen Stile leiten eine mild und resignirt gehaltene Paraphrase des Heldenchorals „Ein' feste Burg" ein. So wie die Begleitmannschaft vom Grabe des Kammeraden mit fröhlichem Spiel wegzieht, folgt dann auch hier der Trauerceremonie ein demonstrativ munterer und energischer, kurz und keck rhythmisirter Marsch, eine der flottesten Compositionen, welche Lachner in dieser seiner Specialgattung geschrieben hat.

F. Lachner Suite Nr. 7 „Ballsuite".

Die siebente und letzte Suite Lachner's, „Ballsuite" genannt, macht mit der Modernisirung der Gattung Ernst. Sie besteht, mit Ausnahme des Intermezzo und der Introduction, aus lauter Tanzsätzen, die heute noch praktisch leben: Polonaise, Mazurka, Walzer, Dreher, Lance. Leider ist die vortreffliche Absicht von der musikalischen Erfindung wenig unterstützt worden. Mit erfreulicherem Gelingen hat einen ähnlichen Versuch J. Herbeck in seinen „Tanzmomenten" durchgeführt.

J. Herbeck.

Die Lachner'schen Suiten waren in dem Jahrzehnt ihrer Entstehung sehr beliebt und haben die meisten Werke der Gattung, welche mit ihnen gleichzeitig hervortraten, bis heute an Lebenskraft weit übertroffen. Wenn sie jetzt anfangen zu altern und aus den Concertsälen zu schwinden, so bleibt ihnen noch lange die Sympathie der Freunde des vierhändigen Clavierspiels gewiss.

J. Raff Suite (C dur).

H. Esser Suite (A moll).

Unter denjenigen Suiten Bach'scher Richtung, welche mit den ersten Arbeiten Lachner's bedeutend concurrirten, sind die Cdur-Suite von J. Raff und die Amoll-Suite H. Essers (die zweite dieses Componisten) hervorzuheben. Es sind in erster Linie Documente für den merkwürdigen Begriff von der Kunst der alten Meister, wie er um die Mitte unseres Jahrhunderts noch bei selbst bedeutenden Musikern fest sass. Auch in den Charakteretüden des trefflichen Moscheles regnet es eitel „Figuralmusik" wenn die Alten geschildert werden sollen. Raff contrapunktirt steif, gleichförmig und so ruhelos und hastig, dass Einem der Athem vergeht. Esser jagt barocke Passagen mit unablässigen Sequenzen und Imitationen im Kreise herum. In Raff's Suite werden erst die letzten Sätze, das Adagietto, Scherzo und Finale, welche aus Mendelssohn'schen und Schumann'schen Quellen schöpfen, natürlicher, freier und phantasievoller. Esser hat ausser dem Ueberfluss an Vorhalten und archaistischen Dissonanzen aus der alten Suite doch auch etwas von ihrer Kraft (in der Introduzione) und von ihrer Grazie (Allegretto) in seine Copie gebracht.

W. Bargiel Suite.

Auch die mit den genannten Werken ziemlich gleichaltrige Cdur-Suite von W. Bargiel bildet alte Formen nach: Courante, Allemande, Sarabande, Air und Gigue. Aber der Componist erfüllt sie frisch zu mit modernem, zum Theil Schumann'schem, Geiste. Dadurch wird diese Suite zu einer der interessantesten Erscheinungen in der Gattung. Sie überragt die Sinfonie Bargiel's an Natürlichkeit der Haltung, an Beweglichkeit der Phantasie und verdient in's Repertoir wieder aufgenommen zu werden.

J. O. Grimm Suite in Canonform Nr. 1 (Cdur).

Die contrapunktische Tendenz der modernen Suite gipfelt in den beiden Suiten Julius Otto Grimm's. Es sind Suiten in der Form des Canons durchgeführt. Die erste (Cdur) für Streichorchester bewegt sich in knappen Bahnen. Ihrem ersten Satze, welcher den festlichen Ton der Mozart'schen Jugendsinfonien anschlägt, liegt das Schema der Sonatine zu Grunde. Das Andante hat dreitheilige Liedform, der dritte Satz ist ein Menuett einfachster Fassung ohne Seitensätze, das Finale ein Miniaturrondo. Der Canon liegt immer sehr offen oben auf: die Stimmen folgen einander in der Octav und in kurzen Abständen ohne Künstelei. Nur im letzten Satze wählt Grimm für den zarten Mittelsatz (in As) die Distance achttaktiger Perioden. Trotz der Fesseln in der Schreibart äussert die Composition eine schöne geistige und sinnliche Wirkung. Ein besonderer Reiz des Klanges liegt über dem Andante, welches vom Soloquartett allein vorgetragen wird, und über dem warm, gemüthlich und innig einsetzenden Trio des Menuett.

J. O. Grimm Suite in Canonform Nr. 2 (G dur).

Grimm's zweite Suite (G dur) erregt und befriedigt höhere Ansprüche. Irren wir nicht, so war sie vor der Drucklegung als Sinfonie betitelt. Sie ist für volles Orchester geschrieben: ihre Sätze haben breite Formen mit ausgeführten Durchführungspartien und ihre Gedanken durchstreifen grosse Kreise und berühren entgegengesetzte Regionen. Der Zuhörer vergisst über dem Gang der Leidenschaften die kleinen Reize des Canons, den der Componist selbst häufig auf die Nebenplätze der Dichtung, in die Begleitungsmotive und in den Figurentheil, zurück verwiesen hat. Obgleich der Canon hier bescheidener auftritt, als in der kleinen ersten Suite, ist er mit noch grösserer Kunst, mannigfaltiger, freier und praktischer gehandhabt. Letzteres dadurch, dass die Melodien kürzer und schärfer gegliedert sind. Auch hier wiegt der Canon in der Octave und mit schnell folgenden Stimmen vor; aber es sind, wie im langsamen Satze der Canon in der Umkehrung, auch seltenere Arten verwendet. Auf Momente schweigt die canonische Kunst und vor dem Einerlei bewahrt ein häufiger Wechsel in der Besetzung der führenden Stimmen. Den grössten poetischen Werth hat unter den vier Sätzen der G dur-Suite das Adagio, eine ernste Betrachtung über das Thema:

Molto Adagio e cantabile.

J. O. Grimm Suite in Canonform Nr. 3 (G moll).

Seit kurzem ist eine dritte Suite Grimm's veröffentlicht, die in G moll steht und als seine bedeutendste Arbeit gelten darf. Doch ist sie bis jetzt wenig bekannt geworden und wird mit ihrer soliden Art der pikanten Richtung gegenüber, die mittlerweile in der Suite zur Herrschaft gekommen ist, auch einen schweren Stand behalten.

J. Jadassohn Drei Serenaden

Einen Nachfolger auf seinen canonischen Pfaden fand Grimm in S. Jadassohn, welcher in seiner ersten Serenade (G dur) den Canon als die Form für leichte Gedanken und kleine Scherze benutzt. In seiner zweiten Serenade (D dur) hat derselbe Componist auf den Canon verzichtet, in seiner dritten (A dur) ihn auf einen heitern Satz (Intermezzo) beschränkt, dafür aber in beiden Werken eine Vertiefung des Inhalts angestrebt.

Von bemerkenswerthen ausländischen Suiten gehört dieser archaisirenden Abtheilung das op. 60 von C. St. Saëns zu. Das „Prelude" ist ein Canon mit wechselnden Instrumenten, der in seiner Stimmung etwas an den ersten Satz vom G moll-Concert des Componisten erinnert. Der zweite Satz, Sarabande, bringt sehr anmuthige Variationen über ein Thema, das dem von Händel's „Lascia ch' io piango" nachgebildet ist. In der charaktervollen „Gavotte" zeichnet sich das Trio durch die liegende Stimme der Violinen romantisch aus. Der Schlusssatz, eine „Romanze", verlässt wider allen Suitenbrauch die gemeinsame Tonart (D) und steht in G.

J. Brahms Serenade in D dur.

Die contrapunktische Gruppe der modernen Suitencomponisten ist allmählich durch eine andere Richtung verdrängt worden, welche ihren Ausgang von den Divertissements Mozart's, von den Gartenmusiken des 18. Jahrhunderts nahm und den ganzen Nachdruck auf den idyllischen und einfachen Charakter der Gattung legte. Der nach Zeit und Rang erste Repräsentant dieser zweiten Gruppe der modernen Suiten ist Johannes Brahms. Leider hat er nur zwei Serenaden geschrieben. Sie stammen jedoch aus der besten Zeit des Componisten, und sind mit den „Maggelloneuromanzen" nicht blos gleichaltrig sondern auch innerlich verwandt. Der jugendlich schwärmerische Ton, der sie auszeichnet, stellt sie unter die schönsten und liebenswürdigsten Aeusserungen des neuesten Serenadengeistes, die Natürlichkeit der thematischen Erfindung weist sie unter die Hauptwerke des Componisten. Eine gewisse Unreife verrathen sie in der allzu breiten Ausführung einzelner Sätze. Die erste Serenade (D dur, op. 11), welche im Jahre 1862 erschien, besteht aus sechs Sätzen. Sie beginnt mit einem grossen Allegro in breiter Sonatenform, in welchem der pastorale Ton vorherrscht. Das Horn, ein Lieblingsinstrument des Componisten, stellt als Hauptthema eine naiv fröhliche Melodie

Allegro molto.

hin, welche von primitiven Harmonien begleitet und in ungenirten Modulationen weiter geführt wird. Das sinnige zweite Thema tritt in einer Fassung auf, die Brahms original zugehört

Celli und Bratschen nehmen die zarte Schwärmerei sofort auf und geben ihr im Verein mit den Holzbläsern den intimsten Abschluss. Ein kurzer Nachgesang, aus welchem das reinste Glück des Herzens spricht, geht in ein freudig hüpfendes Seitenthema

über, welches das Material für den Anfang der Durchführung liefert. Letztere selbst trägt in einzelnen gekünstelten und gewaltsamen Stellen die Merkmale der Entwickelungszeit des Componisten. Eigenthümlich schön ist der Eingang in die Reprise des Satzes. Durch ein der Ddur-Harmonie eingeschobenes *C* rückt das kecke Hornthema hier in ein überraschendes und das Ende der Scene kündendes Dämmerlicht. Der Schluss des Satzes ist ausserordentlich subtil: ein zartes Solo der Flöte, zu welchem Bratschen und Clarinetten decent die Harmonie hinzufügen.

Der zweite Satz (Scherzo Dmoll $^3/_4$) hat in seinem Hauptthema:

Aehnlichkeit mit dem in

---

1) Die 4 Auftaktnoten sind Achtel.

Brahms' zweitem Klavierconcert. Die Stimmung zeigt auf ein pochendes Herz und wird erst vom Seitensatze ab eine ruhig freudige. Ihr thematischer Ausdruck zeigt von da ab Wiener Einflüsse, der Seitensatz Schubert'schen:

, das Trio Haydn-Mozart'schen.

Der Werth des Adagio (B dur $^2/_4$) ruht besonders auf dem Hauptthema, welches eine der herrlichsten melodischen Erfindungen von Brahms bildet:

Noch schöner fast ist der concertirende Nachsatz:

. Ihm folgt eine Episode mit folgender Melodie . Auch ihre Begleitung mit murmelnden Zweiunddreissigstelfiguren er-

---

[1]) Im Hauptthema des Adagio fehlt im letzten Accord des 5. Taktes *B* im Bass.

innert an die „Scene am Bach" in Beethoven's Pastoralsinfonie. Das Adagio zersplittert sich von da ab einigermassen und entschädigt die Aufmerksamkeit vorwiegend durch feine Details.

Den vierten Satz bilden zwei zusammengehörige Menuetts: (G dur der erste, G moll das Alternativ), welche den Originalcharakter der alten Serenade aufs Drastischste wiedergeben. Namentlich der G dur-Satz ist ein originelles, kostbar drolliges Genrebild, zu welchem die moderne Suitenlitteratur vielleicht nur in dem Walzer von Volkmann's F dur-Serenade ein nahestehendes Seitenstück aufzuweisen hat. Nur die beiden Clarinetten und ein Fagott spielen es: Jene geben die Anmuth und Liebenswürdigkeit in Moderato. etc., das letztere bringt in dem komischen Murkybass etc. mit welchem es die Melodie begleitet, das Costüm der alten Zeit hinzu.

Ein als fünfter Satz folgendes Scherzo (Allegro $^3/_4$) beschwört in seinem Hauptthema:

den Vergleich mit Beethoven's zweiter Sinfonie (Trio im Scherzo) etwas zu keck herauf und wird bei Aufführungen am besten gestrichen.

Ein Rondo beschliesst als sechster Satz die Serenade. Sein Hauptthema:

welches einen leichten Anflug von Schumann'schem Wesen hat, passt sehr gut zum Bilde einer fröhlich nach Hause ziehenden Gesellschaft. Unter den Nebenthemen des Satzes hat das folgende:

für die Entwickelung und Durchführung hervorragende Bedeutung.

J. Brahms Serenade Nr. 2 (A dur).

Die zweite Serenade von Brahms (A dur op. 16), nur wenig jünger als die in D dur, verhält sich zur letzteren wie die Schwester zum Bruder. Sie ist noch zarter, heimlicher, inniger und tiefer; zu gelegener Zeit kehrt sie aber auch den Wildfang noch stärker heraus. Ueber ihrem Klang liegt ein mattes Colorit: wie im ersten Satze seines Requiem, wie Méhul in seinem Uthal, hat Brahms die Violinen weggelassen und den Bratschen die Führung des Streichorchesters übergeben. An formeller Reife steht die A dur-Serenade über der ersten, an äusserer Wirkung unter ihr.

Der erste Satz (Allegro moderado, ₵ A dur) hat zum Hauptthema eine jener unscheinbaren, für Brahms bezeichnenden Melodien, deren seelischer Fonds sich erst bei näherem Eindringen erschliesst:

Das zweite Thema, welches der glücklichen Stimmung einen lebhaften, aber immer noch reservirten Ausdruck giebt, hat Wiener Localton:

Unter den Seitengedanken, welche zwischen den beiden Themen auftreten, ist der folgende für die Durchführung von Wichtigkeit:  Er geht in eine Episode über, deren Motiv:

 an die Magelone-Romanzen des Componisten erinnert.

Der zweite Satz, Scherzo (Vivace $^{3}/_{4}$, C dur) vertritt mit dem Finale die energische Heiterkeit in der Serenade. Sein Hauptthema 

, von den Bläsern frisch herausgeschmettert, beherrscht den Satz allein. Wie in ihm und in der Mehrzahl der Themen der A dur-Serenade, tritt auch in dem sanften Trio die Melodie Arm in Arm mit einer Parallelstimme auf:

Das ganze Scherzo hält sich in knappen Dimensionen.

Der dritte Satz: Adagio ($^{12}/_{8}$ A moll) hat als erstes Thema folgendes: 

Es wird von nachstehender Bassfigur begleitet

 Sie schliesst sich den Modulationen der Melodie in Transpositionen an und bleibt ihr immer zur Seite, wodurch der Hauptheil des Adagios sich der Form des alten Passacaglio, den Brahms ja bekanntlich auch sonst, zuletzt noch in seiner vierten Sinfonie verwendet hat, nähert. Der Charakter des Satzes ist ruhig, sehnend, sinnend und träumerisch. Die erregten Momente düstrer Leidenschaft in ihm kommen mit dem heftig einsetzenden Motiv, zum Ausdruck und

gehen schnell vorüber. Brahms entflieht ihnen durch einen Sprung in das ganz entlegne Asdur. Hier setzen zunächst die Hörner mit einer freundlich schwärmerischen Melodie ein, die in den Stimmungskreis zurückführt, in dem die Serenade begann. Dann folgt ihr in den Holzbläsern das eigentliche zweite Thema:

Mit der ihm zugehörigen Gruppe bildet es nur ein ausdrucksvolles Intermezzo. Weder die Durchführung noch die Reprise wissen von ihm.

Der vierte Satz: „Quasi Menuetto“ (Ddur, $^{6}/_{4}$) ist durch das zögernde Element, welches seine freundliche Stimmung und seinen schlichten Melodiebau beherrscht:

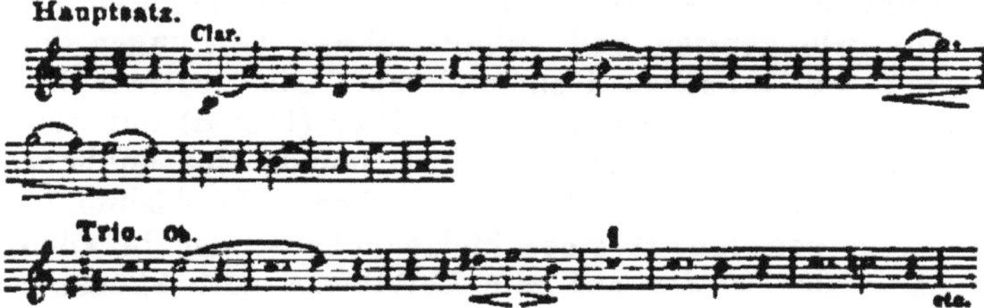

eigenthümlich charakterisirt.

Der Schlusssatz „Rondo“ (Allegro $^{2}/_{4}$ Adur) erhält durch die Hauptthemen

und

sein fröhliches Gepräge. Die liebenswürdige Schüchternheit, welche in den Gesichtszügen dieser Serenade einen hervortretenden Theil bildet, blickt noch einmal aus dem kleinen, dem zweiten Thema vorhergehenden Seitensatze, in welchem sich Clarinetten und Fagotte, anfangs in canonischem Stile, über das Motiv unterhalten.

Der von Brahms aufgestellten Ideenrichtung folgt auch Robert Volkmann in seinen drei Serenaden für Streichorchester, hält sich aber in knappen Formen. Das Schema der ersten und der dritten Serenade gleicht dem der kleineren sinfonischen Dichtungen Liszt's, die zweite bildet eine Suite von vier selbständigen und getrennten, aber kurzen Sätzen. Die Serenaden von Brahms können eine Sinfonie ersetzen, die von Volkmann eignen sich sehr gut zu Zwischennummern im Concert und sind als solche auch ausserordentlich beliebt. Dem Inhalt nach gehören sie zu den gelungensten und gehaltreichsten Leistungen der neueren musikalischen Genremalerei. Die poetisch bedeutendste unter ihnen ist die dritte (D moll) mit dem Solocello. Der Solist hat in dieser Serenade eine ähnliche Rolle wie der Solobratschist in Berlioz's Haroldsinfonie. Das Cello personificirt einen Melancholicus, der in allen Lagen immer wieder auf sein Leibthema zurückkommt:

R. Volkmann Serenade Nr. 3 (D moll).

Ob der Chor zustimmt oder widerspricht, der Cellist bleibt bei diesem Motiv; wird jener heiter und ausgelassen, so sieht er einsilbig zu, und das Freundlichste, was sich ihm abgewinnen lässt, ist eine elegisch klagende Melodie:

, mit welcher die lebendig gehaltene Composition auch einen rührenden und versöhnenden Abschluss erhält.

Die beliebteste unter den Serenaden Volkmann's ist die zweite in F dur und zwar wegen ihrer zweiten Nummer, eines Walzers über folgendes Hauptthema:

R. Volkmann Serenade Nr. 2 (F dur).

Es ist eigentlich kein Walzer, sondern ein Walzerchen, ersichtlich für alte Leute gedacht — ein Cabinetstück liebenswürdig altfränkischer Musik. Von den beiden Theilen, aus welchen der erste Satz der Serenade besteht: Allegro moderato (F dur $^3/_4$) und Molto vivace (D moll $^3/_4$), ist der zweite der originellere: Mit imposanter Consequenz und doch reich an Abwechselung und effektvollen Steigerungen ist er auf folgendes spröde Motiv gebaut:

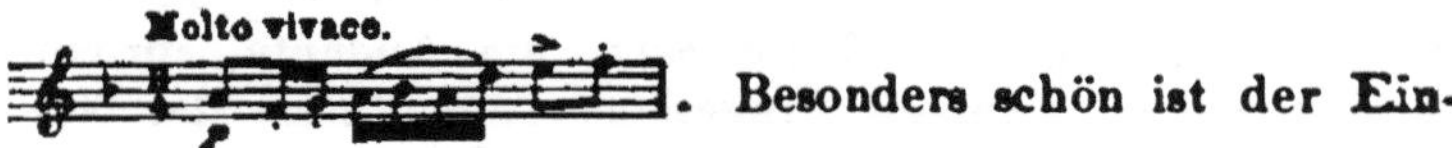

Besonders schön ist der Eintritt seines Mittelsatzes in D dur. Die Serenade schliesst mit einem Geschwindmarsch. Die dreitaktige Construction seines Hauptthema,

die Accentuirung in ihm und in dem ganzen Satze verrathen die ungarische Atmosphäre, welche alle drei Serenaden Volkmann's mehr oder weniger durchweht, besonders deutlich.

Die erste Serenade Volkmann's (C dur) wird von demselben kräftigen Maestoso alla Maria, welches sie eröffnet, auch beschlossen. Die Mitte der Composition nimmt ein längeres Allegro vivo ein, welches auf Grund des Thema:

eine Reihe keeker, trotziger Gänge thut. Die schönsten Partien der Serenade bilden die beiden langsamen Sätze, welche dieses Allegro vivo einrahmen. Der erste ist sehr kurz in der Weise der überleitenden Largi Händel's, der zweite hat die dreitheilige Liedform, zum Hauptthema folgende edel

Andante sostenuto.

sentimentale Melodie: .

Kurz vor seinem Tode hat noch Niels Gade den neuen Suitenschatz mit mehreren liebenswürdigen Arbeiten bereichert. Die erste davon sind die „Novelletten“ für Streichorchester (op. 53). Von den vier Sätzen dieser kleinen Suite, die sich auch als Sinfonietta vorführen liesse, sind der erste, der zweite und vierte einer feinen, gebildeten Fröhlichkeit gewidmet. Hie und da mischt sich in das geistige Geplänkel launiger Reden ein recht wehmüthiger Ton, wie ein Rückblick auf Jugend und auf Mendelssohn. Der dritte Satz, ein Andante, spricht in den kurzen sinnigen Fragesätzen des Vaters der Novellette: R. Schumann's. Besondere Bewunderung verdient noch der Stil des reizenden und anheimelnden Kunstwerkchens, der — ohne gerade mit Schulweisheit zu prunken — die Stimmen unter einander in die interessantesten Verbindungen bringt und jeder einzelnen Freiheit und eigne Bedeutung sichert.

Niels Gade. N. Gade Novelletten.

Die zweite dieser Gade'schen Suiten „Ein Sommertag auf dem Lande“ (op. 55) besteht aus fünf Sätzen: 1) Früh. 2) Stürmisch, 3) Waldeseinsamkeit, 4) Humoreske, 5) Abends, Lustiges Volksleben — die die versprochnen Tonmalereien in der gelassnen Weise der alten romantischen Schule ausführen. Die „Waldeinsamkeit“ und der Schlusssatz sind die besten Stücke, jene durch ihren warmen Ton, dieser durch die sinnige Andeutung der Abendstimmung. Die Nummern, welche Kraft und Frische verlangen, bleiben hinter den berechtigten Erwartungen.

N. Gade Ein Sommertag

Mit einer dritten Orchestersuite: Holbergiana (op. 61) hat Gade eine Aufgabe durchgeführt, die auch Edv. Grieg bei der gleichen Gelegenheit — Holberg's zweihundertstem Geburtstag — in ähnlicher Weise gelöst hat. Auch diese Composition ist etwas umständlich und redselig und lässt die Knappheit und Gewichtigkeit vermissen, die der Suite

N. Gade Holbergiana.

in der alten guten Zeit zu eigen war. Aber sie steht über dem Sommertag Gade's durch die Anschaulichkeit und den Gehalt der Thematik. Der Plan des Componisten war wohl der die verschiednen Seiten von Holberg's künstlerischen Charakter musikalisch aufleben zu lassen. Der erste Satz (Moderato, Tempo di Minuetto, $^3/_4$, G dur) zeichnet uns erst in weichen, sanften Weisen, die aus Dittersdorf und aus Naumann genommen sein könnten den humanen Philosophen, den Verfasser der „Moralischen Episteln". Die Durchführung beginnt animato und in Moll, scharfen erregten Tons. Da kommt wohl der Satyriker, der rücksichtlose Feind alles Unrechtes zu Wort. Der zweite Satz (Allegro scherzando, $^2/_4$, E moll) bezieht sich auf den Schöpfer der dänischen Komödie. Ein ausgelassnes, in seinen Rhythmen sprühendes, in den Intervallen keckes Thema wird fugirt — ein Bild von dem flotten Treiben der Holberg'schen Lustspiele und ihren fröhlichen Verwickelungen. Eine alte Melodie aus dem 18. Jahrhundert, die in der Mitte des Satzes (mit E dur) eintritt, bezeichnet das volksthümliche Wesen von Holberg's Kunst. Von andrer Seite her knüpft auch der dritte Satz (Andantino, $^3/_4$, D moll) an diesen Punkt an: er ist eine Instrumentalballade die, ähnlich wie dies in Gade's C moll-Sinfonie geschieht, von alter nordischer Zeit, von Leiden und Freuden eines ernsten kräftigen Geschlechts erzählt. Mit dem zweiten Satz der Suite theilt dieser dritte die Fülle und Echtheit der Stimmung, er übertrifft ihn aber in der Freiheit und Mannigfaltigkeit von Form und Ausdruck. Die Erregtheit des Erzählens äussert sich in Recitativen und dramatischen Wendungen. Die Suite schliesst mit einem Allegro festivo das an die Entrées der alten französischen Oper erinnert, an Festaufzüge mit wechselndem Personal und Balletvorstellungen. Halb und halb schlägt dieser Schlusssatz auch den Ton wehmüthiger, pietätvoller Erinnerung an. Nach der Wiederaufnahme des Hauptsatzes (G dur $^3/_4$) greift er auf die zweite, die Komödiennummer der Suite zurück und ganz am Ende fallen wie im Kaisermarsch R. Wagner's Singstimmen ein. Sie rufen „Vivat Holberg"!

Unter der grossen Zahl jüngerer Tonsetzer, welche im Anschluss an Brahms und Volkmann die Suite pflegen — R. Fuchs, A. Klughardt, J. Brüll, H. Reinhold, v. Stanford, A. Bird etc. — nimmt nur Robert Fuchs einen festen und der Stellung jener Vorbilder naheliegenden Platz im Repertoir ein. Seine drei Serenaden für Streichorchester, oft gespielt und gern gehört, sind das Produkt einer harmonischen Künstlernatur und jener feinen Bildung, welche auch bekannte und gewöhnliche Ideen mit neuem Interesse zu umgeben vermag. Ein besonderes Talent zeigt Fuchs in seinen Serenaden als Colorist. Mit den einfachsten Mitteln, Verdoppelung von Mittelstimmen, Theilung der einzelnen Instrumente, entwickelt er in seinem Streichorchester ein Leben, eine Abwechslung, einen Reiz im Klang, welcher die Wirkung der einfachen Serenadengedanken wesentlich erhöht.

R. Fuchs Serenade Nr. 1 (D dur).

Die erste Serenade von R. Fuchs (D dur) zeigt viel durchdachte Detailarbeit und Hinneigung zu den kleineren Künsten der Contrapunktik. Die Themen lieben das interessante Halbdunkel der Mittelstimmen, einzelne Motive, welche wie das die Serenaden eröffnende:

platt anfangen, werden durch Nachahmungen und Umbildungen veredelt. Durch Innigkeit der Empfindung zeichnet sich unter den Sätzen der Serenade der Gesdur-Theil des Allegro scherzando aus. Der breiteste ist der Schlusssatz (D moll 6/8). Sein Durchführungstheil verlangt Aufmerksamkeit auf das Motiv:

welches vom Hintergrunde aus längere Zeit neckisch drohend den Satz beherrscht. Das zweite Thema dieses Finale lässt von Ferne den traulichen Wiener Walzerton hören.

R. Fuchs Serenade Nr. 2 (C dur).

Die zweite Serenade von R. Fuchs (C dur) ist lebhafter als die erste und neigt dem Volkston mehr zu als jene. Am kecksten kommt er im folgenden Thema des Finale zum Ausdruck:

Das Larghetto dieser Serenade besteht aus Thema und vier Variationen, welche, zwischen Dur und Moll wechselnd, vorwiegend figurativ gehalten sind.

R. Fuchs Serenade Nr. 3 (Emoll). In die dritte Serenade (Emoll) klingen, wie bei Volkmann, ungarische Elemente herein. Ihr schönster Satz ist das zarte Allegretto grazioso mit dem in der Bratsche versteckten Thema.

M. Moszcowski Suite. Einen schnell vorübergegangnen grösseren Erfolg in der Suite hat unter den jüngern Tonsetzern M. Moszcowski mit zwei Arbeiten errungen, die von einem virtuosen Orchester vorgetragen dem Ohr manches Aparte und Erstaunliche bieten, hie und da auch geistige Bedeutung erstreben. Geschichtlich sind sie bemerkenswerth als Beispiele für das Eindringen modern französischen Balletgeistes in die deutsche Composition und haben ersichtlich mit ihren pikanten Reizen in der neuesten Orchestersuite etwas Schule gemacht.

Unter den jüngsten Beiträgen zur Suite verdienen die Serenade von F. Draeseke und die Symphonische Suite von E. N. von Rezniček besondere Hervorhebung, jene weil sie den richtigen alten Suitenton so vorzüglich trifft, diese weil sie ihn gänzlich verfehlt.

Die Serenade von Felix Draeseke (op. 49, Ddur) ist eine der liebenswürdigsten Orchestercompositionen der neueren Zeit. Sie ist ersichtlich in glücklichen Tagen entstanden und zeigt uns den charaktervollen und kunstgewaltigen Tonsetzer, der wegen seiner schwierigen Contrapunkte und wegen seiner Herbheit zuweilen gefürchtet wird, als einen Idyllendichter von reinster Naivetät und köstlichstem Humor. Einigermassen archaisirt auch diese Serenade ungefähr so wie es Vautier und Fritz Kaulbach auf ihren Bildern aus alter Zeit gern thun, so wie es auch Brahms in seiner D durserenade gehalten hat. Mit diesem Werke berührt sich Draeseke's Serenade vielfach in der Stimmung. Denn beiden hat das gleiche Vorbild vorgeschwebt: Mozart's Divertiments, beide Componisten haben sich in die entschwundne Poesie des 18. Jahrhunderts mit seinen Gartenmusiken, mit seiner engen Verbindung zwischen Leben und Kunst zurückversetzt. Draeseke ist bis in die Instrumentirung hinein dem Ton der alten Serenade gerecht geworden: er arbeitet mit einem sogenannten kleinen Orchester das die Streichinstrumente, Flöten, Oboen, Clarinetten, Fagotten und 2 Hörner umfasst. Die zwei Trompeten und Pauken, die noch hinzukommen wirken mehr drollig als prunkhaft. Auch in der Zahl und Art der Sätze würde die Serenade von Draeseke den alten Bedingungen praktischer Verwendung durchaus entsprechen. Sie hat fünf Sätze, die einfach und knapp gehalten sind; nur das Finale greift weiter aus.

F. Draeseke Serenade.

Eine richtige Serenade verlangt ein Stück für den Aufzug der Gratulanten. So eröffnet dann Draeseke die seinige mit einem Marsch der folgendermassen wohlgemuth und freundlich anfängt:

Das in den letzten Takten dieses Beispiels angegebne Achtelmotiv, der Ausdruck einer gewissen Vorfreude, trägt nicht blos die weitre Entwickelung der ersten Clausel, sondern liegt auch der ersten Hälfte des Nebensatzes zu Grunde. Erst in dessen Mitte setzen wieder hüpfende und springende Marschmotive ein. Das sehr kurze Trio (in G dur) knüpft ebenfalls an die erwartungsvolle Stimmung jenes Achtelmotivs an und geht in seiner zweiten Clausel an die Erzählung stillen Glücks. Der Marschsatz wird dann mit erweitertem Schluss wiederholt.

Dem Aufmarsch folgt logisch als nächster, zweiter

Satz, ein „Ständchen" (Andantino, 6/8, Fismoll). Der Liebhaber spricht durch die Stimme eines Solocellos zuerst seine Verehrung aus:

Diesem ersten Thema folgt ein Seitenthema in dem die Rede flüssiger, herzhafter und heitrer wird:

Das eigentliche zweite Thema, im Charakter gemüthlich und zutraulich, wird von den Bratschen eingeführt:

Ueberhaupt folgt in diesem zweiten Theile das Soloinstrument dem Chor, eine Abwechselung durch die die Form dieses Ständchens sehr hübsch belebt wird. Die Rückkehr zum ersten Thema und zur Hauptonart vermittelt das oben angeführte Seitenthema mit dem Sechzehntelmotiv. Ehe ein Thema überhaupt einsetzt, hören wir immer acht Takte die ganz lose präludiren, Tonart und Rhythmus festsetzen; nur die erste Violine tritt ein wenig melodisch daraus hervor. Am Schluss dieses Präludiums gleicht der Klang dieses Orchesters dem einer Guitarre. In seiner Harmonie tritt ein dissonanter Accord stark hervor, den der Componist im zweiten Theil des Sätzchens überraschend im Thema erklingen lässt. Eigenthümlich ist auch das Ende des Sätzchens, es macht den Eindruck einer eingetretenen Störung, als sei der Künstler der die Huldigung bringt aus dem Text geworfen.

Denkt man hier schon an Berlioz's Romeo, so noch viel mehr in dem folgenden dritten Satz der Serenade

(Andante 6/8, Adur) der als **Liebesscene** betitelt ist und wie aus der Verwandtschaft in der Harmonie schon vermuthet werden kann, wohl als Fortsetzung des Ständchens aufgefasst werden kann. Wir verstehen jetzt den kleinen Aufruhr am Schluss der vorhergehenden Nummer: die Geliebte der das Ständchen galt, ist gekommen. Auch in diesem Satze kann von einer Berührung Draeseke's mit Berlioz gesprochen werden; sie äussert sich in einer gewissen Gemeinsamkeit von Ton und Stimmung, einer ausserordentlichen Zartheit und Zurückhaltung im Ausdruck des warmen Gefühls. Es ist eine Liebesscene bei der glühende Sinnlichkeit ganz ausgeschlossen ist, sie hat einen Zug von Rührung und Frömmigkeit; man kann an eine Liebe denken, die durch schwere Hindernisse gegangen, die alt geworden ist. Die Form die Draeseke hier wie im vorhergehenden Satz für seine Darstellung gewählt hat ist ungefähr die der Sonatine. Die zwei Themen

folgen unmittelbar auf einander. Das erste trägt den Charakter edelster Heimlichkeit, das zweite, mit dem der Vortrag Dialogformen annimmt, zeigt wie sich die Herzen öffnen.

Ihm folgt ein sehr zärtlicher Nachsatz, der sich auf das Motiv:

stützt und namentlich in der Quart, mit der es schliesst Träger freundlicher und starker Hoffnungen wird. Die ganze Themenreihe wird zweimal vorübergeführt, das zweite Mal mit Veränderungen und Erweiterungen. Dann folgt ein freier Schluss der durch Recitative in Clarinette und Cello eingeleitet, dramatisch verläuft und sowohl in Wärme wie in Innigkeit des Ausdrucks die Krone des ganzen Tonbildes bedeutet.

Mit dem folgenden Satze, einer Polonaise (Allegretto con brio, $^3/_4$, D dur) wird aus der Gartenmusik ein Gartenfest mit grosser Gesellschaft. Diese Polonaise entfaltet Prunk und Virtuosität (Clarinette). Das Trio (G dur, un poco meno mosso) ist als eine Scene abseits gedacht, in der zwei Liebende in innigen Tönen Zwiesprache halten. Der Lärm des Festes klingt in versprengten Rhythmen herüber, die die Hörner, die Celli, auch einmal die Clarinetten in die Ruhepunkte des Gesangs hineinwerfen.

Das Finale (Prestissimo, C, D dur) ist ein Sonatensatz. Sein erstes Thema:

aus dem Freude und Befriedigung im langen Zuge strömt, setzt nach einer kleinen Einleitung ein, in der das Viertelmotiv seines Anfangs zu einem Ausbruch des Humors verarbeitet wird, der durch die Trugschlüsse einen kecken, übermüthigen Zug erhält. Mehrfach begegnen uns im Satze solche freie Wendungen guter Laune, am überraschendsten bei dem B dureinsatze des zweiten Themas in der Durchführung. Dieses zweite Thema selbst ist in der Stimmung mit dem ersten verwandt, nur äussert es sie ruhiger.

E. N. v. Rezniček Sinfonische Suite.

Auch an der Suite von E. N. von **Rezniček**, dem durch die Oper „Donna Diana“ bekannt gewordnen Mannheimer Kapellmeister, ist ernstlich nur die missverständliche und irreleitende Benennung zu beanstanden. Denn die Suite war jederzeit ausgesprochenste Gesellschaftsmusik; hier aber stehen wir vor ganz und gar subjectiver Kunst. Der Componist scheint diesen Sachverhalt gefühlt zu haben, als er seine Arbeit als **symphonische** Suite bezeichnete. Die drei Sätze, aus denen sie besteht, sind wohl ein Niederschlag von tief greifenden persönlichen Erlebnissen und Schicksalen ihres Verfassers; ein Zug leidenschaftlicher Erregung geht durch das Ganze, der alle diejenigen Zuhörer, die gewöhnt sind in der Suite von allem Pathos und allen seelischen Strapazen loszukommen, befremden muss. Die kleine Enttäuschung wird hoffentlich immer schnell überwunden. Denn Rezničzeks Musik ist zwar nicht thematisch originell, sie zeichnet sich aber aus durch Klarheit und Knappheit, durch eine unmittelbare, dramatische und lebenswahre Empfindung. Dazu kommt noch eine sehr farbenscharfe, wirksame Instrumentirung.

Der **erste** der drei Sätze (C, Emoll) **Ouvertüre** benannt entwickelt sich um zwei Themen, deren Anfänge:

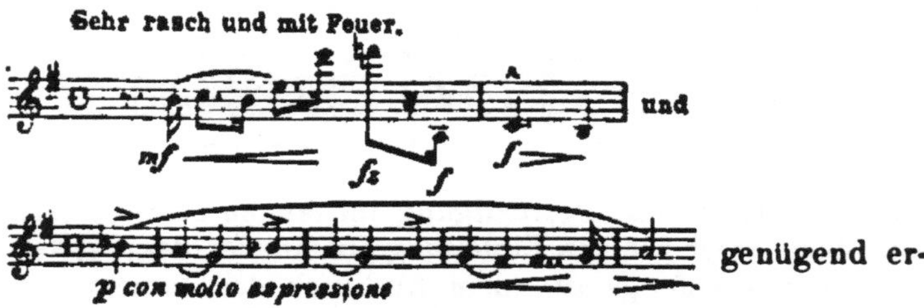

und ... genügend erkennen lassen wie deutlich der Componist den Gegensatz zwischen dem Sturm der Gefühle und der Sehnsucht nach Frieden gestaltet hat. Das zweite muss, wenn es die höchsten Wirkungen ausüben soll, immer plötzlich eintreten; die Kunst des Componisten hat sich in den Uebergängen zu zeigen die aus ihm nach der Aufregung des Hauptthemas zurückführen. Sie haben überall den Schein grosser Natürlichkeit. Der Aufbau des ganzen Satzes vollzieht sich im bekannten Sonatenschema, die Durchführung ist kurz gehalten, der Schluss versichert: dass für weitre Anfechtungen und Prüfungen noch ein grosser Vorrath von männlicher Kraft vorhanden ist.

Der zweite Satz (Adagio, $^3/_4$, Fdur) thut einen Schritt weiter nach der Richtung, aus der das zweite Thema des ersten Satzes entgegenleuchtete. Er wendet sich der Hoffnung schon mit dem ersten Thema:

zu. Noch entschiedner, mit mächtigem Schwung geschieht das aber im zweiten Thema, das sich vom folgenden Anfang aus:

zu einer zwölftaktigen, schön modulirenden, auf energische Bässe gestützten, in den Geigen hochsteigenden Melodie entwickelt. Im Hauptthema fällt die Dissonanz sehr auf, die beim ersten Eintritt im zweiten und vierten Takt angeschlagen wird. Bei der Weiterführung des Themas wird sie zwar vermieden, aber es bleibt an ihrer Stelle immer ein fremder Ton, mit dem entlegne, vereinzelte Stimmen in hohen Lagen einsetzen. Die Erinnerung an Leid und Unglück, die in diesen seltsamen Accorden stechend mit geht, lebt in dem Adagio auch noch in einer andren Form leise auf: in einem chromatisch klagenden

Motiv, das (in Fagott und Bratschen, dann auch in den Geigen und Oboen):

die kurze Durchführung eröffnet. Bald lassen sich auch die punktirten, heftigen Rhythmen vernehmen, die die Hauptträger des Unfriedens waren, der die Ouvertüre beherrschte. Die Wiederholung bringt das Hauptthema in einer Achtelvariation; eine längere Coda zeigt nochmals auf den ganzen Unfang seines beruhigenden und verheissenden Inhalts.

Den dritten, den Schlusssatz (Sehr rasch, $^3/_4$, E moll) seiner symphonischen Suite hat der Componist Scherzo finale betitelt. Es sind aber ausschliesslich bittre Scherzo, zu denen sich der Componist versteht und der Humor, der hier waltet, ist der sogenannte Galgenhumor. In seinem pessimistischen, zuweilen dämonischen Charakter, in seinem trostlosen, verzweifelten Ausgang hat dieses Finale wenig Seitenstücke; als Suitensatz ist es völlig unerhört. Auch formell bietet es dem Zuhörer Schwierigkeiten. Eine der ersten bereitet schon das Hauptthema:

etc. dessen verzwickter Rhythmus sich nur widerwillig in Bewegung setzt. Es zieht ein Gefolge von allerhand elenden Stimmungen nach sich, die sich in winselnden und sich krümmenden Motiven äussern, es tritt in Bettlergestalt auf und im Ton der Empörung. Unter den Nebenthemen, die in seiner Gruppe auftreten, tritt klagend ein schwankender Gesang hervor, der zuerst in Oboe und Bratsche erscheint:

etc.

Ihm folgt dann das eigentliche zweite Thema des Satzes, zwar in gehaltener Stimmung aber voll Resignation und Leiden:

etc. Es wird sofort mit dem Hauptthema combinirt; neben dieser Combination gelangt noch das aus einer zufälligen melodischen Wendung hervorgegangne Klagemotiv: 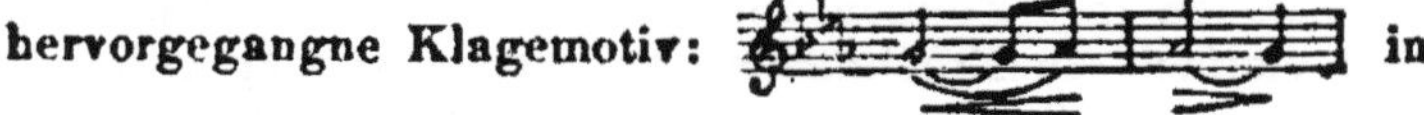 in diesem Abschnitt zu wesentlicher Bedeutung.

Der erste Theil des Satzes schliesst mit einer kurzen leidenschaftlichen Wiederholung des Hauptthemas allein, die sich aus dem lauten Ton ausserordentlich schnell in die Stille und ins Gespensterhafte verliert. Die Durchführung poltert mit den Rhythmen des Hexensabbaths herein und widmet sich dann bald der Durchführung einer Doppelfuge, die zum ersten Thema das Hauptthema des Finale hat und mit ihm folgenden Contrapunkt verbindet:

Obgleich nun die Suite der Zeit der Wiener Schule nahesteht, gehört sie doch zu den Nebenbuhlern der classischen Sinfonie und ihr Wiederaufleben ist eine von den Erscheinungen, die das Erbe Beethoven's bedroht zeigen. Die Gründe, weshalb es mit der sinfonischen Produktion nach classischem Muster mehr und mehr abwärts geht, sind doppelter Natur. Auf der einen Seite sind die Ansprüche gewachsen, auf der andren haben die Fähigkeiten abgenommen. Gewachsen sind die Ansprüche an den organischen Zusammenhang der Theile cyclischer Compositionen. Die Zusammenstellung von vier einander nichts angehenden Sätzen zu einem Ganzen lassen wir uns nur dann noch gefallen, wenn der Gehalt dieser einzelnen Sätze überwältigend ist. Vermindert hat sich dagegen die Befähigung unsrer Componisten für die Haydn-Beethoven'sche Kunst der Auslegung und Durchführung. Diese Kunst war nicht blos das Privileg ganz ausserordentlicher Persönlichkeiten, sondern fast noch mehr die Frucht einer ganz ungewöhnlich geistig reichen Zeit. Sie lässt sich deshalb mit allen musikalischen Mühen nicht zurückgewinnen und der Versuch ihre Formen und ihre Methode nachzuahmen führt vielfach zu Ergebnissen, bei denen wieder gefragt werden kann: „Sonate, que me veux tu?“ Trotz alledem repräsentirt die Summe der neueren Sinfoniecomposition einen bedeutenden Theil des besten Talents und des erustesten Fleisses, über welchen die dermalige musikalische Generation verfügt.

Merkwürdig bald ist die Herrschaft der Mendelssohn'schen Schule erloschen. Mendelssohn nahm die Geister seiner Zeitgenossen mit einer Kraft in Beschlag, der sich selbst ältere Tonsetzer nicht entziehen konnten. Reissiger's Esdur-Sinfonie (1839) bietet hierfür den Beleg. Aber die Sinfoniker, welche sich seiner Richtung ganz hingaben, hatten nur einen kurz dauernden Erfolg. Nach einem Jahrzehnt schon schwanden die Sinfonien von Taubert, die Esdur-Sinfonie von Rietz, Hiller's Emoll-Sinfonie (mit dem Motto: „Es muss doch Frühling werden“) vollständig vom Repertoir, und die spätern Nachzügler der Schule (Hol: Dmoll-Sinfonie, J. Zellner „Melusina“) haben weitere Beachtung überhaupt nicht mehr gefunden. Auch diejenigen Werke, welche mit ihrer geistigen Basis tiefer in Schumann hinabtauchen, sind schneller bei Seite gelegt worden, als sie es verdienten. Wir nennen die bereits erwähnte Sinfonie in Cdur von W. Bargiel und die Adur-Sinfonie von C. Reinecke, welche in ihren letzten beiden Sätzen wirklich originelle Erfindungen des Humors und der Anmuth bietet. Eine zweite Sinfonie Reinecke's in Cmoll,

Reissiger. Taubert. Rietz. Hiller. Hol, Zellner. Bargiel. Reinecke.

die i. J. 1874 erschienen ist, interessirt vornehmlich darum, weil sie, ähnlich wie die Arbeiten Berlioz's oder Abert's „Columbus“ in den alten Formen Programmtendenzen verfolgt. Ihre Sätze geben Bilder aus dem Leben Hakon Jarl's wieder, den der Componist auch zum Gegenstand einer sehr bekannten und bedeutenden Cantate für Männerchor gewählt hat. Vor kurzem ist noch eine dritte, eine Sinfonie in G moll (op. 227) erschienen, die wohl als Reinecke's Hauptarbeit auf diesem Gebiete bezeichnet werden darf und die man mit ihrem ersten Satz zu den bedeutendsten neuen Orchestercompositionen zu rechnen hat. Eine verhältnissmässig grosse Anzahl von Aufführungen, die diese G moll-Sinfonie erfahren hat, bestätigen diese Bedeutung auch äusserlich.

C. Reinecke Dritte Sinfonie.

Wir haben kein Recht auch diese Sinfonie Reinecke's mit der Schumann'schen Schule in Verbindung zu bringen, mit der schon die zweite kaum noch Nennenswerthes gemein hat. Indem der Componist das für die Musik und für die lyrischen Künste immer wieder neue Bild belohnten Kampfes in der Spiegelung vorführt, die es in seiner massvollen, harmonisch abgeklärten Natur erfährt, tritt er uns kräftiger als je entgegen. Volkmann, Spohr und Gade sind die verwandten Künstler mit denen er sich der Reihe nach hier berührt.

Es ist der erste Satz (Allegro, ₵, G moll) der die geistige Verwandtschaft mit R. Volkmann, insbesondere mit dessen D moll-Sinfonie, aufweist. Am stärksten spricht sie sich in dem Hauptthema aus, dessen Gehalt wesentlich in dem Anfangsmotiv

liegt. Mit ausserordentlicher Energie ist die ernste Stimmung und der feste Wille, der sich in diesen wenigen Noten kurz und bedeutend ausspricht, in dem Satz festgehalten. Es fehlt fast in keinem Theil darin, es tritt zurück wenn andre Hauptgedanken den Platz beanspruchen; aber es verschwindet nicht, sondern wird Begleitungsmotiv. Auch hierin erinnert diese G moll-Sinfonie an Beethoven's fünfte, von der sie im Allgemeinen mehr als einen Hauch verspüren lässt. Auch die Vergrösserungen und Verkürzungen und die andern zahlreichen, contrapunktischen Künste, die mit dem Motive spielend vorgenommen werden, zeigen wie voll des Componisten Phantasie von ihm war. So ist denn eine Composition entstanden, deren Einfachheit, Knappheit und Grösse einen classischen Eindruck bewirken und dem sich nur die offenbare Verblendung verschliessen kann. Das zweite Thema des Satzes, zu dem ein auf dem Hauptmotiv ruhender, aber sich mit recitativischer Freiheit äussernder Uebergangssatz hinleitet, zeigt schon in seinem Anfang:

einen eigenthümlich schönen Ausdruck von Resignation, gleicht einem Wort in dem gereifte Lebenserfahrung auffordert zu hoffen und zugleich sich zu bescheiden. Die Durchführung bringt erst das Hauptthema mit Dissonanzen im Weg, zeigt es gewissermassen in seiner Arbeit, im Kampf mit Widerstand und Hindernissen. Im Augenblick der Rathlosigkeit tritt ihm das zweite Thema wie helfend und tröstend entgegen und von da an bringt der Componist eine Weile die unruhigen Elemente des Hauptthemas (aus dem Achtelschluss) mit den sanften und weichen Klängen des zweiten Themas in Berührung. Das Ende ist Ermattung, ein Verklingen in Pausen, aus dem auf einem langen Orgelpunkt auf D ein neues Erwachen der Kraft und Energie, die das Anfangsmotiv des Hauptthemas vertritt, zur Reprise hinüberleitet.

Der zweite Satz hat in seinem Hauptthema:

einer schönen Melodie, die an die

Beethoven'sche Zeit erinnert, sein Bestes. Auch in den weiteren Sätzen der Sinfonie wird die Geschlossenheit und Einheitlichkeit ihres ersten Satzes nicht wieder erreicht, der Zuhörer muss sich an den Werth einzelner hervorragender Gedanken halten.

In gleicher Progression, wie der geistige Einfluss der Hauptmeister der Romantik verblasst, wächst die Einwirkung Beethoven's in der neuen Sinfonie. Neben ihm in zweiter Linie tritt das Vorbild Schubert's stärker hervor. Seine Cdur-Sinfonie, mit ihrem Finale namentlich, und Beethoven's neunte Sinfonie sind diejenigen Werke, durch welche die frühere Periode in die gegenwärtige Sinfonielitteratur am mächtigsten hineinklingt.

Unter den namhaften Sinfonikern der Gegenwart ge-
A. Rubinstein bührt nach der Anciennetät der Vortritt: Anton Rubin-
Sinfonie Nr. 2 stein. Seine erste Sinfonie (Fdur) im Jahre 1854 ver-
(F dur). öffentlicht, heute nur wenig gekannt, fällt noch in die Blüthezeit der Mendelssohn'schen Schule und trägt in ihren ersten beiden Sätzen die Spuren derselben. Ihre letzten Sätze sind selbständig und lassen die Vergessenheit bedauern, welche sich über das ganze Werk gebreitet hat. Von den sechs Sinfonien des Componisten sind zwei Gemeingut der musikalischen Welt geworden: die Sinfonie „Ocean" und die „dramatische Sinfonie" (Nr. 4).

Obgleich die Oceansinfonie Franz Lizst gewidmet ist, steht sie doch mit der Programmmusik nicht im engeren Zusammenhang. Ihr Stil ist der Beethoven'sche und ihr Titel giebt der Phantasie nur einen leichten Anhalt. Dass Rubinstein unter die grössten musikalischen Erfindernaturen der neueren Zeit gehört, beweist namentlich der erste Satz
A. Rubinstein der Oceansinfonie: ein geniales, reiches Tonstück, von
Sinfonie mächtiger Stimmung getragen, im grossen Zuge entworfen,
„Ocean". mit glücklichen, eigenthümlich anschaulichen Musikgedanken dargestellt! Sucht man nach den näheren poetischen Beziehungen des Satzes zum Titel, so stellt sich am ungezwungensten das Bild der Ausfahrt ein. Dazu stimmt das erste Thema:

wie es erst erwartungsvoll leise aufflattert und dann in der prangenden Pracht des vollen Orchesters vorüberzieht. Seinen Abschluss erhält es in einer breit ausgreifenden, vom warmen, innigen Gefühl durchwogten Gesangsmelodie

, welche in der Durchführung grosse Bedeutung hat. Zu der stillen Majestät des Oceans passen die lang und ruhig dahinklingenden Dreiklangsharmonien, an denen die Bewegung des Satzes so häufig Halt macht. Den drohenden und beängstigenden Charakter des Meeres deutet das Trompetenmotiv

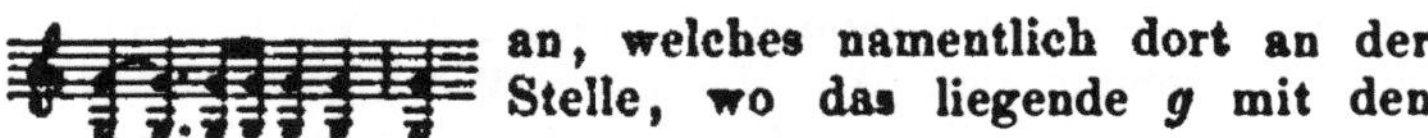

an, welches namentlich dort an der Stelle, wo das liegende *g* mit den Harmonien des Chors in Dissonanzen lange wechselt, zu sehr unheimlicher Wirkung gelangt. Das zweite Thema des Satzes:

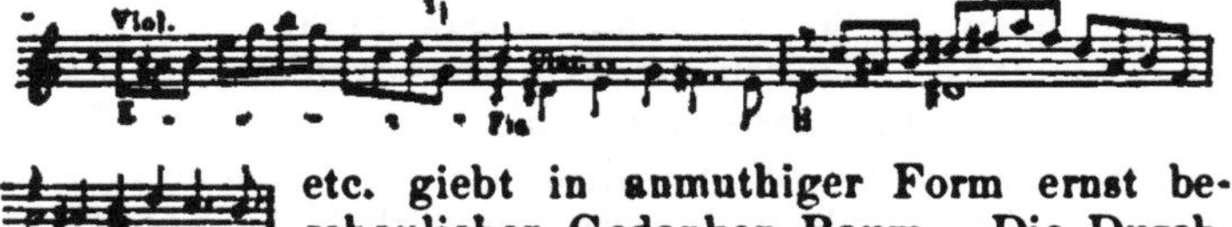

etc. giebt in anmuthiger Form ernst beschaulichen Gedanken Raum. Die Durchführung der vielseitigen Ideen zeichnet sich durch Ruhe und Vornehmheit aus.

In dem zweiten Satze der Sinfonie: Adagio (E moll *C*) ist folgende Melodie

---

1) Das 10. und 11. Achtel lies: *h* und c.

die führende. Das zweite Thema, seinem Charakter nach noch tiefer fragend, fängt mit einer aus Schumann's G dur-Sinfonie bekannten Wendung an:

In den Streichinstrumenten erhalten durchgeführte leichte Begleitungsfiguren die Gedanken an das Spiel der Wellen wach. Die Ausführung der Ideen ist knapp; die poetische Hauptstelle des Satzes liegt kurz vor der Reprise: da, wo das Horn seinen Ruf in die Stille hinaus erschallen lässt, wo die Panke zu dem Solo der Clarinette ausdrucksvoll wirbelt.

Der dritte Satz (Allegro, $^3/_4$, G dur) könnte eine lustige Seemannsscene bedeuten. Das Hauptthema beginnt derb fröhlich animirt

und erweckt bei den anderen Instrumenten in einer Reihe wilder Triller ein verstärktes Echo seiner Stimmung. Im zweiten Thema wird der Humor etwas breit und querköpfig. Das an und für sich treffliche Material des Satzes ist in der Verarbeitung ziemlich zersplittert worden.

Das Finale beginnt frohbewegt, als wenn es heimwärts ginge.

Das Hauptthema wiegt sich lange auf

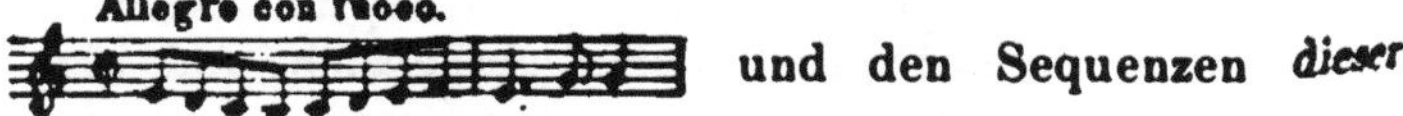

und den Sequenzen dieser Motive und schliesst dann kräftig bestimmt mit

ab.

Eine dankvolle Stimmung äussert sich in ruhigerer Weise auch im zweiten Thema:

Ihren feierlichsten Ausdruck findet sie aber in dem Chorale, welcher von der langsamen Einleitung ab bis zum Schlusse des Satzes ein Hauptglied desselben bildet. Gross und erhaben gedacht ist das Finale der Oceansinfonie — doch sind die poetischen Intentionen musikalisch nicht so gelungen verkörpert worden wie im ersten Satze.

In neuerer Zeit hat Rubinstein den vier Sätzen seiner Oceansinfonie noch einen fünften und sechsten hinzugefügt: ein Adagio in D dur, welches als zweite Nummer der neuen Ausgabe an die Gedanken des zweiten Themas des ersten Satzes leicht anknüpft, und als vorletzte Nummer ein phantastisch belebtes, von innigem Gesangston durchzogenes Scherzo in F dur.

A. Rubinstein „Sinfonie dramatique".

Die „Sinfonie dramatique" (Nr. 4, D moll) ist Rubinstein's bedeutendste Leistung auf dem Gebiete der höhern Orchestercomposition. Nach der natürlichen Grösse von Empfindung und Phantasie, nach der Stärke der angeborenen Dichterkraft, nach Einfachheit und Bestimmtheit des Ausdrucks gemessen, bildet sie eine der hervorragendsten Erscheinungen in der ganzen sinfonischen Litteratur.

Ihr erster Satz namentlich ergreift und erschüttert wie wenige Tonstücke. Dem Inhalte nach tragischer Natur, zeigt er manche, auch technisch erkennbare, Berührungspunkte mit den Eingangssätzen der Faustsinfonie von Liszt und Beethoven's Neunter; mit der letzteren in der Menge gewaltiger Trugschlüsse und in den einschneidenden Wirkungen des verminderten Septimenaccords. Die Form ist eigenthümlich, aber einheitlich und klar disponirt. Eine Hauptstütze des ganzen Organismus bildet die murrende und suchende Figur, mit welcher die Bässe die Einleitung beginnen:

Lento.

Sie geht im Laufe des Satzes viele Verwandlungen ein; erscheint bald in breiten, bald in flüchtig dahineilenden Rhythmen, stellt sich jetzt an die Spitze des Orchesters und verbirgt sich dann in der Mitte und in der Tiefe. Aber immer ist sie da, regulirt den dämonischen Puls der Tondichtung mit ihrem Schlage und durchklingt den ganzen Satz wie Windesbrausen und Glockengeläute. Den regelmässigen Begleiter dieser Hauptfigur bildet von der Einleitung ab das leidenschaftlich zuckende Motiv: welches sich mit schmerzhafter Dissonnaz häufig in die Klagen der Instrumente hineinbohrt. Der Expositionstheil des Allegro zerfällt in fünf Scenen.

Die erste breitet in einem langen Zuge das Hauptthema, ein getreues Abbild leidenschaftlicher Verwirrung, hin:

Allegro moderato.

Seine Aufregung bricht sich an einer Gruppe, in welcher die Musik nicht in zusammenhängenden Gedanken, sondern in Interjectionen und Naturtönen spricht: in fanatisch herausgestossenen Trillern, im kurzen schweren Aufschrei der Bläser und in scharfen Dissonanzen, welche in ihrer Art und ihrer Einführung an diejenigen erinnern, welche im ersten Satze von Beethoven's Eroica der E moll-Episode vorangehen. Und nun beginnt die dritte Scene. Von einem milden und beschwichtigenden Gesang der Clarinette präludirt, tritt das zweite Thema ein, eine der schönsten musikalischen Darstellungen vom Zustande eines Herzens, in welchem die Hoffnung mit der Furcht kämpft:

In jedem Takt ein anderer schöner Zug: Wie die Violinen Trost zusprechen, wie das Horn absetzt und ansetzt, höher und höher geht, zuletzt im langen Gang sich ausspricht, selbst in der kleinen Dissonanz des *a* im ersten Takte — in Allem liegt eine Wärme, Anschaulichkeit, Unmittelbarkeit, eine Naturwahrheit, wie sie nur die genialsten Künstler ab und zu erreichen. Die Scene wird hauptsächlich auf Grund der beiden eingehakten Takte weitergeführt und endigt mit einer Wendung, welche der eigenthümlichen Schönheit des ganzen Bildes würdig ist: Kurz und überraschend moduliren die Bläser in sanften Accorden von B- nach D dur und halten die neue Harmonie leise mit einer langen Fermate wie eine freundliche Vision fest. Als sollte der Traum nicht gestört werden, bringen darauf die tiefen Streichinstrumente *pp* das Motiv

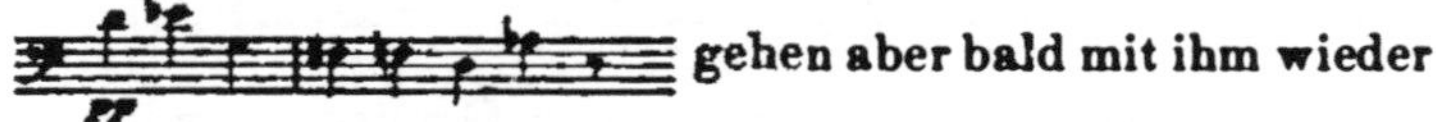

gehen aber bald mit ihm wieder ins Stürmische und zur fünften Scene des Expositionstheils über, deren Thema heroischer Natur ist:

Die Durchführung beginnt als wörtliche Wiederholung der ersten Scenen, setzt aber dann die Schilderung des Conflicts zwischen Muth und Zweifel mit selbständigen, neuen thematischen Ideen fort und nimmt nach dem Schlusstheil einen trüben und hocherregten Charakter an. Mit harten Dissonanzen und chromatischen Passagen, welche in Liszt'scher Weise stilisirt sind, wird der Uebergang zur Reprise bewerkstelligt, welche den Inhalt des Expositionstheils in gesteigertem Ausdruck, das Hauptthema noch wilder und das zweite Thema noch rührender vorüberführt.

Der zweite Satz, ein Presto (D moll) in drei Theilen, beginnt mit einem kleinen Schreck

Erst nach diesen durch die Generalpausen mächtig verstärkten Allarmsignalen setzt das stürmische Hauptthema, in seiner Construction auf folgendes kurze Modell gestützt:

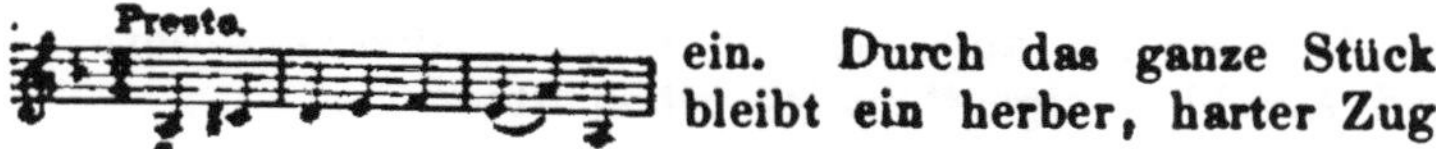

ein. Durch das ganze Stück bleibt ein herber, harter Zug vorherrschend. Die freundlichen Seitenpartien, welche in mannigfachen Nebenthemen betreten werden, wie in den ballet- und tanzartigen Weissen:

führen immer wieder in den Hauptweg zurück, und selbst in dem Allegretto, welches in dem Satze die Stelle des Trio vertritt — der Anfang lautet:

— verdrängen die überwiegenden allarmirenden Elemente die Versuche zum freundlichen Gesang. Mit dem Finale der Sinfonie hat dieser zweite Satz die reiche Verwendung von Motiven aus der slavischen Volksmusik gemeinsam.

Das Adagio (F dur, $^6/_8$) der Sinfonie ist einer der schönsten melodiereichsten Sätze der neueren Instrumentalmusik, von einer Milde in Charakter und Stimmung, die seine Betrachtung zum reinsten Genuss macht. Seine Hauptmelodie:

in welcher die Beethoven'schen Elemente reich vertreten sind, wird durch ein Seitenthema abgelöst und ergänzt, dessen Ausdruck und Abschluss eigenthümlich schön ist:

Auf diese Hauptgruppe folgt eine Scene, die, melodisch auf Bagatellen beruhend, über kurze Motive schwärmt und in entlegene Harmonien träumt. In der Süssigkeit der Stimmung, in der ungezwungenen Innigkeit des Tons erinnert sie an eine Liebesscene. Ueber dem Ende des Satzes, wo die Bässe und Celli choralartige Weisen anstimmen, liegt religiöse Weihe.

Nach einer langsamen Einleitung beginnt das Finale mit einem Thema, das in seiner stürmischen Natur und in seinen Anfangsnoten: Allegro con fuoco. f wörtlich mit einem sehr bekannten Gedanken aus Beethoven's Kreuzer-Sonate übereinstimmt. Das Finale ist lebendig froh gedacht, aber ziemlich breit und mit Einmischung seltsamer Einfälle ausgeführt. Unbedingte Schönheit in Form und Charakter besitzt das zweite Thema:

Die nächste, die fünfte Sinfonie Rubinstein's (G moll, op. 107) unterscheidet sich von allen ihren Geschwistern äusserlich dadurch, dass sie, was die dramatische Sinfonie in den Schlussätzen thut, durchs ganze Werk und noch

A. Rubinsteins fünfte Sinfonie.

reichlicher als ihre Vorgängerin slavische Melodien verwendet. Von Freunden des Componisten ist sie deshalb zuweilen Rubinstein's „Russische Sinfonie" genannt worden. Eine patriotische Tendenz spricht vielleicht auch daraus, dass sie dem Andenken der Grossfürstin Helene Paulowna gewidmet ist, die unter den Gliedern des Herrscherhauses sich als Förderin der musikalischen Entwickelung im Czarenreich hervorthat. Die jungrussische Schule hat bekanntlich durch einen ihrer Führer, César Cui,[1]) an Rubinstein und Tschaikowsky scharfe Absagen gerichtet und damit sichtlich beide Künstler veranlasst sich den national russischen Musikbestrebungen enger und eifriger anzuschliessen. Rubinstein hat von seiner Bekehrung in dieser G mollsinfonie das ausführlichste und eifrigste Zeugniss abgelegt. Seine Gegner wird er dadurch nicht gewonnen haben.

Als Abbild russischer Musik wählt diese G mollsinfonie ihre Themen zu einseitig; das träumerische Element namentlich fehlt. Für die Aufgabe, wie sie sich Rubinstein hier und in seinen letzten Instrumentalcompositionen überhaupt gestellt hat, konnte ihm die Volksmusik nur wenig nützen. Sie verlangt Naturgemälde, Rubinstein ging aber auf Lebensbilder Selbstbekenntnisse aus. Von diesem Gesichtspunkte aus ist auch seine G moll-Sinfonie aufzufassen. Sie erscheint dann als eine Art Seitenstück, als eine Fortsetzung seiner Sinfonie dramatique, als ein betrübender Beweis, dass das Loos dieses gewaltig musikalisch und menschlich gewaltig beanlagten Künstlers unglücklich war. Doch ist nicht zu verkennen, dass die dramatische Sinfonie in der Erfindung und Ausführung — bis auf den letzten Satz — höher steht, gewählter und gedrungner ausgefallen ist, als ihre Nachfolgerin. Namentlich dem ersten Satz dieser fünften Sinfonie hat beim Entwurf, bei der Aufstellung der Themen und bei der Disposition des Formplans die Gründlichkeit und die Bedacht-

---

[1]) César Cui: La Musique en Russie. Paris 1880.

samkeit empfindlich gefehlt, die zur Darstellung der Idee die geeignetsten Mittel herbeizieht.

Dieser erste Satz (Moderato assai, C, G moll) beginnt mit dem Hauptthema

ernst. Ihm folgt eine aufgeregte Episode, die uns in der Art der Sinfonien Karl Maria von Weber's in die Ballet- und Opernsphäre wirft. Sie würde verständlich, wenn sie mit der Rückkehr nach dem Hauptthema schlösse und sich zu ihm in einen durchgeführten Gegensatz stellte. Diese logisch nothwendige Wendung hat dem Componist auch vorgeschwebt, doch begnügt er sich sie mit ein paar gehaltnen Noten, die allerdings Rubinstein's starke Musiknatur wieder glänzend veranschaulichen, anzudeuten und geht nach ihnen zu dem zweiten Thema

über. Es hat den bukolisch russischen Charakter ausgeprägt, während das erste die nationale Abkunft durch den Verzicht auf den Leitton merken lässt. Die Themengruppe wird, nachdem das zweite Thema in sehr überraschender, hübscher Weise in Ddur wiederholt worden ist, durch eine handvoll weitere Motive vervollständigt, von denen keines eine grössre eigne Bedeutung hat und keins mit dem andren in Zusammenhang steht. Der Componist phantasirt mit einer Ungenirtheit als sässe er am Klavier und um ihm herum lauter gute Freunde, die Werth darauf legen in die Seele des grossen Mannes auch zur unpassendsten Stunde einen Blick werfen zu dürfen.

Die Durchführung beginnt mit dem Hauptthema in Flöten, Clarinetten und Fagotten, setzt es dann in die Bässe in die zweiten Geigen, verliert bald Willen und Ziel, wühlt in der Verlegenheit über ein Viertelmotiv *a gis a gis a* und kehrt unverrichteter Sache nach dem Anfang zurück. Sein glänzender kraftvoller Eintritt bildet eine der wirksamsten Stellen des Satzes. Die Reprise weicht von der Themengruppe zunächst dadurch ab, dass sie das zweite, heitre Thema dem nachdenklichen, die Schwermuth streifenden Hauptthema unmittelbar folgen lässt. Erst an dritter Stelle kommt die erregte Episode, die im ersten Theile jene beiden Gedanken aus einander hielt. Ihr folgt ein ganz leiser, langsamer, choralartiger Abschnitt. So gelingt es durch Zuthaten, Umstellungen und Aenderungen dem Componisten die dem Satz zu Grunde liegende Absicht der Darstellung einer gährenden Stimmung am Ende doch klarer und begreiflicher zu verwirklichen.

Der zweite Satz (Allegro non troppo, 3/4, B dur) bringt wie Beethoven's Neunte Sinfonie das Scherzo. Den langsamen Satz hat Rubinstein an die dritte Stelle gerückt, weil der Inhalt seines ersten Satzes eine aufheiternde Fortsetzung verlangt. Dem Hauptsatze dieser zweiten Nummer liegt ein russisches Thema zu Grunde:

das von der Clarinette zuerst eingeführt, von den übrigen Instrumenten zu einer breiteren Scene des Spielens und Tändelns ausgeführt wird. Auch hier werden wir wieder an die Neunte Sinfonie erinnert: Die fröhlichen Klänge unterbricht immer wieder ein Augenblick des Sehnens, Zweifelns, Klagens und Schwankens. Ansätze zu einem Seitenthema tauchen auf, der bedeutendste eine Synkopenbildung; keiner behauptet sich. Das Trio verdankt seine ganz ungewöhnliche Gestalt dieser scherzowidrigen Stimmung. Es ist eine Fuge in Es moll, ihr Thema dem Hauptthema des ersten Satzes etwas verwandt.

Der dritte Satz (Andante, 6/8, Es dur) hat ungefähr den Ideengang: Von ferne tritt das Glück in Sicht und ruft in der Seele des Dichters Erregung hervor, die sich in

Hoffen und in Zweifeln theilt. Das Bild des Glücks erscheint in einer langen, anmuthigen und naiven Melodie, mit der der Satz beginnt. Sie ist in Vertretung auch andern Instrumenten, in erster Linie aber dem Horn übertragen und für gute Hornisten wird dieses Andante der Rubinstein'schen G moll-Sinfonie ein Lieblings- und Glanzstück sein. In dem Augenblick des grössten Aufschwungs hat allerdings dem Componisten der Umfang des Horns (in F) nicht genügt, die Trompete muss aushelfend eintreten. Die Erregung ruht auf einem Motiv in Sechzehnteltriolen, das den Violinen gegeben ist. Es führt nach dem Abschnitt seines ersten Auftretens zu einer Wiederholung der Glücksmelodie in Oboe und Horn. Ihm folgt ein neuer Abschnitt der Erregung, der in einem kurzen folgenden Sätzchen in Es moll seine Spitze findet. Darauf setzt die Flöte mit dem Hauptthema ein, nach ihm noch einmal der Abschnitt über das Triolenmotiv; die Hauptmelodie klingt mit dem Anfang an und das Ende ist da. Es ist — gemäss dem verschwiegnen Programm der Sinfonie — ein Ende in Ungewissheit! Das Andante ist vielleicht derjenige Satz des Werkes, der die Seele des Zuhörers am lebhaftesten und nachhaltigsten in Thätigkeit setzt. Die Ursache liegt zum grossen Theil an dem dramatischen Charakter der Uebergänge, die zwischen den Haupttheilen vermitteln, an der aufregenden Art in der die Leidenschaft in die Idylle hereinbricht. Man merkt an diesem Stück ganz besonders wie in der Gegenwart die Oper den Weg zur Herrschaft über die gesammte Musik angetreten hat!

Der Schlusssatz (Allegro vivace, $^2/_4$, G moll, G dur) hat die Anlage des Sonatensatzes. Sein Hauptthema ist eine von jenen russischen Tanzweisen, die in der beständigen Wiederholung eines kurzen Motivs den Stempel der Kindlichkeit und des Naturvolks offenbaren. In seiner Mollharmonie hat die Lebendigkeit dieses Themas etwas Gedrücktes und Gewaltsames, erscheint an dieser Stelle als Vertreter eines „Galgenhumors“. Rubinstein stellt ihm (in der Oboe zunächst und in B dur) eine nach freundlichem Ausweg nach Ruhe und Glück suchende Melodie entgegen, die deutsch sein könnte aber durch die Zahl und Art der Repetitionen russificirt worden ist. Zwischen diesen beiden Themen liegen noch zwei selbständige Motive, Träger der heissblütigen und warmen Empfindung, die Rubinstein's Musik immer wieder auszeichnet. Die Themengruppe wird wiederholt und diese Wiederholung hat der Componist mit Rücksicht auf einige kleine Varianten ausschreiben lassen. Die Durchführung, mit der G dur einsetzt, versucht zunächst einen Ausgleich, eine Versöhnung der im ersten Theil enthaltnen Gefühlselemente, indem sie die beiden Hauptthemen mit einander verwebt; das zweite liegt in den untern Instrumenten, das erste kommt als Contrapunkt in den obern. Generalpausen und fortwährendes Abbrechen zeigen wie vergeblich der Versuch bleibt. Da taucht aus dem ersten Satz der Sinfonie *pp* das wühlende chromatische Viertelmotiv wieder auf und setzt sich fest. Damit nimmt Fortsetzung und Schluss der Durchführung einen verzweifelten Charakter an und auch die Reprise, mit der G moll zurückkehrt, spricht nur von Pessimismus und Resignation.

A. Rubinstein Während die fünfte Sinfonie Rubinstein's vorzugsweise
Sechste Sinfonie. ein Gemüthswerk ist, wendet sich seine sechste und letzte (A moll) hauptsächlich an die Phantasie des Hörers. Sie entrollt eine Reihe Bilder: Erinnerungen des Componisten aus fremden Landen, Erinnerungen an den Orient vor Allem. Das macht sie der Suite verwandt mit der sie auch den Mangel an thematischer Entwickelung theilt.

Der erste Satz (Moderato con moto, C, A moll) setzt gleich sehr fremdartig ein. Schrill schreit ein *gis-c* auf; die Meisten werden es als *as-c* hören so lange bis — im dritten Takt — *e* dazu kommt. Eine kurze aber stechende Einleitung! Nun beginnt das ganze Orchester wie eine Bardenharfe mit dem Dreiklang — *A-c-E* — in einem Marschrhythmus zu präludiren. An die Arpeggien schliessen sich kleine Motive im knappem, festen Balladenton: es wird von Heroen erzählt und von Heldenthaten. Mit dem F dur kommen neue Motive, und weichere Empfindungen zu Worte. Auf Augenblicke fühlen wir uns an die schönen, schwärmerischen Hornstellen im ersten Satze der Sinfonie dramatique zurückversetzt. Dann nimmt die Erzählung wieder die Richtung auf grosse Ereignisse; die ruhig in einem $^{12}/_{8}$ Takt (Cdur) an uns vorbeiziehen, erst bestimmt und hell gefärbt, dann in den Farben des Triumphs. Mit diesem Hymnus — *g-a-c* ist beim zweiten Mal sein Leitmotiv — schliesst die Themengruppe. Die Durchführung beginnt, als sollte repetirt werden, indem sie das Hauptthema (in Amoll) wörtlich vorführt, schwenkt aber sehr bald ab und mischt in die Reminiscenzen der heroischen Bilder klagende Töne, Motive des Erinnerns, der Elegie. Die Reprise bringt den ersten Theil mit umgekehrter Reihenfolge der Themen.

Der zweite Satz (Andante, $^{6}/_{8}$, Edur) ist ein sehr einfacher Satz, ohne Verwickelungen im Charakter der Darstellung freundlicher Ideen gewidmet. Eigen ist er durch die Art, in der das hübsche Hauptthema (Edur) vorgetragen wird, nämlich in lauter Einschnitten und einzelnen Absätzen; nach jedem Motiv, nach zwei Achteln, nach fünf Achteln immer eine Pause. Das giebt einen Ton, wie Hast, Staunen, Athemlosigkeit, Uebermass des Gefühls und des Behagens. Den Augenblick der Sammlung kündet (im 17. Takt) ein jauchzendes Motiv, das in seiner Ursprünglichkeit und Wärme sich unter die echtesten Rubinsteinerfindungen stellt. Unter den Gegenthemen der Nummer, die sammt und sonders nicht bedeutend ins Gewicht fallen und nur das Hauptthema lebendig schattiren, zeichnet sich das schliesslich in Hdur ausgehende, dramatisch eingeführte Solo der Oboe aus.

Der dritte Satz (Allegro vivace, $^{3}/_{4}$, Cdur) der Sinfonie der das Scherzo vertritt, ist einer der phantastischsten Compositionen der neueren Sinfonielitteratur, flatternd und zerstiebend, nirgends festhaltend, wie der sprühende Gischt des Wasserfalls. Kaum hat er im Hauptsatz Themen, nur Motive. Als es endlich zum singen kommt, — Violinen: *a-ha-h* | *a-g-c* | — klingt das mit der liegenden Stimme — *g* in den Bratschen erst, dann in den Pauken — so exotisch als möglich. Das Trio (Cmoll und Esdur) mischt Gemüthstöne, Anklänge und Anfänge eines deutschen Walzers mit ganz fremden Tönen, Gedanken an den Orient!

Das Finale (Moderato assai, $^3/_4$, A moll) dessen stockrussische Hauptthemen

und

in Variationen ausgeführt werden ist nach Form und Geist zum grossen Theil ein Absenker von Glincka's Kamarinskaja, dem Ausgangswerk der ganzen Neurussischen Schule.

Als der junge Rubinstein mit seiner ersten Sinfonie auftrat, befand er sich in einer ziemlich zahlreichen Gesellschaft mitstrebender Talente: Leonhard, Helsted, Pape, Goltermann, Kufferath, Pott, Veit, Wüerst, Ulrich, Gouvy, Dietrich. Von diesen vielen neuen Sinfonikern der fünfziger Jahre, welche in der Mehrzahl Mendelssohn'sche Ideen kleiner münzten, haben sich nur sehr wenige für längere Zeit behauptet: Gouvy und Ulrich fanden mit mehreren Werken ehrenvolle Beachtung, eine populäre und bedeutende Position errang nur Albert Dietrich mit seiner zweiten Sinfonie in D moll.

A. Dietrich infonie D moll.

Diese D moll-Sinfonie Dietrich's, die vor 20 Jahren ein Liebling des Publikums war, ist eins der anziehendsten Kunstwerke der neueren Zeit. Ihr Schwerpunkt liegt in der edel weichen Schwärmerei, in der jugendlich glücklichen Ueberschwänglichkeit, welche alle Partien der Sinfonie romansisch durchdringt. Sie hinterlässt, wie wenige Compositionen, den starken Eindruck einer eigenen Individualität und den Wunsch, dass sich die liebenswürdige, gehaltvolle Künstlernatur, der wir dieses Werk verdanken, noch in einer grossen Reihe so freundlicher und anmuthiger Sinfonien äussern möge.

Der erste Satz beginnt heroisch mit folgendem, von sämmtlichen Streich-Instrumenten im Unisono vorgetragenen Hauptthema:

Schon im ersten Seitensätzchen aber nähert sich die Phantasie friedlichen Regionen und lenkt dann im zweiten Thema

in ihr Lieblingsgebiet, in das der herzlichen Idyllen ein. Die Mittelsätze der Sinfonie bieten für solche das Terrain ohne Beschränkung dar. Wir suchen in dem Kreise der gleichzeitigen Dichter und bildenden Künstler vergeblich nach Parallelen, wenn wir die gemüthlich traulichen, einfach sinnigen, und doch vornehmen Melodien hören, welche uns Dietrich in dem Andante und in dem Scherzo seiner D moll-Sinfonie bietet. Die Themen seines langsamen Satzes (Andante, F dur), der zwischen $^6/_8$- und $^9/_8$ Takt wechselt: der träumerisch freundliche Gesang des Hornes

und die halbschelmische Weise der Celli

klingen wie Volkslieder, reichen aber über deren Form in der kunstvollen und gewählten Anlage und Durchführung hinaus.

Das Scherzo beginnt einfach kräftig:

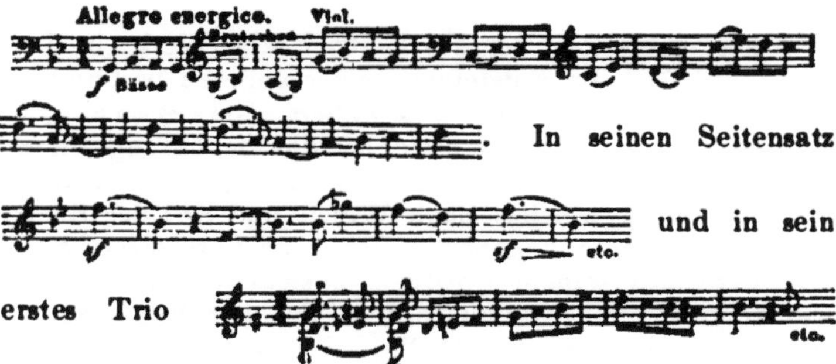

In seinen Seitensatz und in sein erstes Trio fallen Strahlen aus Schumann'schem Lichte. Das zweite Trio ist eine echt Dietrich'sche, herzlich liebe Weise:

welche sich in empfänglichen Gemüthern für's Leben festsetzt. Einen poetischen Zug in der Gestaltung des Scherzo bildet die Einflechtung der Hauptmelodie des Adagio.

Das Finale der Sinfonie ähnelt im Hauptthema:

wieder einem bekannten Schumann'schen Typus. Das zweite Thema:

---

[1]) Lies: *fis* statt *g*.

bringt noch einmal den eigen schwärmerischen Zug Dietrich's zu warmem, schönem Ausdruck. Die Uebergangspartie zwischen den beiden Themengruppen ist dem Humor gewidmet.

Noch einige Zeit vor das Dietrich'sche Werk, in das Jahr 1863, fällt die Entstehung einer anderen berühmten Dmoll-Sinfonie. Es ist die von Robert Volkmann.

R. Volkmann Sinfonie Nr. 1 (D moll).

Volkmann's Dmoll-Sinfonie ist die Schöpfung eines männlich kräftigen Geistes, ein fest und gedrungen hingestelltes Werk, welches nach Wesen und Stil der Beethoven'schen Schule angehört. Der erste Satz dieser Sinfonie steht mit seinem trotzigen, entschlossenen Zuge in direkter geistiger Verwandtschaft zu der gewaltigen Neunten. Ja, dort an der Stelle, wo am Schlusse der Durchführung die Bässe von den langen festgebannten Harmonien sich trennen und ihre chromatischen Gänge antreten, da klingen auch die Beethoven'schen Themen leibhaftig an! Gleichwohl besitzt die Volkmann'sche Sinfonie, und namentlich ihr erster Satz, geistige und technische Selbständigkeit im hohen Grade, eigene bedeutende, in Ernst und Frohsinn immer treffende, aufs Ziel schnell hingehende Gedanken und eine eigene schlicht belebte, auf jeden Prunk und Reiz verzichtende Darstellung.

An der Spitze des ersten Satzes steht das Thema:

Allegro patetico. Bläser

Viol.

mit seinen drohenden und schweren Gedanken. Während es noch leise in den Bässen fortgrollt, erheben die Holzbläser und Violinen ihre tröstenden und bittenden Stimmen:

und die erste Scene des Satzes schliesst mit einem Compromiss, der die düstere Stimmung in einen heroischen Entschluss überleitet:

Es ist eine besondere und sehr bemerkenswerthe Idee Volkmann's, an Stelle des einen Themas eine ganze dreigliedrige und vollständig dramatisch entwickelte Themengruppe zu setzen. Der Satz bleibt vorwiegend streitbarer Natur. Die Momente der Ruhe, wie sie am entschiedensten das F dur-Thema

ausdrückt, bilden nur Episoden. Die Durchführung wiederholt in vergrösserten Verhältnissen den Auftritt zwischen den bittenden Bläsern und dem grollenden Streichorchester, mit welchem der Satz begann, und die gewaltig eingeleitete Reprise nimmt den gewöhnlichen Verlauf.

Das Andante (B dur, $^3/_4$) hat zum Hauptthema eine hauptsächlich von der Clarinette getragene Melodie, welche Frieden suchend folgendermassen beginnt:

Die vier Takte, welche ihr präludirend vorangehen, sind sehr wichtig: Sie bringen in [Notenbeispiel] ein Motiv, welches für die Entwickelung des Satzes die treibende Kraft bildet und den kleinen Variationen, welche aus den Figuren des Hauptthema abgeleitet werden, beständig zur Seite geht. Der im allgemeinen ruhige Ton der kleinen Dichtung wird am Ende der Durchführung einmal hoch leidenschaftlich. Es ist eine ausserordentlich mysteriöse Stelle: die, wo nach den gewaltigen As dur-Accorden das Horn zu den stillen Modulationen der Violinen 30 Takte lang immer sein *C* anschlägt. Sie ruft auch klanglich das Bild aus Wagner's Walküre vor die Phantasie, wo Siegmund in seiner Seelennoth, einsam vor dem Herde in der dunklen Hütte nach „Wälse" ruft.

Das Scherzo stimmt einen rüstig muntern Ton an.

In der Figur seines Hauptthemas

und in der contrapunktischen Form seiner Entwickelung leben noch einmal Geist und Methode der alten norddeutschen Schule auf. Das lieblich kosende Trio, welches das geschäftige Treiben des Hauptsatzes mit ländlerartigem Tone unterbricht:

trägt die reizenden Farben der Frühromantik, in der Volkmann ebenso wie Dietrich mit einem Theil seines Wesens wurzelt.

Das Finale der Sinfonie, ein Tonstück freudig gehobenen Charakters fällt, mit seinem Hauptthema:

und noch mehr mit dem Nachsatz des zweiten Thema:

in den Stilkreis der Mendelssohn-Schumann'schen Periode.

Das zweite Thema selbst, eine rhythmisch energische Bildung

ist der Hauptträger der zwischen Pathos und Fröhlichkeit hinsteuernden Gedankenentwickelung. Es giebt vielfache Veranlassung zu polyphonen Künsten, zu verwickelten Harmonien und zu seltneren Klangcombinationen, in welchen der Posaunenton ein wichtiges Element bildet.

---

[1]) Lies: *e* statt *d*.

R. Volkmann Sinfonie Nr. 2 (B dur).

Volkmann's zweite Sinfonie (B dur) gehört dem frohen und heitern Gebiete an und ist in ihrer lebenslustigen Naivetät, in ihrer ungekünstelten, auf alle Umschweife verzichtenden Schlichtheit eins der liebenswürdigsten Meisterwerke der neueren Sinfonik. Ihr erster Satz vereinigt ausgesprochen volksthümliche Züge im ersten Thema

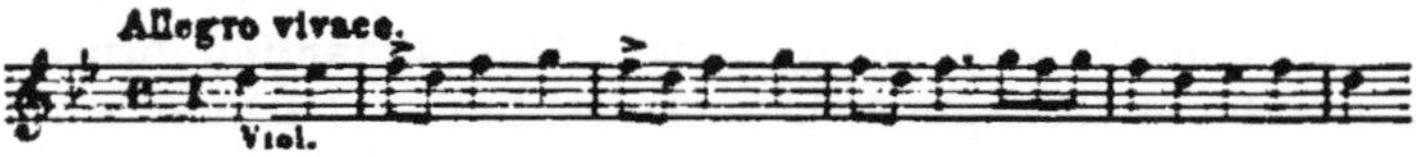

mit specifisch Schumann'schen im Seitensatz:

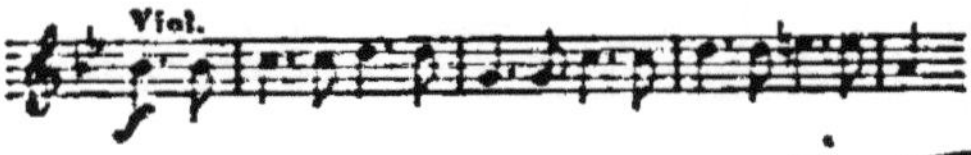

und im zweiten Thema:

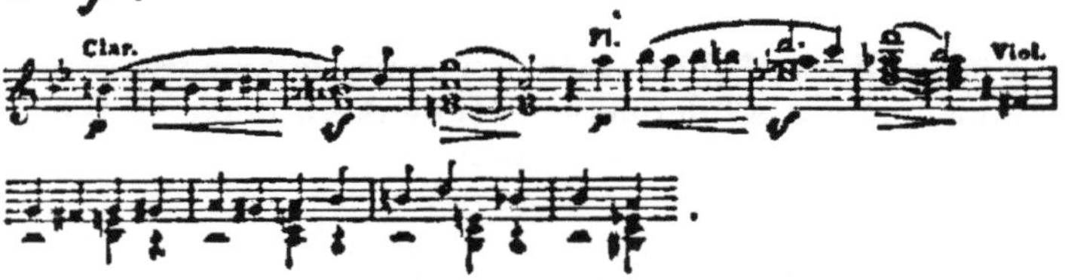

Die Ausführung dieser leitenden Gedanken ist sehr knapp; überraschend schnell tritt der Schluss ein.

Der zweite Satz: Allegretto (Es dur, 4/8) ist ein behagliches Scherzando mit folgendem Hauptthema:

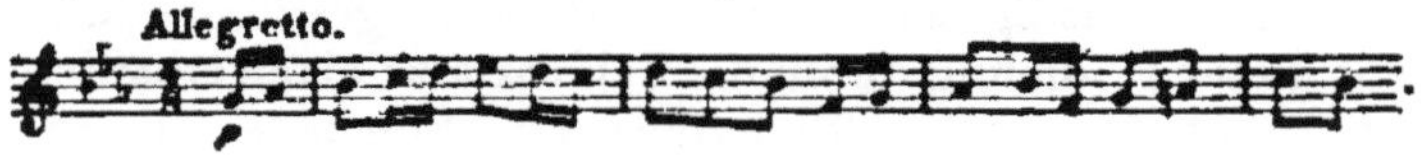

Sein Seitensatz tändelt anmuthig auf dem Motiv

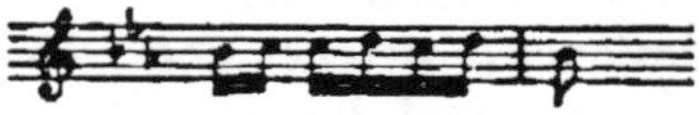

hin. Unter den mancherlei Aehnlichkeiten, welche der Satz mit dem berühmten Allegretto in Beethoven's achter Sinfonie gemeinsam hat, tritt als die nächste das folgende Motiv:

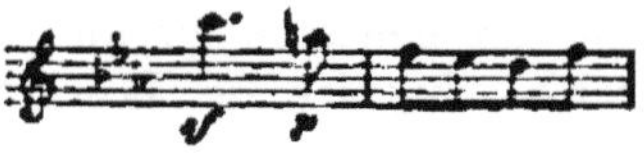

hervor. Die originellste Idee im Stücke bildet das Thema des Mittelsatzes:

Eigenthümlich launisch weicht es in seinen Schlüssen lange dem Grundton aus.

Der dritte Satz (Andantino, G moll, 6/8) ist nicht viel mehr als eine langsame Einleitung zum Finale. Das Thema beider Sätze ist dasselbe. Das Andantino bringt es in ruhiger Bewegung, in melancholischer Färbung und in der eigenthümlichen Instrumentirung der Steppenmusik:

das Finale (B dur, 2/4) im raschen Tempo, in humoristischer Haltung und mit all derjenigen Munterkeit, deren es fähig ist, am Anfang in folgender Form:

Allegro vivace.

Clar. etc.

Mit ihren beiden letzten Sätzen gehört Volkmann's B dur-Sinfonie eigentlich in das vorhergehende Capitel: Nationalmusik in der Sinfonie. Sie ist der Kaiserlichen Russischen Musikgesellschaft in Moskau gewidmet und giebt dieser Widmung durch die Schlusssätze einen ernstlich praktischen Ausdruck. Tschaikowsky's Serenade (op. 48) stimmt in dem Thema ihres Finale mit dem gleichen der Volkmann'schen B dur-Sinfonie fast wörtlich überein, und auch die Ausführung in Variationen, welche sich von Nummer zu Nummer mehr erhitzen und bis zu dithyrambischer Ausgelassenheit weiter geführt werden, ist dieselbe, wie sie die russischen Componisten seit Glinka für ihre kleinen heitern Pastoralmotive zu wählen pflegen.

Max Bruch Sinfonie Nr. 1 (Es dur).

Zu den bekanntesten Sinfonien der neuesten Periode zählt die in Es dur von Max Bruch. Sie ist ein Werk in classischer Richtung, durch einen objektiven Zug in der Darstellung ausgezeichnet, im Inhalt vorwiegend heroischer Natur. In der musikalischen Faktur zeigt sie eine Hinneigung zum Einfachen und Kernigen, kräftige Harmonik und volksthümliche, liederartige Melodik.

Ihr künstlerisch bedeutendster und reichster Satz ist der erste (Allegro maestoso ₵), eine ernste Dichtung, die uns wie ein Stimmungsbild am Vorabend eines wichtigen Tages anmuthet. Er beginnt ruhig gedankenvoll mit dem schönen Hauptthema:

a)

Die hoffenden Elemente dieser Melodie steigert der Nachsatz zum Ausdruck stolzer Kraft:

b)

Der ideelle Gegensatz zu dieser Gruppe ist wie diese ebenfalls zweitheilig. Er beginnt mit einem Unruhe und Zweifel bergenden Motive:

c)

und schliesst mit einem in freundlicher Sentimentalität beschwichtigenden Gesangthema:

d)

Die Durchführung beschränkt sich auf verschiedene Kreuzungen der Themen *a* und *c*.

Als zweiter Satz folgt ein Scherzo (G moll 3/4), eine breit ausgeführte und sehr populär wirkende Composition, welche mit der Lagerscene in Reinsberger's „Wallenstein" manche Berührungspunkte hat. Das Hauptthema des Satzes ruht auf einem äusserlich malenden Motiv:

welches bald gewaltig in die Höhe wirbelt. Die Seitensätze bringen frohe Rufe  und Secuen, die den harmlos enthusiastischen Spielen der Jugend zu gleichen scheinen. Das unschuldige Thema:

wird mit einem unermüdlichen Eifer wiederholt und durchgeführt. Die Hauptpartie in dem belebten, fröhlichen Bilde ist der Mittelsatz mit seiner vom Unisono des Streicher- und des Bläserchors herüber und hinüber gesungenen derb behaglichen Melodie:

Der dritte Satz: „Quasi Fantasia" betitelt (Grave, Esmoll, C), beginnt in sehr schwermüthiger Stimmung mit

Grave.

einer, wie folgt:  ansetzenden und sich bis zum endlichen Abschluss lang streckenden Melodie. Alle Motive im Satze tragen den Charakter einer bangen Stunde. In der Mitte taucht das beunruhigende Thema c) des ersten Satzes der Sinfonie wieder auf. Ohne Pause geht dieser langsame Satz in das Finale über, das ähnlich wie in Mendelssohn's Schottischer Sinfonie halb programmatisch als „Allegro guerriero" bezeichnet ist. Im poetischen Plan der Sinfonie bedeutet dieses Finale die von Aussen kommende Rettung, die glückliche Entscheidung: Der musikalischen Form nach ist es eine ausgeführte und idealisirte Marschcomposition, in welcher ein flottes Thema:

mit einem sentimentalen:

etwas einförmig wechselt.

M. Bruch
zweite u. dritte
Sinfonie.

Die zweite Sinfonie von Bruch (F moll) ist wenig bekannt geworden. Dem düster und trüb beginnenden und froh endenden Werke, welches nur aus drei Sätzen besteht, liegt offenbar ein Programm zu Grunde, welches, wie in ähnlichen Fällen in der Regel, nur zum grossen Schaden für die Wirkung und das Verständniss der Composition verschwiegen worden ist. Nicht an Ernst der Anlage und Arbeit, wohl aber an Frische der musikalischen Phantasie steht diese zweite Sinfonie Bruch's hinter der älteren zurück. Der hervorragendste Satz ist der mittlere, in welchem intime Gedanken ihren eigenen Ausdruck gefunden haben.

Noch weniger ins Concert gedrungen ist die dritte, die E moll-Sinfonie Bruch's.

Die nächsten Componisten, welche nach Bruch auf dem Gebiete der Sinfonie weitere und andauernde Beachtung gefunden haben, sind Friedrich Gernsheim, Felix Draeseke und Hermann Götz.

F. Gernsheim
Sinfonie Nr. 1
(G moll).

Die G moll-Sinfonie von F. Gernsheim steht auf classischem Boden und entnimmt der Eroica, der Neunten, dem Violinconcert Beethoven's und der grossen C dur-Sinfonie Schubert's eine Reihe merkbarer Anregungen. Am selbständigsten erfindet der Componist da, wo die Sinfonie sich auf dem pathetischen Gebiete bewegt. Das in diese Kategorie gehörige Thema, welches an der Spitze ihres ersten Satzes steht, ist unter die stattlichsten Sinfonie - Gedanken der neueren Zeit zu rechnen:

In allen ihren Partien erfreut diese Sinfonie durch edle Richtung, durch Geschmack und Masshalten.

F. Gernsheim Sinfonie Nr. 2 (Esdur).

Die zweite Sinfonie Gernsheim (Esdur) ist vorwiegend idyllischer Natur. Ihre hervorragendsten Sätze sind die mittleren: Notturna (in *As*) und Tarantella (in *C*).

F. Gernsheim Sinfonie Nr. 3 (Cmoll).

Seine dritte Sinfonie (Cmoll, op. 54) ist sogut wie ganz unbekannt geblieben. Wie gleich das Hauptthema des ersten Satzes beweist, hat sie originelle Stimmungen, aber deren Stärke reichte für die grossen Formen des Sinfoniebaues nicht aus. Die jüngste vierte Sinfonie des Componisten dagegen (Bdur, op. 62) hat in den letzten Wintern bei einigen hervorragenden Concertinstituten Deutschlands Eingang gefunden. Sua fata habent libelli. Der grössre Erfolg beweist in diesem Falle keinesfalls den höheren Werth. Diese neueste Gernsheim'sche Sinfonie führt die Rolle einer starken Natur mit tiefsinnigen Ausweichungen, mit Aeusserungen heftiger und trotziger Kraft, auffahrend und pochend, mit Vorliebe mit den Mitteln musikalischer Athletik durch, die neuerdings durch die Sinfonien von Brahms in Schwang gekommen sind. Der Arbeit und Kunst, die Gernsheim hierbei entfaltet, werden die Kenner ihre Achtung nicht versagen; an die Echtheit der Leidenschaften und Empfindungen zu glauben, die hier auf die Bildfläche gesetzt und hin und her bewegt werden, verbietet sich aus mehr als einem Grund. Nach dieser Richtung ist dies Werk ein weiterer Beleg für die Ansicht, dass unsre Zeit den innren Aufgaben des Beethoven'schen Sinfoniestils nicht mehr gewachsen ist. Ihr Besitz an Gedanken und an Gemüth ist zu gering; für Haydn'schen Witz würde sie sich eher eignen. Am

F. Gernsheim Sinfonie Nr. 4 (Bdur).

wahrsten und natürlichsten berührt der zweite Satz (Andante sostenuto) mit seinem von Beethoven'schem Geiste getränkten Hauptthema. In der Marschepisode, die ihm mit etwas zu viel Freude folgt, zeigt sich jedoch abermals die Neigung zu Theaterwirkungen.

F. Draeseke.

Die beiden ersten Sinfonien von F. Draeseke zeigen in ihrem Autor einen Charakterkopf, welcher streng an seinen Ideen festhält und sie mit einer Consequenz durchführt, die oft geistreich und genial, zuweilen aber auch ermüdend wirkt. Die Elemente einer weicheren Empfindung und einer schönen Sinnlichkeit sind in den Werken des Componisten durch einzelne Glanzstellen vertreten.

F. Draeseke Erste u. zweite Sinfonie.

Daraus ist in der ersten Sinfonie (G dur) die Clarinettenmelodie

der Einleitung, aus der zweiten (F dur) das zweite Thema im ersten Satze

hervorzuheben. Im Allgemeinen aber herrscht in diesen Sinfonien ein harter Zug vor. Ihre Hauptstärke liegt in den humoristischen Sätzen. Der drastischen, auch in den grotesken und burlesken Excursen immer fein und witzig gehaltenen Komik des Scherzo in der ersten und des Finale in der zweiten Sinfonie Draeseke's haben wir aus der neueren Litteratur wenig zur Seite zu stellen.

F. Draeseke Sinfonia tragica.

Die dritte Sinfonie Draeseke's, seine Sinfonia tragica ist mit grossem Recht bekannter geworden als ihre Vorgängerinnen. Sie gehört mit dem Requiem, der Fis-moll Messe, dem „Columbus" zu den bedeutendsten Arbeiten des Tonsetzers und ist eins der wuchtigsten Stücke in der neuesten deutschen Sinfonik. Diese muss auf Grund dieser Leistung in Draeseke nach dem Tod von Brahms und Bruckner ihre Spitze erblicken und so dringlich der Beachtung der ausländischen Sinfoniecomponisten das Wort zu reden ist, so ungereimt erscheint es wenn daneben deutsche Concertinstitute an einer einheimischen Sinfonie dieser Art vorbeigehen. Das gewaltige Werk schildert einen tragischen Lebenslauf, den Kampf einer zum Glück angelegten Natur mit dem harten Schicksal. Es begegnet sich in dieser Tendenz mit andren C moll-Sinfonien, denen von Beethoven und Brahms; auch an die D moll-Sinfonie R. Volkmann's kann es erinnern. Es hat aber einen andren Ausgang: ein Ende in Trauer und Wehmuth. Populär ist diese Sinfonie noch nicht geworden, wird es auch in ihrem leidenschaftlichen, in scharfen Gegensätzen gehaltnen Wesen nicht werden. Die complicirte Technik, der auf Combinationen und strenge Arbeit versessne Stil des Componisten erschweren das Verständniss noch obendrein; auch entbehrt die musikalische Erfindung des starken individuellen Gepräges, der sinnlichen Kraft und der Gleichmässigkeit. Aber wem nur einmal am Schluss des ersten Satzes, von dem mit echtesten Herzenstönen einsetzenden più largo ab und bei den viel sagenden Fermaten eine Ahnung von den Absichten des Componisten aufgegangen ist, der muss sich zum eingehenden Studium der Sinfonie gedrungen fühlen. Ihr Hauptwerth liegt in der Conception, in den dichterischen Ideen, die die Anlage des Werks beherrschen. Sie sprechen zum Theil aus den Tönen und Themen selbst, zum Theil aus den architektonischen Formen der Sinfonie. Wie diese der Componist beziehungsreich und geistvoll gestaltet hat, sieht man schon daraus, dass die einzelnen Sätze durch gemeinsame Motive verbunden und in einen engeren inneren und äusseren Zusammenhang gebracht sind als das in der Regel bei den neueren Sinfonien der Beethoven'schen Schule der Fall ist.

Der erste Satz wird von einem Andante eingeleitet, das als selbständiger Satz bedeutend ist, aber seinen eigentlichen Werth darin hat, dass es den Hauptsatz, ein Allegro risoluto (C, C dur), gewissermassen dramatisch, als die Frucht eines Stimmungskampfes eintreten lässt. Es setzt ein mit den Tönen des Missmuths und furchtbarer Ahnungen, mit Tönen, die an das Grollen des Löwen erinnern. Zweimal hören wir von stechenden Dissonanzen begleitet das ungeheuerlich sich dehnende Intervall:

Dann erst löst sich die starre, chaotische Empfindung in ein ernstes und schweres Marschmotiv, dem wir später im zweiten Satz der Sinfonie noch näher treten werden. Damit ist das Gemüth des Helden dieser Tondichtung vom ärgsten Druck befreit. In einem Instrument nach dem andern beginnen die Töne, noch suchend doch melodisch zu fliessen und gelangen über hemmende Modulationen allmählich hinaus ins Helle, zur Freiheit, zur Hoffnung, zum Träumen von Idealen: Eine der schönsten Erfindungen der ganzen Sinfonie bezeichnet diese Wendung:

Diese von Clarinetten und Hörnern vorgetragene Melodie löst sich in lose Sequenzengänge auf und verzieht sich. Noch ehe sie ganz das Feld geräumt hat, tritt unvermuthet und rücksichtlos ein unfreundlicher Gast an ihren Platz: das Motiv:

Es ergreift von den Contrabässen aus schnell das ganze Streichorchester und drängt zu dem Allegro, das als Hauptheil des Satzes das Bild einer jungen kräftigen Natur zu zeichnen scheint, mit der es das Leben etwas hart meint. Der Satz erinnert an das Dichterwort: „Denn Mensch sein heisst ein Kämpfer sein“ aber er führt uns keineswegs vor erschütternde Scenen. Es kämpft hier eine Art junger Siegfried, den Hindernisse weniger schrecken, als erfreuen. Draeseke schildert eine Jünglingsgestalt, der Muth und Energie aus jeder Miene sprechen, der das Leben noch lacht, die noch an Ideale glaubt und zu schwärmen liebt. Jenes Motiv, das die freundlichen Träume des Andante störte, wird von dieser arglosen Natur mit Freundesaugen angesehen und wie ein Führer, der nach des Lebens Höhen zeigt, begrüsst und verwendet. Draeseke stellt es an die Spitze des thatenfrohen Hauptthemas:

in dem es gemeinsam mit dem Rhythmus ♩. ♪ ♩ die Elemente der Entschiedenheit und Festigkeit vertritt gegenüber den Regungen des jugendlichen Ungestüms und Schwunges, die in den Achtelgängen ausgedrückt sind. Eine Fortsetzung findet dieses Hauptthema in einem marschartigen Abschnitt, der nach einigen sinnenden und sammelnden Takten mit folgendem Anfang einsetzt:

Er endet, nachdem er den Umfang einer normalen Periode erreicht hat mit dem Rhythmus ♩. ♪ ♩, lenkt also wieder auf das Hauptthema ein, dessen freudige und lebenskräftige Geister sich mit erneutem Eifer auf den Plan drängen. Es ist ein hitziger Eifer. Die Stimmen wiederholen auf keeker Dissonanz — *e-fis* — ihre Töne in der heftigen Form, die die Alten Repercassion nannten und starkes Kraftgefühl strömt von allen Seiten aus dieser Musik. Sie hat eben das entlegene H dur erstürmt, als sie plötzlich abbricht. Die jugendliche Ueberschwänglichkeit neigt zu entschiednen Gegensätzen. So schlägt die Stimmung hier aus einem heroischen Rausch ohne Weiteres um in eine Idylle. An die Stelle der Thatenlust treten die Gedanken an die intimen, zarten Lebensfreuden, an die friedlichen Bilder von Liebesglück und vom Behagen am heimischen Herd, im Kreis der Familie. Das sind die Ideen aus denen das zweite Thema des Satzes entsprungen ist. Draeseke stellt allerdings nicht ein einfaches zweites Thema hin, sondern er giebt, die moderne Art fast überbietend, eine ganze Kette freundlicher Gedanken, deren Mehrzahl allerdings der Marschrhythmus noch etwas fest in den Gliedern steckt. Den Anfang macht ein von Melancholie leise gestreifter Wechselgesang zwischen Clarinetten und Streichinstrumenten, dem folgende Periode

zu Grunde liegt. Aufmunternd unterbricht ihn das Tutti mit kräftigem Zwischenruf

und nun tritt ein ganz ungetrübtes Zukunftsbild vor die Phantasie:

etc.; das mit heimlicher Freude beginnt und mit unverhohlnem Jubel schliesst. Gerade dieses Stück aus dem Kreise des zweiten Themas hat der Componist für den Durchführungstheil des Satzes besonders bevorzugt. Die Kette schliesst mit einem dritten Gedanken der innig in den Hörnern einsetzt:

— die Pauke begleitet mit einem leise bebenden *H* — und über das Motiv

zu einem Ende in triumphirenden Ton gelangt. Aus diesem Ende sind die Schlusstakte der Melodie

für den weitern Verlauf des Satzes wichtig.

Draeseke lässt aber diesen ersten Theil, die sogenannte Themagruppe, nicht stolz und glänzend, sondern leise ausklingen. Dies ist nicht blos poetisch und schön, sondern in diesem Falle vor Allem logisch. Denn es handelte sich um Zukunftsbilder, die wie im Traum und wie in weiter Ferne gesehen waren. Die Hörner sind eben bei dem letzten Seufzer, da treten die Celli mit dem Motiv der Unruhe dazwischen, das seiner Zeit aus dem Andante ins Allegro hinüberdrängte. Jetzt leitet es die Durchführung des Satzes ein. Sie verläuft als Auseinandersetzung zwischen den friedlosen und den friedfertigen Elementen der Themen. Jene sind vorwiegend durch das eben erwähnte Motiv der Unruhe aus dem Hauptthema vertreten, diese durch das erste und das dritte Glied aus der Gruppe des zweiten Themas. Eine besonders hervortretende Stelle in der Durchführung bildet das più largo, bei dem die schöne Melodie aus dem Andante, die Melodie des Ideals, und auch hier wieder im visionären Ton erscheint. Nach dieser Stelle geht die Durchführung über einige Muth und Kraft aussprechende Perioden, die aus dem zweiten Glied des zweiten Themas (— das ursprünglich in Edur einsetzte —) gebildet sind, bald zu Ende und in die Reprise über. In dieser Wiederholung der Themengruppe übergeht Draeseke das eigentliche Hauptthema und bringt an erster Stelle dessen marschartige Fortsetzung. Sie tritt *fff* auf und wird noch dadurch zu höherer Bedeutung gehoben dass Draeseke die Schlüsse ihrer zweitaktigen Abschnitte durch Fermaten verlängert. Es giebt Fälle wo die Pausen vernehmlicher sprechen als die Töne und diese Draeseke'schen Fermaten gehören in erster Linie zu diesen Fällen. Sie lassen den Zuhörer gewissermassen einen Blick auf die Fülle von Kraft und Ernst werfen, die in der Seele der Jünglingsgestalt aufgespeichert ist, die sich der Componist als Helden dieses Sinfoniesatzes gedacht hat. Sicher spricht aber auch eine gewisse Bangigkeit aus diesen Frematen, eine Ahnung tragischen Geschicks. Wie das erste Thema abgekürzt, so wird die Gruppe des zweiten Themas in der Reprise zusammengedrängt. Dafür hat ihr Draeseke eine breite Coda zugefügt in der neue Weisen des Stolzes, des freudigen Muthes, der aufschäumenden Kraft neben die aus dem Unruhemotiv des Hauptthemas gebildeten Sätze treten. Bemerkenswerth ist darin eine Stelle in der der modulationslustige Componist sich auf einen vermessnen Augenblick nach Gesdur wendet.

Im zweiten Satz der Sinfonie (Grave, $^3/_2$, Amoll) entspricht der bedeutenden Stimmung auch eine bedeutende und ziemlich in allen Theilen auf gleicher Höhe bleibende Erfindung. Er giebt dem Schmerz über einen unersetzlichen Verlust gewaltigen Ausdruck und klagt über das erste Eingreifen tragischer Umstände in einen hoffnungvollen Lebenslauf in männlichen Tönen, die im Gefühlsgehalt und in ergreifender Wirkung den Segen Händel's, Beethoven's und Wagner's zusammenfassen.

Die Composition ist als Trauermarsch gedacht. Ihr Hauptthema, das die Form der alten Sarabande hat, setzt — von zwei zu zwei Takten durch das erste Motiv in den Posaunen unterbrochen — gedämpften Tones folgendermassen ein:

Wenn man den fünften Takt dieses Trauergesangs schärfer ansieht, erhält man auch Auskunft darüber: wer ins Grab gesenkt worden ist. Denn da stehen wir vor der schönen Melodie, die im Andante des ersten Satzes das Ideal des jungen Helden, die die Gestalt bezeichnete, die als Lohn des Strebens und Ringens vor seiner Seele schwebte. Bald bricht der Schmerz über den Verlust scharf und leidenschaftlich in Wagner'schen Zungen hervor:

die Posaunen decken Grabesklang darüber. Gewaltig wirkt darauf der Einsatz des Marschthemas, in einer Wendung, die an Händel's „Saul" und „Samson" erinnert: Es kommt in Cdur und im mächtigen *fff* des gesammten Streichorchesters, von Posaunen, Tuba und Trompete unterstützt, von einem Aufschrei der Holzbläser beantwortet. Zarte Zwischenspiele aus dem Idealmotiv des Themas gebildet, suchen nach Trost; ein kurzer Mittelsatz, der die Stelle des sonst üblichen Trios einnimmt, bringt ihn auf Grund folgenden Themas:

das von der Clarinette aus wörtlich und variirt durch eine Reihe Instrumente wandert. Es ist theuren Erinnerungen gewidmet und befreit von dem harten Druck einer um Fassung kämpfenden Stimmung. Doch geht es bald in einen erregteren Ton über und führt so zur Wiederholung des Hauptsatzes. Die Erinnerung an verlornes Glück pflegt den Schmerz über den Verlust zu steigern. Diesem Naturgesetz Rechnung tragend, wiederholt Draeseke nicht einfach, sondern führt mit dem Marschthema die Motive der heftigen leidenschaftlichen Aufregung zusammen. Die Stelle packt mit physischer Gewalt. Die Stimmung wird auf Augenblicke wieder ruhiger, schildert aber dann in neuen Formen den Aufruhr schmerzlicher Gefühle.

Um den dritten Satz des Scherzo (Allegro, 3/4, Cdur) mit der Auffassung in Einklang zu bringen, dass die Sinfonia tragica einen Lebenslauf vorführen will, muss man sich eine Ueberschrift „Nach Jahren" denken. Der furchtbare Schlag, von dessen unmittelbaren Folgen das Grave berichtete, ist überwunden, aber er hat Spuren gelassen. Von einer Persönlichkeit, die über eine Kraftfülle verfügt, wie sie der erste Satz enthält, erwarten wir einen freieren Humor als ihn dieses Scherzo bietet. Seine Fröhlichkeit ist etwas belegt, behilft sich mit den kleinen Künsten der Caprice, hat Schatten und vollständig trübe Stellen. In dem Trio kommt die Wehmuth ganz offen zur Herrschaft. Die Form des Ganzen ist sehr einfach: ein Hauptsatz in zwei Theilen, Mittelsatz (Trio) und Wiederholung des Hauptsatzes.

Das erste Thema des Hauptsatzes

Allegro molto vivace.

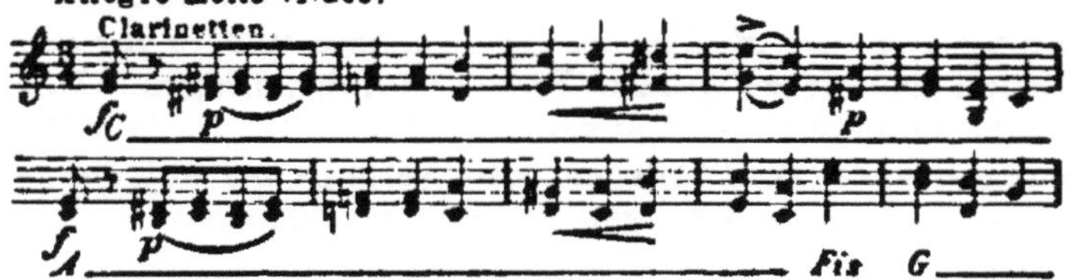

erinnert in der melodischen Richtung etwas an das Menuett von Beethoven's erster Sinfonie, unterscheidet sich aber von ihm durch ein stilleres Temperament. Seine Fortsetzung erfolgt in sinnverwandten, metrisch launischen Bildungen. Das zweite Thema, das ihm nach einer kurzen Stimmungskrisis folgt:

gehört zu den besten Erfindungen in der Sinfonie. In seiner Mischnatur, halb fröhlich, halb klagend, ist es ein echt romantischer Gedanke, und bringt den Widerstreit der Gefühle, der schon im Hauptthema leise zu vernehmen ist zu gesteigertem Ausdruck. Die Violinen wiederholen das Thema, schliessen aber nicht, sondern brechen ab. Die Pauke setzt mit einem leisen Wirbel auf *g* ein; nur ein *cis* in den Contrabässen klingt dazu. Erst allmählich gesellen sich die übrigen Instrumente hinzu, füllen den verminderten Accord und versuchen zaghaft wieder die Melodie aufzunehmen. Die Stelle macht sich sehr bemerklich. Was sie bedeutet ist dem veranlagten Hörer nicht zweifelhaft: eine Erinnerung an das Ereigniss, das das Glück dieses Lebens gebrochen hat. Die Musik kommt wieder in Fluss und rafft sich energisch auf; es bleibt ihr aber ein schwerer harter Ton.

Wir haben in diesem ersten Theil des Hauptsatzes seine Themengruppe. Der zweite Theil bringt eine Durchführung über die Motive des Hauptthemas und in ihr den Versuch zu reiner, grosser Freude durchzudringen. Den Fehlschlag bezeichnen Paukensoli. Dann setzt die Wiederholung des ersten Theils ein und verläuft bis auf einige unwesentliche Aenderungen und Erweiterungen in gewohnter Weise.

Das Trio (Desdur) leitet Draeseke mit einigen Desduraccorden ein, die uns den Sarabandenrhythmus des Grave ins Gedächtnis zurückrufen, der auch im Weitren noch in andren Formen aus der Begleitung erklingt. Dann stimmen die Clarinetten das Thema an

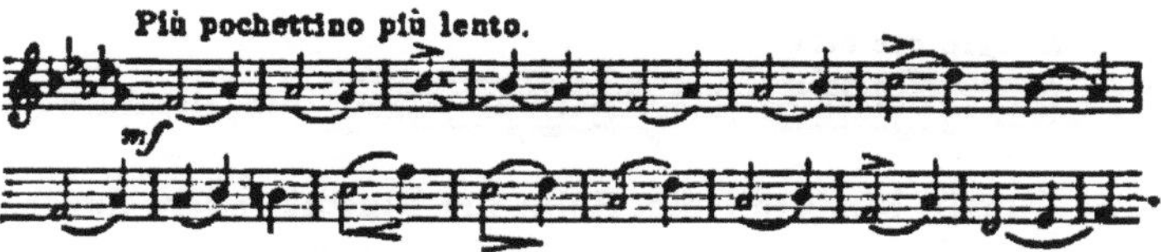

Gegensätze stellt der Componist dieser aus Schubert'schem Geiste gebornen Melodie nicht zur Seite. Sie entwickelt sich ähnlich breit wie das entsprechende Thema von Schubert's grosser C dur-Sinfonie, wird wiederholt in die Bässe gelegt und erfährt mit einfachen Mitteln Verwandelungen die ihren ursprünglich wehmüthigen Beiklang in reine Freude kehren. Eine der glänzendsten Stellen dieser Art, eine wahrhaft grosse Wendung treffen wir bei der Rückkehr nach Des dur wo die Hörner und Posaunen das Thema nehmen. Mit einem stillen C moll wird aber aus diesem Rausch glücklicher Erinnerungen schnell in die Resignation, in den Ton gebrochnen Seelenzustands zurückgelenkt und das Trio geschlossen. Den dritten Theil des Scherzo bildet die wörtliche Wiederholung seines Hauptsatzes.

Wir hätten in diesem Trio die Wiederkehr der schönen Melodie aus dem Andante des ersten Satzes natürlich gefunden. Draeseke hat in vornehmer Zurückhaltung davon abgesehen allzu deutlich zu werden und sich diese Reminiscens für den Eingang des Finale (Allegro con brio, $^6/_8$, C moll) aufgespart. Aus diesem Grunde glauben wir, dass zwischen dem Scherzo und dem Schlusssatz die sonst übliche Pause auf das kürzeste Maass zusammengedrängt werden muss. Das betreffende Thema, das Thema des Ideals, tritt hier ins Finale unter ähnlichen Verhältnissen hinein wie in die Einleitung der Sinfonie, nämlich als ein Sonnenblick der dunkles Gewölk durchbricht. Dieses Gewölk ist beim Beginn des Satzes noch im Begriff sich zu sammeln: es zieht in unruhigen Motiven und Gängen herauf und in Dissonanzen die einen beklommnen und rathlosen Seelenzustand ausdrücken. Unheimlich polternd setzen die Bässe mit der Figur

ein, die durch's ganze Finale hindurch die Rolle des Sturmkünders durchführt. Im Ganzen ist dieses Finale der Sinfonia tragica eine der fürs Verständniss schwierigsten Instrumentalcompositionen, die es giebt. Die Schwierigkeiten liegen einmal in dem Aufbau, der keinem der gewohnten Modelle, etwa dem der Sonate oder dem des Rondo folgt, sondern seine Ueberfracht von Themen ohne Rücksicht auf Uebersichtlichkeit so ausladet wie es die leider verschwiegnen dichterischen Absichten mit sich brachten. Zum andern liegen sie in dem eigenthümlichen contrapunktischen Stil Draeseke's, der den Hauptgedanken in der Regel wenigstens einen Nebengedanken, meistens aber mehrere, beizufügen pflegt. Was der Componist mit seinem Schlusssatz will, ergiebt sich aus dem Vorhergehenden. Er zeigte uns im ersten Satz eine kräftige Natur, der ein schwieriges Leben zugefallen ist, im Grave den Schlag, der ihre schönsten Hoffnungen vernichtete, im Scherzo das einst kühne und frische Wesen gedämpft. Nun kommt das Ende, — ein schwerer Lebensabend und der Tod mit seiner Ruhe. Diesen letzten Theil seiner dichterischen Aufgabe, seines in dem Titel der Sinfonie angedeuteten Programms, hat Draeseke im Wesentlichen als einen Kampf zwischen den lebenswilligen und lebensmüden Seelenkräften dargestellt. Die musikalischen Hauptvertreter dieser beiden Parteien sind das weit gegliederte Thema der Mühsal und Rastlosigkeit, das am Schluss der Vorrede, in dem Augenblick einsetzt wo die Melodie des Ideals (aus dem Andante des ersten Satzes) verschwindet. Es besteht aus zwei Theilen. Der erste, schauerlich vom Bassklang signalisirt lautet:

Die Bässe treten jetzt wieder mit unheimlichem Achtelmotiv dazwischen. Dann fahren die Geigen emsig und doch müde fort:

Wieder treibt das Achtelmotiv der Bässe an, dann kommt der oben in *G* gebrachte Abschnitt noch einmal in C moll und damit schliesst das ganze Thema. Seine Natur ist Hasten und Eilen, Ringen und Sorgen; es entrollt ein Stück Lemurenleben, ein Mühen und Plagen mit bestem Willen aber Unsegen darüber. Manchmal klingt's daraus wie aus Bürger's Leonore oder wie in der Sinfonie fantastique. Der Dämon reitet immer nebenher, wir hören ihn aus den Solostellen der Contrabässe, wir hören ihn aus der Pauke, die das ganze Thema mit leisem Grollen begleitet. Nebenbei bemerkt — wird sich keine zweite Orchestercomposition finden lassen, in der der Pauker so viel zu thun hat wie in diesem Finale, über dem von A bis Z ein Gewitter steht.

Das zweite Hauptthema des Schlusssatzes, aus dem die Stimme der Todessehnsucht, der Bitte um Ruhe, der Hoffnung auf Frieden spricht, wartet bis das erste oben angeführte Thema nach einem Abschnitt, wo die Harmonien unter einer liegenden Stimme sich aufrührerisch bäumen, wiederholt und zu einem lauten, empörten Ende — wiederum liegende Stimme *f*, darunter wilde Dissonanzbildung — geführt worden ist. Dann tritt es in Es dur ein und tröstet in Zungen, die wie bekannt anmuthen:

Hiermit ist der Zuhörer von der Hauptsache des Finale unterrichtet. Die weitern Gedanken, die der Componist aufstellt, können als Nebenthemen betrachtet werden. Die mit dem Ende des Esdurthemas schliessende Abtheilung des Finale entspricht der Themengruppe des Sonatensatzes; Durchführung und Reprise kann Draeseke nicht brauchen. Denn er entwickelt kein Stimmungsbild, sondern er giebt eine Erzählung in Tönen. Einzig das erinnert an den Brauch der Durchführung, dass er das erste Hauptthema, — es mag der Kürze halber und mit der Bitte nicht misszuverstehen das Lemurenthema genannt werden — auch weiter verwendet und zwar sowohl als Hauptgegenstand des Tongemäldes, wie auch als Staffage.

Nachdem das Esdurthema verklungen ist setzt das Hauptthema regsam ein, jetzt in der Form:

. Spöttisch antworten die Hörner: . Aber mit einem energischen Ruck rafft sich der Held der Tondichtung zu alter Energie und Kraft auf in einer Grösse, vor der man sich fürchten kann und zwingt dem Thema einen heitern Charakter ab, der musikalisch am deutlichsten auf Grund folgender Umbildung zum Ausdruck kommt:

Die Scene bleibt dem Scherz zwar nicht unbestritten; verminderte Septimenaccorde, harte und trübe Klänge drängen sich dazwischen. Aber in der Hauptsache scheint es doch als wolle sich dieses Leben noch zum Guten wenden: Es erfolgt eine Wiederholung der ganzen Gruppe des ersten Hauptthemas aber jetzt nicht im Lemurenton, sondern im stolzen Klang *f* und *ff*, wie die Aeusserung eines Riesen, der nicht zu vernichten ist. Diese Wiederholung endet mit einem neuen Thema, dem ersten bedeutenderen Nebenthema des Satzes:

das vielleicht mit Absicht an Schumann's Cdursinfonie erinnert. Aus ihm hören wir, dass es mit der Kraft, die sich eben noch geäussert hat, doch nicht so sicher steht, denn es hat einen klagenden Beiton und bringt uns das tragische Geschick, zu dem hier ein edler Mensch verurtheilt ist wieder ins Bewusstsein. Draeseke führt es sehr kunstvoll, in rhythmischen Verschiebungen, Nachahmungen, Verkürzungen und andren Formen, die vielleicht etwas zu gelehrt sind, durch und lässt es mit klagenden Wendungen

enden.

Das letzte, ganz beiläufig gefundne melodische Motiv macht er sofort, seinen Charakter ins Heitre zwingend, zum Träger eines zweiten Nebenthemas

das die dritte Abtheilung des Finales vorwiegend beherrscht. Es wird in ihr in andrer Form der Versuch wieder aufgenommen des Lebens Härte und Tragik mit Scherz und Anmuth zu besiegen oder doch zu vergessen. Ganz wohl wirds dem Zuhörer nicht dabei, denn die dämonischen Rhythmen des ersten Hauptthemas wühlen in den begleitenden Instrumenten immer weiter. Zuweilen nehmen sie allerdings den scherzenden Charakter wieder an, den wir aus der zweiten Abtheilung des Satzes schon kennen und schliesslich will es zu einem grossen Freudenaufschwung kommen den eine durchgeführte Themawendung:

markirt.

Aber kaum angestimmt wird er unterbrochen. Aehnlich wie wir es im Scherzo erleben, setzt von Bässen und Pauke aus ein verminderter Septimenaccord ein (*fis-a-c-es*), an den sich bald ein furchtbares Reiben der Stimmen über einen Orgelpunkt (auf *fis*) anschliesst. Damit ist das tragische Schicksal entschieden. Weinend und zerbrochen sucht sich wiederholt das (frühere) Es durthema, das Thema der Sehnsucht nach Frieden und Ruhe, durch die Massen zu zwingen. Vergeblich. Es geht entschieden zu Ende. Und da kommt nun die vielleicht ergreifendste Stelle der ganzen Sinfonie: Angesichts des Todes wirft der Held einen Rückblick auf sein unglückliches Leben: alle Themen aus den vorhergegangnen 3 Sätzen der Sinfonie ziehen auf, ziehen wiederholt vorüber, am meisten bevorzugt die Themen des Grave, die mit dem Hauptereigniss in diesem Schicksal verknüpft waren. Ein langer Orgelpunkt auf *g*, eine grausame Stelle im Klang und im Sinn, bezeichnet wohl die letzte Noth. Dann setzt die Einleitung der Sinfonie nochmals ein wie um zu sagen: die schlimmen Ahnungen haben sich erfüllt. Als dann aber die Melodie des Ideals (Andante) eintritt, bleibt Draeseke in ihrem Ton und giebt mit einigen weichen, sphärisch verklingenden Takten der Sinfonie ein Ende in Verklärung, ähnlich wie das neuerdings auch Brahms und Tschaikowsky gethan haben.

Grössrer Popularität erfreut sich die Sinfonie (Fdur) von Hermann Götz, dem Componisten der „Zähmung der Widerspenstigen". Sie verdankt diese ihrem zweiten Satze „Intermezzo", einem der reizendsten Genrebilder der modernen Musik. Die Nummer wirkt ebenso durch ihren

H. Götz Sinfonie Fdur

fröhlichen, populären und doch noblen Inhalt, wie durch die originelle Anlage. Das Horn beginnt mit:

Die Holzbläser antworten ebenso naiv mit einem munteren Thema  welches die Violinen aufnehmen und weiterführen. Nach einer lustigen Cadenz der Flöte setzt der Seitensatz in gedämpfterer Stimmung ein:

Celli, zweite Violinen und Fagotte legen eine sentimental sinnende Melodie darunter.

Der Gedanke und seine Durchführung erinnern eine Weile an das Scherzo der Schumann'schen Cdur-Sinfonie, bis die Trompete mit dem Hornthema des Eingangs den eignen Phantasiekreis des Componisten wieder feststellt. Das kindlich heitere Treiben gelangt in einer die Stelle des Trio vertretenden Episode über folgendes Thema:

auf einen Augenblick zur Ruhe.

Von diesem Mittelpunkte aus bewegt sich dann der Satz in freien, vorwiegend durch ruhigere Gegenmelodien veränderten Wiederholungen der ersten Gruppen dem Ende zu. Das Adagio (F moll, $^3/_4$) steht mit dem Intermezzo in näherer Verbindung. Das Thema *d* des letzteren bildet den Mittelsatz. Hauptthema ist eine ernste Melodie

, auf deren Grund der erste und dritte Theil des Satzes in einfacher Sprache eine Reihe von Betrachtungen ausführen. Ihr tief schwermüthiger Ton macht erst in der Coda (in F dur) einer hoffnungsvolleren Stimmung Platz.

Von den beiden Ecksätzen der Sinfonie ist der erste der hervorragendere. Sein Hauptthema ist durchaus romantisch, in seiner Stimmung zwischen sinnig behaglichem Geniessen, jugendlich stürmischem Ueberschwang und leichten Anwandlungen von Melancholie getheilt:

Das zweite, freundlich schwärmend:

weist auf Wagner's Meistersinger hin. Ueber der Verbindung der beiden Ideen liegt gleichmässig der Ton liebenswürdiger Anmuth; doch bricht an einigen Stellen auch der Jubel kräftig durch.

Besonders hervorzuheben ist der Schluss der Durchführung, an dem aus zarten Träumen sich die Phantasie überraschend energisch zum Hauptthema zurückwendet.

Der Schlusssatz der Sinfonie erstrebt kräftigen und feurigen Ausdruck. Hierzu dient die rauschende Violinfigur, welche das Hauptthema eröffnet:

und das resolute Thema des Seitensatzes:

Der Gegenpart ist durch eine Melodie vertreten, welche nur durch kunstvolle Schlüsse zu einem stärkeren Gehalt erhoben wird: 

Lange erwartet trat zu der Zeit, wo die Götz'sche Arbeit erschien, am Ende des Jahres 1876, endlich auch Johannes Brahms in die Reihe der Sinfoniker ein.

Aus den Kreisen der Romantiker hervorgegangen, vertritt Brahms das bleibende Princip der romantischen Richtung: das Princip der gemischten Stimmungen und der raschen Bewegung des Empfindungslebens. Aber alle die früheren Vertreter der musikalischen Romantik übertrifft Brahms durch seine in wunderbar zielbewusster und energischer Entwickelung erworbene Vielseitigkeit, und durch die Objektivität, die Strenge und Mannigfaltigkeit des Stils. Brahms ist unter allen Sinfonikern unsers Jahrhunderts der bedeutendste Beethovenianer, soweit es sich um Form und Stil handelt. Geistig wird Brahms heute von denselben Leuten, die ihn noch vor zwanzig Jahren bekämpften und verhöhnten, überschätzt. Die blinde Mode beliebt ihn neuerdings über Schumann zu stellen, der doch in seinen Ideen viel reicher und ursprünglicher war. Aber das Eine ist richtig; dass kein Zweiter so wie Brahms Beethoven in der Logik und Oekonomie des Satzbaues, in der ununterbrochenen Gediegenheit des Materials und der Arbeit, in dem vornehmen Verzicht auf das Conventionelle erreicht. Seine Werke, naturgemäss die Sinfonien voran, sind deshalb auch nicht durchweg leicht zu geniessen. Schwer ist vor allen seine erste Sinfonie.

J. Brahms Sinfonie Nr. 1 (Cmoll).

Diese erste Sinfonie (Cmoll) nähert sich im Charakter und im Gange ihrer Ideen der Beethoven'schen fünften. Auch sie führt von Kämpfen und schweren Stunden zur Klärung und zur freudevollen Freiheit der Seele.

Der Satz beginnt mit einer langsamen Einleitung (Un poco sostenuto, Cmoll, $^{6}/_{8}$), welche das Bild des folgenden grossen Allegro in kurzen Strichen vorauszeichnet. Sie braust leidenschaftlich auf — schöpft Athem und hofft wie dieses — auch die thematischen Motive des Allegro klingen in ihr schon an. Unter diesen ist das chromatische Thema, mit welchem die Violine sich unter den dröhnenden Strichen der Contrabässe in die Höhe quälen, dasjenige, welches für den Bau der ganzen Sinfonie hervorragende Bedeutung hat:

Es steht an der Spitze der Sinfonie und bietet für den grössten Theil derselben den technischen Stützpunkt. Noch in ihren zweiten und dritten Satz ragt es geistig und leibhaftig hinein; der erste Satz aber ist vollständig auf ihm fundirt. In der Form: Allegro bildet es hier bald die Oberstimme, bald den Bass, fungirt in seinem contrapunktischen Gewebe als heimlicher Cantus firmus, und wirkt als treuer, leitender Geist in guten wie in bösen Stunden. Es giebt die Alarmsignale und ruft beschwichtigend den Sturm der Leidenschaft zur Ruhe. Das formelle Hauptthema des Allegro ist folgendes:

Es trägt die dämonischen Scenen des Satzes, welche mit grosser Energie, Kraft und Schärfe, aber verhältnissmässig knapp dargestellt sind. Eindringlicher, für den

Gesammteindruck des Allegro fast entscheidender, wirken die Partien in welchen der verzweifelte Ton der Kampfesstimmung leiser wird und den milderen Regungen Platz macht. Wunderbar schön ist namentlich der Uebergang zum zweiten Thema: der allmähliche Eintritt der ruhigeren Bewegung, das Hervortreten klagender Motive, der sehnsuchtsvolle Ton, in welchem das erwähnte chromatische Thema an die Spitze der bittenden Stimmen tritt. Dieser Partie ist der Stempel der Naturwahrheit aufgedrückt. Das zweite Thema, dessen erste Periode zur Orientirung über das Ganze dienen mag bildet den Abschluss dieser friedlichen Wendung. In geistiger, wie in technischer Natur stammt es ebenfalls von dem chromatischen Leitthema der Sinfonie. Ein reizender Dialog, von Horn und Clarinette fast nur in den einfachsten Naturlauten geführt, fügt sich an; leider ist er nur von kurzer Dauer. Mit einem unwirschen Rhythmus: , aus welchem sich das für die Entwickelung des Satzes wichtige Motiv herausbildet, rufen die Bratschen den Chor der Instrumente in die leidenschaftliche Action zurück. In der Durchführung treten die beiden grossen Pianostellen besonders hervor: In der plötzlichen Todtenstille, welche sie verbreiten, in dem leisen, halb verborgnen Walten ernster Gedanken, haben sie etwas Uebersinnliches. Der ersten folgt eine Scene von Kraft und Frömmigkeit. Die alten Motive des Trotzes schliessen sich wie zum Choralgesang zusammen: Die zweite lenkt in eine Periode über, welche den aufgeregten Ton der Einleitung verstärkt und gesteigert wieder anschlägt und mit dem erschreckendsten Ausdruck innerer Empörung in die Reprise überleitet. Es ist diese Periode einer der gewaltigsten Versuche im pathetischen Stil und zugleich ein Meisterstück in der Kunst Uebergänge zu machen. Die Reprise nimmt den gewöhnlichen Verlauf. Als sie aber am Schlusse der ersten Themengruppe die dämonischen Mächte des Satzes auf einen neuen höheren und unerhörten Punkt geführt hat, bricht die Musik wie in natürlicher Erschöpfung ab. Das chromatische Thema wird zu rührenden Klagemelodien erweitert, und wehmuthsvoll elegisch klingt der Satz aus.

Der zweite Satz der Sinfonie (Andante sostenuto, F dur, 3/4) steht noch unter dem beklemmenden Einfluss des ersten. Soweit er auch dem vorausgehenden Allegro in der Tonart und in seinem Trost und Frieden suchenden Absichten ausweicht — einige von dessen furchtbaren Elementen erreichen ihn doch. Sie äussern sich in den heftigen Crescendos, in den schroffen Modulationen einzelner Themen; ja das Allegro schickt auch einige seiner Motive wörtlich in den langsamen Satz hinein: in das erste Thema;

den chromatischen Passus des fünften Taktes, in den Schluss der zweiten Themengruppe das schmerzlich-wiederholte

In einzelnen Partien klingt der Ton kindlicher Zuversicht ausserordentlich rührend durch, so im Nachsatz des ersten Thema: Ob. noch freundlicher belebt in dem Sechzehntelspiel, welches Oboe und Clarinette als zweites Thema bringen. Der Schluss des Andante, wo Horn und die Soliviolinе mit dem zuletzt citirten tröstlichen Thema concertiren, wirkt wie eine wahre Musica sacra.

Der dritte Satz der Sinfonie (Un poco Allegretto, Asdur, $^2/_4$) liegt von dem Charakter des an dieser Stelle gebräuchlichen Scherzo weit ab. Es ist im strengen Zusammenhang mit dem Geist des ersten Satzes gedacht: seine Heiterkeit infolgedessen eine gedämpfte wie in einer fröhlichen Stunde, die als die erste auf eine Reihe trauriger Tage folgt. In seinem zweiten Thema namentlich

ist die Betrübniss merkbar, und an der Fortestelle erhebt sich der Accent des Schmerzes. Der Grundton des Satzes ist kindlich herzlich. So äussert ihn das Hauptthema, namentlich in der zweiten Hälfte:

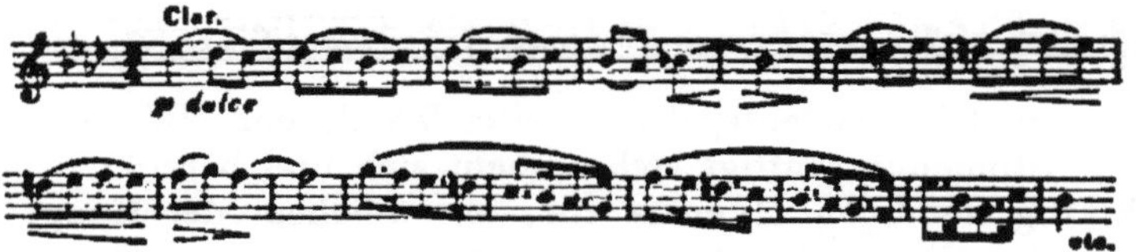

noch mehr das Trio: ein graziöses Wechselspiel zwischen Holzbläsern und Geigen über das Thema:

In dem zarten Glöckchenton der Bläser liegt viel Naturklang und ein ursprüngliches Instrumentationstalent, wie es sich bei Brahms häufig in Bildungen von grösster Einfachheit äussert. Der Schluss des Satzes, still und halb unerwartet, steht mit dem decenten Charakter der Composition im vollen Einklang.

Das Finale (Adagio, Cmoll — Andante — Allegro, Cdur ₵) beginnt mit einem Rückfall in die leidenschaftlich trübe Stimmung des ersten Satzes der Sinfonie. Schwermüthig setzt das einleitende Adagio ein:

Die Violinen suchen energisch und desperat in einem durch das pizzicato und stringendo sehr scharf charakterisirten Satz, welcher auch an den kritischen Punkten des Allegro wiederkehrt, von dem melancholischen Wege abzulenken. Vergeblich! Die Phantasie irrt aufgeregt im dunklen Kreise; über das Motiv geräth das Orchester in helle Empörung. Die Pauke wirbelt fürchterlich. Da erscheint wie ein friedlicher Himmelsbote das Horn mit folgender von Schubert's Geist berührter Melodie:

Wir sind im Andante, dem zweiten Theile der Einleitung. Die Stimmung sänftigt sich, erhebt sich und bereitet den kräftig freudigen Hymnus vor, mit welchem der Hauptsatz des Finale, das Allegro einsetzt:

Es ist eine lange und volksthümliche Melodie, welch sich aus dieser ersten Periode gestaltet. Sie bildet den Hauptträger der Darstellung im Satze. Unter den anderen Gedanken, welche ihr zur Seite treten, ist der wichtigste der schwankende:

Zu vorübergehender Bedeutung kommen noch die energisch heiteren Motive: das innige Thema und das melancholische:

Der Satz giebt ein grossartiges, dramatisch schwungvolles Bild einer Siegesstimmung, welche über alle Hindernisse hinwegschreitend bis zum dithyrambischen Jubel anwächst. In seinen heitern und seinen ernsten Momenten wirkt dieses Finale gleicher Weise anschaulich und lebendig und äussert einen mächtigen Zug. Die gewaltigsten und ergreifendsten Stellen des Allegro sind wohl die, wo die Hornmelodie des Andante wiederkehrt.

J. Brahms Sinfonie Nr. 2 (D dur).

Die zweite Sinfonie von Brahms (D dur, veröffentlicht Ende 1877) ist ihrem Stil nach, welcher pastorale Motive und anakreontische Ideen mit geisterhaften Klängen nahe zusammendrängt, eine der romantischsten Compositionen des Autors. In der musikalischen Factur steht sie hinter der ersten Sinfonie zurück. Ihr Entwurf ist bedächtiger und lässt mehrmals die Punkte erkennen, wo durch Zusätze und Einschiebungen nachgeholfen worden ist. Ihrem Inhalt nach nähert sich die Sinfonie, in vornehmer moderner Form, dem Phantasiebereich der alten Wiener Schule. Ihr Grundton ist ein heiterer, und selbst in den schwermüthigen Theilen ihres Adagio herrscht seelische Anmuth und ein friedevoller Sinn.

Der erste Satz dieser Sinfonie (Allegro non troppo, D dur, $^3/_4$) gleicht einer freundlichen Landschaft, in welcher die untergehende Sonne erhabene und ernste Lichter hineinwirft. An selbständigen musikalischen Ideen übersteigt er den Bedarf des Schema bei Weitem und einzelne dieser zahlreichen Seitengedanken fesseln die Erinnerung mit voller Stärke an sich. Das Hauptthema des Satzes besteht aus einem liebenswürdigen familiären, gemüthvollen Dialog zwischen Horn und Holzbläsern:

Die Violinen schattiren mit ruhigen leichten Dreiklangsfiguren seinen Abschluss, die Posaunen markiren ihn mit Accorden von dunkler Feierlichkeit. Die Uebergangspartie, in der Mitte imposant auf Fragmente des ersten Themas gestützt, bringt zwei neue Motive, zu Anfang

ein munteres:  am Ende ein neckisches:

Das zweite Thema, welches in seinem Anfang einen leichten Anflug Mendelssohn'scher Sentimentalität aufweist:

wird in der Schlussgruppe des Expositionstheils von kräftigen Gedanken abgelöst, unter denen die beiden folgenden hervorzuheben sind:

und

Namentlich dieses letzte Thema, durch markige Nachahmungen verstärkt, setzt sich im Gesammteindruck der Sinfonie mächtig fest. Die Durchführung der aufgestellten Gedanken ist verhältnissmässig kurz, im Charakter phantastisch contrastirend. Die Reprise kommt überraschend und mit reizenden Varianten. Die Coda des Satzes gehört zu den schönsten Partien der Sinfonie. Sie ist ein Produkt der unmittelbaren Inspiration. Das Horn leitet sie mit einer eigenthümlich zögernden und suchenden Melodie ein, und darauf repetiren Violinen und Bläser, die einen den anderen immer einhelfend, nochmals in Kürze alles das Freundlichste und Anmuthigste, was ihnen auf der vorhergehenden langen Wanderung begegnet war.

Den zweiten Satz der Sinfonie (Adagio non troppo, H dur, ₵) beginnen die Celli mit einer Melodie folgenden Anfangs:

etc. welche lange vergeblich nach dem Schlüssel zu suchen scheint, der aus dem trübsinnigen Kreise herausführen soll. Ihren schwermüthigen Blicken begegnet endlich ein freundliches Bild, welches die Phantasie in die Jugendzeit, in die glücklichen Tage von Spiel und anmuthigem Tanz zurückführen will:

Ein dritter Theil, geführt von dem Thema:

---

1) *ais* gehört in die Vorzeichnung.
2) Das 2. Achtel muss *fis* heissen.

steigert die trübe Stimmung, von welcher der Satz ausging, bis zu einem leidenschaftlichen Grade. In der Durchführung, deren Grundlage die Themen I und III bilden, herrscht der aufgeregte Ton vor. Auch im Schlusstheil kehrt die liebliche Melodie des $^{12}/_{8}$Taktes nicht zurück; er lässt in einer traumartig-freundlichen Beleuchtung das trauernde Thema der Celli verschwinden.

Der Haupttheil des dritten Satzes (Allegro grazioso), G dur, $^{3}/_{4}$, Presto $^{2}/_{4}$, Presto $^{3}/_{8}$ hat mit dem originellen Menuett der D dur-Serenade von Brahms den naiven Charakter in Melodik und Instrumentation gemeinsam. Das Hauptthema des Satzes hat folgenden Anfang:

Die schlicht anmuthige Melodie ist mit einer gleichen Einfachheit harmonisirt und instrumentirt. Der Seitensatz, im Wesentlichen lediglich eine rhythmische Umbildung jenes Hauptthemas wird noch durch ein sehr wuchtiges Nebenthema verstärkt .

In ihm wie in dem die Stelle des Trio vertretenden $^{3}/_{8}$Takte

ist der Humor in die Formen der ungarischen Musik gekleidet.

Das Finale der Sinfonie (Allegro con spirito, D dur ₵) erinnert an die schillernden Farben der Cherubini'schen

Romantik, sein Geist ist der lustige lebensprühende der Haydn'schen Sinfonie. Im Stil dieses Meisters setzt auch das phantastische flotte Hauptthema

im spannenden piano ein, dem dann nach einem frappanten Uebergang das rauschende Forte folgt. Das erste Seitenthema ist folgendes:

Die behagliche Wirkung des zweiten Thema:

erhält in einer Reihe von Seitengedanken, patriarchalisch kräftig die einen, in losen Achtelfiguren tändelnd die anderen, nachdrückliche Unterstützung. In der Durchführung bildet eine traulich schwärmerische Episode, welche auf folgendem Thema ruht:

den anmuthigen Mittelpunkt.

J. Brahms Sinfonie Nr. 3 (F dur).

Die dritte Sinfonie von Brahms (F dur), welche am 2. December 1883 zum ersten Male in Wien aufgeführt, im folgenden Jahre veröffentlicht wurde, zeichnet das Bild einer Natur die trübe Gedanken und sinnliche Lockungen gleich kraftvoll abwehrt. In der Darstellung dieses Vorwurfs verfährt sie aber insofern ungewöhnlich, als die Stelle der Conflikte am Ende der Composition liegt.

Im Stil unterscheidet sie sich von ihren Vorgängerinnen durch Schärfe und äusserste Klarheit der Gliederung und dadurch dass sie sich von der Beethoven'schen Methode der Satzdisposition entfernt, indem sie den Schwerpunkt der Composition aus der Durchführungspartie in die Themengruppe, aus der Ausarbeitung und kunstvollen Weiterführung in das Gebiet der ersten Erfindung zurücklegt. Ein stattlicher Gedanke folgt dem andern direkt auf dem Fusse, die Melodien sind in der Mehrzahl allerdings lang gedehnt und setzen eine geübte Auffassungskraft voraus, aber sie erleichtern die Aufgabe zum Theil durch eine ausserordentliche Prägnanz.

Den ersten Satz, welcher den Grundzug rüstig heiteren Fromuths hat, leitet ein kurzes Präludium von zwei Takten ein, dessen knappes melodisches Motiv (Allegro con brio.) innerlich und äusserlich für die Composition sehr wichtig ist. Es ist der Kern ihres melancholischen Theils und es übernimmt formell in der Entwickelung des Satzes eine selbständige Aufgabe: Es trennt die Gruppen und wird zuweilen zu grossen, ausdrucksvollen Melodien erweitert. Das Hauptthema des Satzes blitzt kampflustig bald aus Dur, bald aus Moll, und spiegelt im raschen Wechsel von Ruhe und knapper Bewegung, in seinen grossen Schritten und seinen langen Gang eine ungewöhnliche Energie vor:

Das im unmittelbaren Anschluss folgende Seitenthema:

gehört zu jenen zahlreichen Episoden des Satzes, die mit zarten Regungen die kräftigen Elemente der Composition einzuschlummern suchen. Aber vergeblich: es folgen ihnen immer nur kühnere Aeusserungen des starken Muths. Die verführerischste in dieser Gruppe von Dalilahgestalten ist das zweite Thema:

, welches sich ausserordentlich verwandlungsfähig erweist. Von ihm abgeleitete Glieder finden sich als die Chorführer der tändelnden, wie auch der heroischen Scenen. In der Durchführung erscheint es in Moll und stellt den ernsten Charakter dieses Theiles fest. Ein sostenuto in *Es*, dem das Hauptthema zu Grunde liegt, bildet den Höhepunkt und zugleich den Schluss ihrer Entwickelung. Die Coda stellt die kräftige Erscheinung des Hauptthema noch einmal auf ein erhöhtes Podium und lenkt dann magisch schön zur Ruhe über. Mit einem letzten leisen Citat seiner ersten Takte, ähnlich wie der Eingangssatz von Beethoven's achter Sinfonie, klingt das Allegro elegisch aus.

Das Andante der Sinfonie (C dur, ₵) ist eine schlichte, fromm gestimmte Dichtung, eine Composition, welche in ihrem einfachen Ausdruck seelischen Friedens, in ihrer in sich geschlossenen, einheitlichen und leidenschaftslosen Haltung kaum einem Seitenstück in der neueren Sinfonie seit Beethoven begegnet. Der grösste Theil des Satzes ruht auf dem Thema:

welches in einer Reihe freier Variationen durchgeführt wird, die an seinem Charakter wenig ändern, aber im

Colorit den herrlichsten Wechsel bieten. Nur auf einen Moment tritt ein klagender Ton ein mit

Diese Melodie, welche formell die Stelle des zweiten Thema einnimmt, wird aber hier nicht weiter benutzt, sondern kehrt erst im Finale der Sinfonie wieder. Nur ihr Nachsatz, der in ein mystisches Spiel mit weichen Dissonanzen ausläuft, kehrt am Ende des Satzes noch einmal zurück.

Vom dritten Satze an (Poco Allegretto, C moll, 3/8) wird der Charakter der Sinfonie trüber. Sein Hauptthema welches ein wenig zu der Weise Spohr's hinneigt

giebt das Bild eines anmuthigen Reigens wie aus dem Spiegel einer schönen Vergangenheit, und die Stelle des Hauptsatzes, wo die Musik ihren höchsten Reiz entfaltet — das Motiv  der Celli leitet sie ein — ist in der Farbe der Erinnerung und des Traumes gehalten. An der Stelle des Trio steht ein Mittelsatz (in As), welchen die Bläser mit dem Ton der Bitte und der Resignation füllen 

Er schliesst mit einer Beethoven'schen Wendung.

Dass der dritte Satz nicht ein feuriges Scherzo geworden ist, hat, ähnlich wie in der ersten Sinfonie von Brahms, seinen Grund in dem poetischen Generalplan der Sinfonie. Dieser dritte Satz vermittelt der Uebergang zu dem leidenschaftlich und oft finster erregten Finale (Allegro, F moll, ¢). Letzteres bildet den Schwerpunkt des Werkes. Das heroische Element der Sinfonie hat hier die Probe gegen harte und unfreundliche Gegner zu bestehen. Düster phantastisch beginnt der Satz: huschende Figuren, dann ein Anhalten und gänzlicher Stillstand der rhythmischen Bewegung:

Noch beklommener und unheimlicher wird der Ton mit dem Eintritt der Posaunen und dem verschleierten Thema, das aus dem 2. Satze der Sinfonie stammt: b)

Gleich darauf bricht der gespannte Bogen und die Situation nimmt einen ausgesprochenen Kampfescharakter an. Wild und trotzig fahren die Violinen herein mit:

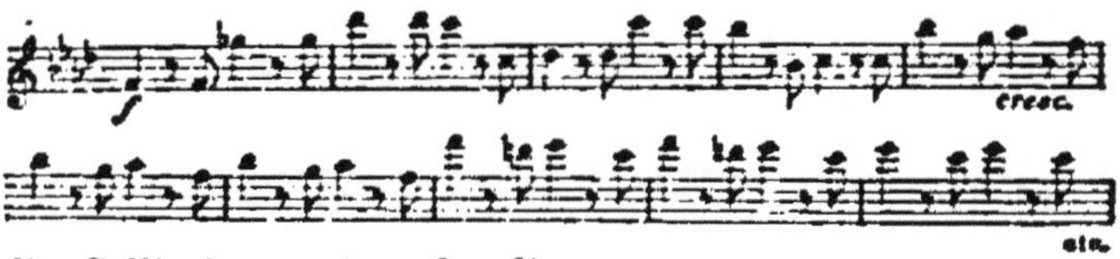

die Celli singen siegesfreudig:

In der Durchführung dieser Confliktsperiode finden sich mehrere Culminationspunkte — einer der höchsten ist da, wo das Thema *b* im stärksten Klange den fanatischen Figuren der Violinen entgegengestellt wird. Ein merkwürdig bedeutungsvoller Einspruch des Fagotts beschwichtigt die brandenden Wogen. Die Composition lenkt in ein sostenuto über, dem die Schönheit des Regenbogenhimmels eigen ist. Die düsteren Themen *a* und *b* strahlen jetzt Ruhe und Frieden aus, und wie eine verklärte Erscheinung zeigt sich an der Ausgangsschwelle der Sinfonie noch einmal das heroische Thema ihres ersten Satzes.

Wenn die im Jahre 1855 vollendete, erst zwei Jahre später (nach den Aufführungen in Meiningen und Wien) veröffentlichte vierte Sinfonie von Brahms (E moll) von vielen Kennern als die bedeutendste des Componisten bezeichnet worden ist, so gründet sich dieses Urtheil namentlich auf den Ausgang des Werkes. In ihm führt Brahms den eigensten und mächtigsten Theil seiner Individualität zum ersten Male entschieden und bestimmt erkennbar in das sinfonische Gebiet über: der Sänger der deutschen Todtenmesse steht vor uns! Im Stil geht diese Sinfonie die Wege der Vorgängerin: sie strebt wie letztere nach Einfachheit der musikalischen Grundgedanken, nach Uebersichtlichkeit und zeigt eine auf wenige Hauptgruppen beschränkte Disposition der Sätze. Sie schlägt einen schlicht erzählenden Ton an, und namentlich ihr erster Satz gleicht fast einem gross stilisirten Liede.

J. Brahms Sinfonie Nr. 4 (E moll).

Ohne weiteres setzt sein Hauptthema ein:

eine wiederum sehr lange Melodie, deren bewölkter Horizont sich zuweilen etwas aufhellt, um dann einen noch trüberen Charakter, oft einen schmerzlichen Accent anzunehmen. Das Seitenthema (in den Cellos) und das zweite Thema:

, welches von hier aus in unscheinbaren Gängen dem zart verhauchen-

[1]) Beide Noten = 𝅗𝅥.

den Ende zuschreitet, sind Bundesgenossen der elegischen Hauptfigur des Satzes. Sie leben mit ihr in leisem Zagen dahin, werfen resignirte Fragen auf und ruhen in dunklem Sinnen auf langen Accorden aus. Den originellen Charakter des Satzes bestimmt das ritterlich fröhliche Gegenthema, welches sich sofort an den Abschluss der grossen Emoll-Melodie heftet, und seine vielseitige Verwendung:

Bald kräftig und gebietend, bald kosend und zärtlich, neckisch und heimlich, bald fern, bald nah, bald eilig, bald sich ruhig ausbreitend, — immer kommt es überraschend und stets willkommen, bringt Freude mit und giebt dem Gang des Satzes einen dramatischen Schwung. Auch hier, wie im Eingangssatz der dritten Sinfonie, ist der Durchführungstheil sehr knapp gehalten und bescheidet sich im Wesentlichen damit, die elegischen Elemente der Dichtung etwas stärker auszusprechen. So einfach die ganze Anlage des Satzes erscheint, so ist sie doch im Detail ausserordentlich reich und kunstvoll. In jeder Stimme selbständiges, melodisches Leben, der führende Chor der Instrumente und der begleitende stehen im überwiegenden Theil des Satzes zu einander in einem antiphonischen Verhältniss, das die Wirkung voller macht ohne sich aufdringlich zu zeigen.

Der zweite Satz (Andante moderato, Edur, $^6/_8$) knüpft an die elegischen Ideen des ersten an. Er macht im Vergleich zu ihm einen ähnlichen Eindruck, als wenn Jemand über ein aufgeworfenes Thema eine Geschichte aus alter Zeit erzählt. Sein Hauptthema

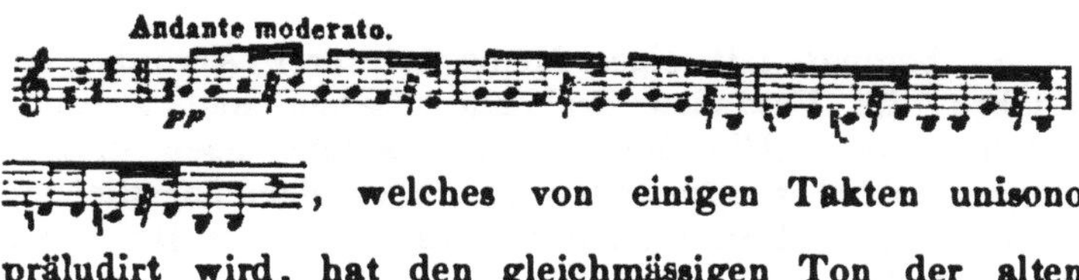

, welches von einigen Takten unisono präludirt wird, hat den gleichmässigen Ton der alten

Romanzen und in seinen Harmonieschlüssen die charakteristischen Wendungen der mittelalterlichen Musik. In der Mitte des Satzes, da wo die Triolen einsetzen, streift die Musik den neutralen Erzählerton ab, zeigt freudigen Antheil, Begeisterung und bricht in herzenswarme Wehklagen aus.

Der dritte Satz (Presto giocoso, Cdur, $^2/_4$) theilt mit dem Andante das archaistische Colorit. Namentlich in dem Mollschluss des nur flüchtig behandelten Gegenthema

kommt dasselbe zu einem starken Ausdruck. Die Heiterkeit dieses Presto ist keine unbedingte. Sie streift die schauerlichen Elemente wiederholt. In den dumpf und tief hereinfallenden Accorden des Hauptthema

in seiner hitzigen, rastlosen Rhythmik, in seiner plötzlich aufzuckenden Energie, in der vorwiegenden Härte des Charakters erinnert der Satz direkt an die dämonischen Klavierballaden (op. 10) des Componisten, welche unter die poetisch bedeutendsten seiner Jugendwerke gehören.

Das Finale (Allegro energico e patetico, Emoll, $^3/_4$) ist durch die Menge des vorgeführten Materials der für das formelle Verständniss schwierigste Theil der Sinfonie; seinem Gedankengehalt nach ist es einer der ernstesten und höchst gestimmten Sinfoniesätze, welche existiren.

Es beginnt mit einer Reihe schwerer Accorde, zu welchen die Posaunen drohende Farben und Accente herbeibringen. Alle die Themen, welche nach diesem Eingang zunächst aufgestellt sind, haben einen ängstlichen, erschreckten und suchenden Charakter. Unter ihnen ist das folgende

als das Hauptthema anzusehen. Dasselbe kehrt mehrmals im Satze wieder, wird jedoch nicht in der üblichen Weise des Durchführungsschema ausgenutzt. Die Spitze der düsteren Ideengruppe bildet ein langes Flötensolo, welches, melodisch und rhythmisch naturgetreu, das Bild eines haltlosen Seelenzustandes entwirft. Nach ihm tritt die Wendung ein: die Harmonie wechselt plötzlich nach Edur, die Rhythmik wird breit und ruhig, Clarinette und Oboe beginnen trostvoll und fromm zu singen:

die Posaunen sprechen feierlich erhabene Requiemgedanken aus:

Die Composition lenkt in das Gebiet, wo Leid und Freude schweigt und das Menschliche sich vor dem beugt, was ewig ist. In dieser natürlichen Hoheit des Ausgangs ist die vierte Sinfonie von Brahms eins der grossartigsten und ergreifendsten Werke der sinfonischen Litteratur, in der technischen Anlage dieses vierten Satzes aber *ein erstaunliches Kunststück*: Denn seine ganze so feste und doch mannigfache Gedankenkette bildet einen Kreis von Variationen über das 8taktige Thema:

das vorwiegend als Bass geführt wird. Auch Beethoven, Vogler u. A. haben Theile von Sinfoniesätzen auf einfachen Scalen- und Accordmelodien aufgebaut; aber in dieser

Bach'schen Strenge und Freiheit zugleich und noch dazu in solcher Ausdehnung hat noch kein Sinfoniker vor Brahms die alte Form der Chiaconna angewendet.

In der Klaviercomposition und im Liede bereits merkbar hervortretend, hat die Schule Brahms in der Sinfonie bisher nur schwache Lebenszeichen gegeben. Gernsheim's vierte Sinfonie, die Dmoll-Sinfonie des Italieners Martucci gehören darunter. Der Erste aber, welcher sowohl in der architectonischen Form seiner Sinfonien wie in den innrcn Wendungen der Melodie sich stärker beeinflusst zeigte, war H. von Herzogenberg. Durch sein „Deutsches Liederspiel" und durch eine Reihe Lieder als ausserordentlich liebenswürdiges, für naive und volksthümliche Musik besonders begabtes Talent bewährt, hat sich dieser Tonsetzer als Sinfoniker mit einer grossen Cmoll-Stnfonie eingeführt. Der erste Satz dieser und der Cmoll-Sinfonie von Brahms haben in Idee und Ausdruck eine grosse Aehnlichkeit. Gleichwohl hat die Composition des Jüngers ihren selbständigen Werth und ihre eigene Schönheit. Unter die Theile, welche in dieser Richtung am meisten hervortreten, rechnen wir die balladenartige Einleitung, welche in der Weise Gade's den nordischen Ton anschlägt, und das Scherzo. In ihm, das auch auf jene Einleitung poetisch sinnvoll zurückgreift, sind der Hauptsatz und das Trio in einer ganz neuen Art verbunden: Die beiden Theile wechseln gleich von Anfang ab Clausel für Clausel im malerischen Contrast. Das Adagio, in der Anlage dem von Brahms zweiter Sinfonie entsprechend, darf sich eines tief melodischen Zuges rühmen; der wie ein fremdes Bild eingerückte freundliche Mittelsatz verräth ein eigenes Talent zu einem edel volksthümlichen Musikstil.

H. v. Herzogenberg Sinfonie Cmoll

Die zweite Sinfonie v. Herzogenberg's (Bdur, op. 70) theilt mit der ersten die Vorzüge einer durch und durch edlen Kunstrichtung. Sie übertrifft sie aber an originalem Farbensinn, in der Freiheit und Leichtigkeit der Contrapunktik und an Selbständigkeit der Erfindung. Die freundliche Natur ihres pastoralen und idyllischen Stimmungskreises, ihre oft köstliche Thematik würden dazu be-

H. v. Herzogenberg Sinfonie Bdur.

rechtigen dieser zweiten Sinfonie des Componisten eine grössere Verbreitung zu versprechen. Ihr dritter Satz, in der ein artiger, sanfter Humor sich originell durch die Pauke äussert, ist sogar eine Perle des neuen Serenadenstils, eines R. Volkmann würdig. Leider aber fliesst auch hier der Strom der Töne zu ungleich im Werth und viel zu breit. Ein andrer Vertreter der Schule von Brahms, ist der Schweizer Hans Huber. Doch sind seine Sinfonien in Deutschland unbekannt.

Jahrzehnte lang wenig bemerkt, haben seit Anfang der achtziger Jahre die Compositionen des Wiener Tonsetzers Anton Bruckner die Beachtung der Musikwelt auf sich gezogen.

A. Bruckner. Sinfonie Edur.

Insbesondre haben sich die Wagnerianer ihrer angenommen und sie, blind für die Menge gemeinsamer Züge der beiden Künstler, den nach ihrer Meinung aus blosser Kunstfertigkeit hervorgegangnen Sinfonien von Brahms als die eigentlichen instrumentalen Offenbarungen modernen Geistes und grosser Persönlichkeit gegenübergestellt. Bruckner's erste Bekanntschaft aussen im Reiche zu ermitteln fiel seiner siebenten, seiner Edur-Sinfonie zu. Sie ist wie die andren ohne Opuszahl erschienen, und früher als manche der ältern in Druck gekommen. Das Werk hat Gedanken von grossem sinfonischen Charakter: das Hauptthema des ersten Satzes

und noch mehr das des Adagio

*) Die ersten drei Noten heissen e *H* e.

legen dafür Zeugniss ab. Aber höhere Originalität und technische Reife suche man in dem Werke nicht. Selbst der Contrapunkt ist steif, und der Entwickelung der Ideen fehlt die Logik, der Zusammenhang und das Mass in einem Grade, wie er in gedruckten Sinfonien unerhört ist. Ohne alle Vermittelung, ohne jeglichen Uebergang stehen im ersten Satze pathetische Themen und Wiener Ländlerweisen neben einander, im letzten Choralmelodien und infernale Figuren. Der Entwurf dieser Hauptsätze scheint vom Zufall der täglichen Arbeitslaune bestimmt. Aber trotzdem hat die Sinfonie ihre positiven Seiten. Einmal eine kunsthistorische: sie zeigt zum ersten Male den Einfluss Wagner's dem wir bei Raff, Hofmann, Sgambati, Goetz und Draeseke nur in kleineren Zügen begegneten, in breitesten Spuren. Das Scherzo ist fast nur eine Umschreibung des Walkürenritts. Zweitens aber entwickelt der Componist ein Talent der Nachdichtung, das in seiner Art zu eigner Bedeutung gelangt. Am imposantesten im Adagio. Auch hier sieht man die Quellen durch: Götterdämmerung und Neunte Sinfonie. Aber die Wagner'schen Motive sind mit einem Schwung und einer Begeisterung ausgeführt und erweitert, welche überwältigt. Die grosse Stelle dieses Satzes, wo die Trompete über dem Glanz des vollen Orchesters mit ihrem *G* fortleuchtet, gehört zu den grossartigsten Toncombinationen der neueren Litteratur.

Es war wohl ein arger Missgriff Bruckner, verführt durch den Zauber ihres Adagios, mit seiner siebenten Sinfonie einzuführen. Denn sie zeigt die Zusammenhanglosigkeit, das bunte Wesen, die masslose Breite seiner Musik, sie zeigt alle Mängel seiner Bildung und seines Geschmacks bis zum Abstossen stark. Dagegen bringen es die werthvollen Eigenthümlichkeiten, die sie enthält, nur bis zu einem mässigen Eindruck. Bruckner ist, was nur von wenigen der zeitgenössischen Sinfoniecomponisten gesagt werden kann, eine Natur, er ist ein Künstler dessen Werke eine klare und höchst befriedigende Auskunft über den Menschen geben. Zwei Züge sind es die aus allen seinen Sinfonien, aus den schwächren nur weniger klar, hervortreten und die Individualität Bruckner's in erster Linie bestimmen: Eine herzliche naive Freude an der Natur und zweitens eine ausgeprägte kirchliche Religiosität.

Es wäre schlimm wenn die Freude an der Natur Musikern fremd wäre; sie muss das menschliche Gemeingut der Grossen und der Kleinen bleiben. Aber die Meister unterscheiden sich in der Entschiedenheit mit der sie ihr Ausdruck geben. Darin steht z. B. R. Wagner an der Spitze aller neueren Operncomponisten und reicht direkt Händel die Hand, darin übertreffen die Deutschen von jeher die Italiener, und werden merkwürdiger Weise wieder, zu Zeiten wenigstens, von den Franzosen übertroffen. Schumann ist auf diesem Gebiete ergiebiger als Mendelssohn, Beethoven der Componist von Pastoralsinfonien und Pastoralsonaten reicher als Mozart und auch als Haydn. Im Allgemeinen sind in diesem Punkt die östreichischen und süddeutschen Sinfoniker stärker als die norddeutschen; in neuerer Zeit haben dann wieder die scandinavischen und namentlich die russischen Sinfoniecomponisten auf diesem Felde alle Vorgänger überholt. Bleibt man im deutschen Culturgebiet, so hat unter den Oestreichern als Schildrer von Volksthum und Landschaft Franz Schubert den unbedingten Preis. Aber ihm wird man in Zukunft als den Nächsten Anton Bruckner an die Seite zu stellen haben. Bei keinem Zweiten ist das Oestreicherthum in seiner liebenswürdigsten Art so voll in die Musik übergegangen wie bei ihm, bei keinem Andren die Lust an Heimath, an Volksthum, an der Pracht und an den Heimlichkeiten schöner Natur allzeit so rege, wie bei Bruckner. In dem schwärmerischen Behagen mit dem er sich ihren Reizen in jedem Augenblick hinzugeben bereit ist, zeigt er seine Kinderseele; dass er einen Blick in den grünen Wald sich nie versagen, dass er nie an dem Bild eines Tanzes unter der Linde vorbeigehen kann, ist eine starke Quelle der romantischen Fehler in seinen Sinfonien.

Aehnlich verhält es sich mit dem Ausdruck religiösen Gefühls bei Bruckner und bei Andren. Es wird in der ganzen Reihe der hervorragenden Sinfoniecomponisten — auch wenn wir von den Adagios absehen — bei keinem fehlen; aber es äussert sich verschieden nach den Personen und mehr noch nach den Zeiten. Es bildet von Haydn bis Beethoven ein crescendo, bei Mozart hat es eine pessimistische, bei Beethoven eine philosophisch erhabne Färbung. Bei Schubert setzen die Abschwächungen der religiösen Empfindung, ihre Umbildungen in die Formen von Wehmuth, Sehnsucht, Melancholie und Weltschmerz ein, die wir bis auf Brahms bei allen bedeutenderen Sinfonikern verfolgen können. Meistens handelt es sich dabei um den Zusammenhang der Instrumentalmusik mit der allgemeinen geistigen Entwickelung unsers Jahrhunderts, um die Theilnahme an den Kämpfen gegen Oberflächlichkeit, Alltäglichkeit und Frivolität der sittlichen Anschauungen, Theilnahme an den bunten Bestrebungen die Menschheit durch Glauben und Aberglauben durch Philosophie und Kunst innerlich zu stützen und nach einem höheren Dasein zu lenken, um Berührungen mit Kant und Fichte, mit Schopenhauer und Nitzsche, mit Cornelius, mit Böcklin und Thoma, mit Parsifal und Zarathustra. Ganz anders bei Bruckner. Aus seinen Sinfonien spricht die Religiösität in ganz bestimmter, positiver Form: sie legt fortwährend ein offnes, freudiges, christliches und kirchliches Bekenntniss ab. Die vielen Choräle in seinen Sinfonien sind dessen Zeugniss, sie erschöpfen aber den Reichthum und die Festigkeit seiner Gottesfurcht keineswegs. Ihre Spuren gehen vielmehr durch die Hälfte aller seiner Themen und Melodien; in seinen Sinfonien treten kirchliche Anklänge in einer Stärke hervor wie sie in Sinfonien nur noch einmal vorkommen: bei Mozart in seiner Knabenzeit. Bruckner war Schulmeister und Organist, ehe er zur höhren Kunst kam. Das ist mit Andern auch, z. B. mit J. Raff ähnlich gewesen. Es ehrt ihn und bekundet die Wahrhaftigkeit seiner Natur, dass er in den neuen Kreisen doch bei seiner alten Gedankenwelt blieb. Eine spätre Zeit wird möglicher Weise wegen der Ehrlichkeit Bruckner's und wegen der Echtheit und Bedeutung der Ideen, die in seinen Sinfonien niedergelegt sind, Vieles von seinen Schwächen und von seiner Unfertigkeit verzeihen.

A. Bruckner Drei Cmoll-Sinfonien.

Von einer gradlinigen, steigenden Entwickelung ist bei Bruckner noch weniger die Rede als bei Franz Schubert. In allen seinen Sinfonien liegen Schlacken und Goldkörner beisammen. Aber alle bieten etwas Interessantes, Züge die musikalisch oder psychologisch fesseln. Seine erste und zweite Sinfonie stehen beide in Cmoll und auch die achte, seine letzte, ist eine Cmollsinfonie geworden. Hätte ein Weltkundiger so etwas Unpraktisches gethan? So sind denn diese Cmollsinfonien auch alle drei ausserhalb Wiens unbekannt geblieben, obwohl sie schöne Stellen enthalten, namentlich wirkliche naturwüchsige Sinfonie- und Orchesterthemen z. B. die zweite in

Alle zeigen den Einfluss von Wagner, Schubert und Beethoven. Seine bedeutenden grossen Züge entfaltet Bruckner am glücklichsten in der dritten und vierten Sinfonie, die auch in den letzten Jahren sich in den Concertsälen häufiger und häufiger eingefunden haben.

A. Bruckner Dritte Sinfonie.

Die dritte Sinfonie (Dmoll) ist im Jahre 1873 entstanden und eine der wenigen, die schnell einen Verleger gefunden hat. Richard Wagner nahm die Widmung an und soll wie Th. Helm erzählt[1]) wiederholt ernstlich eine

---

[1]) Th. Helm: A. Bruckner im Musik. Wochenblatt 1886, S. 35.

Aufführung beabsichtigt haben. Was zunächst jeden Musiker für die Sinfonie einnehmen muss, ist ihre vollendete Orchesternatur. Alle Instrumente haben ihr eignes Leben und äussern es wenn nicht immer mit bedeutenden selbständigen Themen und Motiven, so doch in eignen besonderen Rhythmen. Alles klingt schön, neu; immer interessant. Nach dieser Seite bezeichnet Bruckner einen Fortschritt in der Geschichte der Sinfonie, den Niemand bestreiten kann und verhält sich dem Durchschnitt der Beethovenianer gegenüber ähnlich wie in der Malerei die Pilotyschule zu der Methode von Cornelius. Nach ihrem Ideengehalt betrachtet bietet uns Bruckner's D moll-Sinfonie Einblick in das Innere einer Natur, in der sich Lebensernst und Lebensfreude gleichmässig mischen; sie scheint die Stimmungen von Beethoven's Neunter und Beethoven's Pastorale zu vereinen. Der Componist hat in diesem Unternehmen einen Vorgänger und es ist wohl nicht Zufall und von ungefähr, sondern bewusste Absicht, dass er in seine Dichtung die Gestalt Franz Schubert's leibhaftig hineintreten lässt. Dass Schubert die weit stärkere Individualität war und durch die Zeitläufte allein schon glücklicher gestellt war, kann dabei Niemandem entgehen. Aber wir haben nach ihm in der Sinfonie das beschauliche, sanguinische, des Daseins in der schönen, mit landschaftlichen Reizen und liebenswürdigen Menschenthum übervoll gesegneten Heimath frohe Oestereicherthum bei keinem Zweiten so stark und deutlich ausgeprägt als bei Bruckner und in dieser D mollsinfonie. Dem Lebensernst giebt der aus dem Kirchendienst hervorgegangne Componist gern durch Choräle und choralartige Themen Ausdruck.

Der erste Satz (Mässig bewegt, ₵, D moll) empfängt uns mit einem der in der neueren Musik und von Bruckner ganz besonders geliebten Orgelpunkte — hier auf D. Im Streichorchester ein ziemliches Rauschen wie von freundlichen Wässern, ähnlich wie der Anfang von Schubert's H-mollsinfonie, aber jedes Instrument seinen Rhythmus für sich! Dann setzt im fünften Takt die Trompete ein, die sich in der Zeit der Classiker ihre heutigen Ehren nicht hätte träumen lassen. Doch ist die Thatsache keineswegs zum Beweismaterial für die Hypochonder geeignet, welche unsrer neueren Musik roher und roher werden sehen. Unsre talentvollen Componisten gebrauchen die Trompete keineswegs blos für starke Effekte, sondern ganz so vielseitig wie dies in der alten Suite, in der italienischen Oper des 17. Jahrhunderts, im Oratorium noch bei Händel geschieht. So beginnt Bruckner mit ihr hier leise, im Ton einer heroischen Ahnung das Hauptthema seines ersten Satzes:

Dieses Thema zieht sich lang hin. Zunächst wird es vom Horn folgendermassen

fortgesetzt. Die zwei letzten Takte dieser Fortsetzung werden zunächst von den Holzbläsern für Nachahmungen und Wiederholungen aufgegriffen und dienen dem vollen Chor des Orchesters als Anhalt zur Sammlung und zu einem gewaltigen innren und äussren Crescendo. Dann erst kommt im Unisono aller Instrumente der dritte Theil, der Schluss des Hauptthemas:

Er bringt den höchsten Aufschwung kräftigen Wollens und dicht daneben in den Zungen von Schubert'schen Entreaktes das Versagen aller Hoffnungen, somit die Gegensätze des Satzes im schroffen Widerspruch. An der Triole hält sich die Phantasie des Componisten fest, als wäre mit ihr der Ausweg nach dem Licht, nach einem sichren Blick in die Zukunft zu finden und gelangt so bald an eine Wiederholung des vollständigen Hauptthemas von *A*, der Dominante, aus. Der Schluss dieser Wiederholung verläuft in ein *ppp* und in romantische Dissonanzen, als schliefen alle Sorgen ein. Der Dichter überlässt die Entscheidung über schwierige und ungewisse Fragen der Zeit und dem Schicksal. Das zweite Thema

setzt ein und führt uns ohne Weitres in eine Scene des Behagens und der beweglichen Schwärmerei. Mehr noch als das Thema selbst, das zuerst als Wechselgesang zwischen Bratsche und Horn auftritt, führt uns sein Begleitungsmotiv

vor ländliche Bilder. Denn es ist ein Bruder jenes wichtigen Zwischenmotivs, das im ersten Satz von Beethoven's sechster Sinfonie zum zweiten Thema hinüberleitet. Bei Bruckner sagen die Contrapunkte immer etwas; der hier erfundne erweist sich aber als ganz besonders gehaltvoll und ergiebig. Ja, er wird nicht blos die Veranlassung zu einer hübschen Episode, sondern er trägt einen Hauptheil von dem Glaubensbekenntniss und der Weltanschauung, die in diesem Satze niedergelegt sind. Alle die zahlreichen Partien die darin aus dieser muntern Figur entwickelt sind, vertrügen als Ueberschrift das schöne Wort Hölderlin's: „Ja wunderschön ist Gottes Erde und werth auf ihr ein Mensch zu sein!". Das singt in urzufriednen Melodien, das regt sich und hüpft in fröhlichen Rhythmen, das wiegt sich wonnig träumerisch auf weichen Accorden, das ist ein Schwelgen in seliger Sonntagsstimmung. Zuweilen bricht das Entzücken laut und wuchtig durch: *fff*.

Zuletzt findet es einen doppelten Ausdruck von kräftiger Zuversicht in der Melodie:

die unter den Nebenthemen des Satzes Bedeutung hat und von Frömmigkeit in dem Choral:

mit dem die Trompete, die bekanntlich angefangen hatte, die Themengruppe schliesst. Zu verkennen ist nicht, dass in der zweiten Hälfte des um des Pastoralmotivs gebildeten Theils das Beharrungsvermögen des Zuhörers auf eine Geduldprobe gestellt wird. Je nachdem das Orchester besser oder schlechter ist, wird sie erleichtert oder erschwert werden.

Sofort nachdem die Trompete mit ihrem (unbedeutenden) Choral fertig ist, geht es aus Odur mit drei knappen Ueberleitungstakten in die Durchführung.

Die Durchführung beginnt, nach einer kurzen Intonation des Hauptthemas, mit einem Satze suchenden Charakters, dem das dem Choral vorhergehende Nebenthema, das vorhin als Ausdruck der Zuversicht bezeichnet wurde, zu Grunde liegt. Er endet still und ergebungsvoll in G dur. Darnach setzt schön und scharf in der Wirkung A dur ein, und in schnellen Modulationen, ziehen Umbildungen und Bruchstücke aus dem ersten Theil des Hauptthemas in Flöte und Horn vorbei, geheimnissvoll aber farbenmächtig. Der zweite Theil der Durchführung verbindet den Anfang und den Schluss des Hauptthemas erst in einer Periode in F moll, dann in einer zweiten in G moll. Von deren Schluss ab (As dur) verschwindet der Anfang des Themas, die Motive des kräftigen Wollens aus seinem Schluss: 𝅗𝅥. ♫ | 𝅗𝅥, 𝅗𝅥. ♫ ♪ und ♩. ♬ ♪

behaupten das Feld und führen scheinbar zur Reprise: In Dmoll setzt das Trompetenthema *fff* im vollen Orchester ein. Es ist aber erst der dritte Theil der Durchführung, den Bruckner hier bringt. Er giebt das Hauptthema, — wohl angeregt durch eine ähnliche Stelle in Beethoven's Neunter — noch einmal im Leuchten der Wetter, im Donner und Blitz, in glänzendster Machtentfaltung seines ersten, des heroischen Theils. Dieser wird wiederholt, mit Dissonanzen schattirt, nochmals wiederholt und bricht in Edur tobend plötzlich ab. Generalpause, Paukensolo das im *pp* endet! Und nun erst melden sich wie schüchtern die beiden andern Theile des Hauptthemas — mehr um der Form zu genügen als zu innerer Wirkung. Dieser letzte dritte Theil der Durchführung hat Alles entschieden, es war ein Seherblick weit hinaus in die Zukunft geworfen, der ein Ende in Herrlichkeit gesichert zeigt. Ganz leise geht die Durchführung zu Ende und ebenso setzt die Reprise ein.

Der zweite Satz (Adagio, quasi Andante, C, Esdur) deutet mit dem Anfang seines Hauptthemas:

fast in der Sprache der Classiker die Sehnsucht nach Ruhe und höherem Frieden an. Schon nach Abschluss der ersten 8taktigen Periode setzen aber die in der zweiten Hälfte dieses Beispiels enthaltnen Keime der Friedlosigkeit zu einer Bewegung an, die zu einem Aufruhr der Gefühle führt, den die stumme resignirte Klage:

wie ein stilles Gebet endet.

Wie ein Bild aus einer besseren Zukunft stellt nun der Dichter dieser Gegenwart einen formell scharf verschiednen Satz gegenüber, dessen erstes Thema:

lautet. Um das, was es noch an Zweifeln zurücklässt, völlig zu beseitigen, gesellt sich ihr noch eine zweite Weise hinzu, die ebenfalls im visionären Ton eine Art Siegesmarsch anstimmt

Ihr gelingt es die Stimmung zum Theil aufzuhellen: Froh fliessen die Sechzehntelfiguren in einer Gruppe der Instrumente dahin, andere, die Hörner z. B., bleiben aber bei bangen Fragen. Das führt dazu dass die verheissungsvollen Rhythmen des letzten Themas ♩ ♩ 𝄾 in starkem Ton bekräftigt und wiederholt, dass die freundlichen Zukunftsvisionen der schönen Dreivierteltaktmelodie in grosser Breite ausgeführt werden. Bei dieser Ausführung ist auch die Mannigfaltigkeit und der Reichthum der Farbenreize, die von zarten Lohengrinklängen schnell zu einem wahren Rausch schönen Orchestertons anschwellen nicht zu vergessen. Ueberhaupt ist die Einwirkung Wagner's in diesem Satze unverkennbar. Sie äussert sich nicht bloss im Colorit, sondern auch in Harmonie und Melodie.

Nach dem Abschluss der Trostscene wird der Hauptsatz wiederholt und erfährt dabei prächtige Steigerungen, aus denen die Stimme der Trompete sich besonders eindringlich und Ausschlag gebend hervorhebt. Der ganze Satz zeigt Brucknern von seiner gewaltigsten Seite und als eine fürs Drama geborne Natur.

Der dritte Satz (Scherzo, Ziemlich schnell, $^3/_4$, D moll) ist durch eine gewisse Unfertigkeit originell, durch eine Laune die sich begnügt mit Elementarmitteln zu wirken. Wir hören vorwiegend rhythmische Motive, die nur lose zu Themen entwickelt sind und, wenn das, keine Entwickelung durchgehen.

Im Hauptsatze schildert der Componist humoristisch eine Art grossen Sturm, der wie von der Ferne einsetzt.

Ziemlich schnell.

Nur das Motiv 

rührt sich zunächst.

Es setzt sich als liegende Stimme fest. Unter ihr steigen Figuren stufenweise die ganze Octav crescendo und drohend in die Höhe. Dann bricht *ff* das Thema

Ziemlich schnell.

los. Es bildet mit Wiederholungen und Ableitungen den Inhalt des Hauptsatzes. Einmal bricht es in eine der bei Bruckner häufigen plötzlichen Generalpausen ab und da erscheint denn — die einzige im ganzen Scherzo — eine fertige und durchgeführte singende Melodie.

Durch sie, der bald verstärkend ein Sätzchen über das Motiv [Notenbeispiel] sich beigesellt, wird der Seitensatz im eigentlichen Scherzo zu einer hübschen Wiener Tanzidylle.

Auch das Trio sucht die Kunst darin die Musik in eine Scene von Naturlauten, hier freundliche und zarte, aufzulösen. Eine Art Thema meistens von der Bratsche

angestimmt, wird von einer bunten Reihe kosender, zirpender und trillernder Motive umkreist, so dass die Wirkung des Ganzen an ein Vogelconcert, an eine schöne Stunde bei Weiher und Wald nach Sonnenuntergang erinnert. Das ganze Stück

(Trio und Scherzo) ist darnach wie ein Gegensatz vom Lärmen der Stadt oder der Bahn und der Stille ländlicher Einsamkeit gedacht.

Das Finale (Allegro, ₵, Dmoll) wird mit einer Achtelfigur der Geigen eingeleitet, die zwar wesentlich zu Begleitungszwecken dient, aber für den Charakter des Satzes nicht unbedeutend ist. Sie verkündet Wirren und Aufruhr im Gemüth und dagegen erhebt sich in stolzer Kraft breit und majestätisch das den Bläsern übertragene Hauptthema

. Es gehört wieder zu den thematischen Erfindungen Bruckner's in denen auf Melodie und schöne Form zu Gunsten der charaktervollen Wirkung verzichtet wird. Darin zeigt er sich als ein Schüler Liszt's und der Neudeutschen. Zweimal zieht dieses Cyclopenthema vorbei. Dann verlaufen sich die wilden Gänge im Streichorchester. An ihre Stelle tritt ein anmuthiges Motiv

, das aber doch nur ein nebensächlicher Contrapunkt ist. Die Hauptsache kommt in den Hörnern, nämlich ein Choralgesang:

der sich breit hin entfaltet. Als er endlich still verklingt, setzt wieder Sturm ein, diesmal von dem harten Motiv

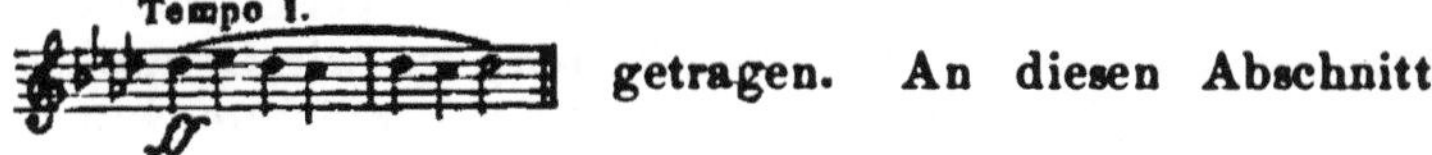

getragen. An diesen Abschnitt

knüpft sofort die Durchführung an. Sie bleibt bei dem Viertelmotiv und bekämpft es mit den herrischen, stolzen Motiven des Hauptthemas und stellt das Bild einer Seele hin, die der Anfechtung spottet. Dieser Durchführungstheil ist nur kurz und schliesst (in F) mit Klängen des Friedens, die uns aus dem Eingang von Schubert's Cdursinfonie geläufig sind.

Die Reprise bringt die dem Hauptthema zugehörige Gruppe erweitert und im Ausdruck der Energie durch Verkürzung der Rhythmen, durch Nachahmungen und Engführungen gesteigert. Die Folge ist dass des zweiten Themas, des Choralgesangs ruhiges und frommes Wesen sich noch klarer und schöner als im ersten Theil des Satzes geltend macht. Die Composition erhält damit einen ausgeprägt christlichen Zug und die Idee des Componisten tritt klar vor das Gemüth des Hörers: „Wer in des Lebens Wirren auf die doppelte Stütze der eignen Kraft und des Glaubens bauen kann, der siegt". Und diesen Sieg spricht das Finale dann noch einmal mit schöner poetischer Beziehung und die ganze Sinfonie abrundend dadurch aus, dass das Heroenthema des ersten Satzes und zwar in Ddur das Schlusswort erhält.

Seine Vierte Sinfonie (Esdur) hat Bruckner die Romantische genannt. Die Romantik die er meint, ist die des Waldes. Das Werk ist eine Waldsinfonie, aber aus einem viel tieferen Geiste als die bekannte von Raff, die eine galante französische Romantik entwickelt. Die Bruckner'sche Sinfonie hat durchaus deutschen Charakter: er sehnt sich nach dem Wald, seiner Heimlichkeit, seinem tiefen Frieden in Klängen die an Steffen Heller's trauliche Klavierscenen „Im Walde" erinnern. Mehr noch, Bruckner hält im Wald wie das altgermanische Heidenthum seinen Gottesdienst, er geht durch die Reihen der erhabnen Stämme mit den Versen des Dichters im Kopf: „Du hast Deine Säulen Dir aufgebaut und Deine Tempel gegründet." Ihm ist im Sinne jener alten Zeiten, wo wir Deutschen noch ein Waldvolk waren, der Wald das herrlichste Gotteshaus, der schönste Dom, den der Herr der Welten sich

A. Bruckner Vierte Sinfonie

selbst gebaut. Der Wald stimmt den Componist ernst religiös und ein feierlich erhabner Grundton, wie ihn ähnlich Bruch in seiner Esdur-Sinfonie leise und flüchtig einmal anschlägt, wie er aber sonst nur in den langsamen Sätzen aufzutreten pflegt, durchzieht die ganze Sinfonie. Ihre vom Familientypus abweichende geistige Haltung wird der eine Grund sein, der ihre Verbreitung erschwert. Ein anderer liegt darin, dass sie für die reichlichen Naturschilderungen, die sie enthält, ein ganz ausgezeichnetes Orchester und ziemlich genauen Vortrag verlangt; ein dritter in der übermässigen Breite einzelner Theile.

Besonders ist es der erste Satz (Ruhig bewegt, ₵, Esdur) der durch tiefe religiöse, ins Ewige sich versenkende Stimmung ergreift. Sein Anfang und die um das Hauptthema

gebildete Gruppe erweckt im Hörer Schauer der Andacht, umweht ihn mit Kirchenluft. An Liturgie erinnert auch der Vortrag: das Horn, das beginnt, gleich dem Liturgen, der kleine Chor der Holzbläser, der die Melodie ihm nachsingt, der respondirenden Gemeinde. Für den romantischen Charakter, den Bruckner seiner Sinfonie geben wollte, ist dieses Hauptthema des ersten Satzes das wichtigste Stück; und das *ces* mit dem der zweite Abschnitt einsetzt, der Hauptträger des romantischen, geheimnissvollen Elements. Aus der ehrfürchtigen Stimmung wird nach dem feierlichen Eingang bald eine froh erwartungsvolle; sie ist vertreten durch das

Motiv: , das als eine Ergänzung gewissermassen mit zum ersten Thema gehört. Der Anfang mit dem feierlich breiten Ton spricht die Gottesfurcht, das neue Motiv die Naturfreude des Componisten aus. So haben wir in den beiden Theilen des ersten

Themas die beiden Hauptstücke der menschlichen Grundlage vor uns, aus der Bruckner's Kunstwerke ihren Ursprung ziehen. Mit dem Motiv der Naturfreude bildet Bruckner die nächsten Zeilen seiner Dichtung. Sie nehmen bald den Charakter eines begeisterten Hymnus an. Der Dichter wird von einem Jubel über die Schönheit der Schöpfung fortgerissen; stürmisch drängt die Harmonie in gewaltigen Modulationen fort und setzt sich dann auf einmal, wie geblendet, auf dem Fduraccord fest, alle Kraft der Empfindung in einem Guss ausschüttend. Bruckner liebt die Klangkontraste. So folgt auch hier dem Rauschen des vollen Instrumentenchors der stille Klang der beiden Hörner die einige Takte allein das *F* halten. Es wird durch die Bässe, die *des* darunter anschlagen zur Terz und die Bratsche setzt mit dem zweiten Thema, wie folgt

ein. B dur wäre die normale Tonart gewesen, Bruckner hat *Des* gewählt. Die Ausweichung in eine entlegnere Harmonie ist in diesem Falle ein Mittel romantischer Wirkung, Bruckner bevorzugt aber auch im Allgemeinen das Gebiet der Unterdominant, sehr zum Vortheil des warmen Charakters seiner Musik. Der Ton innig dankbaren Geniessens, den der Anfang dieses zweiten Themas anschlägt, geht mit den Motiven

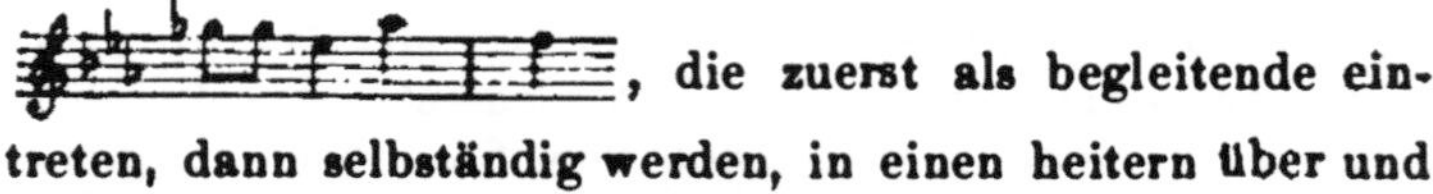

, die zuerst als begleitende eintreten, dann selbständig werden, in einen heitern über und läuft in dem Schlussglied des Themas:

in den Ausdruck lebendigen Entzückens über. Das äussert sich zuerst laut, jauchzt in die Welt hinaus; dann wieder heimlich wie im tiefsten Innern. Es ist ein ungemein wandelbares Motiv, das bald den innigen Elementen des zweiten Themas die Hand reicht, bald wieder aus dem ersten Thema die belebenden

Töne der Naturfreude herbeiholt. Die letztren füllen auf längre Zeit die Scene mit Spielen verschiedener Art, wie Kinder die vor Lust jetzt jauchzen, dann in stiller Anmuth ihre Kreise ziehen. Von einem stürmischen Ausbruch der Freude, in dem zuletzt sämmtliche Messinginstrumente mit dem Desduraccord auf dem Rhythmus

𝅘𝅥.. 𝅘𝅥𝅯𝅘𝅥 𝅘𝅥 | 𝅘𝅥 𝅘𝅥 𝅘𝅥 toben, lenkt Bruckner noch einmal unvermuthet in die ruhigere Region des zweiten Themas ein, jetzt in dem normalen B dur; im *pp* und in Bruchstücken verklingt es. Der Dichter schliesst das Auge, die Bilder schwimmen in seiner Seele in einander. Sie ruht; unbestimmt und dämmernd streifen Empfindungen und Ahnungen durch die Brust. Das drückt die Musik mit abwärts ziehenden chromatischen Gängen aus, die leiser Paukenwirbel begleitet; die feierlichen Motive des Hauptthemas und die lustig erregten des zweiten laufen durch einander. So schliesst die Themengruppe des ersten Satzes.

Die Durchführung beginnt im Traumeston mit dem feierlichen Anfangsmotiv des ersten Hauptthemas, das durch kühne Dissonanzen merkwürdig romantisch gefärbt wird, z. B.:

Sie wendet sich dann zu breiten Bildungen über das Motiv der Naturfreude, die sich von denen in der Themengruppe durch einen durchschnittlich ernstren Ton unterscheiden. Der christlich religiöse Zug der die Sinfonien Bruckner's unter Hunderten kenntlich macht, gewinnt auch hier wieder die Herrschaft über seine Phantasie. Der Abschnitt endet in einigen Strophen Choralmusik, in der die Trompeten die Stimmführer sind. Als sie leise ausgeklungen, setzt das zweite Thema des Satzes (von G dur) ein, jedoch mit verlängerten Rhythmen und dadurch ebenfalls in die kirchliche, fromme Empfindung übertragen.

Von diesem Punkte vollzieht sich der Uebergang in die Reprise ganz natürlich, wie von selbst. Sie verläuft ohne bemerkenswerthe Ueberraschungen und hinterlässt wohl bei den meisten Zuhörern den Wunsch nach Kürzung, namentlich in der allerletzten Schlusspartie.

Den zweite Satz (Andante, C, Cmoll) zu verstehen muss man bis in seine Mitte vorgehen. Denn zunächst fragt man sich erstaunt: wie kommt ein Trauermarsch in eine Waldsinfonie? Die erklärenden Worte stehen unter andren in Schumann's „Pilgerfahrt der Rose" in dem schönen vom Hornquartett begleitenden Männerchor „Bist Du im Wald gewandelt, etc.". Bruckner hat hier an den Wald, an die Natur als Trösterin im Leid gedacht. So malt er uns denn eine Scene des schwersten Leids: ein Begräbniss. Die Celli singen eine klagende Melodie,

einfach als ob sie aus dem Volkslied stammte und doch ein wenig mit Chopin'scher Stimmung getränkt, wie denn Bruckner bei aller Schlichtheit im Grunde seines Gemüths doch immer und überall modern bleibt. Die Begleitung

ein Schubert'sches Marschmotiv

zeigt uns Ort und Veranlassung der Klage, erklärt und malt die Situation. Die Scenerie wird bald noch mehr verdeutlicht: Choralgesang, Trauerchöre die folgendermassen einsetzen

unterbrechen auf längere Strecken den Marschrhythmus. Dann beginnt der Marsch vom Neuen. Vom Neuen auch erhebt sich die klagende Stimme aber viel gedämpfter, sie ist in der Mitte des Streichorchesters, in der Bratsche, gleichsam versteckt

und windet sich, halb unterdrückt, suchend und zugleich fliessend dahin, bis der Marsch (in C dur und *ppp*) wieder schweigt. In diesem Augenblick lassen sich wie von fern und von hoch oben Motive vernehmen

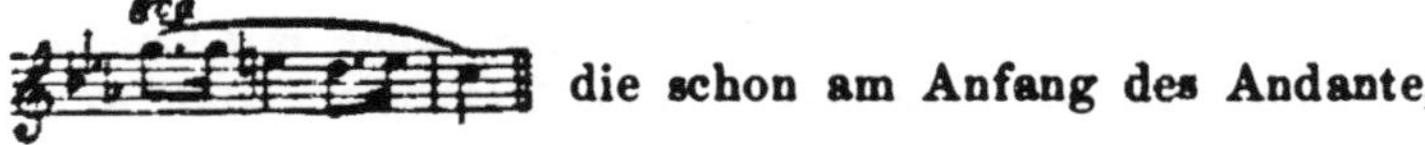

die schon am Anfang des Andante, aber da ziemlich unbemerkt auftauchten. Wirkt diese Flötenstelle nicht als riefen Vogelstimmen aus dem Wald und hin zu ihm? Nachträglich wirds uns klar, dass schon von Anfang an immer in den Marsch hinein, kurze Naturtöne erklangen. Das Horn wars, manchmal auch die Trompete, die ganz heimlich bald mit einem einzelnen Ton, bald mit einem Motiv, am häufigsten mit ♩. ♪ ♩ lockten. Als die Bratsche sang, gaben sie sogar deren Wendung wie im Echo wieder, zuweilen hörten wir auch den Quintenruf, der im ersten wie im zweiten Satz thematisch so viel bedeutet.

Nach dieser entscheidenden Stelle, mit der der erste Theil des Andante schliesst wandelt sich der Charakter der Musik. Die Bässe sinnen jenem Flötenmotiv nach und während sie es wiederholen und weiterführen, erfinden die Violinen neue Melodien, die trostreich klingen:

Dann nimmt das Horn, nach ihm nehmen die Holzbläser das klagende Hauptthema wieder auf; aber der Marsch, der dazu gehört, klingt nur noch eine Weile aus den Bässen an, dann verliert er sich ganz aus der Erinnerung und Instrument nach Instrument tragen die freudigen und lebenskräftigen Elemente die die Melodie enthält, in immer hellres Licht. Es vollzieht sich ein grosser Aufschwung der Stimmung. Freilich ist die Rückkehr zum Trauerton jetzt noch unvermeidlich. Der Mitteltheil des Andante verklingt leiser und leiser, verschwindet wie eine Vision und sein dritter Theil, die Reprise setzt ein.

Jedoch bleiben jetzt die Anklänge an den Trauerchor weg und sehr bald kommen die Flötenmotive wieder: schon vor dem Einsatz des Bratschenabschnittes. Nach ihm setzt das Hauptthema wieder ein, aber mit Contrapunkten umspielt, die den starren Trauerton weit wegweisen. Mehr und mehr klingt es verklärt und geht in einen Triumphgesang über, der mit allem Glanz des Bruckner'schen Orchesters den Sieg über alles Leid verkündet und weit über Grab und Leichenzug hinaus weist auf Himmel und ewiges Leben. Dieser Schluss des Andante ist seine Glanzpartie, poetisch ergreifend gedacht und musikalisch kühn und genial ausgeführt. Der Uebergang nach Cdur und die Rückkehr nach dieser Tonart — von *Ces* aus — ragen besonders hervor.

Der dritte Satz der Sinfonie, ihr Scherzo (bewegt, $^{3}/_{4}$, Bdur) wirft auf den Waldcharakter der Composition ein für Jedermann genügendes Licht. Schon im dritten Takt empfangen uns die Hörner mit Jagdsignalen. Der Componist hat ihnen in dem Satze soviel Platz eingeräumt, wie das vor ihm in einer Sinfonie noch nicht vorgekommen ist. Darin spricht sich sowohl Bruckner's künstlerische Naivetät aus, wie seine grosse Liebe zu solchen Schilderungen aus der äussern Natur, die musikalisch zu fassen und zu bezwingen sind. Drittens aber spricht aus den breiten Bildern, die Bruckner aus den einfachen Jagdmotiven entwickelt hat, aber auch eine ganz eminente Begabung. Vielleicht stimmen die meisten Hörer und Kenner dieses Satzes darin überein, dass seine grossen Gruppen — namentlich die des Hauptsatzes — zu oft wiederholt werden. Aber innerhalb dieser einzelnen grossen Gruppen möchte man nichts gekürzt und gestrichen wissen. Das sind Meisterstückchen, unübertrefflich lebendig, farbenreich und wirklich romantisch. Was ist das für ein intressantes Concertiren zwischen Hörnern und Trompeten und wie hat Bruckner es verstanden durch Harmonien, namentlich durch den Gebrauch von Dissonanzen, diese Brocken aus der gewöhnlichen Gewerbe- und Bedientenmusik zu künstlerischer Bedeutung zu bringen, aus ihnen Bilder von packender Naturtreue zu gestalten! Die Muster aus Berlioz's „Requiem" und aus Wagner's „Tristan" haben hier ebenbürtige und selbständige Leistungen erzeugt.

Neben dieser Naturmusik aus den Jagdsignalen gezogen, verschwindet der melodische Gehalt des Scherzos bis auf ein Minimum, das sich auf das Motiv

und noch mehr auf das einer weichernen Stimmung gewidmete

stützt. Wenigstens was im Hauptsatz des Scherzos den ersten Theil betrifft. Sein zweiter Theil beginnt mit einer Durchführung der im ersten aufgestellten Motive, bei der der Ausdruck innrer tiefrer Gefühle vor der Jaglust den Vortritt erhält.

In einen noch schärferen Gegensatz zu der Schilderung des aufgeregten Waidmannslebens tritt, wie zu erwarten, das Trio. Es klingt auf Augenblicke wie ein Tänzchen und wirkt auf Grund seiner gemächlichen, auf niedere Volksschichten und ihre Freuden weisenden Hauptmelodie

sehr drollig, stellenweise burlesk.

Das Finale (Mässig bewegt, ₵, Esdur) beginnt wie in Nebel und Dämmrung mit einer Stimmung die noch im Klären begriffen ist. Wir hören über verworrenem Rauschen des Streichorchesters ernste Motive:

in Horn und Clarinette. Eine Weile werden sie durch Reminiscenzen aus der Jagdmusik des Scherzos vertrieben und erst nach einem langen, mächtig gährenden crescendo schliessen sie sich zu folgendem Hauptthema:

des Satzes zusammen. Niemandem wird es entgehen, wie sich diese stolze Weise wieder der feierlichen Stimmung des ersten Satzes nähert und infolgedessen auch Niemanden überraschen, wenn das Hauptthema dieses ersten Satzes schon bald, hier im Finale, vor uns hintritt. Es muss sich aber den Zulass gewissermassen erkämpfen und erzwingen und kommt durch eine Krisis geschritten, in der drohende und freudige Töne in erschreckender Wildheit zusammentreffen. Namentlich eine rhythmische Formel (Achtelsextolen) ist's, die darin so erschreckend wirkt. Wer bisher noch ungewiss war, dem muss durch sie klar werden, dass der Componist in diesem Finale an die Schrecken des Waldes, an den Wald in Nacht und Sturm, an seinen düstern, gespenstischen Charakter gedacht hat. Dem Hauptthema des ersten Satzes folgt auf dem Fuss ein Citat, oder besser gesagt ein Anklang an das Andante und seine charakteristische Marschbewegung der Bässe. Die Klagemelodie hat eine Umwandlung erlitten

. Ihr nach kommt sofort eine freundliche Melodie die als zweites Thema im Satz gelten kann. Sie führt zu

einem Abschnitt anmuthiger Träumereien, die aus der Gegenwart in ferne Zeiten, vielleicht der Kindheit eilen, hin. Sie setzen sich schliesslich um das spielerische, tändelnde Motiv , das wieder einmal aus einer Begleitungsstelle hereinkam, fest. Als das zweite Thema zum zweiten Mal (in der Clarinette) eingesetzt hat, kommt bald eine rauhere Antwort. Das auf die vorhin erwähnten Achtelsextolen gebaute Thema

beherrscht jetzt auf einige Zeit beängstigend die Scene. Dann tritt aber das zweite Thema wieder beruhigend ein und schliesst den Theil des Finales, der ungefähr der Durchführung entspricht.

Das Finale seiner Romantischen Sinfonie gehört im Allgemeinen zu Bruckner's schwierigsten Sinfoniesätzen. Die Themen sind nicht so einfach geformt und nicht so bestimmt im Ausdruck, wie er sie sonst gewöhnlich giebt; zum Theil erhalten sie ihre Bedeutung erst durch den erst bei längrer Vertrautheit zu Tage tretenden Zusammenhang mit Melodien aus dem ersten Satz. So soll z. B. das zweite so wichtige Thema des Finale auf das Sextenmotiv im Hauptthema des ersten Satzes, auf das geheimnissvolle

bezogen werden. Besonders wird das Verständniss des Satzes aber durch die grosse Anzahl der in ihr aufgestellten Themen und Motive erschwert. Diese Menge der Ideen ist hier nicht ein Zeichen von Fruchtbarkeit und Reichthum, sondern sie ist die Schwäche der Composition, die Folge ungenügender Durchdringung und Beherrschung des Stoffes.

Alle diese Schwierigkeiten des Finale sind eben in seiner Reprise noch dadurch wesentlich gesteigert, dass die Themen hier bis zur Unkenntlichkeit umgebildet und auch an ganz andere Plätze gestellt werden als sie in der Themengruppe des Satzes inne hatten. Auch die Breite einzelner Theile stört. Nur in eingehender Beschäftigung mit dem Satz lernt man desshalb in der Reprise ihn begreifen. Einen Fingerzeig bietet der Umstand, dass das oft erwähnte zweite Thema in ihr die geistige Führung übernimmt. Sie hat bedeutende sinnliche Wirkungen: eine der gewaltigsten da, wo das umgebildete Hauptthema so unvermuthet hinter einem Trugschlusse verschwindet. Das ist zugleich ein Beispiel für Bruckner's Kunst der schnellen Stimmungsübergänge. Vor seiner Phantasie wechseln hier majestätische Bilder aus der Natur mit wunderbaren, überirdischen Erscheinungen. Vor ihnen wird seine Tonsprache magisch und mystisch, der Glanz des vollen Orchesters macht der Leere Platz, der warme Tonstrom einem Tasten und Stammeln zerstückter Motive. Zugleich tritt an dieser Stelle auch der Einfluss sehr deutlich hervor, den Wagner's Werke auf Bruckner auszuüben pflegen. Hier hören wir das Verwandlungsmotiv aus dem „Ring des Nibelung“ und mit den Klängen des „Feuerzauber“ geht seine Romantische Sinfonie zu Ende.

Die deutsche Musik wird in der Sinfonie mit einer Schule Bruckner's zu rechnen haben. Ein bedeutender Ansatz dazu liegt in der Cmoll-Sinfonie von Gustav Mahler bereits vor. Sie ist die zweite Sinfonie des Componisten. Seine erste (in Ddur), die durch eine Aufführung auf dem Weimar'schen Tonkünstlerfeste des Allgemeinen Deutschen Musikvereins (i. J. 1894) weiter bekannt geworden ist, war romantisch pastoralen Charakters; auch seine dritte scheint, nach den Titeln der Sätze zu schliessen, sich auf diesem Gebiete zu bewegen. Beide sind noch nicht veröffentlicht; nur die zweite liegt im stattlichen Partiturdruck und in einem Arrangement für zwei Klaviere vor, das indessen besser gemeint als gerathen ist. Diese Cmoll-Sinfonie ist nun durchaus ernst und pathetisch, sie bekennt sich zu Bruckner aber nicht blos in der Richtung der Ideen, sondern sie stellt diese zum Theil mit Bruckner'schen Mitteln, z. B. mit häufiger Anlehnung an Choral-

G. Mahler Zweite Sinfonie

weisen dar und sie steht drittens, und zwar noch mehr als Bruckner's eigne Werke, unter dem starken Einfluss Richard Wagner's. An keiner früheren Sinfonie kann man so wie an dieser Mahler'schen merken, wie die neuere Musik immer mehr von dem Geist und auch von der Sprache des Bayreuther Meisters aufnimmt. Seine Macht ist schon jetzt der, die Schiller in der ersten Hälfte des 19. Jahrhunderts auf die deutsche Dichtung ausübte, mindestens gleich.

In mancherlei Aeusserlichkeiten macht die Sinfonie Mahler's den Eindruck eines ausserordentlich schwierigen Werks. Sie mischt, scheinbar ohne einen Anhalt dafür zu geben wie Berlioz's „Romeo und Julie" Instrumentalmusik mit Solo- und mit Chorgesang, sie hat sechs Sätze. Von allen diesen Schwierigkeiten bleiben nur die, welche ihr unerhörte Blechmassen verbrauchendes Orchester und die technische Natur des Werkes der Aufführung bietet. Zu verstehen ist sie ziemlich einfach, wenn man nur darüber klar ist, dass sie nicht eine Zusammenstellung von allgemeinen Stimmungsbildern geben will, sondern dass sie zu jener ungeheuren grossen Classe von Programmsinfonien gehört, deren Componisten eine Angabe über das Programm für unnöthig erachtet haben. Ihr Inhalt berührt sich einigermassen mit dem von Draeseke's Cmollsinfonie. Sie schildert das Ende eines edlen Menschen, der einen schweren Verlust nicht verwinden kann. Die Beziehungen zu Draeseke sind rein zufällig; wesentlichere dagegen bestehen zwischen Mahler's Composition und der Sinfonie fantastique von Berlioz. Auch Mahler neigt, wenn auch durch bessern Geschmack gezügelt und gehalten, ein wenig mit seinem Programm zur Schauerromantik; noch mehr gleicht er ihm in den Streben nach neuen Orchesterwirkungen. Sogar eine Besenruthe nimmt daran Theil. Sie sind im Ganzen edler als die der Sinfonie fantastique und beruhen im Wesentlichen auf einer Uebertragung der von Wagner für den „Ring des Nibelung" ersonnenen Farben in den Concertsaal. Wenn sie sich aber hier einbürgern sollten, so würde das eine ästhetische und physische Umwälzung der Concertmusik bedeuten bei der die Bedenken überwiegen. Im Grossen und Ganzen bildet diese Cmoll-Sinfonie Mahler's den Superlativ dessen, was die neue Zeit in der Kunst der Klänge und Klangmischungen erreicht und vor sich gebracht hat. In der Menge imposanter, mächtiger Töne hat sie in der Sinfonielitteratur wohl nicht ihres Gleichen. Sie ist aber auch ein durch hohe und edle Ideen ausserordentlich hervorragendes für die Zukunft der Sinfoniecomposition vielleicht sehr wichtiges Werk.

Da das Werk zur Zeit noch zu den wenig bekannten Grössen gehört, muss an Stelle einer eingehenden Analyse eine kurze Skizzirung der einzelnen Sätze genügen.

Der erste Satz (Allegro maestoso, C, Cmoll) beginnt mit Motiven des Schwankens und der Aufregung, des empörten Gemüths als wenn sich Einer sträubt eine furchtbare Nachricht zu glauben. Des Weiteren entrollen ihre Bilder den ungeheuren Schmerz einer grossen Seele und Begräbnissscenen. Die Phantasie sucht sich dem Eindruck des Verlusts durch Flucht in ferne, holde Zeiten zu entwinden. — Die Form in der dieser Inhalt dargestellt wird, entspricht in den grossen Zügen dem Aufbau des Sonatensatzes. Schwierigkeiten verursacht vielleicht das Verständniss des ersten Themas dadurch, dass sein Contrapunkt als ein selbständiger Ideentheil vorausgeschickt wird. Das zweite Thema tritt ungewöhnlich bald ein und ist in mehrere Gruppen zertheilt.

Der zweite Satz (Andante con moto, $^3/_8$, Asdur) zeigt den Helden des Tongedichts bemüht sich in des Lebens Behagen und in seiner Alltäglichkeit wieder zurecht zu finden. Erregung klingt bald leise durch diese Versuche durch, bald bricht sie leidenschaftlich aus und wirft die Töne der Verzweiflung in das Bild, die im ersten Satz so erschütternd wirkten.

Der Hauptsatz dieses Andante hat ein Thema das dem Walzer der Volkmann'schen Fdurserenade absichtlich nachgebildet zu sein scheint.

Der dritte Satz (ebenfalls ein ruhiger $^3/_8$ Takt, in Cmoll) führt die Versuche vom Schmerz loszukommen, einen gewaltsamen Schritt weiter. Um zu vergessen, verliert sich der Trauernde ins Triviale, begiebt sich mit den besten Theilen seines Wesens in unwürdige Gefahren. Umsonst! Durch alle Lagen, auch durch die Stunden neuer Hoffnungen, dringt der alte Schmerz wieder durch. Die Wunden der Seele bluten nur heftiger.

An neuen, überraschenden Mitteln der musikalischen Carrikatur durch Klang und Melodik ist dieser Satz sehr reich. Seine gebrochne Schlussstimmung führt höchst natürlich hinüber zum.

Vierten Satz einem feierlichen *C*Takt in Desdur, der ein Altsolo einführt und ihm ein „Urlicht" betiteltes Gedicht aus „Des Knaben Wunderhorn" überträgt. Wer dem zweiten und dritten Satz mit dem richtigen innerlichen Antheil gefolgt ist, wird nicht befremdet sein, wenn hier die sinfonischen Traditionen plötzlich durchbrochen werden. Ihr Verlauf liess für den Helden nichts übrig als die Sehnsucht nach dem eignen Tode und diese spricht das Altsolo — für viele Zuhörer vielleicht überflüssiger Weise — ergreifend schön, in der Tonsprache alter Zeiten aus.

Aus diesem Verhältniss folgt, dass der zweite, dritte und vierte Satz eng zusammengehören und dass vielleicht ihre äussere Trennung besser unterblieben wäre.

Der fünfte Satz, kurz gegliedert, zerrissen, im Tempo immer wechselnd, führt die irreleitende Ueberschrift „Im Tempo des Scherzos", die wohl nur für den ersten, entsetzlich wild hereinfahrenden Abschnitt ($^3/_8$ Takt) gelten soll. Jedenfalls darf Niemand den Charakter des gewöhnlichen Scherzos erwarten. Der Componist schildert hier ein Gemüth unter den Eindrücken, die der Entschluss zum Sterben hervorruft. Er giebt uns Choräle und fromme, feierliche Gedanken der Ergebung, des Hoffens auf Gott und Jenseits, der Liebenswürdigkeit im schroffen Wechsel mit dem Ausdruck der Klage, des Entsetzens, des Todesgrauens mit phantastischen Bildern geistiger Umnachtung. Sie treten ganz besonders hervor in einem kurzen Abschnitt, den Hörner — die Stelle hat die Ueberschrift: „Der Rufer in der Wüste" — mit Signalen einleiten. In der Mitte der Composition regt sich in einem kräftigen Marschsatz (F dur) noch einmal die Lebenslust. Als Alles zu Ende ist und Stille eintritt, spielen Mittelstimmen leise auf das zweite Thema des ersten Satzes an.

Der Schlusssatz knüpft ebenfalls an die sanften befreienden Ideen dieses Themas in seinem Hauptinhalt an. Den Anfang macht ein romantisches Concert zwischen Trompeten, Hörnern die aus der Ferne spielen mit der Soloflöte und der grossen Trommel des Orchesters. Es hat wohl zu der Ueberschrift des Satzes „Der grosse Appell" Veranlassung gegeben und will das Auferstehen der Natur im Frühling zugleich mit der Auferstehung der Todten vor die Phantasie führen, Bilder eines Michelangelo und eines modernen Idyllenmalers in einen Rahmen drängen. Bald darnach tritt der Gesangchor ein und singt: „Auferstehn, ja auferstehn". Der zwischen Solisten und Chor vertheilte Text erklärt auch das Weitre.

Unter den neuesten Vertretern der deutschen Sinfonie, die sich keiner Schule zuweisen lassen, sind die Namen von R. Fuchs, A. Klughardt u. F. Thieriot die meist genannten.

R. Fuchs Sinfonie in C.

Robert Fuchs, der als Componist anmuthiger Serenaden eine feste Stellung in der neuern Musik einnimmt, hat mit seinem op. 37 bewiesen, dass er auch für die Sinfonie wohl berufen ist. Freilich kann diese C dursinfonie nicht als das Meisterstück ersten Ranges gelten, als welches es der Ueberschwang von Freunden und Landsleuten hingestellt hat. Ihre zweite Hälfte ist jedenfalls werthvoller als die erste, in der aus Stimmung und Form noch fremde, nicht völlig bewältigte Elemente auftauchen. Der erste Satz gleicht einem Bild, das sich ein muntrer frischer Jüngling von der Zukunft macht. Sein Hauptthema zeigt den Muth, die Kraft und auch die Sorgen. In der Ferne hellt es sich auf: ein reizendes schlichtes zweites Thema, das wie Kindergesang klingt, verkörpert freundliche Erinnerungen und trauliche Hoffnungen. In der Entwickelung dieser

Ideen reizen und erfreuen in erster Linie die sinnigen musikalischen Détails, die Modulationen, Uebergänge und Zwischengedanken, in denen sich der feine, vornehme, gedankenvolle Künstler zeigt. Die Phantasie war aber der Aufgabe nicht ganz gewachsen. Fuchs hilft sich deshalb sehr oft mit launischer und theatralischer Aufregung. Merkwürdiger Weise klingt auch das Orchester in den zarten Abschnitten etwas stumpf.

Der zweite Satz ein Presto in Amoll ($^2/_4$ Takt) das den Titel Intermezzo führt in einem halb nordischen, halb Mendelssohn'schen Ton vor eine Reihe toller Abenteuer, vor Irrgänge des Herzens die in phantastischer Beleuchtung jetzt weit in der Ferne der Erinnerung liegen. Mit dem dritten Satz einem Grazioso in $^3/_4$ Takt finden wir den Serenadenmeister wieder. Das ist der liebenswürdige, unwiderstehliche Ländlerton der Wiener Schule, den Fuchs so natürlich durch Wendungen ins leicht Leidenschaftliche in einen höheren Empfindungskreis zu heben weiss. Das Finale hat den östreichischen Heimathsklang noch viel stärker. Es erinnert im Hauptthema direkt an Schubert's Bdur-Sinfonie. Mit ihm berührt sich Fuchs hier auch in tiefsinnigen mystischen Klängen, die in die heitre Welt geisterhaft hineinfallen. Der Schluss der Durchführung zeigt sie namentlich; der Satz, der bis dahin die Sonatenform eingehalten hat, nähert sich von jetzt ab dem Rondo. Er ist somit in architektonischer Beziehung der originellste der Sinfonie, bietet aber auch im Allgemeinen die glänzendsten Belege für die Begabung des Componisten. Nicht am wenigsten sprechen sie aus dem Geschick, mit dem er gewöhnliche Ideen, wie sie in der Natur des zweiten Themas liegen, durch die Stellung die er ihnen giebt, zu heben weiss.

A. Klughardt Dritte Sinfonie.

August Klughard's beste Begabung für Instrumentalcomposition weist ihn auf die Programmmusik. Trotzdem und trotz des starken Herzenstons, der aus ihnen klingt, haben seine ersten beiden Sinfonien nicht im entferntesten den äussren Erfolg gehabt, den seine dritte, die Ddursinfonie (op. 37) gefunden hat. Dieses Werk der

Lebensfreude, dem sich eine Zeit lang wohl alle deutsche Concertsäle erschlossen, hat eine deutliche Familienverwandtschaft mit den Suiten Franz Lachner's. Seine Musik ist munter, flott, anmuthig und kräftig, liebt Tonspiel und Concertiren, steht den Instrumenten gut und gleicht der Lachner'schen auch in der Hinneigung zu Franz Schubert. Für die letztre Beziehung giebt namentlich ihr erster Satz unwidersprechliche Belege; seine beiden Hauptthemen sind Nachklänge aus des Wiener Meisters grosser Cdur-Sinfonie. Der langsame, der zweite Satz, der dichterisch vollste der Sinfonie, beginnt mit einem breiten Gesang in dem die Seele für Glück und Frieden zu danken scheint und flüstert dann schwärmerisch bewegt von zarten Geheimnissen. Der dritte Satz gleicht einer lustigen Ballade in der von alten Zeiten, von Rittern und Recken kräftige Streiche, Turniere und Minnefahrten, Schwänke und Abenteuer erzählt werden.

Das Finale ist ganz der Heiterkeit gewidmet, giebt Proben eines eigensinnigen Humors und nähert sich in dem köstlich tändelnden zweiten Thema und in seiner Umgebung ($^6/_4$ Takt) einer höhren musikalischen Originalität.

Die vierte Sinfonie Klughardt's (Cmoll, op. 57) ist eine der beachtenswerthesten und fesselndsten Stimmungssinfonien, die wir in der neuesten Zeit erhalten haben. Der Löwenantheil ihres seelischen Inhalts und der künstlerischen Ausführung fällt auf den ersten Satz, der, in ähnlicher Weise wie das in dem Doppelconcert und in anderen Werken von Brahms der Fall ist, die übrigen fast in den Schatten stellt. Er entrollt ein Bild nach Klärung und nach Freiheit ringender Gefühle, ein Bild in dem harte Kämpfe und freundliche Hoffnungen einander gegenüberstehen. Die grösste musikalische Macht offenbart der Componist in der zweiten Hälfte der Durchführung, wo ihm erschütternde und rührende Töne gleich treffend im ersten Augenblick kommen. Der vollen Wirkung des Satzes steht die verwickelte und in Beiwerk verhüllte Natur des Hauptthemas etwas entgegen. Einer der schönsten Momente bildet das muthige, aufhellende Hornthema.

A. Klughardt Vierte Sinfonie

Der zweite Satz hat eine Choralweise zur Grundlage. In ihren Frieden bricht ein Mittelsatz hinein, wild und dämonisch; doch erfolglos. Die Freiheit der Erfindung und des Entwurfs, die ein Kennzeichen dieses ganzen Andantes ist, äussert sich am schönsten am Schluss dieser dramatischen Episode mit dem Eintritt des Cellothemas.

Der dritte Satz (Presto) ist ein Scherzo nach dem Muster Beethoven's und mit ungesuchten Anklängen an ihn. Aus dem von Hörnern eingeleiteten Trio spricht die vorzügliche Begabung für edle vorksthümliche Weisen, die Klughardt's Opern auszeichnet.

Dasselbe Marschner'sche Talent äussert sich in dem Marschsatz, der den Hauptthеil des Finales ausmacht; in höhere Kreise hebt ihn eine kunstvolle, hier und da mit der von Klughardt gern aufgesuchten Fugenform arbeitende Behandlung. Die dämonischen Geister der Dichtung sprechen noch einmal herrisch aus der langsamen Einleitung des Satzes, die in seinen Verlauf noch einigemal übergreift und die als der bedeutendste Abschnitt des Finales gelten muss.

F. Thieriot Sinfonietta.

Von den sinfonischen Arbeiten Ferdinand Thieriot's ist die verbreitetste seine Sinfonietta (op. 55). Diese Composition ist ein Beitrag zur romantischen Musik der sich durch einfache, natürliche Erfindung, durch liebenswürdige, anmuthige Stimmung und namentlich durch eine ganz unübertreffliche Klarheit des Vortrags und der Form ungewöhnlich auszeichnet. Die sinnige, vornehme Romanze, die mit allerlei Humoren gesegnete Tarantella erklären sich selbst, auch der Eingangssatz, ein Allegro moderato das sich wie zu einem schönen Spaziergang anschickt und im Verlauf seinen schlichten Themen viel Schwung und auch geheimnissvolle Klänge abgewinnt.

Wenn auch der Aufschwung in der ausserdeutschen Orchestercomposition, der während der letzten Jahrzehnte Niemanden entgangen sein kann, hauptsächlich der Programmmusik und der Pflege und Weiterbildung nationaler, volksthümlicher Musikelemente zu Gute gekommen ist, so ging dabei doch die Sinfonie nach klassischem Muster, die Sinfonie welche subjective Stimmungen ihrer Verfasser in breiten Bildern entrollt, nicht ganz leer aus. Von den Russischen Sinfonien stehen schon mehrere auf der Grenze zwischen nationaler und internationaler oder deutscher Art. Besonders aber ist es Frankreich, das alte Land der Balletsuite und der Tonmalerei, wo der Schatz der classischen Sinfonie in der letzten Zeit um einige bedeutende Stücke vermehrt worden ist.

Als erstes derselben nennen wir die Dmoll-Sinfonie von César Franck. Franck ist zwar in Lüttich geboren aber einer jener Belgier, die ohne Abzug der französischen Schule zugewiesen werden können. In Paris hat er gelebt und gelitten. Erst jetzt nach seinem Tode sucht man das Unrecht wieder gut zu machen, das die blinde Mitwelt seinem hervorragenden Talente zugefügt hat. Namentlich seinem letzten Oratorium „Die Seligkeiten" kommt dieser Umschwung zu Gute; im Gefolge dieses Werkes erscheint dann hie und da wohl auch eine oder die andere seiner interessanten sinfonischen Dichtungen. Die bedeutendste seiner Instrumentalcompositionen ist aber wohl seine Dmoll-Sinfonie, die, ebenfalls aus dem Nachlass und ohne Opus-Zahl veröffentlicht, den Anspruch erheben darf allgemein gekannt zu sein. **C. Franck Dmoll-Sinfonie**

Dem Inhalt nach ist sie offenbar ein Stück Selbstbiographie, eine jener gegen ein hartes Schicksal gerichteten Klagen, wie wir sie in der Neuen Sinfonielitteratur ziemlich häufig haben. Dieser Charakter allein würde seiner Zeit für einen französischen Misserfolg genügt haben. Erschwerend kam aber hinzu dass Francke's Stil von nationalen Rücksichten keine Notiz nahm und Wagner'sche und Liszt'sche Ausdrucksmittel anwandte, an die sich selbst Berlioz nicht gewagt hätte. Die Franzosen sind besonders den Harmonien gegenüber merkwürdig conservativ und empfindlich. Franck aber fügt die Nonenaccorde kettenweise hintereinander, wenn er so gestimmt ist und drückt seinen Zuhörern die schönsten Quintenparallelen förmlich ins Ohr, wenn sie ihm für einen poetischen Zweck am Platz erscheinen.

Die Sinfonie Franck's ist nur dreisätzig. Ihr erster Satz richtet Fragen an den Himmel, die in dem einfach gehaltvollen Hauptthema der Einleitung

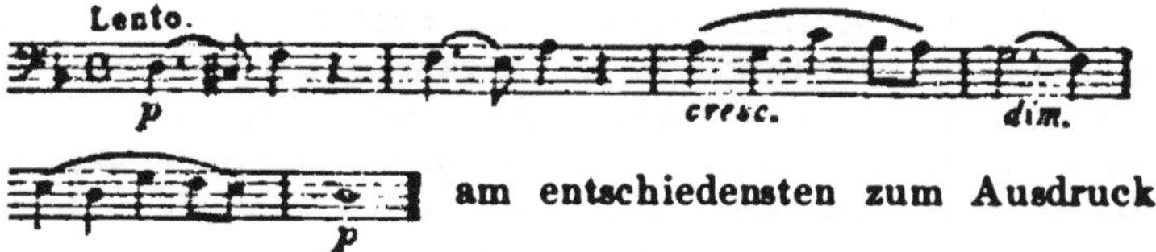

am entschiedensten zum Ausdruck kommen. Auf diese Töne gestützt bittet der Tondichter demüthig und vertrauensvoll, blickt schwermüthig umher, klagt stürmisch und verzweifelt. Die schönsten Stellen sind die, wo er von den freundlichen Hoffnungen, die im zweiten Thema auftreten den Blick abwendend, Worte der Ergebung stammelt. Wie er diese einfachen Motive mit dem freundlichen Gesicht so in die Pausen hineinsprechen lässt immer leiser, — das ist tief rührend und ausserordentlich poetisch! Sieht man die Musik Franck's auf Originalität und auf Quellen hin an, so findet sich unter den letzten Mendelssohn mit den heftigen Rhythmen der Erregung, Wagner mit der Tristanchromatik vertreten. Die Anlehnung an Wagner ist aber nicht blos äusserlich. Kein andrer Componist weiss uns mit kleinsten und intimsten Intervallen so in den Zustand einer Seele zu versetzen die sucht und versucht und immer wieder nach einem Ausweg sucht.

Der zweite Satz ist ein Allegretto, wie wir keins daneben haben. Trotz seines Dreivierteltakts hat es in dem Begleitungsapparat — in Harmonien und Rhythmen — den Charakter eines Trauermarschs. Dazu klingen aber Melodien, als wenn der Componist bei den Erinnerungen seiner Kindheit weilte und das Bild der Mutter fände, die am Abend ihrer Kleinen Schlummerlieder sang.

Der Schlusssatz versucht munter und kräftig zu werden. Aber schon sein erstes Thema fällt leicht auf das

Fragemotiv des ersten Satzes zurück. Des Weitern geht er fast ganz in Reminiscenzen an diesen und an das Allegretto auf. Am Schluss hin sagt uns Grabgeläut in den Bässen: was geworden ist. Einige Takte im feierlich freudigen Ton der Apotheose bilden das kurze Ende.

Während Aufführungen dieser Franck'schen Sinfonie, in Deutschland wenigstens, noch ganz selten sind, fangen die Sinfonien von Camille St. Saëns an sich einen festen Platz zu erobern. Auf länger behaupten werden ihn allerdings nur seine zweite und dritte Sinfonie. Denn die erste (Esdur, op. 2) hat mehr biographisches Interesse als eignen Gehalt. Indess ist die Form mit einer angebornen Sicherheit und mit einem starken Sinn für scharfe Wirkungen behandelt. Reminiscenzen aus Classikern mischen sich ungezwungen mit eignen Vorstellungen. Unter ihnen machen sich Marschbilder und militärische Phantasien besonders bemerklich. Das Adagio erhebt sich wie ein nachcomponirter Theil über den kindlichen Ton des Ganzen und bleibt — vielleicht grade aus diesem Grunde — dessen am wenigsten befriedigender Theil. Es geht ohne Pause in das Finale über in dem der Componist seine Fertigkeit im Fugiren bloslegt. C. St. Saëns Sinfonie in Es

Der zweiten Sinfonie von St. Saëns (Amoll, op. 55) die in der Schweiz viel Freunde zu haben scheint, wird man überall das Interesse entgegenbringen, auf das die neuen Kleider alter Bekannter zu rechnen haben. Denn wirklich originell sind an der ganzen Sinfonie wohl nur zwei Stellen, die Einleitung des ersten Satzes und die feierlichen Episoden mit dem im Scherzo das Getümmel der Geigen von den Bläsern unterbrochen wird. C. St. Saëns Zweite Sinfonie

Die eben erwähnte Einleitung des ersten Satzes ist ein Allegro marcato im $^{6}/_{4}$ Takt, eigenthümlich durch die Ungezwungenheit und Natürlichkeit mit der es die Unfertigkeit der Stimmung offen darlegt und die Phantasie vor aller Welt Toilette machen lässt. Das Orchester klingt grade als wenn ein Pianist die Tasten des Klaviers probirt und nach einem Einfall sucht, hie und da unterbricht er die Figuren und Modulationsstudien durch eine dramatische

Phrase, und lenkt endlich nach einem festern melodischen

Allegro moderato.

Gedanken:

Der Hauptheil des Satzes (Allegro appassionato, $\mathfrak{C}$, A moll) bestätigt wieder einmal die Beobachtung, dass Mendelssohn's Geist in der neuen französischen Instrumentalmusik noch frischer lebt, als in Deutschland. Das Hauptthema

belegt das für sich allein, ebenso wie die Ausführung, die immer geschickt und unterhaltend bleibt. Grössre Wirkungen liegen nicht in seinem Kreise, auch Gegensätze nicht; das zweite Thema

etc. ist aus derselben Familie wie das erste. Ein grosser Vorzug des ununterbrochen fliessenden und funkelnden Satzes ist seine Knappheit.

Noch mehr charakterisirt diese Eigenschaft das Adagio der Sinfonien. Es hat nur 79 Takte. Das Thema seines Hauptsatzes

erinnert an Beethoven'sche Sonaten und an Weihnachtsmusiken. Man würde es gern öfter als nur zweimal hören. Von den zwei Seitensätzen (beide in Cis moll) die sich mit ihm ablösen und ebenfalls durchaus volksmässig schlicht gehalten sind, kehrt der zweite im Finale wieder.

Das **Scherzo** (Presto, $^3/_4$, A moll) giebt sich in seinem Hauptsatze auf Grund des Themas

Beethovenisch, variirt aber diesen Familienzug mit einer tiefsinnigen Falte, die durch die schon erwähnten feierlichen Accorde der Bläser — später werden sie auch vom Streichorchester gegeben — variirt wird. Der das Hauptthema variirende Seitensatz wird durch eine Reminiscenz an den ersten Satz der Sinfonie eingeleitet und in seinen Wesen durch das contrapunktirende Motiv

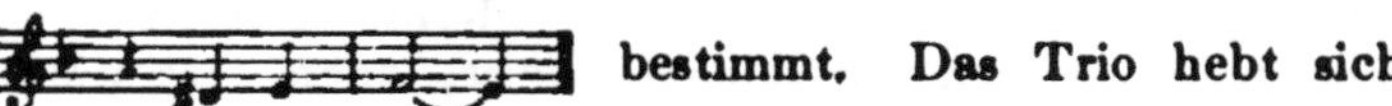

bestimmt. Das Trio hebt sich sehr bestimmt vom Hauptsatz ab und gewinnt durch sein reizend liebenswürdiges Thema

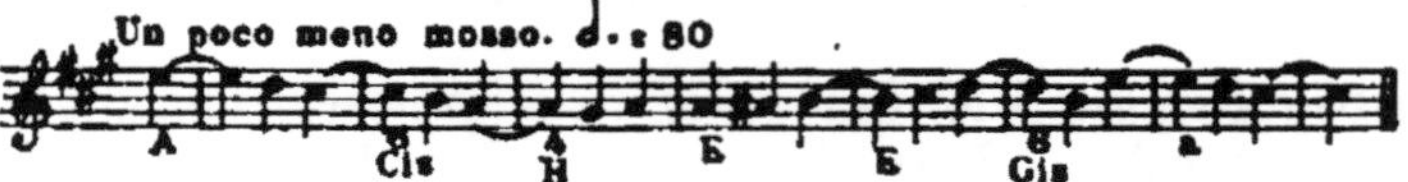

schon allein zur Genüge. Die Rückkehr zum Hauptsatz wird scheinbar begonnen und zwar sehr sinnig: die Triomelodie erscheint in Bruchstücken und ganz in Pausen verloren. Der Hauptsatz selbst kommt aber nicht, sondern der Componist bricht rasch und verblüffend ab.

Das **Finale** (Prestissimo, $^6/_8$, A dur) ist ein an Verwandlungen sehr reiches, fantastisch flottes Rondo. Seinem Hauptthema das flatternd und beweglich anfängt:

und stürmisch kräftig schliesst, treten Nebenthemen mannigfachsten Charakters, die zeitweise sehr kunstvoll zusammengebracht werden, zur Seite. Die wichtigsten von ihnen sind:

und

C. St. Saëns Dritte Sinfonie.

Mit der dritten Sinfonie von C. St. Saëns (C moll, op. 78) ist die deutsche Musikwelt zuerst durch Franz Wüllner, der durch weiten Gesichtskreis und umfassende Bildung zur Zeit an der Spitze aller Dirigenten steht, bekannt geworden. Das Werk ist in der äussren Gestalt nach mehr als einer Richtung ungewöhnlich. Zu dem an und für sich sehr grossen Orchester Berlioz'scher Abkunft zieht es, wie das die neueren Franzosen häufig thun noch Klavier heran und ausserdem Orgel. Die Orgel in der Sinfonie hat neuerdings J. L. Nicodé in seiner Sinfonie-Ode „Das Meer" mit Erfolg verwendet. Vor ihm hat u. a. C. Aug. Fischer das Gleiche versucht. Vielleicht führt das Werk von St. Saëns zur nachträglichen Berücksichtigung dieses Vorgängers. Es handelt sich aber bei St. Saëns nicht um eine concertirende Verwendung der „Königin der Instrumente", die viel Bedenkliches hat, sondern nur darum die Höhepunkte der Tondichtung mit dem verklärenden, gewissermassen überirdischen Klang der Orgel noch mehr hervorzuheben.

Ausserdem ist der Aufbau dieser Sinfonie ungewöhnlich. Sie besteht nur aus 2 Abtheilungen, doch findet man in ihnen die gewohnten Sätze heraus.

An die Spitze seines ersten Satzes stellt St. Saëns das kurze Thema

. Es ist der Ausdruck einer ungewissen in Sorgen befangnen Stimmung, es ist der ernste Blick auf eine noch ferne, dunkel drohende Wolke. Das Allegro moderato (C moll, 6/8) das der kurzen Einleitung folgt, beginnt mit dem Motiv

das für den grössten Theil des Satzes den Begleitungsdienst übernimmt, den vorherrschenden Gemüthszustand veranschaulicht. Es zeigt in Schubert'scher Art das zitternde Herz, zunächst unbestimmt ob die Unruhe auf Freude oder auf Leid deutet. Bald giebt der auf die Einleitung zurückweisende Gesang der Bläser

die Gewissheit, dass es sich um Klage handelt. Sie wird unterbrochen durch einen selbständigen Satz über die zitternden Motive, dann aber vom englischen Horn folgendermassen weitergeführt:

und mit einem leidenschaftlichen Abgesang:

geschlossen, der in seinen besten Wendungen an Spohr erinnert. Die Stimme des Trostes tritt mit dem anmuthig ruhigen Desdurthema

ein. Sehr wirksam hat ihm St. Saëns einige vorbereitende Motive vorausgeschickt, denen es folgt wie die volle Sonne dem Morgenschimmer. Der Abschluss (in Fdur) wirkt glänzend; poetisch hat ihn aber der Componist schliesslich ins Stille und Ergebne gewendet um die Durchführung psychologisch zu begründen.

Sie beginnt mit einem stockenden und zagenden Begleitungsmotiv, über das sich bald das aus der Einleitung bekannte Motiv der Sorge erhebt. Ihm reicht das erste Thema mit seinem Endtheil die Hand. In die wachsende Erregung spielen Trompeten und Posaunen zwei kurze, aber wichtige Melodiezeilen hinein. Sie weisen in ihrem frommen choralartigen Charakter auf die Lösung der Schwierigkeiten, mit denen die Seele des Tondichters augenblicklich kämpft, hin, die später wirklich eintritt. Die Reprise ist heftiger als die Themengruppe gehalten und läuft in das Einleitungsthema, in die Töne der Sorge aus. Da setzt die Orgel weich und leise ein, der Himmel spricht:

So endet die erste Abtheilung der Sinfonie mit einem grossen, erhebenden Eindruck. Es kann Niemanden entgehen, dass dieser dem Allegro angefügte, in frommer Harmonie gegebne Desdursatz nichts ist als das Adagio der Sinfonie, das in der Regel als ein selbständiger zweiter Satz erscheint. In der Zusammenziehung der beiden Sätze liegt hier die Originalität und das Glück der Composition.

Man würde nach diesem Adagio nichts weiter hören wollen, wenn nicht einige Takte mit übermässigen Dreiklängen ihren vollen Frieden störten und auf eine Wiederkehr schlimmer Stunden gefasst machten.

Sie brechen in dem Allegro moderato, das den zweiten Satz der Sinfonie beginnt, grausam genug herein. Das Hauptthema dieses Allegro moderato

ist eine Umbildung der leitenden Ideen des erten Satzes, eine Umbildung theilweise in der carrikirenden Art gehalten, für die Berlioz zuerst in seiner Sinfonie fantastique das Muster gegeben hat. Diese Wendung zur Verhöhnung des Theuersten und Ernstesten schlägt bald in offenbare Frivolität um. Es beginnt ein Presto mit folgendem Hauptthema

das mit das Tollste enthält, was die neuere Orchestermusik an phantastischen Leistungen aufzuweisen hat. Hier fängt auch das Klavier an mitzuwirken und zwar mit beabsichtigtem prosaischen Effekt. Die Hetze und das Gewirr dieser Presto-Episode, in der wir, wiederum vorzüglich eingestellt, das übliche Scherzo der Sinfonie vor uns haben, wird durch einen gemüthvollem Abschnitt unterbrochen, der in seiner Wirkung sich mit einem ähnlichen im Gmoll-Concert des Componisten begegnet. Das Thema lautet:

etc. Es wird in seinem humanen Wesen noch dadurch gehoben, dass ihm eine sehr zänkische Stelle vorhergeht, der das Motiv zu Grunde liegt.

Das Allegro moderato kehrt dann wieder und auch das halb schreckende, halb erheiternde Presto kehrt wieder. Es hat aber kaum eingesetzt, da stimmen die Bässe, Bratschen und Posaunen leise einen Gesang an:

der von dem Adagio des ersten Theils der Sinfonie stammt. Er wirkt, von den andern Instrumenten aufgenommen, wie Gretchen's Bild auf die Mephistomusik in Liszt's „Faust“: reinigend und verklärend. Es wird ganz still im Orchester. Auf einmal setzt die Orgel mächtig mit einem C duraccord ein. Immer von diesem feierlichen Orgelklang unterbrochen präludiren die Orchesterinstrumente mit

zu dem Schlusstheil der Sinfonie, einem mächtigen Hymnus. Er setzt kirchlich ein

und schliesst mit Sätzen, die auf das von Brahms geliebte Motiv

gebaut, theils dem dithyrambischen Ton Beethoven's zustreben, theils in freien auflösenden Cadenzen eine Majestät und Grösse der Freude aussprechen, für die in Sinfoniefinales wenig, in früheren Compositionen von St.-Saëns gar keine Vorbilder vorhanden sind.

Die Kunst spricht nicht nur das Innere eines Volkes am offensten aus und bucht es, sie vermehrt auch seine geistigen Güter. So zeigt sich uns in dieser letzten Sinfonie des zur Zeit bei seinen Landsleuten angesehensten Componisten wie die französische Kunst mit der gesteigerten Pflege dieser Gattung an Tiefe gewonnen hat. Am weitesten geht aber in der Umwandelung nationaler Art und in der Annäherung an deutsches Wesen unter den heutigen französischen Componisten Charles Marie Widor. **Ch. Widor Erste Sinfonie.** Dieser Musiker, den die Pariser als gründlichen Kenner und eifrigen Vertreter Bach'scher Musik schätzen, ist durch seine produktive Begabung nicht minder bedeutend und auch für Deutschland würden seine Sinfonien durch ihre Ideen von Interesse, durch die gewandte und anmuthige Art, in der schwierige und durchdringende Arbeit in ihnen vorgelegt wird, von Nutzen sein. Es sind ihrer zwei. Die erste (in E moll, op. 16) zeigt das Bild ihres Schöpfers am reinsten im ersten Satz, der zu der Richtung neigt, die bei uns Volkmann und Draeseke vertreten. Die Themen lassen nicht ahnen, was der Satz enthält. Das erste, in einer fast irreführenden Art entwickelt und aus einandergezogen, führt in eine noch in Bildung begriffne, nach Gestaltung suchende ernste Stimmung hinein: Seine beiden Theile

und

stehen im Verhält-niss wie Baum und Frucht. Beim zweiten

sind ebenfalls die Fühler, die nachher ausgestreckt werden, fast bedeutender als dieses Thema selbst. Aber die Kraft die auf diesen Grundlagen aus der Musik sich erhebt, ist bedeutend genug. Das Andante ist im Anfang

Beethoven'scher Abkunft, in der Fortsetzung äussert R. Wagner seinen Einfluss. Das zweite Thema

dient der Stimmung zum Ausruhen.

Das Scherzo wird durch kleine, zur Besonnenheit und zum Aufhalten mahnende Wendungen viel origineller als sein Anfang

verspricht. Das Trio, im scharfen harmonischen Gegensatz — A dur gegen A moll — eingeführt, tändelt allerliebst, freundliche Gedanken mehr andeutend als aussprechend. Das Finale, eine flott, frisch und im unverfälschten Französisch gehaltene Balletscene, unterhält sehr hübsch, erscheint aber in ihrem Wesen zu leicht.

Ch. Widor weite Sinfonie. Widor's zweite Sinfonie (Adur, op. 54) ist das

Lebenszeichen einer heitern kräftigen Seele. Sie stürmt jugendlich übermüthig namentlich in den ersten Sätzen dahin, manchmal in burschikosen Wendungen, die an Schumann erinnern.

Ihr innerstes Wesen offenbart sie mit den ersten Tönen, mit dem Hauptthema des ersten Satzes

Ihm folgten auf den Fusse einige feierlich geheimnissvolle Takte, die uns mit romantischen Regungen, dem Sinn für des Lebens Räthsel bekannt machen. Sie schliessen ganz merkwürdig. In das Gis, das die Bässe aushalten, singt die Oboe ein *e* | *a* | *a* hinein. Das ist ein Spielen mit dem Feuer, zu dem auch die andern Sätze viel neigen. Alle Spannung, die die Kühnheit im ersten Satze erregt, löst sich immer wieder behaglich durch die Weisen des zweiten

Themas: 

, die Tanzgedanken nicht fern stehen.

Der zweite Satz ist ein Scherzo ausnahmsweise im Viervierteltakt. Sein Hauptthema

ein Stück burlesker Kunst. Im Innern des Satzes herrschen Dämonen, die durch Walkürenklänge sich und den Einfluss Wagner's verrathen. Das zweite Thema

sehnt sich nach dem ersten Satz zurück.

Der dritte Satz giebt sich mit dem leitenden Thema

als Ballade zu erkennen. Aus dem ruhigen Anfang geräth sie in wild dramatische Erzählung aufregender Begebenheiten, denen sich das zweite Thema

mild beschwichtigend entgegenstellt.

Das **Finale** beginnt in sehr schwankender Stimmung: leicht und coquett scherzenden Motiven tritt ein Gedanke entgegen

der an die geheimnissvollen Takte erinnert, die am Anfang der Sinfonie dem ersten Auftreten des Hauptthemas folgten. Schliesslich festigt sich die Stimmung und spricht sich mit dem Thema

heroisch aus. Unter den Gedanken die es ergänzen, ist der folgende der wichtigste. In einer mildern Lesart lautet er .

Auch die Italiener sind im letzten Jahrzehnt wieder an die Sinfonie herangetreten. Die wenigen Werke der Gattung, die in Druck gekommen und in Deutschland probirt worden sind, die Sinfonien von Sgambati und Martucci lassen jedoch erkennen, wie lange in dem musikreichen Lande die Arbeit geruht hat, die eine durch übergrosse Genügsamkeit der Ideen, die andere durch deren Schwulst und Unselbständigkeit. Viel Hoffnung ist auf das Eingreifen Enrico Bossi's zu setzen.

In absehbarer Zeit dürfen wir auch englische Sinfonica auf dem Continent erwarten. Wie nun auch neue Wässer mit dem Strom sich mischen mögen, die nächste Entwickelung der Sinfonie wird hauptsächlich durch die Gruppe Brahms — Draeseke — Bruckner — Mahler bestimmt sein. Denn die Brücke zu einer grossen, zu einer monumentalen Kunst, nach der unsre Zeit zu drängen beginnt, liegt auf ihrer Seite.

Druckfehlerberichtigungen.

Die Korrektur erfolgte, während der Verfasser durch Abwesenheit behindert war. In dem folgenden Verzeichnisse hat man davon abgesehen, diejenigen Verbesserungen anzuführen, die sich jedem Leser von selbst ergeben.

Seite 2 Zeile 14 statt „Tabourin" lies „Tambourin".

„ 11 „ 20 lies 1604. Das wenig bekannte Werk (Exemplar: Stadtbibliothek zu Bautzen) heisst Paduanen und Gaillarden.

„ 20 „ 20 statt „hain" lies „(Sänger-)halle".

„ 43 Notenbeispiel *b* in Takt 1 heisst das 1. Sechszehntel *a* (nicht *h*), in Takt 3 heisst das 2. Sechszehntel *a* (nicht *g*).

„ 43 Notenbeispiel c in Takt 3 heisst die erste Hälfte

„ 134 Zeile 3 v. u. statt „chauts" lies „chants".

„ 144 im ersten Notenbeispiel muss der 3. Takt heissen

„ 200 Zeile 2 v. u. statt „Pongius" lies „Pougin's".

„ 219 „ 15 statt „Partei" lies „Partie".

„ 220 „ 9 statt „1844" lies „1814".

„ 234 zweites Notenbeispiel sind nach der Auftaktnote, nach der letzten Note des zweiten Taktes und nach den beiden letzten Noten des dritten Taktes Punkte zu setzen.

„ 245 zweites Notenbeispiel ist im letzten Volltakt ein ♯ vor die erste und ein ♮ vor die 6. Note zu setzen.

„ 348 erstes Notenbeispiel heisst die 4. Note *g* (nicht *f*).

„ 376 erstes Notenbeispiel muss im 2. Takt das 3. Achtel *es* (statt *d*) heissen.

„ 399 Zeile 13 statt „tängelnden" lies „tändelnden".

Seite 419 erstes Notenbeispiel lautet die Figur fünf mal
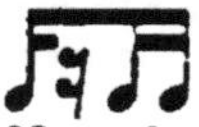 statt .

„ 428 Notenbeispiel muss das dritte Achtel im zweiten Takt wegfallen.

„ 444 Zeile 14 statt „Kittel“ lies „Kittl“.

„ 461 erstes Notenbeispiel muss zu Anfang des 3. Taktes ein ♮ vor *b* stehen.

„ 537 Notenbeispiel fehlt vor der 3. Note (*h*) ein ♭.

„ 602 erstes Notenbeispiel muss die letzte Note des vorletzten Taktes $\overline{\overline{c}}$ (nicht $\overline{\overline{d}}$) heissen.

„ 607 drittes Notenbeispiel muss im vorletzten Takt über den 3 Viertelnoten das Triolenzeichen $\overset{\frown}{3}$ stehen.

„ 608 drittes Notenbeispiel muss der letzte Accord *fis*-$\overline{c}$-$\overline{es}$-$\overline{a}$ (nicht *gis*-$\overline{c}$-$\overline{es}$-$\overline{a}$) heissen.

„ 610 Zeile 1 v. u. statt „Reinsberger's“ lies „Rheinberger's“.

„ 617 „ 6 v. u. statt „Repercassion“ lies „Repercussion“.

„ 635 vorletztes Notenbeispiel muss im vorletzten Takt auf dem letzten Achtel ein ♮ vor *h* (resp. *b*) stehen.

„ 637 letztes Notenbeispiel muss nach der 1. Note des vorletzten Taktes ein Punkt stehen.

„ 638 erstes Notenbeispiel muss nach der 1. Note des 2. Taktes ein Punkt stehen.

„ 641 Zeile 8/9 muss die Parenthese nicht nach „grazioso“ sondern nach „Presto ³/₄“ geschlossen werden.

„ 655 „ 20 statt „Nitzsche“ lies „Nietzsche“.

„ 688 zweites Notenbeispiel muss zu Anfang des 6. Taktes ein ♮ vor $\overline{\overline{c}}$ stehen.

„ 690 erstes Notenbeispiel muss die 2. Note im 4. Takte ein Achtel sein.

REGISTER.

d'Alayrac, 299.
André, Hofrath, 189.
Arensky, 511.
Aspelberger, 47.

Bach, J. S., 29 ff., 45, 153.
Bach, Ph. E., 47 ff., 56, 67, 109, 262.
Balakireff, 511.
Bargiel, W., 562, 585.
Bassani, 6.
Bäwerl, P., 11 ff.
Beethoven, L. v., 8, 40, 87, 108, 109, 130 ff., 188, 189, 191, 286, 308, 405, 420, 454, 470, 472, 477, 484, 527, 531, 584, 591, 592, 612, 615, 632, 657.
Benda, F., 47, 441.
Bennet, S., 266.
Berlioz, H., 266 ff., 316, 395, 529, 571, 676.
Biancheri, 6, 35.
Bird, A., 575.
Bizet, G., 369 ff.
Blyma, 189.
Boccherini, 203.
Böhner, L., 160.
Boieldieu, 374.
Borodin, A., 532 ff.
Bossi, E., 697.
Brahms, J., 17, 213, 440. 564 ff., 575, 615, 632 ff., 697.
Brandl, 189.
Braune, 189.
Bruch, M., 600 ff.
Bruckner, A., 652 ff., 697.
Brüll, J., 575.
Burgmüller, N., 266.

Cannabich, Chr., 46.
Castelli, D., 9.
Cavalli, 38 f.
Cesti, 37.
Cherubini, L., 201, 259.
Clementi, M., 207.
Couperin, 22.
Cowen, F., 439 f.
Cui, C., 553.
Czerny, C., 210.

Dargomijsky, 511.
David, Fel., 315.
Delibes, L., 369.
Dietrich, A., 602.

Dittersdorf, **44**, 58, 61, 158, **190 ff.**
Draeseke, F., 512, **514 ff.**, **576 ff.**, 653, 697.
Dussek, Fr., 442.
Dvořak, 446, **469 ff.**, 539.

Eberl, A., **139**, 225, 558.
Ertelius, F. S., **9.**
Esser, H., **561.**

Fattorini, G., **9.**
Fesca, F. E., **248.**
Fibich, Z., **507 f.**
Pielitz, **47.**
Franck, C., **683 ff.**
Frank, M., **11**, 16, 17, 18.
Friedrich d. Gr., **40.**
Froberger, 22, 58.
Fuchs, R., **575 f.**, **679.**

Gabrieli, A., **3.**
Gabrieli, G., **3 ff.**, 6, 10, 35.
Gade, N. W., 266, **415 ff.**, **573 f.**
Galuppi, 46, 109.
Gähring, 266.
Gernsheim, F., **612 f.**
Gilson, P., **365 ff.**
Giuliani, F., **9.**
Glazunoff, A., **543 ff.**
Glinka, M., 511, 542.
Gluck, Chr. W. v., 23, **27**, 38, **41**, 46, 109, 412.
Godard, B., **387.**
Goldmark, C., **340 ff.**
Gossec, Fr. J., **200.**
Götz, H., 612, **629 ff.**, 653.

Graun, **42**, 46.
Gretry, 299.
Grieg, E., 420, **424 ff.**
Grimm, J. O., **562 f.**
Guglielmi, 109.
Gyrowetz, 45.

Hamerik, A., 420.
Händel, G. F., 23, **28**, 29, 37, 38, **41**, 52, 56, 405, 621.
Hartmann, E., **420.**
Hasse, A., 42, 46.
Hassler, L., **11.**
Hausmann, V., **10**, 11, 16, 54.
Haydn, J., 40, **51 ff.**, 109, 115, 117, 118, 129, 132, 135, 154, 167, 176, 180, 191, 233, 414, 437.
Haydn, M., **203.**
Helstedt, 266.
Herbeck, J., **561.**
Herzogenberg, H. v., **651 f.**
Hesse, A., 266.
Hiller, F., **585.**
Hiller, J. A., 46.
Hofmann, H., **338 ff.**, 440, 653.
Hol, R., **585.**
Holtzbauer, J., 46.

Jadassohn, S., **563.**
Indy, V. d', **357 ff.**
Jomelli, N., **44**, 46.

Kalliwoda, W., **222 ff.**, 443.
Kittl, J. F., **443.**
Klughardt, A., **333**, 679, **680 f.**
Knecht, J. H., **160.**
Koch, F., **356.**

Kohaut, 47.
Kozeluch, L., 441.
Kuffner, 189.
Kuhnau, 58.

Lachner, F., **556 ff.**, 681.
Leo, L., **42.**
Leonhard, 266.
Leopold I., Kaiser, **8.**
Liszt, F., 39, 266, **316 ff.**, 414, 445, 591, 692.
Lührss, 266.
Lully, J. B., 23, 26, **40.**
Luzzo, 37.

Mahler, G., 315, **675 ff.**, 697.
Marenzio, L., 3.
Markull, 266.
Martucci, 697.
Maschek, P., **180.**
Maschek, V., 441.
Maschera, **7.**
Massenet, J., **387 f.**
Max Joseph v. Bayern, 46.
Mayr, S., 268.
Méhul, **201 f.**
Mendelssohn-Bartholdy, F., 228, **238 ff.**, 249, 255, 417, 453, 529, 551, 585.
Mercadante, 269.
Meyerbeer, 269.
Möhring, 266.
Molique, 266.
Monteverdi, 2, **35 f.**
Moszkowski, M., **576.**
Mozart, W. A., 47, 95, 105, **108 ff.**, 135, 141, 192, 203, 204, 222, 446.
Muffat, G., 21, **23 ff.**, 58, 191.
Müller, W., 82, 472.
Müller (diverse), 265.
Münchhausen, Baron v., 46.
Mysliwseczek, 58, 441.

Neukomm, S., **210.**
Nicodé, J. L., 315.

Onslow, H., **227.**

Pacini, 269.
Pape, 266.
Petzel, J., **19.**
Peurl, P., **11 ff.**, 15, 19.
Pergolesi, G. B., **44.**
Picchi, G., 9.
Piccini, N., 42, 109.
Pichel, **58.**
Pleyel, 61.

Quantz, 44.

Raff, J., 39, 81, **329 ff.**, 414, 440, 531, 556, **561**, 655.
Rameau, J. P., 23, 26, 38, **42**, 315.
Reicha, 441.
Reiche, G., 9.
Reinecke, C., **585 ff.**
Reinhold, H., 575.
Reissiger, C. G., **585.**
Reznicek, E. N., 576, **581 ff.**
Rheinberger, J., **334 ff.**, 358.
Rietz, J., 480, **585.**
Ries, F., **210.**
Rimsky-Korsakoff, **389 ff.**
Romberg, A., **222**, 225.
Romberg, B., **222.**

Rosenhain, 266.
Rosetti, 58.
Rubinstein, A., 480, 546, 588 ff.

Saëns, C. St.-, 383 ff., 564, 685 ff.
Sammartini, 67.
Samuel, A., 315.
Sartorio, 37.
Scarlatti, A., 39, 42.
Scharwenka, Ph., 353.
Schneider, Fr., 222.
Schop, A., 19 ff.
Schubert, F., 211 ff., 484, 612, 654, 655.
Schumann, R., 213, 223, 248 ff., 405, 420, 484, 573, 630, 632.
Sgambati, 653, 697.
Sinding, Chr., 431 ff.
Smetana, F., 444 ff., 496.
Spohr, L., 228 ff., 316, 354, 419.
Stamitz, 47, 58.
Stanford, v., 575.
Starzer, 47.
Sterkel, 208.
Strauss, J., 18.
Strauss, R., 342 ff.
Svendsen, J., 420 ff.

Täglichsbeck, 266.
Taubert, W., 585.
Tessarini, 58.
Thieriot, F., 679, 682.
Tomaschek, W. J., 442.
Tosca, 47.
Tschaikowsky, P., 39, 401 ff., 511 ff., 543, 609.

Vinci, L. da, 42, 44.
Vogler, Abt, 160, 221.
Volkmann, R., 405, 466, 536, 571 f., 575, 605 ff., 615.

Wagner, R., 4, 19, 27, 36, 179, 363, 412, 420, 429, 461, 466, 574, 653, 654, 675.
Waelrant, 35.
Weber, C. M. v., 98, 203, 226, 299, 597.
Weyse, 189.
Widor, Ch., 693 ff.
Wilms, 208.
Winter, P., 180.
Witt, 208.
Wölfl, 208.

Zelenka, J. D., 34, 441.
Zellner, J., 585.

Lightning Source UK Ltd.
Milton Keynes UK
UKHW020357090119
334943UK00008B/1201/P